D1630707

AMINATA

Éditions de la Pleine Lune
223, 34e Avenue
Lachine (Québec)
H8T 1Z4

www.pleinelune.qc.ca

Photographie de la couverture
Ryan McVay, *Portrait d'une jeune femme*

Traitement d'image
Rami Azzam

Photographie des pages intérieures
Alberto Henschel (1827-1882), *Femme noire au turban,* vers 1870

Photo de l'auteur
Lisa Sakulensky

Mise en pages
Jean Yves Collette

Diffusion au Québec et au Canada
Diffusion Dimedia
Téléphone : 514 336-3941
Courriel : general@dimedia.qc.ca

Distribution en France
Distribution du Nouveau Monde
Téléphone : (01) 43-54-49-02
Courriel : direction@librairieduquebec.fr

Lawrence Hill

AMINATA

Traduit de l'anglais par Carole Noël

roman

La Pleine Lune remercie le Conseil des Arts du Canada pour l'aide financière accordée à son programme de publication et pour sa contribution à la traduction de cet ouvrage ; la maison remercie également la Société de développement des entreprises culturelles (Sodec) pour son soutien financier. Nous remercions aussi le gouvernement du Canada de son soutien financier pour nos activités de traduction dans le cadre du Programme national de traduction pour l'édition du livre.

La traductrice remercie, pour son soutien, le Centre international de traduction littéraire de Banff, Banff, Alberta (Canada).

Titre original : *The Book of Negroes*
publié par HarperCollins Publishers, Toronto, 2007

ISBN 978-2-89024-208-1

Dépôt légal – premier trimestre 2011
Bibliothèque nationale du Québec
Bibliothèque nationale du Canada

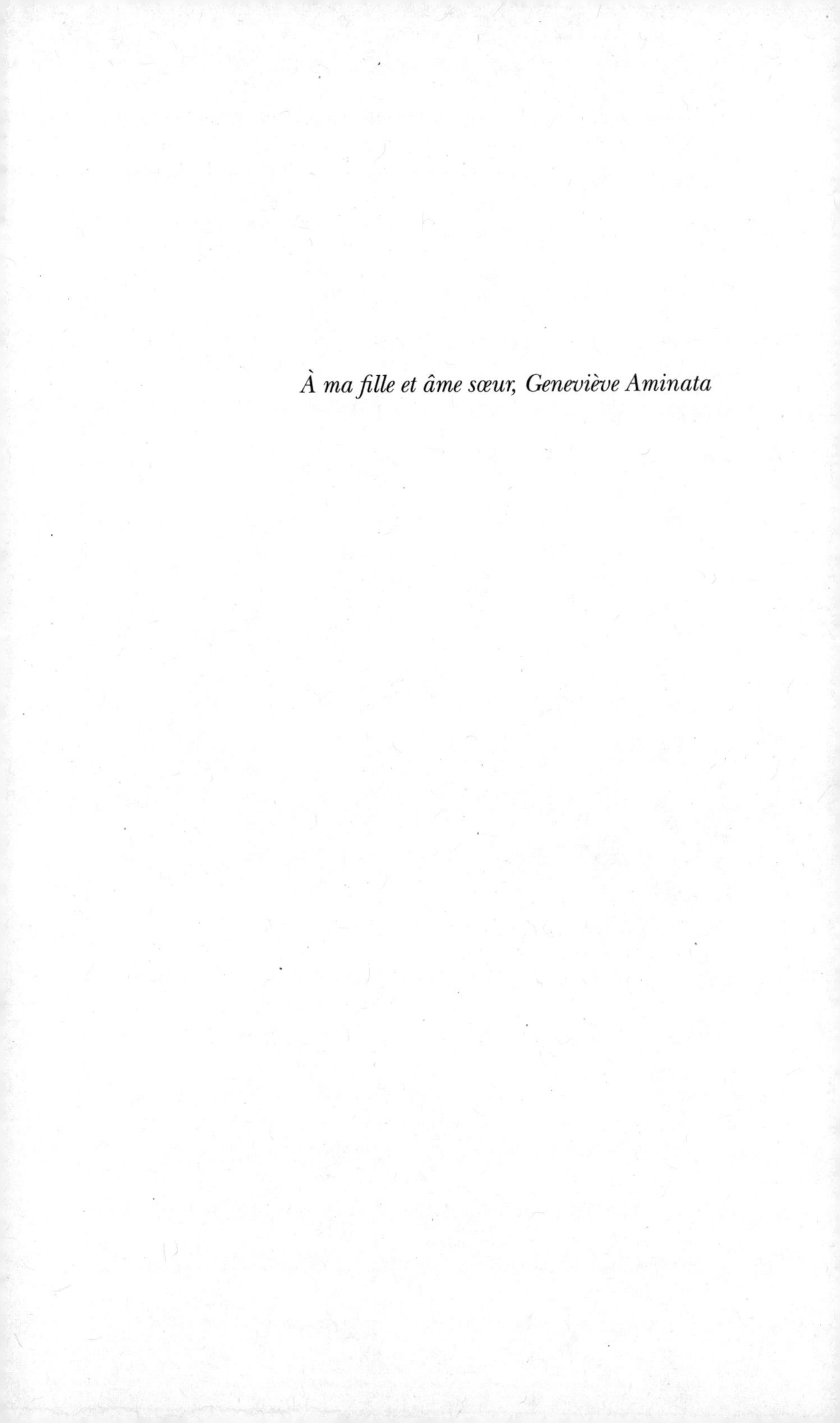

À ma fille et âme sœur, Geneviève Aminata

Je te propose la vie ou la mort,
La bénédiction ou la malédiction.
Choisis donc la vie.

DEUTÉRONOME, 30:19

Sur les cartes d'Afrique, les géographes
Remplissent les blancs avec des images de sauvages ;
Et sur les collines inhabitables,
Ils placent des éléphants à défaut de villes.

JONATHAN SWIFT

LIVRE UN

JE SUIS VIEILLE MAINTENANT

[Londres, 1802]

On dirait que la mort ne veut pas de moi. En toute logique, je n'aurais pas dû vivre si longtemps. Pourtant, je suis encore capable de flairer l'odeur du danger quand il flotte dans l'air, aussi sûrement que je peux vous dire si c'est un ragoût de cous de poulet ou de pieds de cochon qui mijote sur le feu. Et j'ai l'oreille aussi fine que celle d'un chien de chasse. Les gens croient que si vous ne vous tenez pas aussi droit qu'une jeune pousse, c'est que vous êtes sourd. Ou que votre cerveau ressemble à de la purée de citrouille. L'autre jour, pendant qu'on me conduisait à une rencontre avec un évêque, une dame de l'association a dit à une autre : « On devrait amener cette femme au Parlement le plus tôt possible. Qui sait combien de temps il lui reste ? » Bien que je sois pliée en deux, je lui ai enfoncé mes doigts dans les côtes. Elle a poussé un hurlement et s'est retournée vers moi. « Attention, lui ai-je dit, je pourrais bien vous enterrer ! »

Si j'ai vécu dans tous ces pays, si j'ai survécu à toutes ces traversées, tandis que d'autres sont tombés sous les balles ou ont simplement refermé leurs paupières en souhaitant voir finir leurs jours, il doit y avoir une raison. Dans mes jeunes années, quand j'étais libre et ne connaissais que peu de choses, j'avais l'habitude de me glisser hors du mur d'enceinte de mon village et de grimper dans l'acacia, avec le Coran de mon père en équilibre sur la tête. Je m'installais bien haut sur une branche et me demandais comment je pourrais un jour déchiffrer tous les mystères que renfermait le livre. Jambes ballantes, je posais le livre – le seul que j'ai vu à Bayo – et contemplais le tableau bigarré des murs de terre séchée et des toits de chaume. C'était un va-et-vient incessant. Des femmes apportaient de l'eau puisée à la rivière, des hommes forgeaient le fer sur des feux, des gamins triomphants revenaient de la forêt avec les porcs-épics qu'ils avaient pris au piège. Extraire la chair d'un porc-épic n'est pas une mince affaire, mais si les garçons n'avaient pas d'autres tâches urgentes, ils s'y mettaient : ils arrachaient les piquants, écorchaient l'animal, l'éviscéraient, travaillant avec leurs couteaux bien affûtés sur la pauvre petite carcasse. À cette époque, je me sentais libre et heureuse, et l'idée même de sécurité ne m'avait jamais effleuré l'esprit.

J'ai frôlé des fins tragiques, mais j'ai toujours échappé à la mort. Par contre, je n'ai jamais eu le privilège de garder mes enfants, de vivre avec eux, de les élever comme mes propres parents m'ont élevée pendant dix ou onze ans, jusqu'à ce que la vie nous sépare. Je n'ai jamais réussi à les avoir avec moi très longtemps, ce qui explique pourquoi ils ne sont pas là aujourd'hui pour cuisiner mes repas, ajouter de la paille à ma couchette, m'apporter un châle pour me réchauffer, s'asseoir près du feu avec moi en sachant qu'ils sont le fruit de mes entrailles et que les moments que nous partageons ont grandi comme des épis de blé dans un sol humide. D'autres prennent soin de moi maintenant. Et c'est tant mieux. Mais ce n'est pas comme si des êtres issus de ma chair et de mon sang m'accompagnaient doucement vers la tombe. Je meurs d'envie de tenir dans mes bras mes propres enfants et leurs enfants, s'ils en ont. Ils me manquent comme des membres de mon corps dont je serais amputée.

Ici, à Londres, on me tient fort occupée. On m'annonce une rencontre avec le roi George. Autour de moi s'agite une troupe d'abolitionnistes chauves à rouflaquettes et bedaines imposantes, qui boycottent le sucre, mais sentent le tabac et brûlent bougie sur bougie, car ils discutent jusqu'à une heure avancée de la nuit. Ils déclarent m'avoir amenée en Angleterre pour les aider à changer le cours de l'histoire. Bon. On verra bien. Si j'ai vécu tout ce temps, il doit y avoir une raison.

Fa veut dire « père » dans ma langue maternelle. *Ba* veut dire « fleuve », mais il signifie aussi « mère ». Quand j'étais enfant, ma *Ba* était comme un fleuve qui m'emportait au fil des jours et me protégeait du danger la nuit tombée. J'ai beau avoir traversé la plus grande partie de ma vie, je pense toujours à mes parents comme s'ils étaient toujours là, plus âgés et plus sages que moi. Leurs voix résonnent encore dans ma tête, tantôt graves, tantôt légères comme des notes de musique. J'imagine leurs mains me tirant d'un mauvais pas, m'éloignant des feux de cuisson et m'amenant me coucher sur la natte dans l'ombre fraîche de notre demeure. Je peux me représenter mon père muni d'un bâton au bout pointu, traçant sur le sol durci les lignes fluides des mots arabes en me parlant de la lointaine Tombouctou.

Dans les moments où l'on me laisse seule, quand les abolitionnistes ne tourbillonnent pas autour de moi, exigeant ma présence dans telle délégation ou ma signature en tête de telle pétition, je voudrais que mes parents soient encore là pour s'occuper de moi. Curieux, n'est-ce pas ? Moi, vieille femme noire usée, qui ai franchi plus d'étendues d'eau que ma mémoire voudrait retenir, qui ai parcouru plus de chemins qu'un cheval de trait, je ne rêve que de choses inaccessibles – des enfants et des petits-enfants à aimer, des parents pour prendre soin de moi.

L'autre jour, ils m'ont amenée dans une école de Londres pour que je m'adresse aux enfants. Une fillette m'a demandé si j'étais la célèbre Mina Di, celle dont on parle dans tous les journaux. Ses parents ne croyaient pas que cette femme avait pu vivre dans tant d'endroits. J'ai confirmé que j'étais Mina Di, mais que, si elle le voulait, elle pouvait m'appeler Aminata Diallo, le nom que je portais enfant. Nous avons travaillé sur mon prénom quelques instants. Après trois tentatives, elle a réussi. *Aminata.* Ce n'est pourtant pas si difficile. *A-mi-na-ta,* ai-je prononcé en séparant bien les quatre syllabes. Elle a dit qu'elle aimerait me présenter à ses parents. Et à ses grands-parents. Je lui ai répondu que j'étais étonnée de voir qu'elle avait encore ses grands-parents. Aime-les bien, lui ai-je dit, aime-les fort. Aime-les tous les jours. Elle m'a demandé pourquoi j'étais si noire. Je lui ai demandé pourquoi elle était si blanche. Elle m'a dit qu'elle était née comme ça. Même chose pour moi, lui ai-je répondu. Je suis capable de voir que vous avez dû être jolie, même si vous êtes très noire, a-t-elle dit. Toi, tu serais plus jolie si Londres recevait plus de soleil, ai-je répondu. Elle m'a demandé ce que je mangeais. Mon grand-père parie que vous mangez de l'éléphant cru. Je lui ai dit que je n'avais jamais pris une bouchée d'éléphant, mais qu'il y avait eu des moments dans ma vie où j'avais été si affamée que j'y aurais bien goûté. J'en ai chassé trois ou quatre cents au cours de ma vie, mais je n'ai jamais réussi à en empêcher un de saccager un village ni à le faire tenir tranquille assez longtemps pour que je lui croque une oreille. Elle a ri et m'a dit qu'elle voulait savoir ce que je mangeais vraiment. Je mange ce que tu manges, lui ai-je dit. Penses-tu que je pourrais trouver un éléphant dans les rues de Londres ? De la saucisse, des œufs, du ragoût de mouton, du pain, des crocodiles, des choses ordinaires, quoi. Des crocodiles ? a-t-elle demandé. Je lui ai dit que c'était pour vérifier si elle écoutait bien. Elle a dit qu'elle était très attentive et m'a demandé de lui raconter une histoire de fantômes. S'il vous plaît.

Petite fille, lui ai-je répondu, ma propre vie est une histoire de fantômes. Alors, racontez-la-moi ! s'est-elle exclamée.

Comme je le lui ai précisé, je m'appelle Aminata Diallo, fille de Mamadou Diallo et de Sira Coulibali. Je suis née dans le village de Bayo, à trois lunes à pied de la côte des Graines en Afrique de l'Ouest. Je suis une Bambara. Et une Peule. Je suis les deux, comme je l'expliquerai plus loin. Je crois que je suis née en 1745, ou pas loin de là.

Et j'écris ce récit. Sans rien oublier. Si je meurs avant d'avoir accompli cette tâche, j'ai donné des instructions à John Clarkson de n'y rien changer. John Clarkson est l'un des abolitionnistes les plus posés, et le seul en qui j'ai confiance. Ici, à Londres, les abolitionnistes m'ont demandé de rédiger un bref article, environ dix pages, pour expliquer pourquoi le commerce des êtres humains est une abomination et doit cesser. J'ai écrit l'article, et on peut le consulter dans les bureaux de l'association.

Ma peau est d'un noir profond. Certains appellent cette couleur noir-bleu. Mon regard est difficile à décoder, et j'aime bien qu'il en soit ainsi. Qui voudrait afficher ouvertement sa méfiance, son dédain, son aversion ? On dit que j'ai été exceptionnellement belle, mais je ne souhaite à aucune femme d'être belle si elle n'est pas libre et si elle ne choisit pas les mains qui la réclament.

Il ne reste pas grand-chose de cette beauté. Il n'y a plus de croupe rebondie, si rare dans cette Angleterre de fesses plates. Il n'y a plus de cuisses charnues et musclées, ni de mollets potelés, fermes comme des pommes mûres. Mes seins qui, autrefois, s'élançaient comme de fiers oiseaux, se sont affaissés. J'ai toutes mes dents sauf une, et je les nettoie chaque jour. Pour moi, une rangée complète de dents propres, blanches, éclatantes est une chose merveilleuse, et utiliser vigoureusement le petit bout de bois trois ou quatre fois par jour aide à les conserver ainsi. Ne me demandez pas pourquoi, mais on dirait que plus l'abolitionniste est fervent, plus il a mauvaise haleine. Certains hommes de mon pays mâchent de la noix de cola au goût amer si souvent que leurs dents prennent une couleur orangée. Mais en Angleterre, les abolitionnistes font bien pis avec le café, le thé et le tabac.

Mes cheveux sont clairsemés, et les mèches qui restent sont grises, mais toujours aussi crépues. Je ne m'en préoccupe guère. L'East India Company apporte à Londres des foulards de soie lustrée, et je dépense volontiers un shilling de temps en temps pour en acheter. Quand on me sort pour ornementer le mouvement abolitionniste, j'en porte toujours un. Juste au-dessus de mon sein droit, les lettres GO se côtoient à l'intérieur d'un petit cercle d'un pouce de diamètre. Hélas ! j'ai été marquée au fer, et je ne peux me débarrasser de cette cicatrice. Je porte cette marque depuis l'âge de onze ans, mais je n'ai appris que récemment la signification de ces initiales. Au moins, le public ne la voit pas. Je suis bien plus fière des deux élégants croissants de lune sculptés sur mes joues. Une fine lune descend en courbe sur chacune de mes pommettes. J'ai toujours aimé ces signes de beauté, même si les Londoniens ont tendance à me dévisager avec curiosité.

J'étais grande pour mon âge lorsqu'on m'a capturée, mais j'ai cessé de grandir par la suite et, comme résultat, ma taille est bien ordinaire : cinq pieds, deux pouces. À vrai dire, je ne les fais plus tout à fait. Depuis quelque temps, je boite pour ménager ma jambe droite. Mes ongles d'orteils sont jaunes, croûteux, épais et très difficiles à couper. Ces temps-ci, mes orteils se soulèvent au lieu de se poser à plat sur le sol. Ça ne fait rien ; je porte des chaussures et on ne me demande pas de courir, ni même de marcher sur de longues distances.

À côté de mon lit, j'aime garder mes objets favoris. L'un d'eux est un pot de crème pour la peau en verre bleuté. Chaque soir, je frotte avec cette crème mes coudes et mes genoux couleur de cendre. Après la vie que j'ai vécue, cette lotion blanche est une sorte de gâterie magique. *Frictionne-toi bien,* semble-t-elle dire, *et je te donnerai, à toi et à tes rides, un jour ou deux de plus.*

Mes mains sont les seules parties de mon corps dont je peux toujours être fière. Elles évoquent ma beauté antérieure. De couleur foncée, elles sont effilées et douces malgré tout, et les ongles joliment enchâssés, encore bien ronds, encore bien roses. J'ai des mains vraiment magnifiques. J'aime les poser sur les choses. J'aime palper l'écorce des arbres, caresser les cheveux des enfants et, avant de quitter ce monde, j'aimerais les glisser sur le corps d'un homme honnête, si l'occasion se présente. Mais rien – ni le corps d'un homme, ni une gorgée de whisky, ni le ragoût de chèvre bien assaisonné qu'on préparait dans mon pays – ne me procurerait autant de plaisir que d'entendre la respiration d'un bébé dans mon lit, d'un petit enfant ronronnant tout contre moi. Parfois, au réveil, quand le soleil du matin fuse dans ma chambrette, je n'ai qu'un désir, à part celui d'utiliser le pot de chambre ou de prendre du thé aromatisé de miel : rester allongée dans un lit douillet avec un enfant au creux de mes bras. Écouter les modulations de sa voix. Sentir le pouvoir magique d'une petite main qui, dans un geste inconscient, tombe sur mon épaule, effleure mon visage.

Actuellement, ce sont les hommes qui souhaitent mettre fin au trafic d'esclaves qui me nourrissent. Ils m'ont donné les vêtements qu'il faut pour affronter le climat humide de Londres. Je dispose du meilleur lit que j'ai eu depuis ma tendre enfance, lorsque mes parents me laissaient bourrer ma natte tissée d'autant d'herbes douces que je pouvais en cueillir. Ne pas avoir à penser à se nourrir, à se loger ou à se vêtir est une chose bien rare. Une fois ma survie assurée, que me reste-t-il à faire ? Il y a bien sûr la cause abolitionniste, qui occupe mon temps et me fatigue énormément. Parfois, j'éprouve un sentiment de panique quand je suis entourée de grands hommes blancs qui défendent une cause. Lorsqu'ils se massent autour de moi pour me poser des questions, le fer incandescent qui fume au-dessus de ma poitrine me revient à l'esprit.

Heureusement, les sorties en public ne sont pas si fréquentes et me laissent du temps pour la lecture, à laquelle j'ai développé une dépendance comme certains à l'alcool ou au tabac. Et du temps pour l'écriture. J'ai une vie à raconter, ma propre histoire de fantômes. Quel serait le but de la vie que j'ai vécue si je ne saisissais pas cette occasion de la relater ? Après un certain temps, j'ai la crampe de l'écrivain, et parfois le dos et le cou me font mal quand je suis assise à la table depuis trop longtemps. Mais le travail d'écriture est somme toute peu exigeant. Après la vie que j'ai vécue, ce n'est pas plus difficile que de préparer des saucisses en sauce.

Permettez-moi de commencer mon récit par une mise en garde à l'intention de tous ceux qui liront ces pages. Méfiez-vous des grandes étendues d'eau et ne les traversez pas. Cher lecteur, si vous avez une carnation africaine et qu'on vous amène vers une mer aux rives lointaines et floues, accrochez-vous à votre liberté par tous les moyens. Et prenez garde à la couleur rose. Le rose évoque l'innocence, l'enfance, mais s'il se répand sur l'eau quand le soleil meurt à l'horizon, ne soyez pas dupe de cette traînée lumineuse. Là, juste en dessous, dans les profondeurs insondables, s'étale un cimetière d'enfants, de mères, d'hommes. Rien que d'imaginer tous ces Africains bercés dans les fosses sous-marines, je frissonne. Toutes les fois que j'ai navigué sur des océans, j'ai éprouvé le sentiment de voguer au-dessus de tous ces disparus sans sépulture.

Certains qualifient le coucher de soleil de création d'une beauté extraordinaire et le donnent comme preuve de l'existence de Dieu. Mais quelle force bienveillante aurait pu ensorceler l'esprit humain au point de choisir le rose pour illuminer le sillage d'un navire d'esclaves ? Ne vous laissez pas leurrer par cette couleur attrayante et résistez à ses avances.

Quand j'aurai rendu visite au roi et raconté mon histoire, je veux être inhumée ici même, en terre londonienne. L'Afrique est ma patrie, mais j'ai survécu à suffisamment de migrations pour remplir cinq vies, merci beaucoup, je ne veux plus bouger.

DES MAINS TOUTES PETITES

[Bayo, 1745]

QUEL QUE SOIT LE MOMENT DE MA VIE ou le continent que j'habitais, l'odeur du thé à la menthe, âcre, libératrice, m'a toujours ramenée à mon enfance à Bayo. Transportées par des commerçants qui avaient marché pendant de nombreuses lunes avec leurs ballots sur la tête, des choses magiques apparaissaient dans notre village aussi souvent que des gens disparaissaient. Des villes et des villages entiers étaient murés et gardés par des sentinelles armées de lances aux pointes empoisonnées pour empêcher les enlèvements, mais quand des marchands fiables arrivaient, les villageois de tous les âges venaient admirer leurs marchandises.

Papa était joaillier. Un jour, il échangea un collier en or contre une théière en métal au ventre arrondi et au long bec étroit et recourbé. Le vendeur lui avait dit que la théière avait traversé le désert et qu'elle apporterait fortune et longévité à toute personne qui boirait de son contenu.

Au milieu de la nuit suivante, papa m'effleura l'épaule pendant que je dormais. Il croyait qu'une personne qui dort possède une âme vulnérable et mérite d'être réveillée en douceur. « Viens boire du thé avec ta maman et moi. » Je sortis du lit à toute allure, courus dehors et grimpai sur les genoux de ma mère. Tout le village dormait. Les coqs étaient silencieux. Les étoiles brillaient comme les yeux inquiets des habitants d'une ville entière qui auraient connu un terrible secret.

Maman et moi observions papa se servir d'épaisses feuilles de bananier pliées pour saisir la théière installée sur trois morceaux de bois incandescents. Il souleva le couvercle fixé par une mystérieuse charnière et muni d'une brindille taillée au couteau, racla le miel d'un rayon et le versa dans le thé bouillant.

« Qu'est-ce que tu fais ? murmurai-je.

— Je sucre le thé. »

J'approchai le nez. Des feuilles de menthe fraîches avaient été jetées dans la théière, et leur parfum évoquait la vie dans des contrées lointaines.

« Hmm », fis-je en reniflant le doux parfum.

— Si tu fermes les yeux, dit papa, ces odeurs peuvent t'emmener jusqu'à Tombouctou. »

La main sur mon épaule, ma mère huma elle aussi et poussa un soupir.

Je demandai à papa où se trouvait exactement Tombouctou. Très loin d'ici, dit-il. Avait-il déjà été là ? Oui, il y avait été. La ville était située sur le majestueux fleuve Joliba, et il avait séjourné une fois là-bas pour prier, étudier et cultiver son esprit, comme tout croyant doit le faire. Comme lui, je voulais, moi aussi, cultiver mon esprit. Environ la moitié de la population de Bayo était musulmane, mais papa était le seul à posséder un exemplaire du Coran et à savoir lire et écrire. Je lui demandai si le Joliba était long à traverser. Était-ce comme traverser la rivière près de Bayo ? Non, dit-il, c'était dix fois la longueur d'un jet de pierre. Je ne pouvais imaginer un fleuve d'une telle largeur.

Quand le thé fut infusé et sucré par le cadeau des abeilles, papa leva bien haut la théière fumante, en inclina le bec et versa, pour moi, le liquide bouillant dans une petite calebasse, dans une autre pour maman et dans une troisième pour lui. Sans répandre une seule goutte. Il remit la théière sur les tisons et me conseilla de laisser refroidir la boisson.

Je pris la calebasse chaude à deux mains et dis : « Papa, raconte-moi encore comment vous vous êtes rencontrés, maman et toi. » J'adorais écouter cette histoire où ils n'étaient pas destinés à poser les yeux l'un sur l'autre, car maman était Bambara et papa, Peul. J'adorais la façon dont leur histoire avait défié l'impossible. Ils n'étaient pas censés se rencontrer, encore moins s'unir et fonder une famille.

« Un coup de chance dans une époque bizarre, disait papa, autrement tu ne serais pas née. »

Une saison des pluies avant ma naissance, papa partit de Bayo avec d'autres hommes peuls. Ils marchèrent pendant cinq soleils pour aller troquer leur beurre de karité contre du sel dans un village éloigné. Sur la route du retour, ils s'arrêtèrent pour offrir un petit sac de sel au chef d'un village bambara ami. Le chef les invita à manger, se reposer et passer la nuit au village. Pendant qu'il mangeait, papa aperçut maman qui passait, tenant en équilibre sur sa tête un plateau de trois ignames et une calebasse de lait de chèvre. Papa fut attiré par sa démarche gracieuse, sa tête bien droite, son menton relevé, la cambrure de son dos, ses jambes longues et fortes et ses talons teints en rouge.

« Elle semblait sérieuse et fiable, mais ce n'était pas quelqu'un avec qui on pouvait plaisanter, dit papa. À cet instant même, j'ai su qu'elle allait devenir ma femme. »

Maman buvait son thé à petites gorgées et riait.

« J'étais occupée, et ton père était sur mon chemin. J'allais aider une femme prête à accoucher. »

Maman n'avait pas encore d'enfants, mais elle avait déjà aidé à mettre au monde de nombreux bébés. Papa alla trouver le père de maman et fit son enquête. Il apprit que le premier mari de maman avait disparu depuis plusieurs lunes, peu après leur mariage. Les gens supposaient qu'il était mort ou qu'il avait été capturé. La femme de papa – à qui il avait été promis en mariage avant même que lui et elle n'aient vu le jour – venait de mourir d'une fièvre.

On amena maman pour qu'elle fasse la connaissance de papa. La rencontre interrompait un accouchement, et elle le lui dit. Papa sourit, et remarqua le galbe des mollets de maman comme elle retournait à son travail. Les négociations sur la compensation que recevrait le père de maman pour la perte de sa fille se poursuivirent. On s'entendit sur six chèvres, sept barres de fer, dix bracelets de cuivre et une enfilade de quatre cents coquilles de cauris.

C'était une époque troublée et, sans tous les bouleversements, le mariage entre un Peul et une Bambara n'aurait jamais été permis. Des personnes disparaissaient et les villageois, craignant de tomber aux mains des ravisseurs, formaient de nouvelles alliances avec des villages voisins. Chasseurs et pêcheurs se déplaçaient en groupes. Pendant des jours et des jours, des hommes construisaient des murailles autour des villes et des villages.

Papa amena maman dans son village de Bayo. Il fabriquait des bijoux avec de minces fils d'or et d'argent et partait en voyage pour les vendre dans les marchés et prier dans les mosquées. Il revenait parfois avec un Coran ou d'autres écrits en arabe. Il était d'avis que ce n'était pas le rôle d'une fille d'apprendre à lire ou à écrire, mais il se ravisa quand il me vit essayer de tracer des mots en arabe dans le sable avec un bâton. Ainsi, dans l'intimité de notre foyer, sans autre témoin que ma mère, il m'enseigna l'usage d'un roseau, d'une eau teintée et d'un parchemin. J'appris à écrire des expressions en arabe, comme *Allaahu Akbar* (Dieu est grand) et *Laa ilaaha illa-Lah* (Nul n'est digne d'adoration sauf Dieu).

Maman parlait toujours le bambara, sa langue maternelle, quand nous étions seules toutes les deux, mais elle avait également appris de papa beaucoup de mots peuls et quelques prières. Parfois, j'observais les femmes peules échanger des coups de coude et se taquiner en voyant maman se pencher, un bâton affûté à la main, pour tracer *Al-hamdulillah* (Louange à Dieu) sur le sol et prouver ainsi aux femmes du village qu'elle avait appris quelques prières en arabe. Non loin, d'autres femmes écrasaient du millet à l'aide de lourds pilons de bois hauts comme des jambes, lisses comme la peau d'un bébé et durs comme la pierre. Les coups répétés des pilons qu'elles plongeaient dans des mortiers remplis de millet ressemblaient aux battements syncopés des tambourinaires. De temps en temps, elles faisaient une pause pour boire de l'eau et examiner leurs paumes calleuses, pendant que maman répétait les mots qu'elle avait appris de papa.

À ma naissance, maman était déjà respectée dans le village. Comme les autres femmes, elle semait le maïs et le millet et cueillait des noix de karité. Elle faisait ensuite sécher ces noix dans un four chauffé au bois et les broyait avec son pilon pour en extraire l'huile. Maman gardait la plus grande partie de cette huile, mais en mettait de côté une certaine quantité pour les accouchements. C'est toujours à elle qu'on faisait appel quand une femme était prête à mettre un bébé au monde. Une fois, elle avait même aidé une ânesse qui avait de la difficulté à mettre bas. Quand maman était heureuse et se sentait en sécurité, elle avait un sourire apaisant, et ce sourire, je le revois chaque jour depuis qu'on m'a arrachée à elle.

Quand vint le moment de ma naissance, je refusai de faire mon entrée dans le monde. Papa disait que je punissais ma mère de m'avoir conçue. Maman finit par convoquer papa. « Parle à ton enfant, parce que je commence à être inquiète. »

Papa plaça sa main sur le ventre de maman. Il approcha la bouche de son nombril gonflé comme un bourgeon de tulipe. « Fils, dit papa.

— Tu ne sais pas si c'est un fils que nous avons là-dedans, fit remarquer maman.

— Si tu continues à prendre autant de temps, c'est une chèvre que nous allons finir par avoir. Mais tu m'as demandé de parler, et je pense à un fils. Donc, cher fils, sors de là immédiatement. Tu as mené une belle vie, endormi, accroché à ta mère. Arrive tout de suite, sinon tu auras la fessée. »

Papa affirmait que je lui avais répondu du fond de l'utérus : « Je ne suis pas un garçon. Avant que je sorte, il faut qu'on parle.

— Alors, parle.

— Si tu veux que je sorte maintenant, il me faut des galettes de maïs chaudes, une calebasse de lait frais et ce merveilleux breuvage que les infidèles tirent de l'arbre...

— Pas de vin de palme, interrompit mon père. Pas pour celui qui craint Allah. Mais je t'apporterai des galettes quand tu auras des dents, et maman fournira le lait. Et si tu es une bonne fille, un jour je te donnerai de la noix de cola amère. Allah n'interdit pas le cola. »

Je sortis donc, glissant hors de ma mère comme une loutre dans la rivière.

QUAND J'ÉTAIS BÉBÉ, JE VOYAGEAIS sur le dos de ma mère. Elle me faisait glisser sur sa poitrine quand je criais famine et me confiait parfois aux gens du village, mais la plupart du temps j'étais arrimée sur son dos au moyen d'une écharpe rouge et orange quand elle se rendait au marché, pilait du millet pour en faire de la farine, allait puiser de l'eau à la source et pratiquait des accouchements. Je me souviens d'avoir été étonnée, une année ou deux après avoir fait mes premiers pas, de voir que seuls les hommes s'asseyaient pour bavarder en prenant du thé tandis que les femmes étaient toujours occupées. J'en avais conclu que les hommes étaient faibles et avaient besoin de repos.

Dès que je pus marcher, je sus me rendre utile. Je cueillais des noix de karité et secouais les arbres pour ensuite ramasser des mangues, des avocats, des oranges et d'autres fruits. On me mettait les bébés d'autres femmes dans les bras, et je devais les faire se tenir tranquilles. Il n'y avait rien de mal à ce qu'une fillette de trois ou quatre saisons des pluies tienne un bébé dans ses bras ou veille sur lui pendant que sa mère vaquait à d'autres tâches. Une fois cependant, Fanta, la plus jeune épouse du chef du village, me gifla quand elle me vit essayer de donner le sein à un nourrisson.

À ma huitième saison des pluies, j'avais déjà entendu raconter que des hommes d'autres villages avaient été capturés par des guerriers envahisseurs ou même vendus par des gens de leur propre peuple, mais il me semblait que jamais ces choses ne pourraient m'arriver. Après tout, j'étais une musulmane née libre. Je connaissais quelques prières en arabe et j'avais un fier croissant de lune scarifié sur chacune de mes joues. Ces croissants de lune avaient pour but de me rendre belle, mais ils signalaient également aux autres villageois peuls que j'étais une croyante. Il y avait bien dans notre village trois prisonniers – tous trois incroyants –, mais même les enfants savaient qu'il était interdit à tout musulman de garder un autre musulman en captivité. Je me croyais donc en sécurité.

C'est du moins ce que mon père m'avait dit quand je lui avais parlé des histoires que les enfants du village répétaient : quelqu'un, une nuit, viendrait me kidnapper dans mon lit. Certains disaient que ce seraient les nôtres, les Peuls. D'autres accusaient les compatriotes de ma mère, les Bambaras. D'autres enfin parlaient des mystérieux toubabs, ces hommes blancs que personne d'entre nous n'avait vus. *Ne fais pas attention à ces enfants stupides,* disait papa. *Reste près de ta maman et de moi, ne va jamais te promener seule et rien ne t'arrivera.* Maman n'était pas aussi rassurée. Elle tenta de mettre papa en garde contre ses voyages sur de longues distances pour écouler ses bijoux et prier dans les mosquées. À quelques reprises, alors que j'étais censée dormir, je les avais entendus se disputer. *Ne va pas si loin,* disait maman, *la route n'est pas sûre.* Et papa répondait : *Nous voyageons en groupes, avec des flèches et des gourdins, et puis, quel homme oserait tester sa force contre la mienne ?* Maman répliquait : *J'ai déjà entendu ça.*

Maman m'amenait avec elle lorsque les femmes se trouvaient à leur ballonnement extrême. Je surveillais ses mains agiles desserrer les cordons ombilicaux qui encerclaient le cou des bébés. Je la voyais enfoncer une main à l'intérieur de la femme, l'autre main bien appuyée à l'extérieur de l'utérus, pour retourner le bébé. Je la regardais enduire ses mains d'huile, puis masser les parties intimes de la femme pour assouplir la peau et empêcher qu'elle ne se déchire. Maman disait qu'on avait coupé les parties féminines de certaines femmes et qu'on les avait mal recousues. Un jour, je lui demandai ce qu'elle voulait dire. Elle cassa un vieux pot de céramique hors d'usage, en éparpilla les morceaux après en avoir retiré un ou deux et me demanda d'essayer de le reconstruire. Je réussis à rassembler quelques morceaux, mais leurs bords irréguliers ne s'agençaient plus vraiment.

« Tu vois, dit maman.

— Qu'arrive-t-il à une femme si elle est comme ça ?

— Elle peut survivre. Ou elle peut perdre trop de sang et mourir. Ou elle peut mourir en poussant pour mettre au monde son premier bébé. »

Au début, je regardais faire maman quand elle aidait les femmes à accoucher. Dans une série de pochettes en peau de bouc, elle conservait des feuilles, des écorces séchées et des herbes qu'elle avait écrasées. J'en appris tous les noms. Comme dans un jeu, pour tester mes connaissances, j'essayais de prévoir le moment où maman encouragerait la femme à mettre fin aux contractions qui secouaient son ventre. Par la façon dont la femme bougeait et respirait, par l'odeur qu'elle dégageait et par la façon dont elle poussait un cri guttural, un hurlement animal, quand les douleurs atteignaient leur paroxysme, j'essayais de deviner le moment où elle commencerait à pousser. Maman apportait habituellement une vessie d'antilope pleine d'une boisson de tamarin au goût amer mêlée de miel. Quand la femme assoiffée réclamait à boire, j'en versais un peu dans une calebasse et la lui tendais, fière d'être utile, fière qu'on puisse compter sur moi.

Après un accouchement dans un village voisin, la famille de la mère donnait à maman du savon, des huiles et de la viande. Maman mangeait avec la famille et me louangeait, moi, sa petite assistante. Je coupai mon premier cordon ombilical à l'âge de sept saisons des pluies, en tenant ferme le couteau et en tranchant jusqu'à ce que le robuste cordon cède. Une saison des pluies plus tard, j'accueillais les bébés à leur sortie de l'utérus. Ensuite, ma mère m'enseigna comment insérer la main – après l'avoir enduite d'huile tiède – à l'intérieur de la femme et comment toucher le bon endroit pour savoir si l'ouverture était suffisamment grande. Je devins habile à pratiquer ce geste, et maman disait qu'elle était contente de m'avoir avec elle, car mes mains étaient toutes petites.

Un jour, maman se mit à me parler des changements qui se produiraient dans mon corps. Bientôt, j'allais commencer à saigner, dit-elle, et vers cette période, des femmes se joindraient à elle pour accomplir un petit rituel sur moi. Je voulus en savoir davantage sur ce rituel. Toutes les filles se le font faire quand elles sont prêtes à devenir femmes, dit maman. Lorsque j'insistai pour avoir des détails, elle me dit qu'on couperait une partie de ma féminité pour que je sois considérée comme propre et pure, prête pour le mariage. Je ne fus pas impressionnée plus qu'il ne le faut par cette explication et je l'informai que je n'étais pas pressée de me marier et que j'allais refuser le traitement. Maman dit que personne ne pouvait être pris au sérieux avant d'être marié et que, le moment venu, elle et papa me feraient connaître leurs plans à mon endroit. Je lui dis que je me souvenais de ce qu'elle m'avait dit auparavant au sujet des femmes dont les parties féminines avaient été déchirées et mal recollées. Elle poursuivit avec une assurance implacable qui m'inquiéta.

« On te l'a fait, à toi ? lui demandai-je.

— Bien sûr, autrement ton père ne m'aurait jamais épousée.

— Ça fait mal ?

— C'est pire que d'accoucher, mais ça ne dure pas longtemps. C'est juste une petite correction.

— Mais je n'ai rien fait de mal. Je n'ai pas besoin de correction. »

Maman se mit à rire. Je changeai donc d'approche. « Des filles m'ont dit que Salima, dans le village voisin, est morte l'an dernier, après qu'on lui a fait la chose.

— Qui t'a dit ça ?

— C'est pas important, dis-je en employant une de ses expressions. Je veux savoir si c'est vrai.

— La femme qui a travaillé sur Salima était une idiote. Elle n'avait pas d'expérience et elle a essayé d'en faire trop. Je prendrai soin de toi le moment venu. »

La conversation s'arrêta là, mais jamais nous n'eûmes l'occasion de la reprendre.

DANS NOTRE VILLAGE, il y avait un homme fort et aimable du nom de Fomba. C'était un *wolosso,* ce qui, dans la langue de ma mère, veut dire prisonnier de seconde génération. Depuis sa naissance, il avait appartenu au chef du village. Fomba n'était pas un musulman né libre et n'avait jamais appris les prières appropriées en arabe, mais parfois il s'agenouillait face au soleil levant avec papa et d'autres fidèles.

Fomba avait les bras musclés et les jambes solides. C'était le meilleur tireur du village. Une fois, je l'avais vu s'éloigner de soixante pas d'un arbre où se trouvait un lézard, puis préparer son arc et décocher une flèche. Il avait tiré en plein dans le ventre du lézard, l'épinglant sur l'écorce.

Le chef du village laissait Fomba aller à la chasse tous les jours, et le libérait du travail de plantation et de récolte du millet, parce qu'il semblait incapable de saisir toutes les instructions ou de travailler dans une équipe d'hommes. Les enfants adoraient suivre Fomba dans le village et surveiller ses allées et venues. Il avait une façon bizarre de tenir la tête fortement inclinée sur le côté. Parfois, nous lui donnions un plateau de calebasses vides et lui demandions de les garder en équilibre sur sa tête, juste pour le plaisir de voir le tout glisser et s'écraser au sol. Fomba se prêtait à ce jeu encore et encore.

Nous taquinions Fomba sans pitié, mais il ne semblait jamais nous en vouloir à nous, les enfants. Il souriait et supportait les railleries grossières qui nous auraient valu une bonne fessée de la part de tout autre adulte de Bayo. Certains jours, nous nous cachions derrière un mur pour espionner Fomba pendant qu'il jouait avec les cendres d'un feu. C'était l'une de ses activités préférées. Longtemps après que les femmes avaient terminé leur cuisson, que nous avions mangé les boulettes de millet en sauce, puis fini de nettoyer les casseroles avec du savon fabriqué avec les cendres des feuilles de bananier, Fomba s'approchait du feu muni d'un bâton et farfouillait dans les cendres.

Un jour, il attrapa cinq poulets dans un filet de pêche. Il les sortit du filet un à un, leur tordit le cou, les pluma, les nettoya et les éviscéra. Puis il les empala sur une tige de fer pointue et les mit à rôtir. Fanta, la plus jeune épouse du chef du village, arriva en courant du cercle de concassage de millet et le frappa à la tête. Il me sembla étrange qu'il n'essaie pas de se protéger. « Les enfants ont besoin de viande », dit-il seulement. Fanta se moqua de lui. « Ils auront besoin de viande quand ils travailleront. Stupide *wolosso.* Tu viens de gaspiller cinq poulets. » Sous les yeux de Fanta, Fomba continua de faire rôtir les poulets, puis les retira du feu, les découpa et nous en distribua des morceaux. Je pris une cuisse brûlante en me protégeant les doigts avec une feuille. Du jus chaud me coula sur le menton quand je mordis dans la chair brune. Je cassai l'os pour en sucer la moelle. Ce soir-là, j'entendis Fanta demander à son mari de battre Fomba, mais il refusa.

Un jour, on envoya Fomba tuer une chèvre qui s'était soudain mise à mordre les enfants et à se comporter comme si elle avait perdu la raison. Fomba attrapa la bête, la fit coucher, l'entoura de son bras et lui tapota la tête pour la calmer. Il tira alors un couteau de son pagne et lui trancha la gorge à l'endroit où l'artère est épaisse. La chèvre resta tranquille dans les bras de Fomba, leva sur lui un regard de bébé pendant qu'elle perdait son sang, s'affaiblissait et rendait son dernier soupir. Cependant, Fomba s'était placé de façon maladroite et il était maculé de sang. Planté au centre du village, les maisons de terre séchée tout autour de lui, il demanda de l'eau chaude. Les femmes pilaient du millet, et Fanta leur dit de l'ignorer. Mais maman avait un faible pour Fomba. Un soir, je l'avais entendue dire à papa que Fanta avait maltraité le *wolosso.* Je ne fus donc pas surprise de voir maman abandonner son pilon, saisir un précieux seau de métal, y verser plusieurs calebasses d'eau chaude et l'apporter à Fomba, qui le traîna jusqu'à l'enclos des bains.

Je croyais que ce seau recelait des pouvoirs magiques. Un jour, je me glissai chez Fanta, dans sa maison ronde au toit de chaume. Je trouvai le seau et l'apportai à la clarté près de la porte. De forme arrondie, il était fait d'un métal lisse qui reflétait la lumière du soleil. Le métal était mince, mais j'étais incapable de le plier. Je le tournai à l'envers et me mis à taper dessus avec le plat de la main. Il avalait les sons. Le métal n'avait aucun caractère ni personnalité, et le seau était inutile pour produire de la musique. Ce n'était pas du tout la même chose que de la peau de bouc tendue sur un tambour. On disait que le seau venait des toubabs. Je me demandais bien quelle sorte de personne pouvait avoir inventé pareil objet.

J'essayai de le lever et de le balancer par l'anse de métal. Fanta surgit à ce moment-là, m'arracha le seau des mains, l'accrocha à une cheville fixée au mur et me flanqua une taloche sur le côté de la tête. « Tu viens chez moi sans permission ? » *Taloche.*

— Non, je venais juste…

— Je te défends d'y toucher. *Taloche.*

— Tu n'as pas le droit de me battre comme ça. Je vais le dire à mon père. *Taloche.*

— Je vais te battre autant que je veux. Et lui va te battre encore quand il saura que tu es entrée chez moi. »

Fanta venait de planter du millet sous le soleil brûlant et de la sueur perlait sur sa lèvre supérieure. Je savais qu'elle avait mieux à faire que de rester là à me battre toute la journée. Je déguerpis, certaine qu'elle ne me suivrait pas.

Papa était l'un des hommes les plus robustes de Bayo. On disait qu'il pouvait battre au combat n'importe quel homme du village. Un jour, il s'accroupit et m'appela. Je grimpai sur son dos, puis sur ses épaules où je m'installai, plus grande que le plus grand du village, les jambes autour de son cou, les mains dans les siennes. Il m'emmena ainsi à l'extérieur du mur d'enceinte du village.

« Puisque tu es si fort et que tu sais faire de si beaux bijoux, pourquoi ne prends-tu pas une deuxième femme ? Notre chef en a quatre ! »

Il se mit à rire. «Je ne peux pas me permettre d'avoir quatre femmes, gamine. Et puis, que ferais-je de quatre femmes, quand j'arrive à peine à régler tous les problèmes que me cause ta mère? Le Coran dit qu'un homme doit traiter toutes ses femmes sur un pied d'égalité, s'il en a plus d'une. Mais comment pourrais-je traiter quelqu'un d'autre sur le même pied que ta mère ?

— Maman est si belle ! m'exclamai-je.

— Ta maman est forte. La beauté ne dure pas éternellement. La force, c'est pour toujours.

— Mais les vieux ?

— Ce sont les plus forts, parce qu'ils ont vécu plus longtemps que nous tous et qu'ils possèdent la sagesse, dit-il en touchant sa tempe du doigt. »

Nous nous arrêtâmes à l'orée de la forêt.

«Aminata va-t-elle se promener seule aussi loin? demanda-t-il.

— Jamais.

— Dans quelle direction se trouve le majestueux Joliba, le fleuve aux nombreux canots ?

— Par là, répondis-je en pointant vers le nord.

— C'est loin ?

— À quatre soleils de marche.

— Aimerais-tu voir la ville de Ségou un jour? demanda-t-il.

— Ségou, au bord du Joliba ? Oui, si tu me portes sur tes épaules.

— Quand tu seras assez grande pour marcher pendant quatre soleils, je t'amènerai la visiter.

— Je voyagerai et cultiverai mon esprit.

— Ne parlons pas de cela. Ton rôle est de devenir une femme. »

Papa m'avait déjà montré à tracer les mots de quelques prières en arabe. Il allait certainement m'en enseigner davantage en temps opportun.

« Le village de maman est là-bas, à cinq soleils d'ici », dis-je en pointant vers l'est.

— Puisque tu es si intelligente, on va supposer que je suis aveugle et tu vas me montrer le chemin pour rentrer à la maison.

— Sommes-nous en train de cultiver mon esprit, à présent ? »

Il se mit à rire. « Montre-moi le chemin de la maison, Aminata.

— Va par là, après le baobab. »

Nous arrivâmes vite à cet endroit. « Tourne de ce côté. Prends ce sentier. Attention ! Maman et moi avons vu hier trois scorpions blancs sur cette piste.

— Brave fille. Et maintenant ?

— Droit devant nous, c'est l'entrée du village. Les murs sont épais et hauts comme deux hommes. Nous entrons par ici. Dis bonjour au sentier. »

Papa éclata de rire et salua le sentier. Nous nous approchâmes de la maison rectangulaire du chef et passâmes près des quatre maisons rondes, une pour chaque femme. « Tu me diras quand nous serons devant la maison de Fanta.

— Pourquoi, papa ?

— Peut-être devrions-nous nous arrêter et tambouriner sur ton seau préféré. »

Je ris et lui donnai une tape amicale sur l'épaule. Je lui murmurai à l'oreille que je n'aimais pas cette femme.

« Tu dois apprendre le respect, dit papa.

— Mais je ne la respecte pas. »

Papa se tut un instant, puis me tapota la jambe. « Alors tu dois apprendre à cacher ton non-respect. »

Il continua à marcher et bientôt, deux femmes nous croisèrent. L'une interpella mon père : « Mamadou Diallo, ce n'est pas une façon d'éduquer ta fille. Elle a des jambes pour marcher. »

Le vrai nom de mon père était Mohammed, mais comme tous les musulmans du village portaient le même nom, il avait décidé de s'appeler Mamadou pour se distinguer.

« Aminata et moi avions une petite conversation, et je voulais que ses oreilles soient près de ma bouche. »

Les femmes s'esclaffèrent. « Tu la gâtes.

— Pas du tout. Je l'entraîne pour qu'elle me porte de la même façon quand je serai vieux. »

Les femmes, tordues de rire, se frappaient les cuisses. Nous les saluâmes, et je continuai à guider papa après l'enclos des bains, après le banc sous l'arbre à palabres et après les huttes rondes pour entreposer le millet et le riz. Nous tombâmes sur Fanta qui tenait Fomba par l'oreille.

« Idiot ! dit-elle.

— Bonjour, quatrième épouse, dit papa.

— Mamadou Diallo, fit-elle.

— Pas de salutations pour ma petite fille aujourd'hui ? » demanda papa.

Elle fit la grimace et dit : « Aminata Diallo. »

Elle tenait toujours Fomba par l'oreille. « Pourquoi traînes-tu ce pauvre Fomba comme ça ? poursuivit papa.

— Il a conduit au puits un âne qui est tombé dedans. Fais descendre cette enfant gâtée, Mamadou

Diallo, et viens nous aider à sortir l'âne de là avant qu'il ne gaspille notre eau potable.

— Si tu laisses aller Fomba, qui a besoin de son oreille, je vais t'aider à sortir l'âne. »

Papa me fit descendre. Fomba et moi surveillâmes papa et d'autres hommes attacher des lianes autour de la taille d'un garçon du village pour le faire descendre dans le puits. À son tour, le garçon attacha d'autres lianes autour du ventre de l'âne, puis on le hissa sur la margelle. Papa et les hommes tirèrent alors l'âne du puits. L'animal ne semblait guère perturbé et, au bout du compte, il avait subi moins de mal que l'oreille de Fomba.

Je voulais que papa m'enseigne comment attacher des lianes autour du ventre d'un âne. Peut-être allait-il m'enseigner tout ce qu'il savait. Cela ne ferait de mal à personne si j'apprenais à lire et à écrire. Un jour peut-être, je serais la seule femme, et l'une des rares personnes du village, à savoir lire le Coran et dessiner les lignes fluides des magnifiques lettres arabes.

UN JOUR, PENDANT QUE NOUS PILIONS du millet, on nous fit venir, maman et moi, pour aller aider une femme à accoucher à Kinta, situé à quatre villages en direction du soleil couchant. Les hommes étaient occupés à désherber les champs de millet, mais ils dirent à Fomba de prendre son arc avec un carquois de flèches empoisonnées et de nous accompagner pour nous protéger. À notre arrivée à Kinta, on indiqua à Fomba un endroit où prendre du thé et se reposer, tandis que ma mère et moi nous mîmes à l'œuvre. Le travail dura du matin jusqu'au soir et, après que maman eut sorti le bébé, l'eut emmailloté et déposé sur le sein de sa mère, nous étions recrues de fatigue. Nous mangeâmes quelques galettes de millet dans une sauce piquante au gombo, mets que j'adorais. Avant notre départ, les femmes du village nous avertirent de ne pas emprunter la piste principale qui menait à notre village, car on y avait remarqué récemment des hommes étranges, inconnus dans tous les villages voisins. Les villageois nous offrirent de passer la nuit chez eux. Ma mère refusa, parce qu'à Bayo, une autre mère allait accoucher sous peu. Comme nous nous préparions à partir, les villageois nous donnèrent des outres emplies d'eau et trois poulets vivants attachés par les pattes, avec un cadeau de remerciement spécial : un seau en métal, semblable à celui que Fomba avait utilisé le jour qu'il avait tué la chèvre.

Fomba ne pouvait rien porter sur la tête, puisque son cou était toujours incliné vers la gauche. Maman lui dit de prendre le seau dans lequel les poulets se trouvaient entassés. Fomba sembla fier de son acquisition, mais maman l'avertit : il devrait le rendre une fois arrivé au village. Il opina joyeusement et partit devant nous.

« Quand nous serons à la maison, pourrais-je avoir le seau ? demandai-je.

— Le seau appartient au village. Nous le donnerons au chef.

— Mais c'est Fanta qui va l'avoir. »

Maman retint sa respiration. Je sentais qu'elle n'aimait pas Fanta elle non plus, mais elle pesait ses mots.

La pleine lune luisait dans le ciel nocturne, éclairant notre sentier. Non loin du village, trois lièvres détalèrent devant nous à la queue leu leu, et disparurent dans les buissons. Fomba posa le seau, sortit un caillou d'un pli de son pagne et arqua le bras. On aurait dit qu'il savait que les lièvres allaient retraverser le sentier. Quand ils réapparurent, Fomba atteignit le plus lent à la tête. Il se pencha pour le ramasser, mais Maman le retint. L'animal avait le milieu du corps épais. Maman passa son doigt le long du corps. La femelle attendait des petits. « Cela fera un bon ragoût, dit maman à Fomba, mais la prochaine fois que tu verras des lièvres traverser la piste, vise plutôt le plus rapide et non une femelle portant des petits. » Fomba hocha la tête et jeta sur son épaule la proie au ventre gonflé. Il se releva pour repartir, mais soudain, il inclina le cou encore plus et tendit l'oreille.

Il y avait d'autres bruissements dans les taillis. Je gardais l'œil ouvert au cas où d'autres lièvres se montreraient. Rien. Nous accélérâmes le pas. Maman me prit la main.

« Si des étrangers nous abordent, Aminata... », commença-t-elle. Mais elle n'alla pas plus loin.

Quatre hommes aux jambes puissantes, armés jusqu'aux dents, sortirent d'un bosquet. À la lueur de la lune, je vis que leurs visages ressemblaient au mien, mais sans scarifications. Ils venaient assurément d'un autre village. Ils tenaient des cordes, des lanières de cuir et des couteaux, et un étrange morceau de bois de forme allongée, avec un trou à une extrémité. Pendant un moment, ils nous examinèrent et nous fîmes de même. J'entendis le déclic de la peur dans le fond de la gorge de maman. Je voulais me sauver. Jamais ces gros rustres à l'haleine forte ne me rattraperaient si je filais comme une tornade entre les arbres et fonçais dans les sentiers de la forêt à la vitesse d'une antilope. Mais maman portait les outres d'eau dans un plateau en équilibre sur sa tête, tandis que j'avais des ananas sur la mienne et, pendant cet instant d'hésitation où je me demandais que faire des plateaux, inquiète parce que les fruits allaient se répandre sur le sol si je faisais un faux mouvement, les hommes nous encerclèrent.

Fomba fut le premier d'entre nous à bouger. Il attrapa l'homme portant le morceau de bois bizarre, passa le bras autour de son cou et le frappa à la tête avec le seau aux poulets. L'homme chancela. Fomba lui empoigna le cou et le lui tordit d'un coup sec vers la droite. L'homme émit un gargouillis avant de s'effondrer. Fomba se tourna pour me tendre la main, mais un autre homme arrivait derrière lui.

« Fomba, attention ! », criai-je.

Mais avant que Fomba n'ait le temps de se retourner, il reçut un coup sur la nuque et s'affaissa. La carcasse de lièvre glissa de son épaule. Je n'aurais pas pensé qu'un homme de sa carrure et de sa force pouvait tomber aussi vite. Un homme ligota les mains de Fomba, lui passa une corde à nœud coulant autour du cou et ramassa le lièvre. Fomba ne bougeait pas.

Maman me cria de laisser tomber les fruits et de fuir. Mais je restai figée. Je ne pouvais pas l'abandonner. Elle toisa les hommes et hurla d'une voix de guerrier : « Que les morts vous maudissent tous ! Laissez-nous passer ! »

Les hommes parlaient une drôle de langue. Je crus reconnaître les mots *fille, jeune, pas trop jeune,* mais je n'en étais pas sûre.

Maman s'adressa à moi en peul. « Cours, ma fille », murmura-t-elle. Mais je ne pouvais pas. Je ne pouvais tout simplement pas.

Elle avait à la main sa trousse d'accoucheuse et portait toujours les outres d'eau en équilibre sur sa tête. Elle était trop chargée pour fuir. C'est pourquoi je restai à côté d'elle. Je pouvais l'entendre respirer. Je savais qu'elle réfléchissait. Peut-être allait-elle se mettre à crier et je ferais comme elle. Notre village n'était pas loin. Quelqu'un nous entendrait. Deux hommes attrapèrent maman et jetèrent par terre les outres d'eau. Un autre me saisit par le bras. Je me débattis, lui donnai des coups de pied et lui mordis la main. Il la retira. Il se fâcha alors et respira plus fort. Quand il m'attaqua de nouveau, je lui assénai de toutes mes forces un coup de pied dans l'entrejambes. Il gémit et vacilla, mais je savais que je ne l'avais pas blessé suffisamment pour qu'il demeure longtemps à terre. Je me retournai pour courir vers ma mère, mais un autre homme me fit trébucher et me cloua au sol. Je crachai de la poussière et essayai de me libérer en me tortillant, mais j'étais impuissante contre celui qui me retenait.

« Vous vous trompez. Je suis une musulmane née libre. Laissez-moi partir ! », suppliai-je en peul, puis en bambara, mais mes paroles ne produisirent aucun effet et je me mis à crier. Si quelqu'un du village se trouvait par hasard à l'extérieur, peut-être m'entendrait-on. Un homme me noua les poignets derrière le dos et passa autour de mon cou une lanière de cuir qu'il serra au point de me bloquer la respiration. Je ne pouvais plus crier et j'étouffais. J'avais des haut-le-cœur et je faisais des signes éperdus. L'homme relâcha le nœud suffisamment pour que je puisse reprendre mon souffle. J'étais encore vivante. *Allaahu Akbar,* dis-je. J'espérais que quelqu'un entende ces mots arabes et se rende compte de l'erreur. Mais personne ne m'entendit ni ne se préoccupa de moi.

Je tendis le cou pour voir plus loin. Maman s'était libérée de l'emprise d'un homme ; elle le gifla et le mordit à l'épaule, puis, saisissant une grosse branche, elle le frappa à la tête. Il s'arrêta, abasourdi. Maman s'attaqua ensuite à l'homme qui tenait la lanière autour de mon cou. J'essayais de me dégager et m'efforçais de m'approcher d'elle, même si la lanière m'étranglait. Mais un autre homme l'intercepta, leva bien haut un gourdin et la frappa à la nuque. Maman s'écroula. À la lueur de la lune, je vis son sang former une vilaine flaque sombre qui s'agrandissait très vite. Je tentai de ramper vers elle. Je savais comment arrêter le sang. Je n'avais qu'à appliquer ma paume contre la blessure et à presser fermement. Mais je ne pouvais pas ramper, ni me contorsionner, ni bouger d'un poil. Les ravisseurs me tenaient solidement, et la lanière se resserrait davantage autour de mon cou. Ils nous forcèrent, Fomba et moi, à nous lever et nous n'eûmes d'autre choix que d'obéir.

Je me débattis avec la lanière pour regarder derrière moi par-dessus mon épaule, et vis que maman était toujours étendue sur le sol, sans bouger. Un homme me gifla pour que je me retourne et me fit avancer. Il me poussa encore et encore, et je fus forcée de marcher.

Autrement que dans son sommeil, jamais je n'avais vu maman immobile. Je devais rêver. J'avais hâte de me réveiller dans mon lit, de déguster une galette de millet avec maman et d'admirer la façon dont elle plongeait sa calebasse dans la jarre d'argile pour y puiser de l'eau sans en répandre une seule goutte. Bientôt, c'était certain, j'allais être libérée de ces esprits maléfiques. Bientôt, j'allais retrouver mon papa, et ensemble nous allions courir vers maman pour la réveiller avant qu'il ne soit trop tard et la porter dans la fraîcheur des murs de notre maison.

Mais je ne me réveillais pas.

Un hurlement des plus puissants s'échappa de mes poumons. Les hommes m'enfoncèrent alors un chiffon dans la bouche. Quand je ralentissais, ils me poussaient dans le dos. Nous marchions si vite que je perdais haleine. Ils retirèrent le chiffon de ma bouche et me firent comprendre, par des signes furibonds, qu'ils allaient le remettre dans ma bouche si j'émettais un son. Ils me firent marcher encore et encore, de plus en plus loin de maman. De la fumée flottait dans l'air. Nous contournions mon village. Les tambours de Bayo résonnaient pour signaler le danger. J'entendis des crépitements. On aurait dit des branches qui craquaient. Les tambours se turent. Entre les arbres de la forêt, j'aperçus alors des flammes. Bayo brûlait.

Cinq hommes aussi étranges que les premiers se joignirent à notre groupe, traînant avec eux trois prisonniers enchaînés eux aussi par le cou. Dans la pénombre, je reconnus un homme à sa démarche altière. C'était mon père.

« *Fa !*

— Aminata ! cria-t-il.

— Ils ont tué *Ba !* »

L'homme qui tenait ma courroie me frappa au visage.

« Tu ne vaux pas plus cher que de la merde de porc-épic ! », sifflai-je au ravisseur, mais il ne comprenait rien.

Je ne quittais pas mon père des yeux. Les deux autres prisonniers se débattaient pour se défaire de leurs cordes, mais mon père marchait bien droit, de toute sa grandeur. Il frottait ses poignets l'un contre l'autre et finit par se libérer. Il planta ses doigts dans les yeux d'un des ravisseurs, lui arracha le couteau des mains et coupa la lanière qui lui enserrait le cou. Lorsqu'un autre ravisseur s'approcha à toute vitesse, papa lui plongea le couteau profondément dans la poitrine. Le ravisseur sembla pousser un soupir, resta debout assez longtemps pour que mon père retire le couteau, puis s'effondra, sans vie.

Je voulais que *Fa* vole au secours de *Ba* sur le sentier qui menait à Bayo. Je voulais qu'il la sauve, s'il était encore temps. Les ravisseurs se mirent à crier. Papa courut vers moi. Il donna un coup de couteau à l'homme qui tenait ma lanière, lui faisant une entaille profonde au bras. L'homme glissa au sol en gémissant de douleur. Deux hommes se jetèrent sur mon père, mais il se libéra. Il poignarda le premier, puis l'autre. Il affronta ensuite les trois hommes blessés. L'un des ravisseurs leva alors un étrange bâton, long et rectangulaire. Il se pinça les lèvres et pointa le bâton en direction de papa, à cinq pas de lui. Papa s'arrêta net et leva la main. Une explosion sortit du bâton et projeta papa sur le dos. Il tourna la tête pour me regarder, mais ses yeux avaient déjà perdu toute expression. La vie jaillissait de la poitrine de papa, inondait ses côtes et s'écoulait dans la terre, qui s'imbiba de tout ce qui venait de lui.

Les deux autres nouveaux captifs, je ne les connaissais pas. Peut-être venaient-ils d'autres villages. Je regardais ces hommes d'un air suppliant. Ils baissèrent les yeux. Fomba inclina la tête. Mains nouées, attachés par le cou, ils ne pouvaient rien faire pour moi. Résister équivalait à un suicide, et qui pouvait se battre à mort pour me défendre, sinon mon père et ma mère ?

Mes pieds semblaient enracinés dans le sol. Mes cuisses étaient de bois. Mon estomac se soulevait dans ma poitrine. Je pouvais à peine respirer. *Fa* était l'homme le plus fort de Bayo. Il pouvait me lever d'un seul bras et faire danser les étincelles comme des étoiles lorsqu'il frappait l'enclume. Comment tout cela était-il arrivé ? Je priais pour que ce soit un cauchemar, mais le cauchemar persistait.

Je me demandais ce que *Ba* et *Fa* m'auraient dit de faire. *Ne t'arrête pas !* C'était tout ce qui me venait à l'esprit. *Prends garde de tomber.* Je pensais à ma maman marchant dans Bayo, la plante des pieds teinte en rouge. J'essayais de garder leurs voix en tête. J'essayais d'imaginer que je buvais du thé à la menthe avec eux le soir, pendant que ma mère riait et que mon père racontait des histoires délicieuses. Mais je ne pouvais pas nourrir ces pensées. Chacune d'elles mourait de faim, était écrasée, arrachée de mon esprit et remplacée par l'image de ma mère immobile dans la forêt et celle de mon père aux lèvres tremblantes au moment où sa poitrine explosait.

Je marchais, parce qu'on m'obligeait à marcher. Je marchais, parce que c'était la seule chose à faire. Cette nuit-là, pendant que j'avançais, le dernier mot de mon père résonnait en moi. *Aminata. Aminata. Aminata.*

TROIS RÉVOLUTIONS DE LA LUNE

Je vivais dans la terreur que les ravisseurs nous battent, nous fassent bouillir et nous mangent, mais ils commencèrent par nous humilier : ils nous arrachèrent nos vêtements. Nous n'avions ni foulard ni pièce d'étoffe pour couvrir nos parties intimes. Nous n'avions même pas de sandales. Nous étions aussi nus que des chèvres, et notre nudité nous définissait comme prisonniers où que nous allions. Les ravisseurs étaient également définis par ce qu'il leur manquait : de la lumière dans les yeux. Jamais je n'ai rencontré une personne qui m'ait regardée droit dans les yeux, calmement, tout en se livrant à des atrocités. Poser le regard sur le visage de quelqu'un veut dire deux choses : reconnaître son humanité et affirmer la sienne. Au début de ce périple loin de mon foyer, je découvrais qu'il y avait dans le monde des gens qui ne me connaissaient pas, qui ne m'aimaient pas et pour qui cela n'avait aucune importance que je sois vivante ou morte.

Nous étions huit à avoir été capturés à l'extérieur de Bayo et des villages voisins. Dans l'obscurité, Fomba était le seul que je reconnaissais. J'avançais en trébuchant et, pendant des heures, je ne prêtais guère attention au joug qui m'écorchait le cou. Je ne pouvais cesser de penser à mes parents et à ce qu'il leur était arrivé. Tantôt je ne pouvais imaginer ma vie sans eux, tantôt je constatais que j'étais encore en vie, mais qu'eux n'étaient plus là. *Réveille-toi maintenant,* me disais-je en moi-même. *Réveille-toi, bois à petites gorgées dans la calebasse à côté de ta natte et va faire un câlin à ta maman. Ce cauchemar, c'est un tas de vêtements souillés ; enlève-les et va voir ta maman.* Or, ce cauchemar insupportable ne voulait pas finir.

Pendant que nous marchions dans la nuit, d'autres prisonniers furent attachés à notre convoi. Au point du jour, je remarquai Fomba qui cheminait tête baissée. Puis, j'aperçus Fanta. Aucune trace du chef. Fanta était elle aussi enchaînée par le cou. Elle jetait des regards furtifs à gauche et à droite, en haut et en bas, épiant les bois et jaugeant nos ravisseurs. Je voulus l'appeler, mais elle avait un chiffon enfoncé dans la bouche et retenu par une corde. Je tentai de croiser son regard, mais elle l'évita. Mes yeux tombèrent sur son ventre nu. L'épouse du chef portait un enfant. Au jugé, elle en était à cinq lunes.

Nous avions désormais le soleil levant dans le dos. Arrivés à un fleuve large et achalandé, nous fûmes enfin détachés et on nous laissa nous reposer au bord de l'eau. Quatre hommes nous surveillaient, armés de bâtons à feu et de gourdins.

Peut-être ce fleuve était-il le Joliba qui passe à Ségou. Comme mon père l'avait décrit, la rive opposée se trouvait à plusieurs jets de pierre. Il fourmillait de canots et de rameurs transportant des gens et des marchandises. Nos ravisseurs discutèrent avec le propriétaire des canots, puis on nous menotta les poignets et on nous fit sauter dans les canots. Six rameurs manœuvraient l'embarcation où je me trouvais. J'observais le rythme régulier de leurs gestes et les autres canots glissant sur l'eau. Dans l'un d'entre eux, il y avait un cheval. D'un port royal et à la robe entièrement noire à l'exception d'un cercle blanc entre les yeux, il se tenait parfaitement immobile malgré le mouvement des rameurs.

De l'autre côté du fleuve, on nous détacha et on nous fit débarquer. Une odeur de marécage empestait l'air. Les moustiques se régalaient sur mes bras et mes jambes. Ils s'attaquèrent même à mes joues. Les ravisseurs payèrent les rameurs avec des coquilles de cauris. Je sentis un cauri dans le sable, sous mes orteils, et le ramassai avant qu'on ne me rattache par le cou. Il était blanc et dur, avec des lèvres ourlées de dents minuscules et pas plus gros que l'ongle de mon pouce. Il était magnifique et parfait ; il semblait indestructible. Je le rinçai dans l'eau et le mis sur ma langue. C'était comme une douce friandise qui me réconforta. Je le suçai avidement et me demandai combien de cauris je valais.

On nous aligna pour former un convoi de prisonniers attachés par le cou en groupes de deux ou trois et on nous fit avancer. Un garçon, peut-être plus vieux que moi d'à peine quatre pluies, marchait près de nous, nous surveillait, nous donnait à boire dans une outre, nous passait des morceaux de galettes de millet ou de maïs, une mangue ou une orange. Quand les ravisseurs plus âgés ne le voyaient pas, il fixait les yeux sur moi. Il parlait bambara, mais je l'ignorai. Il était maigre à un point tel qu'il semblait fait seulement d'épaules, de coudes, de genoux et de chevilles. Il avait une démarche bizarre, désordonnée. Un sourire permanent était imprimé sur son visage, ce qui m'enlevait toute confiance en lui. Il n'y avait aucune raison de sourire. Il n'y avait aucune raison de sympathiser. On ne sourit pas aux ennemis. C'est ce que je me disais, mais un doute surgit soudainement dans mon esprit. Mon père, je m'en souviens, m'avait dit que l'homme sage connaît ses ennemis et qu'il les tient à l'œil. Peut-être ce garçon qui me dévisageait, les yeux écarquillés et l'air ingénu, était-il un ennemi. Peut-être n'était-ce qu'un garçon stupide, étrange, au sourire figé, amusé par l'idée d'accompagner un convoi et qui ne comprenait rien à ce qui se passait. Je n'aimais pas le voir promener ses yeux sur ma nudité. Dans ma condition actuelle, je ne voulais pas être remarquée, ni vue ni reconnue par qui que ce soit. J'allais assurément être libérée. Ce cauchemar allait assurément prendre fin. J'allais assurément trouver le moyen de fuir dans la brousse et de retourner à la maison. Mais en un tel moment, sans un morceau de tissu sur le dos, je ne pourrais même pas courir vers une personne qui me connaissait. J'étais trop grande pour qu'on me voie ainsi. Mes seins étaient sur le point de s'épanouir. Ma mère m'avait dit que bientôt je deviendrais une femme. Il ne fallait absolument pas que ça se voie. Je me rendis presque folle à me demander comment échapper à ma propre nudité. Dans quelle direction une personne nue pouvait-elle fuir ?

Autour de nous, on comptait désormais une dizaine de ravisseurs, tous armés de lances, de gourdins et de bâtons à feu. Ils semblaient parler une langue qui rappelait vaguement le bambara. Je savais qu'ils n'étaient pas musulmans, car ils ne s'arrêtaient jamais pour prier. La nuit tombée, on nous rassembla sous un baobab. Les ravisseurs engagèrent cinq hommes d'un village voisin pour nous surveiller. Toujours attachés par le cou, nous fûmes forcés de ramasser du bois, d'allumer un feu et de faire bouillir des ignames dans l'eau. Pas même un piment pour donner un peu de goût à cette bouillie saturée d'eau et insipide. Je fus incapable d'en manger. Le garçon qui ne cessait de me regarder m'apporta une banane. Je la pris et commençai à la manger, mais je refusais toujours de lui parler. Fanta m'apostropha.

« Toi, enfant de Bayo. Fille de Mamadou, le joaillier. Donne-moi cette banane. Jette-la par ici. » Je terminai la banane et jetai la pelure : « Je n'en avais qu'une, dis-je.

— Parle au garçon qui te l'a donnée. Je l'ai vu qui te regardait.

— Il n'a plus rien.

— Les enfants insolents, on leur donne la fessée. J'ai toujours dit à Mamadou Diallo qu'il était trop tolérant envers toi. »

Je sentis ma colère monter. Je voulais désespérément fuir ses sarcasmes. « Laisse-moi tranquille, dis-je.

— Et ta mère bambara », dit-elle sur un ton méprisant.

— Je t'ai dit de me laisser tranquille.

— T'amener avec elle pour voir tous ces bébés venir au monde, c'est ridicule.

— Je ne les ai pas seulement vus, je les ai sortis moi-même. D'après toi, qui va t'aider à avoir le tien ? »

Fanta resta bouche bée. Nous étions quittes. Puis, j'eus honte de ce que je venais de dire. Mon père m'avait dit de cacher mon non-respect et ma mère n'aurait jamais utilisé la grossesse d'une femme contre celle-ci. Fanta ne dit plus un mot. J'imaginais la honte qu'elle éprouverait à accoucher sous les yeux des ravisseurs.

On nous attacha au-dessus des chevilles, deux à deux, et on nous enleva les jougs pour que nous puissions nous allonger sous le baobab. J'étais attachée à Fomba, qui me laissa m'installer à côté de Fanta. Je touchai son ventre. Elle me jeta un regard furibond, puis se radoucit en sentant mon geste calme et apaisant sur son nombril.

« Approche-toi, gamine, dit-elle. Je vois que tu frissonnes. J'ai parlé durement parce que j'ai faim et que je suis fatiguée, mais je ne te battrai pas. » Je me blottis contre elle et m'endormis.

Quelqu'un me frotta l'épaule. Je pensai tout d'abord que je rêvais : Fanta m'ordonnait à nouveau d'aller lui chercher une banane. Mais j'ouvris les yeux et vis que je ne rêvais plus. C'était Fomba qui me disait que j'avais pleuré tout haut dans mon sommeil. Mes gémissements avaient fait peur aux gardiens, me dit Fomba, et ils l'avaient menacé de le battre s'il ne me faisait pas taire. En plus, me dit-il, mes jambes donnaient de grands coups dans tous les sens. Allongé près de moi, il me tapota le bras et chuchota qu'il ne laisserait personne me faire du mal, mais que je devais dormir correctement.

Les hommes qui m'avaient capturée s'étaient emparés du lièvre de Fomba, l'avaient écorché, éviscéré et fait rôtir. Pas un morceau de cette viande – ni celle des poulets qu'on eut tôt fait de tuer et de faire cuire aussi – ne se rendit jusqu'à ma bouche. Étendue sur le dos, je scrutai les étoiles. Dans des temps plus heureux, j'adorais les observer avec mes parents. Je vis la Gourde avec son anse lumineuse. Je me demandai si quelqu'un à Bayo la regardait en même temps que moi.

Fomba s'était rendormi. En faisant de mon mieux pour ne pas toucher ses pieds, je me levai pour prier. Je n'avais rien pour me couvrir les cheveux, mais peu importait. Tête baissée, pouces derrière les oreilles, je prononçai *Allaahu Akbar.* Après avoir placé ma main droite sur la gauche, je commençai à réciter *Subhaana ala huuma wa bihamdika* (Gloire lui soit rendue et à lui toutes les louanges), mais ne pus guère aller plus loin. Un gardien me frappa avec son bâton et m'ordonna de me recoucher. Je finis par me rendormir.

Le lendemain matin, entre l'aube et le lever du soleil, j'essayai de nouveau de prier, mais un autre gardien me donna un coup de bâton. La nuit suivante, après une autre correction, je renonçai aux prières. J'avais perdu ma mère. Mon père. Mon village. J'avais perdu la chance d'apprendre toutes les prières coraniques. J'avais perdu la possibilité d'apprendre à lire en secret. Quand j'essayais de marmonner les prières dans ma tête – *Allaahu Akbar. Subhaana ala huuma wa bihamdika. A'uudhu billaahi minash shaitaan ar-Rajeem* (Allah est grand. Gloire lui soit rendue et à lui toutes les louanges. Je cherche refuge auprès d'Allah contre Satan le maudit) –, ce n'était pas la même chose. Prier dans sa tête, ça n'allait pas. Mon sort était pire que celui d'une prisonnière. J'étais en train de devenir une infidèle. À moins de prier à voix haute, je ne pouvais pas adresser mes louanges à Allah de façon appropriée.

NOUS MARCHÂMES pendant plusieurs soleils, cheminant d'un pas lourd, grossissant lentement en nombre jusqu'à former une ville entière de personnes kidnappées. Nous traversâmes village après village, ville après ville. Chaque fois, les gens se rassemblaient pour nous examiner. Au début, je croyais que les villageois viendraient nous sauver. Ils devaient certainement s'opposer à cet acte de violence. Mais ils ne faisaient que regarder, apportant parfois à nos ravisseurs de la viande rôtie en échange de coquilles de cauris et de blocs de sel.

Certains soirs, une fois qu'ils nous avaient fait coucher dans les champs, les ravisseurs payaient des femmes d'un village pour nous faire cuire des ignames, des galettes de maïs ou de millet, accompagnées parfois d'une sauce bouillante bien assaisonnée. Nous mangions en petits groupes, accroupis autour d'une grande calebasse, ramassant la nourriture chaude avec les doigts incurvés de notre main droite. Pendant que nous mangions, nos ravisseurs négociaient avec les chefs locaux. Chaque chef exigeait un péage pour traverser son territoire. Tous les soirs, les ravisseurs s'adonnaient au troc et se chamaillaient jusqu'à une heure tardive. J'essayais de comprendre leurs conversations dans l'espoir d'apprendre quelque chose sur l'endroit où nous allions et les raisons de ce périple.

Le garçon qui travaillait pour les ravisseurs revint plusieurs fois m'offrir de l'eau et de la nourriture. Je le surveillais et l'entendis essayer de convaincre ses chefs de libérer les enfants du convoi et de leur permettre de marcher aux côtés des adultes attachés. Quelques jours plus tard, on m'enleva la lanière de cuir qui m'enserrait le cou. Je fis un signe de remerciement au garçon.

Une petite fille trottait près de son père enchaîné. Elle tenait sa main pendant la plus grande partie de la journée. Elle était très jeune, peut-être quatre ou cinq pluies. Parfois, quand elle le lui demandait, il la prenait dans ses bras. Une fois, la fillette essaya d'attirer mon attention en jouant à faire coucou en se voilant le visage de ses mains. Je détournai le regard. Les voir ensemble m'était insupportable, et je faisais mon possible pour ne pas écouter ce qu'ils disaient. Ils me rappelaient mon foyer.

Le garçon qui accompagnait le convoi accordait souvent ses pas aux miens. Il s'appelait Chekura. Il était mince comme un brin d'herbe et aussi maladroit qu'une chèvre à trois pattes. Une étoile était gravée sur chacune de ses pommettes.

« Tes lunes sont magnifiques, dit-il.

— Tu viens du village de Kinta, dis-je.

— Comment le sais-tu ? »

Je pointai sa joue : « J'ai déjà vu ces marques.

— Tu es déjà venue à Kinta ? demanda-t-il.

— Oui. Quel âge as-tu ?

— Quatorze pluies.

— Je parie que c'est ma mère qui t'a sorti.

— Sorti d'où ?

— Sorti du ventre de ta mère, idiot. Elle est accoucheuse. Je vais toujours avec elle pour l'aider.

— Menteuse. »

Il persista dans son incrédulité jusqu'à ce que je nomme quelques femmes de Kinta qui avaient récemment accouché. « Oui, repris-je, ma mère a sûrement aidé la tienne à te mettre au monde. Comment s'appelle ta mère ?

— Ma mère est morte », dit-il sur un ton neutre.

Nous gardâmes le silence quelque temps, mais il restait près de moi.

« Comment peux-tu nous faire ça ? » finis-je par lui dire à voix basse.

Il se tut. Je poursuivis. « Ma mère et moi, nous sommes venues dans ton village. Je me rappelle les deux huttes rondes, les hauts murs de terre séchée et l'âne à la drôle d'allure, avec une oreille déchirée et l'autre rayée de jaune.

— C'était l'âne de mon oncle, dit-il.

— Tu n'as donc aucun sens de l'honneur ? »

Chekura me raconta qu'après la mort de ses parents, son oncle l'avait vendu. Depuis trois pluies maintenant, les kidnappeurs l'avaient utilisé pour les aider à amener les prisonniers à la grande eau. Je compris que nous allions nous aussi à la grande eau. Je ne voyais que trois explications : pour y boire, pour y pêcher ou pour la traverser. La troisième était sans doute la bonne. Je voulus le demander à Chekura, mais il n'arrêtait pas de parler de lui. Ils lui avaient dit qu'ils le libéreraient bientôt, mais ils l'avaient également averti que s'il n'obéissait pas à leurs ordres, il pourrait être envoyé avec les autres prisonniers. Chekura affichait un sourire forcé. Il souriait à un point tel que j'avais l'impression que les coins de sa bouche allaient former des rides permanentes. Il sourit même en me disant que son oncle ne l'avait jamais aimé et qu'il l'avait souvent battu avant de le vendre aux voleurs d'hommes. Une partie de moi voulait haïr Chekura et garder cette haine simple et ciblée. Une autre partie de moi avait de la sympathie pour ce garçon et désirait sa compagnie. Toute conversation avec un autre enfant était en effet bienvenue.

Fanta était souvent de mauvaise humeur et me désapprouvait de parler à Chekura. Elle m'ordonnait de rester à côté d'elle, mais en général je refusais d'obéir.

« Il n'est pas de notre village, dit Fanta.

— Son village n'est pas loin du nôtre, et ce n'est qu'un gamin, dis-je.

— Il travaille avec les ravisseurs. Ne lui dis rien. Ne lui adresse pas la parole.

— Que fais-tu de la nourriture qu'il apporte et que je partage parfois avec toi ?

— Prends la nourriture, mais ne lui parle pas. Ce n'est pas ton ami. N'oublie pas ça. »

Le lendemain, pendant que je bavardais avec Chekura, Fanta me tira un caillou.

« Cette femme fait la fière, dit Chekura.

— Elle a le cou irrité, dis-je. Demande aux chefs de libérer du joug Fanta et les autres femmes. Elles ne vont pas fuir.

— Je vais leur parler. »

Le lendemain, Fanta fut libérée du joug, mais sa cheville restait attachée à celle d'une autre femme. Elle et moi commençâmes à marcher côte à côte, mais jamais à la tête du convoi – pour ne pas être les premières à rencontrer serpents ou scorpions – ni à la queue – par crainte d'être fouettées si nous ralentissions le pas. « Ici, au milieu, c'est l'endroit le plus sûr, murmura Fanta. C'est là que mon mari me dirait de marcher.

— Que lui est-il arrivé ? lui demandai-je en chuchotant.

— Quand on m'a enlevée, il se battait avec deux hommes.

— Et le village ?

— La moitié était en train de brûler. »

Fanta se pinça les lèvres et tourna la tête. Je savais qu'il valait mieux ne plus poser de questions.

Nous traversâmes des dizaines de villages. J'entendais le battement des tam-tam, je voyais des buses planer en cercles paresseux dans le ciel et je sentais l'odeur de viande de chèvre flotter dans l'air, mais personne ne venait à notre rescousse. Les villageois ne manifestaient pas la moindre opposition.

Un jour que nous traversions un village, un homme fut tiré d'un enclos muré et amené à notre convoi. Poignets ligotés, il était suivi d'enfants qui regardaient les villageois négocier avec nos ravisseurs. Finalement, en échange de bracelets de cuivre et de sel, ces derniers saisirent l'homme et l'entravèrent par le cou avec la dernière personne du convoi. Les enfants commencèrent à railler le nouveau prisonnier. La clameur s'amplifia, et quelques garçons parmi les plus grands se mirent à nous lancer des cailloux et des pelures de fruits pourris. Un bâton se ficha dans ma cuisse, et le sang gicla. J'eus le souffle coupé, si bien que j'avalai le cauri que je gardais dans la bouche pour me tenir compagnie. Je faillis m'étouffer et courus derrière Fomba pour me protéger. Fomba faisait de son mieux pour bloquer les projectiles et criait aux garçons d'arrêter. Nu comme un ver, les cheveux emmêlés et crasseux, la tête inclinée sur le côté, agitant les bras dans tous les sens, il donnait tout un spectacle. Il fut atteint de quelques pierres et de mangues avant que les chefs du convoi ne chassent les gamins et nous fassent sortir du village en toute hâte.

Je ne comprenais pas pourquoi nous avions été des sujets de divertissement pour ces garnements. Il est vrai que les enfants de Bayo – y compris moi – n'arrêtaient pas de taquiner Fomba. Mais nous ne l'avions jamais blessé. Nous ne l'avions jamais attaché par le cou, ni privé de nourriture. Je n'avais jamais vu passer des prisonniers à l'extérieur de l'enceinte de notre village. Si nous avions vu des hommes, des femmes et des enfants enchaînés et forcés de marcher comme des *wolossos*, et même pire, j'ose espérer que nous nous serions battus pour les libérer.

Ce soir-là, Chekura apporta une calebasse d'eau et du savon fait de beurre de karité et proposa son aide pour nettoyer l'entaille dans ma cuisse. « Je suis capable de le faire, dis-je.

— Je vais t'aider, dit-il en faisant couler un mince filet d'eau sur la plaie.

— Pourquoi les enfants du village se sont-ils moqués de nous ?

— Ce ne sont que des gamins, Aminata, répondit Chekura.

— Et tous ces villageois qui vendent des produits aux ravisseurs et nous surveillent la nuit ? Pourquoi aident-ils ces hommes ?

— Pourquoi je les aide, *moi* ? Est-ce que j'ai d'autres choix ?

— Ils n'ont pas tous été vendus par leur oncle.

— On ne connaît pas leur histoire », dit Chekura.

Le lendemain, quand nous traversâmes une ville, je fus soulagée de voir que personne ne nous lançait des cailloux ni ne nous criait des injures. Quelques femmes portant des fruits et des noix se rassemblèrent autour des ravisseurs, et l'une d'elles me regarda avec attention, me suivit un moment, puis se mit à marcher à côté de moi. Elle descendit le plateau qu'elle avait sur la tête et me tendit une banane et un petit sac d'arachides. Je ne comprenais pas ses paroles, mais je sentais de la gentillesse dans sa voix. Elle posa sa main sèche et couverte de poussière sur mon épaule. C'était un geste de bonté si inattendu que mes yeux se voilèrent de larmes. Elle me tapota l'épaule, dit quelque chose sur un ton insistant et partit avant que j'aie le temps de la remercier.

J'EUS MES PREMIERS SAIGNEMENTS pendant notre longue marche. J'essayais de me rassurer en pensant que je n'allais pas vivre bien longtemps et que mon humiliation cesserait bientôt. Des crampes me traversaient le ventre. À cause de ma nudité, il m'était impossible de dissimuler le sang qui coulait le long de mes jambes.

Lorsque Chekura s'approcha de moi, je lui dis sur un ton cassant de s'en aller.

« Es-tu malade ?

— Va-t'en.

— Bois un peu d'eau. »

Je pris une gorgée de l'outre, mais refusai de le remercier.

« Tu t'es fait une coupure ?

— Idiot.

— Je peux t'aider.

— Laisse-moi tranquille. »

Il marcha à côté de moi pendant quelque temps, mais je restais silencieuse. Finalement, il décida de s'éloigner. À ce moment, je l'interpellai : « Lorsque nous arrêterons ce soir, trouve-moi une femme dans un village. » Il hocha la tête et poursuivit son chemin.

Nous nous installâmes pour la soirée à la périphérie d'un village. Chekura disparut. Plus tard, deux femmes s'approchèrent des ravisseurs et me pointèrent du doigt. Une vive discussion s'ensuivit. Elles donnèrent du vin de palme aux ravisseurs, puis s'approchèrent de moi.

Les femmes parlaient une langue que je ne comprenais pas. L'une d'elles me toucha la main. Je regardai en direction de Chekura, qui me fit signe que je pouvais y aller. La femme m'emmena par la main et l'autre nous suivit. Après avoir quitté les prisonniers installés sous les arbres, nous empruntâmes un sentier qui menait à l'intérieur de l'enceinte d'un village. Je vis un puits, quelques huttes rondes servant d'entrepôts et des maisons rectangulaires aux murs de terre séchée semblables à celles de Bayo. Les femmes me conduisirent derrière une petite maison qui, de toute évidence, appartenait à celle qui m'avait prise par la main. Elles m'apportèrent un chaudron d'eau chaude et me laissèrent me laver. Quand j'eus terminé, elles m'emmenèrent à l'intérieur, où l'air était frais, et me firent asseoir sur un banc. Je cherchai des yeux des couteaux ou d'autres instruments, en me demandant si elles avaient l'intention de pratiquer le fameux petit rituel, maintenant que j'étais devenue femme. Ma frayeur atteignit un point tel que je vérifiai si quelqu'un ne bloquait pas la porte pour m'empêcher de fuir. À ce moment-là, une autre femme apporta un morceau de tissu bleu. Elle me le tendit et me fit signe de l'enrouler autour de mes reins. Le linge était long et assez large pour couvrir mon ventre et mes fesses. Mes parties intimes couvertes, je me sentais mieux et plus en sûreté. Tout à coup, je sentis la faim. Je me rendis compte que la honte liée à ma nudité m'avait coupé l'appétit. Maintenant que j'étais vêtue décemment, elles m'invitèrent à m'asseoir et à manger avec elles, sans cesser de me parler. *Prends la nourriture !* Du royaume des esprits, j'entendis ma mère me dire cette phrase. *Prends la nourriture, mon enfant. Ces femmes ne te veulent pas de mal.*

Elles me donnèrent de la viande de chèvre assaisonnée de maniguette, apprêtée dans une sauce piquante à l'arachide. Cette nourriture délicieuse mais grasse me chavira l'estomac, et je ne pus en avaler qu'une petite portion. Les femmes déposèrent dans ma main un petit sac d'arachides, ainsi que des lanières de viande de chèvre séchée et salée. Toujours aussi volubiles, elles semblaient me poser des questions sur ma famille et vouloir connaître mon nom. Je répondis dans ma langue maternelle, ce qui les fit hurler de rire. Finalement, elles me ramenèrent aux ravisseurs. Elles semblaient négocier, proposer, amadouer, sans toutefois parvenir à s'entendre avec ceux-ci, qui secouèrent la tête et leur firent signe de déguerpir. Les femmes revinrent vers moi, me serrèrent les mains et touchèrent les lunes sculptées sur mon visage. Elles me répétèrent quelque chose que je ne pouvais comprendre, puis s'en retournèrent. J'aurais voulu qu'on me permît de rester avec elles. Je m'installai près d'un arbre, sous l'œil des ravisseurs, mais j'étais trop troublée pour dormir. Je ne savais pas si les gens du prochain village feraient preuve de brutalité ou de bonté.

Le convoi grossissait de jour en jour. Chaque matin, quand on nous réveillait et qu'on nous faisait repartir, on comptait deux ou trois nouveaux prisonniers. Seuls les enfants et les femmes pouvaient marcher sans être attachés par le cou. Le soir, lorsqu'on détachait les hommes pour qu'ils puissent s'étendre et dormir, des gardiens surveillaient chacun de nos mouvements. Mes pieds couverts d'ampoules me faisaient de plus en plus mal ; leur peau se durcissait et devenait calleuse. Fomba me montra les siens après une longue journée de marche. Jaunes, racornis et plus rêches que de la peau de bouc, ils étaient en plus desséchés et crevassés. Du sang coulait entre ses orteils. Je convainquis Chekura d'aller me chercher du beurre de karité dans un village et, un soir, pendant que Fanta exprimait sa réprobation en râlant, je frottai les pieds de Fomba avec la pommade.

« Fille de Mamadou et de Sira, je te remercie », dit-il.

Je ne savais pas qui étaient ses parents. Je ne savais même pas son nom de famille.

« Il n'y a pas de quoi, Fomba », répondis-je simplement.

Il sourit et me tapota la main : « Fille de Mamadou et de Sira, tu es bonne. »

Fanta fit entendre un autre grognement de réprobation. Fomba s'adressa à elle : « Épouse du chef. Tireuse d'oreilles. »

J'éclatai de rire. C'était la première fois que je riais depuis bien longtemps. Fomba sourit et même Fanta sentit le trait d'humour. « Reste-t-il du beurre de karité ? » demanda-t-elle.

Fomba frotta les pieds de Fanta, et elle promit de ne plus jamais lui tirer les oreilles.

UN JOUR QUE JE MARCHAIS derrière un homme enchaîné par le cou, il fit brusquement un écart sur la gauche. Je n'eus pas le temps de réagir, et mon pied s'enfonça dans quelque chose d'humide et de mou. Quelque chose qui ressemblait à un bout de bois craqua sous mon talon. Je poussai un cri. J'avais marché sur le corps d'un homme nu en décomposition. Je fis un bond et me frottai les pieds avec des feuilles que j'arrachai de la branche la plus proche. En proie à la panique, j'essayai de débarrasser ma cheville d'un amas d'asticots grouillants. Je tremblais, j'étais hors d'haleine. Fanta saisit les feuilles et me nettoya le pied. Elle me prit dans ses bras et me dit de ne pas avoir peur. Mais mon hystérie s'intensifia, même si Fanta me criait de me calmer. Je ne pouvais m'arrêter de hurler.

« Arrête tout de suite ! » dit Fanta. Elle me prit par les épaules et me secoua, puis plaqua sa main sur ma bouche. Elle fit pivoter mon menton jusqu'à ce que nos yeux se croisent. « Regarde-moi. Ici. Regarde-moi dans les yeux. Ce n'est plus un homme. »

Mes poumons commencèrent à se calmer. À mesure qu'ils cessaient de se soulever, je respirais plus aisément. Fanta enleva sa main qui me couvrait la bouche. Je ne criais plus.

« Il ne reste plus que la peau et les os, dit-elle. Pense à une chèvre. C'est juste une carcasse. » Fanta mit son bras autour de mes épaules jusqu'à ce que mes tremblements s'arrêtent.

À partir de cet incident, les serpents et les scorpions n'étaient pas les seules choses à surveiller sur ce sentier de plus en plus piétiné. Désormais, au moins une fois par jour, nous trébuchions sur un cadavre. Quand les prisonniers s'écroulaient, ils étaient détachés du convoi et leurs cadavres laissés à se décomposer.

NOUS MARCHÂMES pendant une révolution complète de la lune, puis une autre. Avec le va-et-vient de la lune, je pouvais maintenant suivre le passage du temps dans mon propre corps. Entre deux saignements, je traversais d'autres villages ; d'autres prisonniers vendus s'ajoutaient à notre convoi et des gardiens de plus en plus nombreux nous ligotaient les chevilles la nuit tombée.

Aujourd'hui, quand les gens me questionnent sur mon pays, ils semblent tous fascinés par les bêtes féroces. Tout le monde veut savoir si j'ai eu à fuir des lions ou des éléphants en débandade. Or, ce que j'avais le plus à craindre, c'étaient les voleurs de personnes. Le prisonnier, homme ou femme, qui perturbait le convoi était sauvagement roué de coups. Toute personne qui essayait de fuir était tuée. Les animaux sauvages étaient le moindre de mes soucis.

Un soir, toutefois, pendant que nous étions installés sous un bosquet, un babouin surgit des buissons. Agitant ses épaules et son arrière-train de façon belliqueuse, il fonça sur nous à la vitesse de l'éclair. Nous nous levâmes et nous mîmes à crier. Les ravisseurs criaient aussi. Le babouin saisit la petite fille qui marchait depuis deux lunes avec son père et fila dans les bois en l'emportant. Même après qu'on eut perdu de vue la fillette, je l'entendais hurler. Le père bondit en appelant à l'aide. Chekura coupa la corde qui retenait la cheville de l'homme et se lança avec lui à la poursuite de l'animal.

Ils mirent du temps à revenir. Nous eûmes le temps de prendre notre repas dans un silence lugubre, en attendant des nouvelles de la petite. Nous entendîmes les gémissements du père bien avant de le voir, puis nous le vîmes descendre d'une colline avec Chekura. Il portait sa fille inerte dans ses bras. Elle avait le cou ouvert et tout rouge. Les ravisseurs ne rattachèrent pas le père et le laissèrent creuser une fosse pour enterrer sa fille. Il couvrit son corps de terre, s'agenouilla et pleura de façon incontrôlable. C'était la première fois qu'un homme pleurait devant moi. Sa détresse me nouait la gorge. Ce n'était pas normal de voir un homme adulte sangloter. Que sa fille ait pu lui être enlevée de façon aussi brutale, cela paraissait inconcevable. Assister à sa douleur était insupportable. Pourtant, je ne pouvais fuir ses lamentations. Bien qu'on me permît de marcher librement dans le convoi le jour, j'étais enchaînée pendant la nuit. J'essayai de me concentrer sur les choses qui m'entouraient : les palmiers, les rochers, les hauts murs de terre séchée qui entouraient un village au loin, un lapin sautillant au clair de lune. Les autres prisonniers se détournèrent eux aussi du père éploré. Ils finirent par s'endormir, mais je ne pouvais cesser de penser à cet homme et à sa fille. Lorsque je n'entendis plus ses sanglots, je le cherchai dans l'obscurité, mais la place qu'il occupait près de la tombe était vide. Je finis par le voir qui s'approchait d'un arbre à environ vingt pas derrière nous. Il y grimpait de plus en plus haut, en s'accrochant aux branches. L'arbre dépassait la taille de vingt hommes, mais il continuait de l'escalader.

Je voulais qu'il redescende. Je priais pour qu'il reprenne ses esprits. Sa femme était peut-être morte elle aussi, mais un jour il pourrait retrouver sa liberté. Un jour, il pourrait connaître une autre femme et avoir une autre fille. Je me levai et l'observai, l'espoir au cœur. M'ayant remarquée, un gardien cria au père de redescendre. L'homme poursuivait sa montée. En entendant les cris, les prisonniers se réveillèrent. Ils se rendirent compte de la situation et s'éloignèrent de l'arbre, attachés deux à deux par les chevilles. Au faîte, le père atteignit une branche en saillie. Il hurla une dernière fois et se jeta dans le vide. Jamais je n'avais vu un corps chuter d'une telle hauteur. Je détournai les yeux tout juste avant qu'il ne touche le sol, mais j'entendis le bruit sourd et sentis la vibration courir sous mes pieds. Les ravisseurs refusèrent de le ramener près de sa fille ou de l'enterrer, ou même de toucher le cadavre. Ils ne voulaient pas reconnaître ce geste d'autodestruction. Sur leurs ordres, nous marchâmes un bon moment durant la nuit et nous installâmes finalement sous un autre bosquet, bien loin des cadavres du père et de son enfant.

Notre périple se poursuivit pendant trois cycles de la lune. Un jour, nos ravisseurs s'arrêtèrent à une fourche du sentier et saluèrent un homme d'une nouvelle race. Il avait la peau rousselée comme celle d'un cochon frais lavé. Lèvres minces, dents noircies. Gros et grand, campé comme un chef, poitrail bombé. C'était donc ça, un toubab ! Mes camarades prisonniers ouvrirent grand les yeux en découvrant cette étrange créature, mais les villageois qui se tenaient autour de lui ne réagissaient pas. Je conclus qu'ils avaient déjà vu des toubabs. L'homme se joignit à nos ravisseurs à la tête du convoi. Il portait une barbe et avait les yeux chassieux. Il pouvait dire quelques mots dans la langue des ravisseurs.

Je croisai le regard de Chekura et, quand il s'approcha de moi, je lui demandai d'où venait le toubab. « De l'autre côté de la grande eau, répondit Chekura.

— Est-ce un homme ou un esprit maléfique ?

— C'est un homme. Mais ce n'est pas le genre d'homme qu'on veut connaître.

— Tu le connais ?

— Non, mais on n'a pas intérêt à s'approcher d'un toubab.

— Mon papa disait : "Ne crains personne. Essaie de faire connaissance". »

— Crains le toubab, je te le dis.

— Comment peut-il respirer avec un nez aussi étroit ? Ses petites narines peuvent-elles laisser entrer l'air ?

— Ne regarde pas le toubab.

— Il a beaucoup de poils.

— Dévisager le toubab est un signe de défiance.

— Chekura ! Il a des poils même dans les narines !

— Avance et fais attention, Aminata.

— Es-tu mon ravisseur ou mon frère ? »

Chekura secoua la tête et ne dit plus un mot. J'avais entendu dire que les toubabs étaient blancs, mais ce n'était pas le cas. Celui-ci n'avait pas du tout la couleur d'une défense d'éléphant. Sa peau était de la couleur du sable. Plus foncée sur les avant-bras que dans le cou. Jamais je n'avais vu des poignets aussi épais. Il n'avait pas vraiment de fesses et marchait comme un éléphant. Pom, pom, pom. Ses talons frappaient le sol avec la brutalité d'un arbre qu'on abat. Le toubab ne marchait pas pieds nus comme les prisonniers, ni ne portait des sandales de cuir d'antilope comme les ravisseurs. Ses chaussures robustes lui couvraient les chevilles.

Le toubab portait une chaîne autour du cou, et il consultait souvent un objet au couvercle de verre attaché à son ceinturon de cuir. Il se mit à vociférer et à agiter les mains furieusement en direction des deux chefs ravisseurs. Sous ses ordres, ces derniers remirent rapidement les jougs aux femmes et à moi. Fanta fut placée directement devant moi dans le convoi.

Une extrémité du joug de bois fut attachée à son cou et l'autre, au mien. Les jougs étaient fixés sur notre nuque et je n'avais aucun moyen de m'en libérer ; tout mouvement m'écorchait la peau.

Pendant que le toubab surveillait, les ravisseurs amenèrent trois autres prisonniers dans le convoi, entre autres une femme. Elle aussi était enceinte. On la plaça entre Fanta et moi. Ce fut une bonne chose. Fanta maugréait souvent, ce qui faisait paraître les journées plus longues. De plus, la nouvelle prisonnière était plus petite, sa taille était plus proche de la mienne ; mon cou étant entravé avec le sien, il était plus facile de marcher. Ce soir-là, lorsqu'on nous fit reposer sous un arbre, elle se coucha sur le côté et je pouvais entendre sa respiration haletante.

Je m'installai près d'elle. « *I ni su,* dis-je. Bonsoir. » Ce furent les premiers mots que je lui adressai, en bambara. *« Nse ini su »,* répondit-elle, en bambara.

Je lui demandai si elle allait bientôt avoir son bébé. « Très bientôt, me dit-elle. Ce n'est pas le bon moment. Je voudrais que le bébé attende.

— Le bébé ne connaît pas nos malheurs, dis-je. Penses-tu que ce sera un garçon ?

— Une fille. Et elle ne veut pas attendre.

— Comment sais-tu que ce sera une fille ?

— Seule une petite fille impatiente viendrait au monde à un si mauvais moment. Seule une fille oserait me défier. Un garçon ne me défierait pas. Il saurait que je le battrais. »

Cette nouvelle compagne aidait à faire passer le temps. Elle était attachante. « Et tu ne battrais pas une fille ?

— Une fille, c'est trop intelligent. Elle sait comment éviter la fessée.

— Alors pourquoi te défie-t-elle maintenant ? lui demandai-je.

— Tu es très intelligente. Comment t'appelles-tu ? »

Je lui dis mon nom.

« Je m'appelle Sanou, dit-elle.

— Dors en paix, Sanou, dis-je en bâillant.

— Toi aussi, fillette-femme. Dors en paix. »

Au matin, on nous entrava de nouveau par le cou. On me plaça encore derrière Sanou. Elle gémissait en marchant et, par la façon dont la plante de ses pieds frappait le sol, par le mouvement qu'elle faisait pour se redresser afin de soulager la tension au bas de son dos, par sa posture, les mains sur les hanches, je savais qu'elle allait bientôt accoucher. À mesure que l'après-midi avançait, elle commença à ralentir le convoi.

« Elle va bientôt avoir son bébé, dis-je à Chekura.

— Qu'allons-nous faire ?

— J'ai aidé des femmes à accoucher. Ma mère et moi aidons à mettre des bébés au monde. C'est notre métier. Notre travail. Notre façon de vivre. »

Sanou dit : « Le bébé a raison. Je suis prête.

— On arrive à un village, dit Chekura. Je vais leur demander qu'on s'arrête là. »

Chekura se rendit à la tête du convoi et parla à ses supérieurs. Nous fîmes halte sous un bosquet. Chekura revint avec le ravisseur le plus âgé et le toubab, et nous libéra de nos entraves.

Je dis à Chekura en aparté : « La femme et moi, nous allons nous installer tranquillement sous ce gros arbre, là-bas. Laisse-nous seules, mais tâche de trouver une autre femme. J'aurai besoin d'un couteau bien affûté que tu auras nettoyé correctement. Et de l'eau. Va au village et apporte trois gourdes d'eau, dont l'une d'eau chaude. Et des linges. »

Le toubab portait un bâton à feu à la hanche. Il fixa son regard sur moi. Il parla à l'homme plus vieux, qui s'adressa ensuite dans une autre langue au plus jeune qui, à son tour, me dit : « Il demande si tu sais quoi faire.

— Oui, dis-je. Apportez-moi les choses dont j'ai besoin. »

Fanta s'était détournée et éloignée. On envoya pour m'aider une autre fille, à peine quelques saisons des pluies plus âgée que moi. Au moins faisait-elle ce que je lui demandais. Quand l'eau chaude arriva, elle en versa sur le couteau et le nettoya comme il faut. Elle plaça une botte de feuillage sous la tête de Sanou et la fit coucher confortablement sur quelques morceaux de fourrure et des peaux, pour ne pas qu'elle soit en contact avec le sol.

Les ravisseurs surveillaient la scène. En pensant à ma mère et à ce qu'elle aurait fait, j'ouvris grand la paume de ma main et leur fit signe de partir. Ils froncèrent les sourcils, et le toubab me regarda encore attentivement. Il marmonna quelque chose à l'un des ravisseurs, qui passa le message à un autre ravisseur qui, à son tour, me demanda en bambara si j'étais sûre de savoir quoi faire. Je leur fis signe à nouveau de s'éloigner et, cette fois, ils partirent.

Je frictionnai les épaules et le dos de Sanou avec du beurre de karité. « Tu seras une merveilleuse maman », lui dis-je. Elle sourit doucement et me dit que ma mère serait fière de moi.

Sanou me parla de son mari et de ses deux autres enfants. Elle raconta comment elle avait été kidnappée pendant qu'elle apportait à manger à des femmes qui travaillaient aux champs à extirper du sol des racines de manioc. Avec un bébé presque à terme, elle avait choisi de ne pas résister.

Je l'encourageai à continuer de respirer régulièrement, même quand une contraction s'emparait d'elle. Sanou somnola pendant quelque temps. En se réveillant, elle dit : « Je suis prête, fillette. Si nous survivons, je l'appellerai Aminata. Comme toi. »

La lune brillait de nouveau, et je pouvais sentir la pesanteur de l'air. L'humidité. Un vent violent se leva, comme un enfant en convulsions, mais Sanou restait silencieuse et calme.

Le bébé arriva tête première, tout juste comme il se doit, et le reste de son corps glissa hors de l'utérus. Je nouai le cordon ombilical gluant et le sectionnai. La petite fille commença à vagir. Même au clair de lune, je pouvais vois qu'elle avait la vulve gonflée. Je la langeai pour la tenir au chaud et l'apportai à sa mère. J'aidai ensuite à l'expulsion du placenta. Ce fut la naissance la plus rapide que j'avais jamais vue.

« Aminata, mon bébé », dit Sanou.

Je ne savais pas s'il était sage de donner si rapidement un nom à un enfant, ni de lui donner mon nom. Et si prendre le prénom de quelqu'un en danger portait malheur ? Mais Sanou maintint sa décision. J'étais émue de voir la tendresse avec laquelle elle tourna le bébé pour l'approcher de son sein.

La toute petite Aminata commença à téter avec une telle intensité qu'on aurait cru qu'elle avait fait cela depuis des mois. Nos doigts se touchèrent, Sanou et moi. Des larmes coulèrent sur les joues de Sanou, ce qui eut pour effet de libérer tout le chagrin qui débordait en moi. Je tremblai et sanglotai jusqu'à ce que mes larmes soient épuisées, mais Sanou ne cessait d'en verser pendant qu'elle nourrissait son bébé. Je le savais, ce n'était pas de bon augure de pleurer à la naissance d'un enfant.

Au matin, on nous remit nos entraves. Avec la pièce d'étoffe que Chekura avait apportée, Sanou suspendit le bébé au bas de son dos. Des suites de son accouchement, du sang s'écoulait sur ses jambes pendant que nous gravissions et descendions des sentiers de montagne et que nous traversions des vallées et des forêts peuplées de marchands de noix de cola.

Pour passer le temps, puisque je marchais juste derrière Sanou, je surveillais bébé Aminata. Quand sa tête ballottait trop, je demandais à Sanou de l'attacher plus serré. La petite fille avait de minuscules touffes de cheveux frisés derrière la tête, et je passai des heures à imaginer comment ils pousseraient, comment elle les peignerait et les tresserait. Pendant deux jours, je me perdis dans des rêveries en regardant ce nouveau-né emmailloté tout contre sa mère.

Trois jours après la naissance d'Aminata, la caravane ralentit sur la crête d'une colline. Même si la matinée était encore jeune, le soleil dardait déjà ses rayons. Je cessai de regarder la tête d'Aminata et jetai un coup d'œil autour de moi.

Je n'en croyais pas mes yeux. À droite, dans la direction du sentier, un fleuve coulait, immense et tumultueux. Sa largeur dépassait dix jets de pierre. Sur le rivage de ces eaux déchaînées attendaient de nombreux canots de huit rameurs chacun. Jamais je n'avais vu autant de bateaux et de rameurs. À gauche, l'eau s'étendait à perte de vue. Les flots rugissaient et se soulevaient, montaient et retombaient. Ils prenaient une teinte verte à certains endroits, bleue à d'autres et changeaient continuellement de couleur, se déplaçant et glissant sans cesse. Les vagues produisaient une mousse semblable à la bave d'un cheval qui aurait trop couru. À gauche, l'eau avait tout envahi.

Les ravisseurs nous conduisirent sur le rivage. Le toubab leur cria des instructions, et ils nous libérèrent de nos jougs et nous poussèrent dans les canots. Je trouvai bizarre qu'ils forcent Chekura à monter dans mon canot. Les rameurs étaient presque nus, vêtus d'un simple pagne, et ils empestaient le sel, la sueur et la crasse. Leurs muscles luisaient au soleil. Les canots glissaient doucement sur le fleuve, qui s'élargissait, à tel point qu'il me devint bientôt impossible de distinguer les détails des lointaines berges. Comme nous quittions la terre, un prisonnier du canot voisin se leva à grand-peine, hurla et fit balancer le canot. Deux pagayeurs costauds stoppèrent leur mouvement et lui flanquèrent de puissants coups de rame. Le prisonnier continua de s'agiter. Quand le canot commença à tanguer dangereusement, les rameurs laissèrent leurs avirons et, d'un geste rapide, jetèrent le prisonnier dans les eaux tumultueuses. Il se débattit, puis sombra.

Le trajet en canot dura toute la matinée. Le soleil se reflétait sur l'eau et me brûlait les yeux. Le fleuve s'élargissait terriblement, si bien que tout ce que je pouvais voir de la terre, c'était qu'elle était montagneuse à ma gauche et plate à ma droite. Chekura était assis dans le canot, sans entraves, mais parmi nous, et il me parla à voix basse.

« Tu as de la chance, dit-il. Un grand bateau attend, presque plein. Vous allez tous être vendus et traverserez l'eau très bientôt.

— Tu appelles ça de la chance ?

— Sur ce bateau, il y en a qui attendent depuis des lunes. Et ils meurent, tranquillement, à mesure que le bateau se remplit. Toi, tu n'auras pas à attendre. »

La brise répandait une odeur épouvantable. On aurait dit la senteur d'aliments en décomposition. On aurait dit la puanteur des déchets produits par toute une ville. Je grimaçai.

« C'est l'odeur du bateau. Nous allons bientôt être séparés, dit Chekura d'une voix tremblante.

— Marche doucement parmi tes prisonniers, Chekura. Un jour, l'un d'entre eux aura un couteau et attendra le moment où tu feras un faux pas.

— Et toi, Aminata, attention à ta beauté qui va fleurir parmi des étrangers. »

Une bouffée malodorante vint à nouveau nous gifler.

« Comment quelque chose peut-il fleurir ou même vivre dans cette puanteur ? », demandai-je.

Les lèvres de Chekura tressaillirent. Le garçon qui avait souri pendant trois révolutions de lune fronçait maintenant les sourcils. Je n'avais pas de frère, mais il me semblait en avoir trouvé un. « Où vont-ils nous emmener maintenant ? chuchotai-je.

— De l'autre côté de l'eau.

— Je n'irai pas.

— Tu iras, sinon tu mourras.

— Alors, je reviendrai.

— J'ai amené de nombreux hommes à la mer, dit Chekura, mais je n'en ai pas vu un seul retourner à son village.

— Alors je dormirai le jour et marcherai la nuit. Écoute-moi bien, ami. Je reviendrai. Je retournerai chez moi.

Les canots accostèrent le quai d'une île, où une forteresse se dressait au sommet d'une colline. Des toubabs et des hommes à la peau noire comme les gens de mon pays allaient et venaient, portant des marchandises et conduisant des gens. On nous fit grimper un sentier abrupt qui menait à l'arrière du bâtiment. Je remarquai que Chekura était toujours avec nous. Droit devant, il y avait deux enclos contigus, bordés de pieux aux bouts pointus de la hauteur de deux hommes. Les ravisseurs ouvrirent les barrières et poussèrent les hommes dans un enclos, puis les femmes et les enfants dans l'autre. Je me retournai pour chercher Chekura, mais il n'était plus là. Je ne pouvais pas voir Fanta non plus. Peut-être pourrais-je trouver Sanou et son bébé. Oui, elles étaient là, à vingt pas sur ma gauche. Comme je n'étais plus entravée, je pus courir vers elles.

Deux toubabs munis de bâtons à feu gardaient mon enclos, mais des hommes de mon pays étaient également prêts à intervenir avec des gourdins, des couteaux et des bâtons à feu. Enfermées dans ce parc, nues, blessées, les pieds en sang, nous étions serrées les unes contre les autres sur un sol sablonneux qui puait l'urine et les excréments.

Pendant que nous attendions, le soleil eut le temps de traverser le ciel. On nous apporta une bouillie de millet qu'on versa dans une auge. Quelques femmes en mangèrent du bout des dents. Je ne pus me résoudre à les imiter, mais quand on passa des calebasses d'eau, je bus volontiers.

Des femmes de mon pays nous lavèrent à l'eau froide et enduisirent notre peau d'huile de palme pour la rendre luisante et donner l'impression que nous étions en bonne santé. Dans notre enclos, d'autres femmes noires, aux yeux de glace et portant des vêtements, traînèrent une prisonnière dans un coin où des toubabs et des hommes de mon pays attendaient près d'un récipient de braises sur lequel se trouvait un outil de métal chauffé à blanc. Je détournai les yeux, mais j'entendis la femme hurler comme si on lui arrachait un bras.

Je me promis de ne pas leur donner le plaisir de contempler ma douleur. Mais quand vint mon tour, je m'abandonnai à leur brutalité et à leur puanteur. Ils m'amenèrent au coin du marquage. Leur outil de métal tordu ressemblait à un insecte géant. Quand ils l'approchèrent de moi, je déféquai. Ils visèrent un point situé à un doigt au-dessus de mon mamelon droit et pressèrent l'outil contre ma peau. L'odeur de ma chair qui brûlait emplit mes narines. C'était comme si des vagues de lave bouillante avaient traversé mon corps. Les gens qui me retenaient me lâchèrent. Mais je ne pouvais penser qu'à la brûlure et à la douleur. Je ne pouvais plus bouger. J'ouvris la bouche, mais aucun son ne sortit. Finalement, j'entendis un gémissement s'échapper de mes lèvres.

Des bras autour de moi. Le cri d'une autre femme. Et je m'évanouis.

Quand je revins à moi, je n'étais pas certaine de la distance que le soleil avait parcourue dans le ciel, ni même s'il avait bougé. Puis, je m'endormis de nouveau. Je rêvai que Chekura me touchait la main. Des gaillards le saisissaient, l'immobilisaient pendant qu'il protestait en hurlant. Au réveil, la douleur était toujours intense. Je sentais des élancements sous la vilaine cicatrice tout enflée. Les autres femmes portaient la même zébrure.

Cette nuit-là, je ne pus dormir. Lorsqu'il commença à pleuvoir, je me levai. Une bonne pluie aurait au moins l'avantage de me laver. Il faisait bon de sentir l'eau fraîche couler sur mon visage. Il faisait bon de voir la boue glisser sur mes jambes, mais je pris soin de mettre ma main en forme de coupe au-dessus de ma plaie vive pour la protéger. La pluie était réconfortante jusqu'à ce que le tonnerre commence à gronder et que des éclairs sillonnent le ciel. Des trombes d'eau tombèrent alors, comme si l'on avait versé cent seaux sur moi. La foudre éclatait dans la nuit et son écho se répercutait sans fin dans les montagnes. L'orage était si violent que je me mis à prier pour que cette eau ne nous entraîne pas tous dans le grand fleuve en contrebas. Dans l'enclos des femmes, une vingtaine d'entre nous se lovèrent les unes contre les autres. Je tenais Fanta d'une main et Sanou de l'autre. Le vacarme couvrait les pleurs du bébé de Sanou. Quand les nuages cessèrent d'exploser, nous nous retrouvâmes enfoncées jusqu'aux chevilles dans un champ de boue. Nous passâmes le reste de la nuit debout.

Au matin, je ressentais toujours une vive douleur. Le brouillard flottait au-dessus de notre enclos. Le soleil dissipa les vapeurs épaisses, et le temps s'éclaircit. Des femmes de mon pays vêtues et chaussées de sandales versèrent de nouveau du millet bouilli dans l'auge. Immobiles et lasses, nous regardions cette nourriture. Je pensais qu'on nous laisserait plantées là jusqu'à ce que la faim triomphe de notre dégoût.

Mais la barrière s'ouvrit. On nous fit sortir précipitamment de l'enclos pour nous conduire de nouveau sur le sentier qui menait au rivage. Nous fûmes attachées et poussées au fond des canots qui partirent aussitôt vers le large. Une vague s'écrasa contre mon canot et m'éclaboussa le visage. Je pensais que cette ample gorgée serait la bienvenue, mais j'eus un haut-le-cœur, m'étouffai et vomis l'eau brûlante. Du sel. Chaque vague cuisait les blessures de mes pieds et la marque sur ma poitrine.

J'étais effrayée par l'énorme vaisseau qui grossissait devant nous à chaque coup de rame. Ses dimensions faisaient paraître ridicule un canot de douze personnes, et il s'en dégageait une puanteur pire que celle de l'enclos où on nous avait parquées dans l'île. Le bateau me terrifiait, mais j'avais encore plus peur de sombrer dans l'eau salée, car jamais alors mon esprit ne pourrait retourner vers mes ancêtres. Qu'ils fassent ce qu'ils veulent de mon corps, mais sur la terre ferme. Au moins, là, mon esprit pourrait voyager et je retournerais chez moi, au foyer de mes ancêtres, et ne serais plus seule.

Les rameurs continuèrent d'avancer sur la houle qui agitait la mer. Nous nous approchâmes du navire des toubabs. C'était un énorme bâtiment bizarre surmonté de poteaux plantés comme des palmiers. Sur le pont supérieur, des visages nous examinaient. Des visages à la peau noire et des visages de toubabs, travaillant tous ensemble. Les vagues déferlaient sur les parois géantes du bateau, qui s'élevait et s'abaissait, mais semblait mystérieusement fixé à un endroit sous l'eau.

L'un des prisonniers se mit à crier et à se débattre, mais ses pieds et ses poignets étaient solidement ligotés avec des lianes ; on le frappa jusqu'à ce qu'il se taise. Les hommes et les femmes tremblaient de frayeur. Je me calmai. *Ne crains personne,* avait dit mon père. *Essaie de faire connaissance.*

Quelque chose heurta notre canot. C'était une autre embarcation, arrivant à côté de la nôtre. Parmi les hommes et les femmes attachés, je vis Chekura. Son visage tuméfié exprimait le découragement. Il avait la tête baissée. Quel idiot ! Il aurait dû fuir près de Bayo, où il connaissait les forêts et les gens. Il aurait dû fuir avant qu'ils ne se débarrassent de lui. Je ne l'appelai pas. Je serrai les dents et regardai, au-dessus des eaux, tous les gens de mon peuple attachés dans des canots, qu'on poussait et bousculait pour qu'ils montent sur une longue planche installée le long de la coque du bateau. Je me retournai pour voir mon pays. Des montagnes se profilaient dans le lointain. L'une d'elles imitait la forme d'un énorme lion. Mais toute la puissance de cet animal était emprisonnée dans les terres. Le lion ne pouvait rien faire pour nous qui voguions sur l'eau.

AU-DESSUS DES DISPARUS SANS SÉPULTURE

Un jour, si jamais je reviens dans mon village, peut-être fera-t-on une exception pour me permettre de devenir une *djéli,* une conteuse. Le soir, pendant que les anciens boiraient du thé sucré autour du feu, des visiteurs viendraient de loin écouter ma drôle d'histoire. Pour être reconnu comme *djéli,* vous devez être issu d'une famille spéciale. J'ai souvent souhaité que ce soit mon cas, pour avoir l'honneur d'apprendre les histoires de mon village et de mes ancêtres et l'honneur de les raconter. Dès sa tendre enfance, un enfant né dans une famille *djéli* connaît l'histoire du crocodile qui a emporté cinq enfants, celle de l'homme qui était riche au point d'entretenir dix-sept épouses, mais si cruel qu'elles se sont enfuies à tour de rôle, celle encore de la première fois qu'un homme de notre village est revenu de Tombouctou avec un mystérieux exemplaire du Coran. Quand un *djéli* meurt, disait-on, le savoir de cent hommes disparaît avec lui.

Quand on me fit monter sur la passerelle et qu'on me jeta comme un sac de grains sur le pont du navire des toubabs, je cherchai consolation en imaginant que j'avais été proclamée *djéli,* rituel qui exigeait que je voie et que j'enregistre tout. Dès lors, ma mission consistait à être un témoin et à me préparer à témoigner. Papa n'était pas censé montrer à sa fille à lire et à écrire quelques lignes en arabe. Pour quelles raisons avait-il enfreint les règles ? Peut-être avait-il deviné que quelque chose allait se passer et voulait-il que je sois prête.

Sur ce bateau et pendant toutes les années qui suivirent, j'ai songé à la quantité de choses que mes parents m'avaient inculquées pendant le bref espace de temps que nous avions vécu ensemble. Ainsi, ils s'étaient assurés que je sache cultiver un champ de millet. Encore enfant, j'étais aussi rapide et habile qu'un adulte quand venait le temps des semailles. Je savais creuser le sol avec mon talon droit, laisser tomber des graines dans le petit trou, le recouvrir en me servant de mes orteils, avancer d'un pas et recommencer. Je savais extirper les mauvaises herbes et je comprenais qu'il faut sarcler le sol ; comme ça, lorsque la pluie tombe, l'eau embrasse le sol et se marie avec lui, plutôt que l'embrasser puis s'en aller. Oui, je savais cultiver un champ de millet. Je savais aussi qu'il fallait cultiver son esprit.

Une série de coïncidences me sauvèrent la vie pendant la traversée. D'abord, le fait de me trouver parmi les dernières personnes de mon pays à monter à bord facilita les choses. Être un enfant avait également été un atout. Un enfant possède certains privilèges sur un vaisseau négrier. Personne ne se presse pour tuer un enfant. Même pas un voleur d'hommes. De plus, l'esprit de l'enfant possède une certaine élasticité. Les adultes sont différents : si vous les poussez à bout, ils cassent. Au cours de ce long périple, je fus terrifiée de nombreuses fois et de façon indicible, mais mon esprit resta intact, si l'on peut dire. Des hommes et des femmes de l'âge de mes parents devinrent fous pendant ce voyage. Si j'avais eu deux fois onze ans, peut-être aurais-je moi aussi perdu la raison.

Sur ce navire d'esclaves, j'ai vu des choses que les Londoniens ne croiraient jamais. Je pense à ceux qui ont traversé la mer avec moi. À ceux qui ont survécu. Nous avons connu les mêmes horreurs. Certains d'entre nous poussent encore des hurlements au milieu de la nuit. Il y a toutefois des hommes, des femmes et des enfants qui se baladent dans les rues sans avoir la moindre idée de nos cauchemars. Ils ne pourront jamais savoir ce que nous avons enduré si personne ne parle de notre histoire. En racontant la mienne, je me rappelle aussi tous ceux qui n'ont pas survécu aux balles de mousquet, aux requins et aux cauchemars, à tous ceux qui n'ont jamais pu être entendus, à tous ceux qui n'ont jamais touché à une plume et un encrier.

LE BATEAU SE COMPORTAIT comme un animal marin. Il se balançait d'un côté et de l'autre, tel un âne qui tente de se libérer de son bât, et grimpait sur les vagues comme un singe devenu fou. La bête avait un appétit insatiable et nous dévorait tous : hommes, femmes et enfants. Avec nous, on embarquait des défenses d'éléphant, des sacs d'ignames et toutes sortes de marchandises dans des filets que des porteurs noirs chargeaient à bord.

Au milieu des plaintes des prisonniers, des vociférations des toubabs et des travailleurs, le bébé de Sanou pleurait sans arrêt. La petite semblait pressentir notre destin. Elle vagissait, suffoquait et se remettait à pleurer. J'avais la chair de poule. Je me retenais pour ne pas hurler. L'odeur infecte qui régnait sur le bateau me prenait à la gorge et me faisait vomir. Pendant quelque temps, la nausée fut pour moi une distraction.

Autour de ma cheville droite, une pince de fer était reliée à une autre pince serrée autour de la cheville gauche de Sanou. À côté d'elle, Fomba était enchaîné à un autre homme. Un à un, nous avions été emmenés à bord et ajoutés à la chaîne grandissante. Un prisonnier s'échappa avant qu'on ne referme les fers autour de sa cheville et sauta dans les flots agités. Il était nu, à l'exception d'un bandana rouge noué autour de son cou, et de voir sa tête et son bandana danser sur l'eau m'attrista. J'espérais qu'il réalise son rêve de mourir et sombre rapidement. Mais les manœuvres noirs qui s'affairaient sur le pont bombardèrent d'oranges le pauvre homme, tandis que, dans des canots, d'autres Noirs suivaient la trace des fruits qui pleuvaient. Ces derniers sortirent l'homme de l'eau, le frappèrent à la tête et le confièrent à un gaillard noir debout sur l'échelle à l'extérieur du navire. Ce géant ramena l'homme sur le pont et le tint ferme jusqu'à ce qu'il ait la cheville enchaînée.

Grelottant dans le vent, je craignais de m'évanouir. J'essayais de me calmer et m'efforçais de rester debout, car les prisonniers qui s'écroulaient sur leurs genoux étaient battus jusqu'à ce qu'ils se relèvent. J'essayais de me calmer en me représentant une mère consolant son enfant hystérique. J'imaginais ma propre mère en train de me dire : *Regarde autour de toi. Regarde autour de toi et n'aie pas peur.*

Des manœuvres noirs hissaient des tonneaux sur le bateau. L'un de ces tonneaux s'échappa par un trou dans le filet, s'écrasa sur le pont et éclata, inondant nos pieds. Au cœur du brouhaha, des cris et du cliquetis des entraves qui se refermaient sur les prisonniers, je crus saisir ce qui se passait. Un toubab vêtu avec élégance et un autre homme avançaient le long de la rangée de captifs et les inspectaient un à un. Une fois examinés, ces derniers étaient envoyés dans le ventre puant du navire.

Le toubab était un homme grand et maigre. Des cheveux raides de la couleur de l'orange encadraient son visage, mais il avait le dessus de la tête chauve. Des yeux bleus. Jamais je n'aurais pu imaginer une telle chose. C'était le même bleu que l'eau du fleuve par une journée ensoleillée. L'assistant du toubab avait la peau ni foncée ni pâle ; son teint, d'un brun jaunâtre, n'était pas comme celui d'un toubab ni d'un Noir, mais plutôt un mélange des deux. Une cicatrice boursouflée lui balafrait le visage, de l'œil jusqu'à la bouche. Ce n'était pas une marque de beauté. C'était la marque d'un couteau.

Quand ils arrivèrent à ma hauteur, l'assistant me pinça les bras. Il me saisit les joues brutalement pour me faire ouvrir la bouche. Le toubab à la tignasse orange l'arrêta et avança vers moi. Il me fit signe d'ouvrir la bouche et y fourra son index poilu. J'eus un haut-le-cœur. Il fit glisser ses mains sur mon cou et mes épaules, palpa mes fesses et me fit bouger les coudes et les genoux. Pendant que le toubab inspecteur s'occupait de moi, son assistant frappait Fomba au visage. Bouche à demi ouverte, lèvres immobiles, Fomba avait les yeux aussi grands que des mangues. L'assistant le frappa de nouveau et marmonna quelque chose dans une langue qui rappelait vaguement le bambara. Un ordre pour lui faire baisser la tête. Fomba se taisait. Il ne bougeait pas. L'assistant leva le bras encore une fois. « Fomba ! Baisse la tête ! » lui criai-je. Fomba me regarda, puis baissa la tête.

L'assistant et l'inspecteur se tournèrent vers moi. « Tu parles malinké ? demanda l'assistant.

— Bambara, répondis-je.

— Et tu parles aussi la même langue que lui ?

— Peul », dis-je.

L'assistant et l'inspecteur se consultèrent dans la langue du toubab. J'examinai de nouveau le toubab inspecteur. Narines pincées, il portait un court bâton à feu sur une hanche et une épée sur l'autre. J'écoutai les mots étranges qui fusaient de l'un à l'autre. Puis, l'assistant passa au malinké et, à ma grande surprise, l'inspecteur comprit. Utilisant des mots enfantins pour que l'homme comprenne, l'assistant dit : « Elle parler langue du garçon et parler malinké. »

L'inspecteur fit signe à un autre toubab et montra du doigt mes fers. Ce dernier accourut, se pencha, inséra une pièce de métal dans l'entrave de fer qui entourait ma cheville et me libéra. L'assistant me poussa ensuite près de Fomba. « Demande-lui d'ouvrir la bouche et de ne pas mordre », m'ordonna l'assistant. Je dis à Fomba quoi faire. Le toubab inspecteur enfonça son doigt dans la bouche de Fomba et testa ses dents, qu'il sembla trouver solides. « Dis-lui de ne pas bouger », dit l'assistant. L'inspecteur tapota les côtes de Fomba et vit que celui-ci grimaçait. « Brisées ? demanda l'assistant.

— Fomba, regarde-moi. Est-ce que tes côtes te font mal ? »

Fomba marmonna un « oui » presque inaudible, mais instinctivement je changeai sa réponse en la traduisant à l'assistant. Mentir semblait plus sûr. « Il dit qu'il va bien et que ses côtes ne lui font pas trop mal. »

Le toubab aux cheveux orange regarda l'intérieur des oreilles de Fomba et l'examina de tous les côtés, même son pénis, qu'il prit dans ses mains et tira. La bouche de Fomba s'ouvrit toute grande, mais aucun son n'en sortit. L'inspecteur parla à l'autre toubab qui se tenait près de moi et qui, muni d'une plume, traçait des symboles sur un parchemin. Sa main se déplaçait en sens inverse, de gauche à droite, ne laissant rien d'autre sur son passage que des signes mystérieux. Ils en avaient fini avec Fomba. Deux Noirs ouvrirent une lourde trappe dans le plancher. L'ouverture s'agrandit comme la bouche d'un crocodile jusqu'à ce que l'abattant arrive à la verticale. Une odeur d'excréments s'en échappa en épaisses bouffées, et on entendit les lamentations d'hommes adultes. Fomba et l'homme enchaîné avec lui furent poussés dans la cale et disparurent de ma vue. On referma la trappe.

Le toubab inspecteur se tourna vers moi. Il me disait quelque chose, mais je ne comprenais pas. Pointant du doigt Sanou et son bébé, l'assistant me dit : « Toubab veut savoir si c'est toi.

— Dis encore une fois.

— C'est toi qui as sorti le bébé de cette femme ? »

Je me demandai comment ils pouvaient le savoir. Je me demandai ce qu'ils savaient d'autre sur moi. Je fis signe que oui. L'inspecteur me posa une autre question que je ne compris pas. Il la répéta. Je saisis le mot « pluie » en malinké. « Onze, dis-je.

— Marcher longtemps ? demanda-t-il.

— Trois lunes.

— Maman où ? »

Je ne répondis pas. Il pointa Sanou du doigt. « Maman ? » demanda-t-il de nouveau. Je secouai la tête de gauche à droite. Il montra Fanta, qui se tenait près de Sanou. « Maman ? » Je fis signe que non de nouveau.

« Qu'est-ce que tu lui dis ? » m'interpella Fanta.

J'essayai de l'ignorer, mais elle cria que je ne devais pas parler à l'homme méchant. L'assistant fit un pas dans sa direction, mais le toubab inspecteur le retint. « Pas maman ? » demanda l'inspecteur. Je restai silencieuse.

L'assistant et l'inspecteur examinèrent Sanou. Elle fut conduite ailleurs avec son bébé, qui avait fini par s'endormir. J'aurais voulu aller avec elles.

Pendant que les toubabs emmenaient Sanou, l'assistant me plaça à côté de Fanta. Plantée là, mains et pieds libres, je regardais au-dessus de la rambarde. J'aurais pu sauter, mais après avoir soupesé ma peur de l'eau et ma peur du bateau, je restai immobile.

« Ouvre la bouche », dit l'assistant à Fanta. L'inspecteur attendait. Elle marmonna en peul que l'assistant était un imbécile. Il sentit l'insulte et laissa retomber sa main. Elle se tenait devant lui sans broncher, avec un air de défi.

« Pas parler malinké, dis-je.

— Dis-lui d'ouvrir la bouche et de ne pas mordre », dit l'assistant.

Je répétai cela à Fanta. « Jamais, me dit Fanta. Ils vont nous manger de toute façon. » Je ne voulais pas voir Fanta battue, et j'avais peur d'être punie pour sa désobéissance. Cette fois-ci, je ne planifiai pas mes mots. Ils sortirent tout seuls de ma bouche. « Il dit qu'il va me faire du mal si tu n'ouvres pas la bouche. »

Fanta ouvrit la bouche. L'inspecteur regarda ses dents, toucha du doigt son ventre rond et m'ordonna de lui dire d'ouvrir les jambes. « Ils veulent que tu ouvres les jambes, dis-je.

— Jamais, dit Fanta.

— Bébé bientôt, dis-je au toubab inspecteur.

— Bébé quand ? demanda-t-il.

— Une lune », dis-je.

L'inspecteur hésita. Il faisait du bruit en respirant. Une sorte de sifflement. Je me demandai si ses petites narines n'étaient pas bloquées. Il avait quelques dents noires, et j'aperçus ses gencives, rouges comme une caroncule de dinde. C'était un homme laid qui semblait pourrir de l'intérieur, mais je ne décelai aucune intention mauvaise dans ses yeux. Je pris un autre risque. « Bébé une lune, répétai-je en passant ma main sur le ventre rebondi de Fanta. Maman grosse. Maman grosse. Elle dire vous manger elle. »

Le toubab inspecteur ne comprit pas. L'assistant expliqua. « Pas manger maman », dit l'inspecteur. Lui et l'assistant éclatèrent de rire en se tenant le ventre. « Travailler. Travailler terre toubabs. Pas manger. »

Le toubab à la chevelure orange baissa les bras. L'inspection était terminée. L'assistant revint vers moi : « Il ne va pas la faire cuire. Elle travaillera pour les toubabs. Vous allez tous travailler. »

Il me semblait incroyable que les toubabs se donnent tout ce mal pour nous faire travailler sur leurs terres. Construire ce bateau, lutter contre des eaux tumultueuses, charger le navire de tous ces gens et de toutes ces marchandises, tout cela dans le but de nous faire travailler pour eux ? Ils étaient certainement capables de ramasser eux-mêmes leurs mangues et de piler leur millet. Ce serait à coup sûr plus simple que de se donner tout ce tracas !

Je pointai du doigt le toubab inspecteur et demandai à l'assistant : « Il fait quoi ?

— Médecin, répondit l'assistant.

— Tu leur parles trop, me dit Fanta.

— Il dit qu'ils ne vont pas te manger, dis-je.

— Qui dit ça ?

— Le toubab.

— Qu'a-t-il dit encore ?

— Que nous allons devoir travailler.

— Pourquoi devrais-je travailler, dit Fanta, s'ils vont me manger de toute façon ? Écoute-moi, gamine. Nous allons tous être cuits et mangés. »

D'autres toubabs emmenèrent Fanta, mais on me garda près du médecin pour expliquer les instructions de l'assistant aux prisonniers peuls. Ces derniers furent envoyés en bas un à un. Lorsqu'il ne resta que moi de prisonnière sur le pont, mon courage fléchit. Les toubabs s'étaient servis de moi et maintenant ils allaient me tuer. J'avais du mal à me tenir debout, mais je pensai à ma mère et à mon père gisant à l'extérieur de mon village et je retrouvai mes forces. L'urine coula le long de mes jambes, ce qui me fit mourir de honte.

Le médecin me tendit une calebasse d'eau. « Toi aider moi », dit-il. Je bus sans dire un mot. « Toi aider moi, moi aider toi. »

Je n'avais aucune idée de la façon dont il pourrait m'aider ni de ce que je pourrais faire pour lui. J'aurais voulu rejoindre Sanou et Fanta. Je regardai les manœuvres noirs quitter le navire, monter dans les canots et s'éloigner en pagayant. Eux, ils pouvaient aller et venir, mais nous, les prisonniers, on nous emmenait au loin. J'en étais sûre.

Le médecin avait posé la main sur mon épaule. Il disait quelque chose que je ne pouvais pas comprendre. L'assistant m'expliqua que je devais les suivre à l'intérieur du bateau. Il partit le premier. Le médecin me saisit le bras et me fit descendre des marches abruptes qui menaient à un compartiment sombre et malodorant. L'odeur des déjections humaines me piqua la gorge. J'imaginai le plus gros lion de mon pays – aussi gros que la montagne qui avait sa forme et que j'avais vue sur la côte –, mais vivant, haletant, affamé. C'était comme si on nous avait amenés directement dans son anus. Le lion avait saccagé des villages et avalé vivants tous les habitants. Il les gardait maintenant empilés, respirant avec peine dans la faible lueur de son ventre. Devant moi, l'assistant tenait un feu portatif qui éclairait notre chemin. Le médecin transportait aussi du feu dans un récipient. Partout, des hommes étaient étendus, nus, enchaînés les uns aux autres et à leurs châlits, gémissant et pleurant. Des excréments et du sang coulaient sur les lattes du plancher, recouvrant mes orteils.

Le corridor où nous marchions n'était en fait qu'un étroit passage séparant deux groupes d'hommes. Entassés comme des poissons dans un seau, les hommes étaient installés sur trois niveaux : l'un juste au-dessus de mes pieds, l'autre à la hauteur de ma taille et un troisième vis-à-vis de mon cou. Il leur était impossible de lever la tête de plus d'un pied au-dessus des planches de bois mouillées.

Ces hommes ne pouvaient se mettre debout à moins de descendre – enchaînés deux à deux – dans l'étroit corridor. Sur leurs planches rugueuses, ils ne pouvaient pas s'asseoir non plus. Certains étaient étendus sur le dos, d'autres sur le ventre. La cheville gauche de l'un était attachée à la cheville droite de l'autre. Par les boucles de ces fers passaient des chaînes dont la longueur permettait à un homme – avec le consentement de son partenaire – de bouger seulement de quelques pieds pour atteindre l'un des rares seaux en forme de cônes destinés à recueillir les excréments.

Des hommes s'agrippaient à moi, implorant de l'aide. Je reculais pour éviter leurs ongles acérés. Un prisonnier mordit l'assistant à la main. Ce dernier lui asséna un coup de bâton sur la tête.

Les hommes nous interpellaient dans une cacophonie de langues. Certains priaient en arabe, d'autres hurlaient en peul ou braillaient en bambara ou dans d'autres langues que je n'avais jamais entendues. Mais ils demandaient tous les mêmes choses : de l'eau, de la nourriture, de l'air, de la lumière. L'un d'entre eux ne cessait de se lamenter qu'il était enchaîné à un mort. Dans la lumière vacillante, je pouvais le voir frapper le cadavre auquel il était enchaîné par les pieds. Je frissonnai et faillis me mettre à crier. *Non,* me dis-je. *Sois une* djéli. *Regarde et souviens-toi.*

« Sœur, Sœur », dit un homme. Il s'adressait à moi sur un ton autoritaire que je ne pouvais ignorer. Il parlait comme mon père. Comme il était placé sur le plus haut des trois niveaux, son visage était proche du mien. Je vis ses traits tirés, mais empreints de détermination. « Sœur, murmura-t-il d'une voix rauque en bambara. D'où viens-tu ?

— De Bayo, près de Ségou.

— Nous avons entendu parler de toi. Est-ce toi qui aides les femmes à accoucher, toi qui es encore une enfant ?

— Je ne suis pas une enfant. J'ai vu onze pluies.

— Comment tu t'appelles, Onze Pluies ?

— Aminata Diallo. »

Je dis à l'assistant que quelqu'un à dix rangées derrière était enchaîné à un mort. Il partit avec deux toubabs pour dégager le cadavre. Ils secouèrent des chaînes, grommelèrent, firent cliqueter d'autres chaînes et, finalement, tirèrent un homme par les pieds et le traînèrent dans les immondices. Ma tête se mit à tourner et mes genoux à flageoler, mais pas question de me laisser tomber dans cette souillure. Les cris des hommes résonnaient à mes oreilles.

« Passe par ici chaque fois que tu en auras la chance, dit l'homme qui lançait des ordres comme un père. Pendant que l'assistant n'entend pas, recueille de l'information et rapporte-la-moi. Je m'appelle Biton, chef de Sama. Je suis un Bambara moi aussi. Parle-moi. Dis-moi tout. N'oublie pas. M'écoutes-tu, fillette ? »

La gorge serrée, je fis signe que oui. « Je n'étais pas censée être volée, lâchai-je. Je suis une musulmane libre.

— Nous avons tous été volés, dit-il. Le moment venu, nous allons nous révolter. Mais pour le moment, fillette, tu dois nous trouver de l'eau.

— Nous partons bientôt, dis-je, contente d'avoir une information à lui donner.

— Comment le sais-tu ?

— Je l'ai entendu, dehors. Nous partons très bientôt.

— Bien, dit-il. Certains d'entre nous sont ici depuis des lunes et nous crevons dans cette chaleur. Parles-tu la langue des toubabs ?

— Non, mais je parle peul et je connais quelques prières en arabe.

— Apprends la langue des toubabs, dit-il. Mais ne leur enseigne pas les nôtres. »

Le médecin me poussait dans le dos. Biton dit encore : « Onze Pluies. Aminata Diallo ! Souviens-toi de ton chef bambara. »

Nous avancions avec peine. Dans la demi-obscurité, impossible d'aller vite. Après un bref moment, une autre main se tendit vers moi et me saisit le poignet. J'allais l'écarter, mais quand je me retournai, je vis Chekura.

« Aminata, murmura-t-il.

— Chekura, dis-je.

— Est-ce que tu me détestes pour t'avoir amenée ici ? demanda-t-il.

— Il fait trop chaud ici pour haïr, répondis-je.

— Tu ne diras à personne ce que j'ai fait avant d'avoir été capturé ?

— Non. Je veux que tu restes en vie. »

Il répéta mon nom encore et encore, puis ajouta : « Je veux te l'entendre dire. S'il te plaît. Dis-le. Dis mon nom.

— Chekura, dis-je.

— Quelqu'un sait mon nom. Te voir me donne envie de vivre. »

Je me demandai comment lui apporter de l'eau. « Nous devons tous rester en vie, dis-je. Qui voudrait mourir dans l'anus d'un lion ? »

Mon expression, l'anus d'un lion, parcourut les rangées d'hommes. Biton l'entendit et éclata d'un rire profond qui se répercuta dans la cale. Il répéta les mots d'une voix sonore et son voisin fit de même. Ceux qui parlaient bambara se manifestèrent. Un homme posa une question et les autres répondirent tous ensemble.

« Où sommes-nous ? demanda le premier.

— Notre sœur dit que nous sommes dans l'anus d'un lion, répondirent deux hommes à l'unisson.

— J'ai dit où sommes-nous ? reprit le premier.

— Dans l'anus d'un lion », répétèrent d'autres hommes.

Un homme demanda : « Qui es-tu, Sœur qui nous rends visite ?

— Aminata. Je suis de Bayo, près de Ségou sur le Joliba. »

Dans la pénombre, les hommes répétaient mon nom et disaient les leurs quand je passais devant eux. Ils voulaient que je les connaisse. Que je sache qui ils étaient. Leurs noms. Que je sache qu'ils étaient vivants et qu'ils resteraient en vie. Idrissa, Keita, et ainsi de suite.

Je cherchai Fomba et finis par le trouver. Je l'appelai. Il me regarda d'un air absent. Pas un mot ne sortit de ses lèvres. « C'est moi, Aminata », murmurai-je.

Rien. Il restait silencieux. Je touchai sa joue, mais il ne cilla même pas. J'aurais voulu poser ma tête sur l'épaule de cet homme grand et fort devenu muet et vide, mais le médecin me tenait par le bras et me faisait signe d'avancer.

L'assistant déverrouilla une cloison de bois et la fit glisser, révélant une autre pièce remplie d'une vingtaine de prisonnières et d'une poignée d'enfants. Les femmes n'étaient pas enchaînées, mais elles avaient peu d'espace pour bouger. Au milieu du compartiment, le plafond était plus haut, de sorte que les femmes pouvaient s'y tenir debout, même si les plus grandes devaient incliner la tête. Je dus me faufiler à travers le groupe en me tortillant. Les femmes me disaient leur nom à voix basse et me demandaient d'où je venais.

Une main agrippa fermement mon coude. C'était Fanta. « Tiens-toi loin de ces toubabs, car ils vont te bouffer », dit-elle.

Je secouai le bras pour me libérer et m'éloignai. J'entendis un bébé se mettre à pleurer et j'avançai dans le groupe de femmes jusqu'à ce que je trouve Sanou. Elle me prit par le bras : « J'ai besoin de boire, sinon le bébé n'aura plus de lait », dit-elle. Je touchai ses doigts.

Le médecin passa devant moi et se mit à gravir les marches. L'assistant s'arrêta, se retourna, lanterne à la main, et dit : « C'est ici que tu vas rester, à moins qu'on te demande de monter. Place-toi là, près des marches. Si tu quittes ce coin, je vais te battre. Si tu ne bouges pas, je garderai les raclées pour les autres. »

Je le toisai d'un air de défi. Je le vis lever le bras. Je ne me rappelle pas qu'il m'ait frappée. Je me souviens seulement d'être tombée.

Je me réveillai dans l'obscurité avec un goût infect dans la bouche. Je sentais un balancement, comme si j'avais été en selle sur un âne qui aurait bu du vin de palme. J'avais la nausée, j'avais mal au ventre et j'avais faim. J'essayai de rester sans bouger et de me rendormir, mais le roulis persistait. J'entendis une voix. J'ouvris les yeux. Le médecin.

Je me tournai sur la planche rugueuse et sentis un éclat de bois pénétrer dans ma hanche. Je levai la tête le plus possible – environ un pied – et descendis sur le plancher où je pouvais me tenir debout. Mes hanches me faisaient mal. Mes pieds étaient couverts d'une croûte d'excréments séchés. Mes dents n'avaient pas été nettoyées. Je sentis mon sang de femme s'échapper de moi et détestai devoir me présenter nue devant ce toubab poilu.

Le médecin me prit la main et me fit monter les marches. Nous sortîmes par une trappe différente de celle qui fermait le compartiment des hommes. Sur le pont, la lumière du jour m'aveugla et je dus fermer les yeux. Quand je les rouvris, je vis que notre bateau voguait au large, sans aucun rameur. La houle le faisait monter et descendre. Au-dessus de moi, des toiles attachées à des poteaux battaient au vent comme les ailes de monstres volants. Nulle terre n'était en vue. Nul canot avec des rameurs. Nous étions perdus dans un univers liquide. J'attribuai aux toubabs des pouvoirs magiques terrifiants, eux qui pouvaient faire avancer un navire sur ce désert d'eau infini.

Le médecin pointa du doigt un seau d'eau. Je m'accroupis et m'aspergeai. J'avais des éraflures partout : au visage, aux hanches, aux cuisses, aux chevilles. La marque sur ma poitrine était encore trop sensible pour que j'y touche ou que je la nettoie. L'eau salée me brûlait la peau. C'était tout de même bon de se débarrasser de cette crasse. En mettant mes mains en forme de coupe pour m'arroser, je remarquai d'autres femmes noires installées à croupetons autour de seaux remplis de nourriture. Elles mangeaient une bouillie de haricots en se servant de leurs doigts.

Le médecin me donna une coquille de noix de coco vide et m'indiqua un seau d'eau fraîche. J'en puisai un peu et pris une petite gorgée avec prudence. Pas de sel. Je bus rapidement le contenu. Fanta s'approcha de moi. « Donne-moi ça, dit-elle en pointant la coquille de noix. Je n'en ai pas eu assez. » Je la lui tendis.

Pendant que Fanta buvait, le médecin me donna un long morceau de tissu couleur sable. Je m'en couvris maladroitement, et cela me procura presque autant de soulagement qu'après avoir bu. Fanta laissa tomber la coquille de noix. « Les femmes avant les enfants », dit-elle en m'arrachant le tissu pour ensuite s'en draper.

Le médecin poussa un soupir, dévoilant ses vilaines dents, mais ne dit rien. Je n'étais pas certaine du genre d'homme qu'il était, mais il ne semblait pas enclin à la bastonnade. À ce moment-là, cependant, j'aurais voulu qu'il donne une bonne gifle à Fanta et me redonne mon étoffe. Mais il la lui laissa et me fit signe de le suivre sur le pont. Il traversa la section des femmes, ouvrit une porte et me fit entrer dans la section réservée aux hommes. Ils étaient nombreux à être enchaînés le long du bastingage. Certains m'appelèrent par mon nom et je saluai tous ceux qui le firent. J'arrivai à la hauteur de Biton, le chef d'en bas. Épaules et tête bien droites, il souriait.

« Aminata Diallo. »

Il prononça mon nom sur un ton farouche. Il le dit avec fierté. J'aimai entendre mon nom exprimé de cette façon. Cela me donna un peu plus d'assurance. « Chef Biton, dis-je.

— Tu as disparu depuis plus d'une journée. Pourquoi as-tu mis tout ce temps pour venir me voir ? »

Je répondis que j'avais dormi, mais ne savais pas qu'il s'était écoulé tant de temps. Biton examina l'ecchymose que je portais au visage. « Reste ici sur le pont si tu le peux, dit-il. Plus tu passeras de temps en bas, plus vite tu mourras. »

Le médecin me demanda, dans un parler malinké de bébé, s'il y avait des morts en bas. Je regardai Biton, mais celui-ci n'avait pas compris. Je répétai la question en bambara. Biton dit qu'il y avait un mort et que le prisonnier enchaîné au cadavre ne pouvait pas monter sur le pont pour manger ou boire.

« Un mort », dis-je au médecin. Il ne comprenait pas. Je levai un doigt, et montrai la trappe.

Le médecin avait besoin de deux hommes pour l'aider. Je lui pointai du doigt les fers qui enchaînaient Biton à un homme du nom de Poto. Le médecin fouilla dans une poche de son pantalon, en sortit un trousseau de clés de métal minces et en choisit une qu'il inséra dans les entraves pour libérer les deux hommes. Sous les yeux de dix autres prisonniers, il remit les clés dans sa poche, appela deux autres toubabs munis de bâtons à feu et fit descendre les deux prisonniers par l'écoutille.

Je m'approchai de Fomba, qui mangeait. « C'est bon ? »

Il fit signe que non.

« Tes pieds te font mal ? » lui demandai-je.

Il fit signe que oui. Sans me regarder, il prit ma main et ne voulut pas la lâcher. Je m'assis avec lui et sentis le bateau tanguer. Biton et Poto émergèrent de l'écoutille, traînant un cadavre. Ils se regardèrent, puis me regardèrent. Le médecin les fit avancer jusqu'au bastingage et, par des gestes énergiques, leur ordonna de jeter le cadavre par-dessus bord. Les voiles claquaient au vent si bruyamment que je ne pus entendre le corps toucher l'eau. Je me demandai combien d'entre nous finiraient ainsi dans les bas-fonds.

Je saisis le bras du médecin et pointai en direction de Fomba, en essayant de lui dire que l'homme était fort et qu'il collaborerait, si seulement il était libéré de ces affreux fers aux pieds. Le toubab n'avait aucune idée de ce que je racontais.

« Ne l'entraîne pas là-dedans, me dit Biton en pointant en direction de Fomba.

— Pourquoi ?

— Il ne peut même pas parler. Il a l'esprit dérangé. Nous avons besoin que le toubab ait confiance aux hommes qui nous sont utiles.

— Il vient de mon village, dis-je.

— Nous venons tous d'un village, fillette. Je vais veiller à ce qu'on ne lui fasse pas de mal. »

Biton se tint tranquille pour permettre au médecin de lui remettre les fers. « Reviens me voir bientôt, Aminata. »

Le toubab aux cheveux orange mit sa main sous mon bras et m'amena avec lui, en s'arrêtant pour examiner les entraves de quelques prisonniers. Dans la rangée suivante, j'entendis murmurer mon nom.

« Aminata. »

C'était Chekura. Cheveux emmêlés, visage couvert de meurtrissures, pieds encrassés. Pour le moment, il ne semblait toutefois guère se préoccuper de son apparence. Il chuchota en peul pour que Biton ne puisse pas comprendre. « Prends garde à cet homme. Il veut être notre chef. Mais il pourrait te faire tuer. »

Biton était un homme et Chekura, encore un jeune garçon. Biton était beaucoup plus grand et plus robuste, et déjà les prisonniers l'écoutaient quand il parlait. Chekura avait aidé mes ravisseurs, mais j'avais toujours confiance en lui. Il avait marché avec moi pendant trois lunes. Il venait d'un village voisin du mien et parlait la langue de mon père. J'avais le pressentiment que Chekura me protégerait s'il le pouvait, mais j'avais vu ce que les bâtons à feu pouvaient faire, et Chekura serait probablement tué si les prisonniers se révoltaient. Qui pourrait m'aider alors ? Je ne savais plus à qui me fier. Je me demandai ce que mon père aurait dit. Chekura ou Biton ? Sa réponse me réconforta quelque peu. *Garde les yeux et les oreilles grands ouverts,* dit-il, *et ne te fie qu'à toi-même.*

Me tenant toujours par le bras, le médecin me fit descendre un nouvel escalier. Il se fraya un chemin dans une pièce bondée où des hommes dormaient dans des hamacs suspendus aux poutres du plafond. Nous passâmes près d'un cuisinier travaillant à côté d'une énorme marmite, puis traversâmes un couloir étroit bordé de portes. Le médecin en ouvrit une et nous entrâmes dans une petite pièce. Il ferma la porte. Nous étions seuls tous les deux. J'étais soulagée de m'éloigner des dortoirs malodorants et du pont encombré. Mais cette pièce où j'étais seule avec le toubab ne me semblait pas une bonne place pour moi.

Il bâilla, s'étira et enleva sa veste. Sa chemise était jaunie aux aisselles et il dégageait une forte odeur. Il s'assit sur le lit, plate-forme de bois surélevée couverte d'un sac de tissu bourré de paille et plein de bosses. Il me fit signe de m'asseoir. Je restai debout. Il tapa sur le bord du lit. Je m'assis, hésitante, souhaitant que d'autres personnes soient avec nous. Dans cette situation, Fanta aurait su quoi faire.

Le médecin prononça un mot toubab, montrant du doigt l'endroit où j'étais assise.

« Lit », dit-il, puis il répéta ce mot et attendit que je désigne la chose et que je répète le même mot.

« Lit », dis-je, ce qui sembla le réjouir.

Il se frappa la poitrine, pouce pointé vers le thorax, et répéta un autre mot. « Tom », dit-il à quelques reprises.

« Tom », répétai-je.

Puis, il me pointa du doigt. Je dis mon nom. Il fit une grimace.

« Aminata », répétai-je.

Mais il me pointa du doigt encore et dit quelque chose d'autre. Plusieurs fois. Il voulait que je répète le mot.

« Marie », dis-je finalement.

Il pointa son doigt vers moi, et je l'imitai. J'utilisai mon pouce comme lui. « Marie », dis-je doucement.

Je laissai échapper de mes lèvres ce mot et me promis que ce serait la dernière fois que je le dirais et que je prononcerais le nom du médecin.

Il bondit sur ses pieds et applaudit. « Marie », répéta-t-il encore et encore.

Je me levai aussi. Je voulais retourner avec les femmes. Mais il posa la main sur mon épaule et me fit rasseoir, approchant son visage tout près du mien. Il avait des poils orange au menton et d'énormes touffes jaillissaient de ses oreilles et de ses joues. De chaque côté de son visage, près de ses oreilles, ses cheveux poussaient en mèches de l'épaisseur de son pouce. Il traversa la pièce, fouilla dans un coffre et en sortit une étoffe rouge large et longue, faite de lin doux. Il la drapa sur mon bras. Je me levai, l'enroulai autour de ma taille et la nouai à la hanche. Il sembla émerveillé par le nœud et l'agilité de mes gestes. Après m'avoir fait rasseoir sur le lit, il quitta la pièce.

En face du lit se trouvait un orifice dans le mur. Je me levai pour voir et fus éclaboussée au visage par une fine pluie. Nous voguions sur des eaux calmes. Je pouvais entendre les voiles du navire claquer doucement, mais je perçus un son bizarre derrière moi. Je restai immobile. La porte ne s'était pas ouverte ; j'étais certaine pourtant que quelqu'un me surveillait. Le cœur battant à tout rompre, je me retournai. Personne. Vraiment personne. Puis, j'entendis de nouveau le son qui venait d'un coin de la pièce. Là, sur une table, était posée une cage de métal. Un perroquet bleu et jaune au bec inquiétant y était enfermé. Il fit bruire ses ailes. Je reculai d'un bond, mais il ne fit que se déplacer sur son perchoir. Il ne pouvait pas s'enfuir ni m'attraper, car il était prisonnier de cette cage tout comme moi de ce bateau.

Il inclina la tête d'un côté, comme pour mieux m'examiner, et prononça soudain une série de mots. Je ne comprenais rien. L'oiseau ne chantait pas. Il parlait. Et il ne parlait pas une langue de mon pays. Il parlait la langue des toubabs.

À côté de la cage, il y avait une assiette avec des noix. J'en goûtai une. Elle était savoureuse. J'en pris deux autres et les mâchai. L'oiseau regardait les noix, puis ma bouche, les noix, ma bouche en poussant des cris rauques. Je laissai tomber les noix. À côté de l'assiette, il y avait un fruit jaune à la peau épaisse, gros comme la moitié de mon poing et pointu aux extrémités. J'en pris une bouchée. Il avait un goût amer et je le remis à sa place.

Je me retournai quand la porte s'ouvrit.

« Oh oh oh ! » s'exclama le médecin.

Il s'approcha de moi et vit la marque de mes dents imprimée dans le fruit jaune. Il tira du fourreau accroché à son ceinturon un couteau au manche d'ivoire. Je reculai vers le lit et serrai les lèvres pour m'empêcher de crier, mais il ne dirigeait pas le couteau vers moi. Il trancha plutôt le fruit en sections, prit quelques cristaux de couleur brun pâle dans un bocal et en saupoudra le fruit. Il approcha une section de sa bouche, y mordit et suça la pulpe sans manger la pelure. Il m'en offrit une section. À mon tour, je l'approchai de ma bouche et la suçai. Le goût aigre me fit lever le cœur. Le médecin ajouta quelques cristaux. Je suçai de nouveau. Ma bouche s'emplit d'une agréable saveur, et je me rendis soudain compte que j'avais faim et soif.

Il m'avait apporté deux coquilles de noix de coco. L'une contenait de l'eau, l'autre des ignames bouillies avec de l'huile de palme. Je mangeai les ignames trop vite, bus l'eau comme si quelqu'un allait me la voler et sentis mon estomac prêt à se révolter. Le bateau se balançait de nouveau sur les flots.

« Manger », dit le médecin, en montrant du doigt ce que je mangeais.

Je répétai le mot.

« Faim », poursuivit-il en se tapotant le ventre.

J'essayai de répéter.

De nouveau, il frappa la surface où j'étais assise. Je me souvenais du mot.

« Lit », dis-je.

Il sourit et me fit signe de m'allonger. Cela ne me semblait pas une bonne idée, mais je n'avais nulle part où aller. Le navire était un labyrinthe. Si je m'étais enfuie, je n'aurais même pas su où trouver les femmes de mon pays. Et même si je les avais trouvées, j'aurais été forcée de dormir encore dans la cale puante. Le médecin me couvrit d'un tissu et caressa mon épaule en répétant « Marie ».

Sa main glissa sous la couverture et descendit le long de mon dos. Je me retournai vivement et tirai le tissu pour m'en couvrir le corps. J'étais allongée sur le ventre, jambes bien serrées. Il passa encore sa main sur mon dos. Je me retournai, m'assis et l'apostrophai. « Ne faites pas ça, sinon mon père va revenir du royaume des morts pour vous frapper. Je n'ai que onze pluies. »

Le toubab n'avait aucune idée de ce que je venais de dire, mais il dut sentir ma colère et ma frayeur. Quand certains animaux sentent la peur chez leur proie, ils l'attaquent encore plus férocement. Mais le médecin recula prestement et se prit la tête entre les mains. Quelques instants plus tard, il tendit le bras pour prendre sur la table un objet blanc qu'il serra contre lui. C'était une sculpture simple et bizarre, avec un montant et une traverse. Il la pressa sur sa poitrine, marmonna quelque chose doucement et remit la couverture sur moi. Il me tapota l'épaule toujours en marmonnant. Sa main ne revint pas glisser sur mon dos. Je restai de glace, allongée sur le dos pour le surveiller, sans dire un mot. Je dus finir par m'endormir.

Lorsque je me réveillai, il faisait nuit. J'avais été poussée au fond du lit, tout contre le mur, et je n'étais pas seule. À côté de moi, deux silhouettes, l'une sur l'autre, se balançaient. Les deux soufflaient bruyamment. L'une avait une voix aiguë, effrayée, et semblait protester. C'était une femme de mon pays, haletante, qui prononçait des mots que je ne comprenais pas. Elle était en dessous. Le médecin était sur elle, grommelant et s'agitant de haut en bas. Je me rapprochai le plus possible du mur et fermai les yeux. Je savais qu'un homme n'avait pas le droit de toucher une femme de cette façon, à moins qu'elle ne soit son épouse. Même si papa ne m'avait pas enseigné des parties du Coran, j'aurais su cela.

« Aaaah », fit le toubab dans un soupir.

Le lit se calma. Je sentis le médecin s'affaisser de tout son poids dans l'espace qui me séparait de la femme, pendant qu'elle pleurait, le souffle court. Le médecin finit par reprendre une respiration normale, tout comme la femme. Longtemps je surveillai leurs poitrines se lever et s'abaisser, jusqu'à ce que je m'endorme à mon tour.

Un filet de lumière venu de la fenêtre me réveilla. Le médecin n'était plus là. La femme non plus. Je remis en place l'étoffe rouge bien serrée autour de mes hanches. La fenêtre était fermée. Sur la table au-dessous, je trouvai des coquilles de cauris et trois objets en métal. Ils n'avaient même pas l'épaisseur d'une coccinelle et ils étaient ronds comme l'ongle du pouce, mais plus grands. Ils étaient de couleur argent. Je mordis l'un d'eux, mais il résista. Sur un côté de chaque pièce était gravée une tête d'homme.

LES JOURS SUIVANTS, LE TOUBAB aux cheveux orange me montra comment sortir de la cabine et monter sur le pont, et comment y trouver les espaces réservés aux captifs, hommes et femmes. Les femmes pouvaient aller dans l'espace des hommes, mais ceux-ci restaient enchaînés et ne pouvaient pas sortir du leur, car des sentinelles armées montaient la garde.

Le jour, je circulais librement sur le pont, mais le soir, je devais regagner la chambre du médecin. Il me montra comment prendre soin de son oiseau. Le soir, je couvrais la cage d'une housse que j'enlevais le matin. Je nettoyais la cage, nourrissais l'oiseau de noix et lui donnais les friandises que le toubab apportait à la chambre. Une banane. De la viande cuite. Des ignames, du millet, du riz. L'oiseau mangeait de tout. Quand le médecin n'était pas là, je mangeais la nourriture moi-même. Comme l'oiseau poussait des cris stridents quand j'avalais des noix, je lui en donnais quelques-unes. Si jamais je retournais à Bayo, les gens ne me croiraient pas. *Le médecin toubab aimait un oiseau. Il le laissait se percher sur son bras. Il l'aimait tant qu'il lui avait appris la langue des toubabs.* J'imaginais leur réaction. Ils hurleraient de rire en me jetant des objets. Ils en parleraient pendant deux lunes d'affilée. *Raconte encore l'histoire de l'homme et de son oiseau.*

Le médecin n'essayait jamais de me toucher lorsque l'oiseau regardait. Il me demandait d'abord de couvrir la cage. Certains hommes ont les yeux pétillants d'agressivité, mais ce toubab avait des yeux bleu pâle, aux iris aqueux, même quand l'oiseau ne pouvait pas nous voir. Quand il posait la main sur mon épaule ou mon dos, je le repoussais vivement et laissais éclater ma colère. Il faisait alors un bond en arrière comme un chien battu et se mettait à lire un livre qu'il gardait dans la chambre. Il lisait à voix haute. Il semblait répéter les mêmes mots, encore et encore. Étrangement, dans ces moments-là, il pouvait me donner tout ce que je demandais. À manger. À boire. Un autre morceau de tissu tiré du coffre de bois. Ou encore l'un de ces mystérieux disques de métal avec une tête d'homme gravée sur un côté.

CHAQUE JOUR, LES TOUBABS faisaient monter de leur cachot les hommes par petits groupes. Je les voyais émerger de l'obscurité, titubant, éblouis par la lumière du soleil, se couvrant les yeux de leurs bras recourbés. Confinés dans leur compartiment exigu sur le pont, les hommes recevaient de l'eau et de la nourriture. Parfois, on leur permettait de se laver. Je vis un vieil homme tomber tête première pendant qu'il essayait de le faire. Il fut incapable de se relever. On lui voyait les côtes, il avait l'air à bout de forces. Une femme noire – vieille et faible elle aussi – s'occupa de lui, lui caressa le front et approcha une calebasse d'eau de ses lèvres. Quatre toubabs la repoussèrent et saisirent l'homme par les genoux et sous les aisselles. Il s'affaissa dans leurs bras et avait à peine la force de résister. La femme se mit à crier, suppliant les toubabs, essayant de desserrer leurs doigts. Ils passèrent devant elle en la bousculant, emmenèrent l'homme près de la rambarde et le jetèrent par-dessus bord.

Les jours suivants, la douleur de la femme était si intense que personne ne voulait se tenir près d'elle ni s'accroupir à ses côtés autour du seau de nourriture. J'appris de Sanou qu'un jour elle n'était pas montée. Deux jours plus tard, elle ne bougeait plus. On la hissa sur le pont et on la jeta dans les profondeurs, comme son homme. Personne ne se battit ni ne plaida en sa faveur. Personne ne voulut parler d'elle après sa disparition. Je demandai à Fanta si elle pensait que la femme était morte avant qu'ils ne la sortent de la cale. Elle fit « chut », puis s'éloigna.

Au fil des jours, je constatai que plus les femmes étaient libres de se déplacer, plus elles couraient de risques. Fanta me dit que j'étais folle de suivre le médecin. Elle déclara préférer dormir à côté des seaux d'excréments dans la cale plutôt que dans le lit d'un toubab. D'habitude, elle restait en bas, et parce que sa grossesse était très avancée, les toubabs la laissaient tranquille. Pour ma part, je n'avais pas vraiment le choix, et de nombreuses femmes étaient obligées de passer des nuits, ou des parties de nuit, avec les chefs toubabs. Le médecin prenait une femme dans son lit toutes les deux ou trois nuits. Il avait trois ou quatre favorites, et me faisait rester dans le lit même quand il amenait une femme. Je me poussais tout contre le mur, me bouchais les oreilles, chantonnais à voix haute et essayais de ne pas me préoccuper de l'agitation et des vibrations. Dès que le médecin cessait de bouger, il faisait un petit somme. La femme sortait du lit aussi délicatement que possible et farfouillait dans la chambre, tirant parfois d'une boîte un objet qu'elle glissait sous son vêtement. Le médecin se réveillait alors en sursaut, se levait, donnait à la femme quelque nourriture ou de l'eau, ou encore une étoffe de couleur, et la renvoyait.

La nuit, les femmes qui venaient dans la chambre du médecin ne me regardaient pas et nos yeux ne se croisaient jamais. Je compris que je ne devais pas leur adresser la parole. Je n'aurais jamais colporté que les femmes volaient ce qu'elles pouvaient trouver dans les boîtes qui se trouvaient dans la cabine du médecin. Je vis des tiges de fer disparaître dans des morceaux de tissu. Je vis une femme prendre une orange avec la permission du médecin et, quand il eut le dos tourné, tirer un clou du plancher et l'insérer profondément dans le fruit.

Sur le pont supérieur du bateau, j'écoutais les femmes parler. Elles disaient que le grand chef des toubabs était bâti comme un âne et ne donnait rien d'autre aux femmes que la puanteur de son corps. Elles disaient que sa nuque, son dos et même ses orteils étaient couverts de poils. Fanta poussa alors un grognement et prévint qu'un jour l'une d'entre nous finirait dans son estomac, juste à côté de la boule de poil qu'il devait avoir, comme un chat.

Après dix jours en mer, les toubabs retirèrent les fers de quelques hommes à qui on permettait de monter sur le pont, mais ils les réenchaînaient plus tard quand ils les renvoyaient dans la cale. Biton m'encourageait à apprendre tous les mots toubabs que je pouvais, pour lui transmettre de l'information. Il m'incitait toujours à voler des objets dans la cabine du médecin.

Chekura me mettait en garde : « Si Biton t'aimait comme un père, il n'essaierait pas de t'exposer au danger. Dis-lui que tu ne trouves rien. »

TOUJOURS ENCHAÎNÉ, Fomba restait silencieux. Je me rappelais que Biton m'avait dit de ne pas demander de faveurs pour Fomba, mais je ne pouvais supporter de voir la chair à vif et le sang sur ses chevilles. Il ne se plaignait même pas à moi. Je fis comprendre au médecin qu'on pouvait libérer Fomba en toute confiance et le laisser verser la nourriture des marmites dans les seaux. Je m'arrangeai également pour qu'on lui donne un pagne. Mais après coup, cela m'inquiéta de voir des femmes s'approcher parfois de Fomba et lui passer des objets à l'insu des toubabs. J'imaginais mon père me dire *Tiens-toi loin des problèmes. Évite le danger.*

Je prenais de la nourriture dans la cabine du médecin pour la donner sur le pont à Fomba, Chekura, Fanta et Sanou. Un jour que j'apportais à Chekura une orange, il la brisa en morceaux, en ingurgita le contenu et jeta les restes par-dessus bord. Le jus et la pulpe lui coulaient sur les lèvres et le menton. Il avait l'air d'un enfant qui vient d'apprendre à manger avec ses mains, mais il s'en fichait. Il mourait d'envie de me raconter la dernière nouvelle. « Fomba ne parle pas, mais il sait se servir de ses mains.

— Qu'a-t-il fait ?

— En bas, il a sorti un clou de son pagne et a fait sauter ses fers. Biton pensait que c'était un hasard. Fomba a refermé ses fers et les a ouverts de nouveau. Biton a essayé de l'imiter, sans succès. Toute la nuit, il a essayé d'ouvrir ses propres fers avec le clou. Pas capable. Il a appelé Fomba, qui l'a fait à sa place en une seconde. »

SUR LE PONT, UN APRÈS-MIDI, avant le repas des prisonniers, le chef toubab apparut avec une carcasse de poulet déjà rongée. Il la tira dans le groupe d'hommes. Ceux-ci se chamaillèrent autour des restes, léchant et suçant ce qu'ils avaient réussi à attraper, grignotant les os pour récupérer les miettes de viande et les écrasant pour atteindre la moelle. On leur jeta une autre carcasse de poulet, et de nouveau ils se mirent à se battre.

Les matelots se tordaient de rire. Ils en tirèrent une troisième.

Biton se trouvait parmi le groupe de prisonniers. Je l'entendis donner des ordres et vis les hommes cesser de se quereller et s'éloigner de la troisième carcasse. Biton la ramassa et la tira au chef toubab. « T'oseras pas me tuer, cria-t-il. Je suis trop précieux. »

Les toubabs n'avaient aucune idée de ce que Biton avait dit, mais ils le fouettèrent. Dix coups, sur le dos. Je vis le premier coup entailler la chair et m'empressai de retourner à la chambre du médecin. Ce spectacle m'était insupportable.

Le lendemain, Biton revint sur le pont à grand-peine mais sans une plainte. À partir de ce jour-là, il devint le chef incontesté des prisonniers.

Les prisonniers détestaient au plus haut point qu'on les fasse danser au moyen d'un long fouet avec lequel l'assistant balayait le pont. Un jour que l'assistant était malade et avait désigné un matelot pour se charger du fouet, je me mis à chanter pendant que nous dansions, en nommant toutes les personnes que je voyais. J'essayai de donner le nom de chacun avec le nom de son village. J'en connaissais déjà plusieurs.

Biton, entonnai-je, de Sama. Chekura, de Kinta. Et Isa, de Sirakoro. Ngolo, de Jelibougou. Fanta, de Bayo. Le moral des prisonniers remonta d'un cran. Quand je prononçais un nom en chantant, un homme ou une femme frappait une fois dans ses mains si je le disais correctement, et les autres le répétaient immédiatement. Quand je me trompais ou que j'ignorais un nom, la personne frappait deux fois dans ses mains et dansait un peu avec moi en chantant son nom et le nom de son village. Tout le monde participa à l'activité et, à d'autres occasions où on nous fit danser, les prisonniers à tour de rôle scandaient les noms des gens qui les entouraient et le nom de leur village. Certains étaient capables de débiter jusqu'à quinze noms et villages. Quant à moi, après plusieurs jours, je pouvais donner les noms et les villages de presque toutes les personnes que je voyais.

Biton nous faisait participer au jeu des noms et danser avec une telle vigueur que les toubabs s'approchaient pour nous admirer. Ils se rassemblaient selon leur hiérarchie : le capitaine, son assistant, le médecin et les chefs devant les autres toubabs. Parfois, Biton dansait et chantait en solo.

Il commençait par une question qu'il entonnait comme une chanson : « L'assistant est-il ici ? Dites-moi cela, mes amis. » Quelqu'un répondait en chantant : « Non, l'assistant n'est pas là. » Biton poursuivait : « Regardez bien, mes amis, pour en être sûrs. » Quand il était certain que l'assistant était absent, Biton intensifiait sa danse et continuait sa chanson : « Celui-là, avec du poil au menton seulement, c'est l'assistant. C'est lui qui conduit le navire. Il va vivre. Et l'autre, ventru comme une femme enceinte, c'est le chef toubab, et il va mourir. Mais nous attendons d'abord le bébé de Fanta. »

Un cycle complet de la lune s'était écoulé depuis notre départ. Les prisonniers continuaient de mourir au rythme d'un ou deux par jour. On ne portait aucun respect aux morts. Le bruit d'un cadavre tombant dans l'eau m'horrifiait de plus en plus et offensait l'esprit des morts. J'étais d'avis que ce traitement qu'on leur faisait subir était pire que de les tuer. J'écoutais le bruit de la chute dans l'eau, même s'il m'effrayait, car la chose qui me bouleversait encore plus, c'était de n'entendre aucun bruit. Pour moi, un plongeon silencieux signifiait que le cadavre sombrait dans l'oubli. La nuit, je voyais en rêve des gens tomber des murs d'enceinte de Bayo et disparaître sans avertissement et sans bruit, comme s'ils avaient marché les yeux bandés vers un précipice.

Des matelots toubabs mouraient aussi. J'en voyais parfois, malades et agonisants, les jours que je suivais le médecin dans sa tournée. Ils avaient les gencives pourries et enflées et crachaient un mucus verdâtre. Leur peau se couvrait de taches noires et leurs plaies ouvertes empestaient. Quand un chef toubab mourait, on l'envoyait par-dessus bord tout habillé. Quand c'était un matelot, on lui enlevait ses vêtements et on l'abandonnait aux requins qui nous suivaient comme des vautours d'eau. Tous les jours, les matelots jetaient dans l'eau toutes sortes de détritus – seaux d'excréments, tonneaux défoncés débordant d'aliments avariés, rats au ventre gonflé –, mais chaque fois que j'entendais un plouf, je craignais le pire.

Il n'y avait pas d'enfants de mon âge à bord. Personne avec qui jouer. À part quelques bébés, il n'y avait que des adultes. J'avais la chance de ne pas être confinée avec les autres dans la cale, mais trop souvent je n'avais rien à faire. Seule dans la cabine du médecin, parfois je dormais pour passer le temps. Ou je m'amusais à tirer des arachides au perroquet ou à lui enseigner des mots comme *le toubab paiera* en peul. Et je mettais en scène des discussions entre mes parents. Je les faisais discuter à mon sujet. *Elle dormira avec les femmes, dans la cale. Non, elle n'ira pas dans la cale. Il vaut mieux la laisser avec le toubab parce qu'il est inoffensif. Inoffensif ? Est-il inoffensif avec les femmes, la nuit ?* Lorsque ce genre de conversation me martelait la tête, j'orientais le dialogue vers un autre sujet. *Tu passes trop de temps à rendre visite à des femmes d'autres villages et nous n'avons pas planté assez de millet. Les femmes se plaignent chaque fois que tu évites d'aller aux champs avec elles. Je ne rends pas visite aux femmes. Je les aide à accoucher et je rapporte à la maison des poulets, des casseroles, des couteaux. Une fois, j'ai même rapporté une chèvre. Je me fiche de tes femmes stupides dans les champs. Plantent-elles des poulets ? Plantent-elles des chèvres ?*

Un soir, sur le pont supérieur, Fanta me dit qu'elle avait des contractions et qu'elle était prête à avoir son bébé. Je fis signe à Chekura, qu'on faisait justement redescendre pour la nuit dans la cale avec les autres hommes. Il hocha la tête quand il me vit montrer Fanta du doigt, rapprocher mes mains en forme de coupe et les tendre vers le devant de mon bas-ventre.

Chaque jour, je circulais entre le pont et la cabine du médecin, et personne n'osait m'en empêcher, parce que j'appartenais à ce dernier. Cette fois, j'amenai Fanta avec moi. C'était la première fois qu'elle descendait dans les quartiers des toubabs. Elle vit la marmite destinée aux chefs toubabs. « Nous devrions les tuer avant qu'ils ne nous fassent cuire tous », dit-elle.

Dans la chambre du médecin, j'étendis d'autres morceaux de tissu sur le lit et apportai un seau d'eau. J'espérais que cet accouchement se déroule rapidement.

« Je pourrais être ici toute la nuit, si le travail prend du temps, dit Fanta. Et je ne passerai pas la nuit dans le même lit qu'un toubab. Plutôt mourir. Ou le tuer. » Je mis la main sur son épaule et lui dis de penser au bébé. Elle poussa un grognement. « J'ai cessé de m'en occuper depuis longtemps. Aucun toubab ne fera à ce bébé ce qu'ils nous ont fait. »

Un frisson me parcourut le corps. Je devais quitter Fanta pendant quelques instants. Je devais rassembler mes esprits, et je fis ce que le médecin m'avait montré. Je pris une cuve de métal qui se trouvait dans la chambre, sortis et fis signe à un jeune toubab qui travaillait au feu de cuisson de déposer deux briques brûlantes dans la cuve. Je retournai à la cabine. Fanta, bouchée bée, pointait du doigt l'oiseau qui poussait des cris dans sa direction. Je jetai quelques arachides à l'oiseau et recouvris la cage pour le faire taire.

« Ne donne pas de nourriture à cette chose, dit Fanta. Garde-la pour toi. Donnes-en aux autres. Ou à moi.

— Je dois le nourrir, sinon il va mourir. Et s'il meurt, le médecin…

— Je sais, je sais », dit-elle.

Je versai plusieurs seaux d'eau dans la cuve et dis à Fanta d'y entrer. Elle s'accroupit, en évitant de toucher les briques chaudes.

« Je n'ai pas eu d'eau chaude comme celle-ci depuis que nous avons quitté Bayo, dit-elle.

— Hum, grommelai-je.

— Tu fais ça, toi aussi ?

— Parfois.

— Il te regarde ?

— Oui.

— Il te touche ?

— Il a essayé, mais je ne l'ai pas laissé faire.

— Tu es capable de faire ça ?

— Il arrête quand je le regarde dans les yeux et lui parle sur un ton méchant.

— C'est un toubab faible. Et les faibles meurent les premiers. »

Je n'osais pas demander à Fanta quels faibles elle avait à l'esprit. Les prisonniers ou les toubabs ?

Fanta se calma un peu. Je la regardai surmonter quelques contractions. Elle termina son bain, s'asséchait avec le tissu que je lui tendis, frissonna et grimpa sur le lit. « L'appelles-tu par un nom ?

— Qui ?

— Le médecin. L'appelles-tu par un nom ?

— Il a un nom. Ça sonne comme « Tom ».

— L'appelles-tu comme ça ?

— Non, je l'appelle rien du tout. Je fais juste lui parler. Pas de nom.

— C'est bien. »

Des contractions secouèrent Fanta pendant quelque temps, mais elles finirent par s'estomper et elle s'assoupit. Entre-temps, le médecin entra dans la chambre. Il leva les bras au ciel. Il avait l'air sous le choc.

« Bébé. Sortir bébé », dis-je. Il m'avait appris ces mots.

« Non », dit-il.

Je me levai. Je le regardai droit dans les yeux. C'était la seule façon. Cela avait marché quand j'avais repoussé ses mains et j'espérais que cela marcherait encore.

« Sortir bébé », répétai-je.

Et en bambara, je lui dis avec fermeté : « Va-t'en. Maman dort.

— Quand ? demanda-t-il.

— Sortir bébé bientôt », dis-je.

Il tira de sa poche une orange et dégaina le couteau suspendu à son ceinturon. Il trancha le fruit, posa le couteau et le fruit sur une petite table et m'indiqua que Fanta et moi pouvions manger le fruit. Il se retourna, sortit un autre morceau de tissu de son coffre et le déposa aux pieds de Fanta. Mes yeux tombèrent sur le couteau. Le médecin l'avait oublié sur la table. Il but rapidement à même une bouteille, la remit dans le coffre sous le linge, ramassa quelques affaires et quitta la pièce.

Je m'assis sur le lit et attendis que Fanta se réveille. Elle ronflait. Je pensais que je la taquinerais plus tard en lui disant qu'elle faisait un bruit de cochon sauvage. Elle finit par se réveiller, s'assit brusquement, regarda autour d'elle et se rappela où elle était. Elle gémit et se recoucha. Sa respiration s'accéléra. Je lui frottai le dos.

« Il faut que tu saches quelque chose, dit-elle.

— Personne ne va être mangé, alors arrête de penser à ça, dis-je.

— Dans une saison des pluies ou deux seulement, tu devais devenir la prochaine épouse de mon mari », dit Fanta.

Je restai bouche bée, et lui fis un geste de la main : « C'est un mensonge.

— C'est pourquoi je ne t'ai jamais aimée, poursuivit Fanta. Tu étais si jeune, même pas à la veille d'être femme, et je savais qu'un jour tu serais la favorite de mon mari. »

Des gouttes de sueur perlaient sur son front, mais je ne fis aucun geste pour les éponger. « J'aurais fait en sorte que ta mère n'entre pas dans la maison, continua Fanta, et dès que nous aurions été seules, je t'aurais donné une raclée royale. Je t'aurais fait payer.

— Je ne te crois pas, dis-je. Mon père et ma mère n'auraient jamais été d'accord.

— Non ? Que penses-tu qu'un joaillier aurait répondu au chef du village ? N'aurait-il pas mieux fait d'accepter et de négocier de bonnes conditions ?

— Je ne te crois pas.

— Tu ne veux pas savoir ce que tu valais ?

— Non.

— Un jour, tu haïras des gens comme moi. Tu n'auras plus cet air d'enfant qui fait que tout le monde t'aime et applaudit avec fierté une petite bâtarde comme toi déjà capable d'aider aux accouchements. Tu sais quoi, Aminata ? Tout le monde peut avoir un bébé, et la première idiote peut aider une femme à accoucher. »

J'étais si fâchée que je ne savais que dire. Je voulais la poignarder avec le couteau. Je voulais lui arracher les cheveux. Je voulais crier qu'elle était une menteuse et que mes parents ne m'auraient jamais cédée à ce vieil homme. Même si c'était le chef du village. Or, je savais que je ne pouvais pas lui faire de mal, ni crier. Ma mère m'avait appris les bonnes choses. Quand tu aides à mettre un bébé au monde, tu restes calme. La mère peut se conduire comme un tyran ou une enfant gâtée, mais toi, tu ne peux pas. Quand tu aides à mettre un bébé au monde, tu ne t'appartiens pas. Tu t'oublies et tu aides l'autre. Ma gorge se serra. J'avalai ma salive. Je me demandai si ce que Fanta avait dit était vrai. La tristesse s'était accumulée dans mon cœur pendant trois lunes de marche et plus d'une lune sur ce vaisseau de toubab puant, et elle éclata. Des larmes jaillirent de mes yeux et ma respiration s'accéléra. Je haletai et sanglotai, plantée au milieu de la pièce, désemparée. Fanta se recoucha et attendit que passe ma crise de larmes. Pendant quelques instants, je fus terriblement secouée. Solidement campée sur mes jambes, yeux et poings fermés, je me balançais et finis par me calmer. Je n'avais rien d'autre à faire que d'en appeler à Dieu, prière que je n'avais pas prononcée depuis fort longtemps. *Allahu Akbar,* murmurai-je. Allah est grand.

« Ne perds pas ton temps avec ça, dit Fanta. Tu ne vois donc pas qu'Allah n'existe pas ? Ce sont les toubabs qui dirigent ici et tout le monde est fou. »

Peut-être avait-elle raison. Peut-être Allah ne vivait-il que dans mon pays, avec les gens de mon pays. Peut-être ne vivait-il pas sur le bateau des toubabs ou dans le pays des toubabs. Je ne dis rien. J'essayai de ranger toutes les choses que Fanta m'avait dites dans un petit coin de mon cerveau et de les enfermer là derrière une porte close. La voix de ma mère, calme et rassurante, flottait à mon oreille. *Nous avons un bébé à accueillir.*

Le corps de Fanta fut de nouveau secoué de contractions. Je proposai d'aller vérifier avec ma main si elle était prête, mais elle refusa. Les contractions devinrent plus fortes et plus fréquentes, et je laissai Fanta décider du moment où elle devait pousser. Je ne lui donnai aucun conseil. Je lui offris de l'eau, je lui tins la main et attendis que l'épouse du chef juge elle-même ce qu'il fallait faire.

Elle poussa longtemps, puis se recoucha et se reposa. Une nouvelle vague de douleurs sembla s'emparer de son corps, et elle se remit à pousser. Elle fit une pause, puis poussa si puissamment qu'elle déféqua. « Ça y est », dit Fanta.

Elle poussa à trois autres reprises. Je vis des cheveux sur le dessus de la petite tête qui apparut, mais le bébé ne sortait toujours pas. Fanta poussa une autre fois et la tête émergea au complet, bleue et pourpre, tachetée de matières blanchâtres et de sang. Elle donna une autre poussée et les épaules se dégagèrent. Le reste du bébé fut rapidement expulsé : le ventre, le pénis, les jambes, les pieds. Je me servis du couteau du médecin pour couper le cordon, puis j'emmaillotai l'enfant et le présentai à Fanta. Le bébé se mit à vagir, mais Fanta le laissa pleurer longtemps avant de lui donner le sein. Ce n'était pas une mère fière, mais une mère furieuse. J'essayai de l'installer confortablement sur le lit, mais elle me repoussa.

Je lui tournai le dos et m'assis sur le seau d'aisance. Le bébé se remit à crier. En me retournant, je vis Fanta, encore mal assurée sur ses jambes, debout au milieu de la pièce. Elle déhoussa la cage, en ouvrit la porte et attrapa l'oiseau par le bec. Ses griffes la lacéraient ; elle lança un juron.

« Arrête ! » lui criai-je.

Fanta m'ignora. Elle avait en main le couteau du médecin. Elle poignarda l'oiseau jusqu'à ce que ses griffes cessent de l'égratigner et que son corps devienne immobile. Elle remit la carcasse dans la cage, ferma la porte et recouvrit la cage. Elle se rhabilla et, après l'avoir nettoyé, glissa le couteau dans son vêtement. Elle prit ensuite dans ses bras son bébé en pleurs et l'approcha de son sein. Fanta et le petit finirent par s'endormir, mais je restai éveillée, effrayée à la pensée de ce qui allait arriver au retour du médecin, quand il enlèverait la housse de la cage. Mais la lumière de l'aube pénétrait par le hublot et le médecin ne se montrait toujours pas.

Je réveillai Fanta, et nous montâmes tous les trois sur le pont. Une lune blême était suspendue à faible hauteur dans le ciel pendant que le sommet d'une boule de feu émergeait de l'horizon opposé. Lorsque la lune et le soleil partagent le même ciel, il faut s'attendre à des problèmes.

Le médecin vit le bébé et modula des paroles agréables. Il me tapota l'épaule. Il fit un pas vers Fanta, mais se heurta à son regard de glace. Fanta était maintenant solide sur ses pieds. Il me vint à l'esprit qu'elle avait marché pendant trois lunes avec un bébé grandissant dans son ventre et qu'elle avait éventré ce perroquet même s'il se débattait et lui déchirait le poignet. Le soleil était maintenant au-dessus de l'horizon. Une ardente boule de feu. La lune commença à s'estomper, et j'eus le sentiment qu'elle m'abandonnait et que j'allais devoir me débrouiller toute seule.

Le toubab aux cheveux orange était si heureux de l'arrivée du bébé qu'on aurait cru que c'était lui qui avait accouché. Il envoya quelques matelots toubabs chercher le capitaine et l'assistant. Ces derniers et le médecin entreprirent une discussion à trois. Après avoir reçu des instructions, l'assistant s'adressa à moi, mais je ne le comprenais pas. Il répéta. Je me rendis compte que le médecin voulait que j'appelle les hommes dans la cale. Je devais leur dire que Fanta avait eu son bébé.

Un toubab ouvrit l'écoutille de la cale des hommes. Je descendis quelques marches dans la pénombre. Je pouvais à peine y voir.

« Un fils pour Fanta, lançai-je en bambara.

— Plus fort », dit l'assistant.

Je redis mon message, puis le répétai en peul. Je m'attendais à ce que les hommes manifestent leur joie et que, quand ils sortiraient sur le pont, on reprenne la danse du fouet. Pas un mouvement. Pas un son. Pas même un chuchotement. J'entendis un cliquetis de chaînes. Sur l'ordre de l'assistant, je lançai mon appel une fois de plus. Rien. Je remontai sur le pont.

Le médecin discuta de nouveau avec le capitaine et l'assistant. Deux matelots et l'assistant furent envoyés dans la cale avec des gourdins, des bâtons à feu et une lanterne. Ils descendirent par l'écoutille. J'entendis l'assistant crier que Fanta avait eu son bébé et que les hommes pouvaient monter sur le pont et danser avec les femmes. On envoya un matelot toubab faire sortir les femmes.

Quelqu'un toucha mon coude. Je me retournai. C'était Sanou avec son bébé dans les bras, endormi. Sanou s'approcha de Fanta pour l'embrasser, mais Fanta lui jeta un regard de pierre. Sanou recula et revint près de moi. Les femmes – certaines venant de leur compartiment, d'autres sortant des cabines des chefs toubabs – se rassemblèrent autour de nous.

À ce moment-là, les prisonniers commencèrent à évacuer la cale. Ils arrivèrent si rapidement que les deux toubabs gardant l'écoutille mirent un certain temps à comprendre que les hommes n'étaient pas enchaînés. Les gardes furent jetés dans la cale, aux mains des mutins.

Les toubabs commencèrent à tirer avec leurs bâtons à feu. Quelques captifs furent atteints au visage ou à la poitrine et tombèrent contre la marée de rebelles, tandis que d'autres sortaient de la cale et couraient librement sur le pont. Une vingtaine ou une trentaine d'hommes réussirent à s'échapper de la cale avant que les tirs de bâtons à feu deviennent si intenses que chaque homme qui surgissait de la trappe était tué et retombait dans la cale.

Biton passa en coup de vent devant moi avec une tige de fer dans une main et ses fers de chevilles dans l'autre. Il planta la tige de fer dans l'œil d'un toubab et en frappa un autre au visage avec ses fers. Un prisonnier creva l'œil d'un matelot à l'aide de clous rouillés. Les chefs toubabs poursuivaient l'attaque avec leurs armes à feu.

Tout autour de moi, des coups de feu résonnaient et des gens criaient. Je me reculai jusqu'à la rambarde. Je vis une femme grimper sur le dos d'un matelot toubab, s'accrocher à lui comme un singe et lui griffer les yeux avec ses ongles. Les prisonniers vociféraient, tout comme certains toubabs. D'autres toubabs hurlaient des ordres. Leurs armes à feu donnaient la mort, mais les toubabs devaient prendre un certain temps pour les utiliser plus d'une fois. Armés de couteaux, de marteaux et de clous, les prisonniers enragés frappaient plus rapidement qu'eux.

À quelques pas de moi, je vis Fanta s'accroupir. Je pensai d'abord qu'elle était blessée ou épuisée par l'accouchement. Elle était pliée en deux, et le bébé gigotait sur un morceau de tissu à côté d'elle. Sous mes yeux, Fanta fouilla dans son vêtement. J'entendis le bébé pleurnicher et le vis agiter ses petits pieds. Fanta sortit le couteau qu'elle avait subtilisé dans la cabine du médecin, couvrit de sa main le visage de l'enfant et lui souleva brusquement le menton. Elle enfonça la pointe du couteau dans le cou du bébé et lui ouvrit la gorge. Puis, elle le couvrit du tissu, se leva et le jeta par-dessus bord. J'eus un haut-le-cœur et sentis mon corps se ramollir, mais je ne pouvais quitter Fanta des yeux. Elle courut derrière le médecin, qui pointait son arme à feu dans une autre direction, et enfonça le couteau profondément dans sa nuque. Il voulut se retourner mais tomba à genoux. Les yeux exorbités, il s'affala devant moi, les bras écartés. Du sang coulait de sa bouche. Son regard semblait fixé sur moi. Je ne pouvais supporter la vue de ces yeux, des yeux d'un homme agonisant, et j'espérais qu'il rende l'âme rapidement.

On m'assaillit par-derrière. Je pensais que ma dernière heure était venue. *Allahu Akbar,* murmurai-je, en m'effondrant sur le pont. Pourtant, nulle main ne m'étrangla et nul couteau ne s'enfonça dans mes côtes. C'était Fomba qui était tombé sur moi. Du sang coulait de son bras sur mon visage. Il se releva. Il se servit tout de même de son bras blessé et, marteau en main, fracassa le crâne d'un toubab qui pointait un bâton à feu en direction de Biton.

J'étais trop terrifiée pour bouger. Je vis Fanta courir vers Sanou, accroupie sur le pont, serrant son bébé contre elle et essayant d'éviter la mêlée. Je la vis gesticuler comme une folle près de Sanou et tenter de lui enlever sa petite. Sanou s'agrippait à son bébé, mais Fanta continuait d'essayer de le lui arracher et finit par lui donner un coup sur le nez. Sanou tomba à la renverse. Fanta empoigna le bébé vagissant par une jambe. J'essayai de me lever. Il fallait que j'aille arrêter cela. Il fallait que je raisonne Fanta. Mais avant que j'aie le temps de faire un geste, Fanta avait saisi l'enfant par la cheville et le tenait tête en bas. Je ne pouvais comprendre quelle sorte de folie s'était emparée d'elle. Elle avança jusqu'à la rambarde et lança la petite fille dans les eaux. Sanou se releva. Elle avait la bouche grande ouverte, mais je ne pouvais entendre sa voix au milieu des coups de feu et des cris des prisonniers et des toubabs. Elle grimpa sur la rambarde et suivit son bébé dans la mer.

À son tour, Fanta tenta de grimper sur la rambarde, mais un toubab la prit à bras-le-corps, la jeta brutalement sur le pont et commença à la battre. À côté de moi, un prisonnier avait une épée profondément enfoncée dans le ventre. Il trébucha sur moi, m'éclaboussant de son sang et me clouant au sol. J'étais coincée sous lui et ne pouvais plus bouger. Deux hommes passèrent en courant près de moi et sautèrent par-dessus bord. Le bruit des deux chutes me fit sursauter. Une femme les suivit. Puis une autre. J'essayai de me libérer du poids de l'homme qui s'était affaissé sur moi. Impossible. Biton se battait avec le capitaine, dont le bâton à feu avait cessé de fonctionner. Celui-ci voulut se servir de son bâton à feu comme gourdin. Biton esquiva le coup, attrapa le toubab par le pied et le projeta au sol. Un autre prisonnier lui fendit le crâne avec un marteau. Un coup. Le capitaine s'agitait toujours. Deux coups. Il cessa de bouger. Le prisonnier était couvert de sang. Je ne pouvais dire si c'était le sien ou celui d'un autre. Deux toubabs fermèrent l'écoutille et la verrouillèrent. Un matelot se battait avec Chekura et lui lacéra le bras d'un coup de couteau. Chekura s'écroula en tenant son épaule, mais Fomba surgit derrière le matelot, le saisit par les cheveux, lui renversa la tête d'une main, le prit à l'entrejambes de l'autre main et l'envoya par-dessus bord. À son tour, Fomba fut frappé à la nuque avec la crosse d'un bâton à feu et tomba brutalement.

À l'aide d'un seau en bois dans lequel on servait la nourriture, un prisonnier assomma un matelot toubab, mais il reçut un coup de feu en pleine poitrine. La vue du sang jaillissant en cascades m'était insupportable. Deux matelots passèrent des brassées de nouveaux bâtons à feu aux toubabs qui tirèrent sur tous les prisonniers encore en train de se battre.

Deux autres prisonniers reçurent des coups de feu et s'effondrèrent. Je fermai les yeux un instant. Les attaquants noirs s'étaient tus. Plus personne n'était debout. On n'entendait que des gémissements, des halètements et des coups de feu. Puis, un sinistre cliquetis de métal se fit entendre : les toubabs nous enchaînaient tous. Fomba fut mis aux fers. Chekura saignait, mais pas suffisamment pour être jeté par-dessus bord, et il fut également enchaîné. Biton avait été sauvagement battu ; il avait un chiffon enfoncé dans la bouche et on lui avait attaché des fers aux pieds. Je vis les cadavres de trois matelots toubabs, celui du médecin et celui du capitaine. J'étais abasourdie. Dans tout ce mélange de corps, saignants, inconscients ou morts, je ne pouvais dire combien de prisonniers avaient été tués ni combien jetés à la mer.

Hirsutes, ensanglantés, les yeux hagards, les toubabs en haillons avançaient en titubant. Un toubab se mit à crier à tous les autres, qui se déplacèrent à l'endroit qu'il désignait et firent ce qu'il ordonnait. Les toubabs enfermèrent les prisonniers l'un après l'autre. Je fus mise aux fers moi aussi. Le métal mordait ma cheville. Mais j'étais vivante. Je n'avais qu'à rester tranquille.

Je levai les yeux et vis un colosse au pantalon baissé jusqu'aux genoux tenir Fanta étendue sur le pont. De sa main énorme, le matelot lui clouait au sol les deux poignets. Son membre se balançait comme une langue longue et dure. Il gifla Fanta de sa main libre et descendit sur elle. Elle lui cracha au visage et le mordit au poignet si fort qu'il recula. Muni d'un seau de bois, un autre toubab le frappa à la tête. L'agresseur renonça, se releva et donna des coups de pied à Fanta. On lui mit les fers à elle aussi et on lui enfonça un chiffon dans la bouche pour la faire se tenir tranquille.

Je surveillai les toubabs jeter les cadavres de prisonniers par-dessus bord. Malgré les hurlements de protestation, ils firent de même avec les prisonniers grièvement blessés. Quand ces derniers passaient de l'autre côté de la rambarde, ils criaient de nouveau. Sept ou huit cadavres de toubabs étaient étendus dans toutes sortes de positions imaginables : face contre terre, visage vers le ciel, sur le côté, à cheval sur les poutres ou les rambardes. Le capitaine toubab et le médecin gisaient sur le dos, bel et bien morts comme je le souhaitais. *Allahu Akbar,* me dis-je en mon for intérieur. Peut-être Fanta avait-elle raison. Peut-être était-il impossible que Dieu habite ici.

Les toubabs n'exécutèrent pas Biton. Ils pendirent certains captifs par les pouces, les fouettèrent et ne les redescendirent qu'une fois morts. Ils n'infligèrent ce traitement qu'aux hommes faibles et estropiés, c'est-à-dire de peu de valeur pour eux. Je pensais qu'ils allaient tuer Fanta ou peut-être toutes les femmes, mais ils n'en firent rien.

Après la mutinerie, ils nous gardèrent enchaînés en permanence. On nous amenait par petits groupes pour regarder les flagellations. On nous donnait à manger et à boire, puis on nous renvoyait dans la cale. Pas d'eau pour se laver. Pas de vêtements. Pas de traitement de faveur. Pas de femmes dans les cabines des chefs toubabs. On envoyait dans la cale des matelots munis de bâtons à feu et de gourdins. Ils retiraient les cadavres et ramassaient tous les vêtements et les armes non utilisées qu'ils pouvaient trouver.

Chaque soleil levant voyait plus de gens mourir. Nous annoncions leurs noms quand on les montait sur le pont. Makeda, de Ségou. Salima, de Kambolo. Au moins, dans la cale, il m'était impossible d'entendre le bruit de la chute des corps dans l'eau. Même si la cale était sombre et crasseuse, je ne voulais plus voir l'eau, ni respirer l'air du dehors.

Après un temps qui me parut plusieurs jours, les toubabs commencèrent à nous ramener sur le pont par petits groupes. On nous donna de la nourriture et une boisson infecte qui renfermait des morceaux de fruits. On nous donna des cuves et de l'eau pour nous laver. Les toubabs brûlaient du goudron dans la section des couchettes, et la fumée nous étouffait et nous donnait la nausée. Ils essayèrent de nous faire laver les planches qui nous servaient de lits, mais nous étions trop faibles. On pouvait compter nos côtes, et nous avions la diarrhée. Les matelots n'avaient pas meilleure mine. Je vis de nombreux cadavres de matelots jetés par-dessus bord sans cérémonie.

Après deux mois en mer, les toubabs nous firent tous monter sur le pont pour nous laver. Il ne restait que les deux tiers des prisonniers. Les toubabs agrippèrent ceux qui ne pouvaient pas marcher et commencèrent à les jeter par-dessus bord, un à un. Je fermai les yeux et me bouchai les oreilles, mais je ne pouvais étouffer tous les hurlements.

Peu après que le bruit eut cessé, j'ouvris les yeux et regardai le soleil couchant. Suspendu juste au-dessus de l'horizon, il dessinait une longue piste rose sur une mer d'huile. Nous voguions en douceur vers ce rose invitant, qui semblait toujours à portée de main, toujours proche mais jamais accessible. *Venez par ici,* semblait-il dire. À l'horizon, en direction du soleil, quelque chose de gris et de solide se découpait. Quelque chose d'à peine visible. Nous nous dirigions vers la terre.

Quand ils nous ramenèrent sur le pont le lendemain matin, je pouvais la voir encore. Elle était beaucoup plus proche. De la terre. Des arbres. Un rivage. Et même, plus près que la côte, une petite île. Je pouvais la voir clairement. Pas d'arbres, mais du sable et un immense enclos de forme carrée. C'est dans cette direction que nous allions accoster. Ils nous enlevèrent nos chaînes. Chekura apparut près de moi. Il n'avait plus que la peau et les os.

« Je suis désolé, Aminata.

— Nous avons perdu notre pays, dis-je. Nous avons perdu les nôtres.

— Je suis désolée de ce que je t'ai fait. »

Je regardai Chekura d'un air absent. Qu'il ait travaillé pour les voleurs d'hommes était la dernière chose qui me venait à l'esprit. « J'ai froid et je ne peux même pas prier. Allah n'existe pas ici.

— Nous sommes en vie, Aminata de Bayo, dit Chekura. Nous avons traversé l'eau. Nous avons survécu. »

Ainsi, le vaisseau qui nous avait fait trembler de peur près des côtes de notre pays avait évité au moins à certains d'entre nous d'être envoyés dans les profondeurs sous-marines. Nous, les survivants de la traversée, étions accrochés à la bête qui nous avait capturés. Pas un seul d'entre nous n'avait voulu monter à bord de ce navire, mais une fois au large, nous avions tenu bon. Le bateau était devenu une extension de nos corps en train de pourrir. Ceux qui furent expulsés de ce piaffant animal sombrèrent rapidement et trouvèrent la mort, et nous, qui y étions restés attachés, dépérissions au rythme plus lent du poison qui couvait dans nos ventres et nos tripes. Nous restâmes avec la bête jusqu'à ce que nos pieds foulent ce sol inconnu, et nous descendîmes en titubant la longue passerelle juste avant que le poison ne devienne fatal. Peut-être ici, sur cette terre nouvelle, allions-nous continuer à vivre.

LIVRE DEUX

MON RÉCIT ATTENDRA COMME UN LION TRANQUILLE

[Londres, 1803]

QUAND J'ÉTAIS TOUTE PETITE, papa me disait que les paroles des gens rusés s'envolent de leurs bouches comme des vents fous. Quand ces vents se déchaînent, disait-il, le sable qu'ils soulèvent pénètre dans tes oreilles et te pique les yeux. Des orages forment dans le ciel une sorte de lac avec un dégorgeoir, mais tu ne peux rien voir ni rien entendre. C'est seulement quand on est à l'abri, disait papa, qu'on peut dire dans quelle direction souffle le vent. C'est seulement lorsqu'on est en sécurité qu'on peut savoir comment se protéger du danger.

Me voici donc à Londres. Je me repose quelques instants de la présence de douze hommes et du bourdonnement de leurs conversations. Je suis seule dans une pièce un peu en retrait, ajoutant des cuillerées de miel à mon thé brûlant. Du couloir me parvient distinctement l'écho du rire du chef abolitionniste, un homme qui enlève souvent sa perruque pour se gratter la tête, courtaud et inflexible comme un point d'exclamation. Avec moi, cependant, il doit se montrer plein de sollicitude. Il m'ouvre grand les bras, comme pour m'offrir le réconfort de son ventre imposant. Il s'appelle sir Stanley Hastings, mais pour moi, c'est le jovial abolitionniste. De sa voix musicale et enflammée, il m'a dit que sa femme et ses enfants avaient promis de se passer de sucre dans leur thé. Si Dieu le veut, a-t-il dit, personne dans sa famille ne s'abreuvera au sang des esclaves. Selon lui, ce dont nous aurions vraiment besoin – ce qui mettrait instantanément un terme à cette traite –, c'est d'une invention pour teindre tous les produits du sucre en rouge. Il s'est ensuite mis à gesticuler comme un prédicateur en chaire. Que la couleur du sang gâche chaque tasse de thé dans tout le pays, a-t-il dit, et nous gagnerons la bataille.

Les voilà qui viennent d'interrompre mes brefs instants de calme. M'étouffant de sa compassion, le jovial abolitionniste me demande si je me sens prête à continuer. Il faut prendre des décisions et les prendre sans tarder. Vous comprenez, vous comprenez, répètent les autres hommes en me souriant. Nous devons savoir si vous allez appuyer notre plan, dit sir Hastings en scrutant mon regard, les mains pleines de documents chiffonnés.

Les abolitionnistes disent que je suis leur égale et affirment que nous conspirons tous pour mettre fin à la tyrannie de l'homme. Je demande : « Alors, pourquoi... » Mais ils ne me laissent pas le temps de finir ma phrase. J'entends des chuchotements au sujet de la propriété, des compensations, de la règle de droit. J'observe les mains qui se frottent et les doigts qui se croisent. Me croyant sourde, sir Hastings murmure à l'oreille de son voisin qu'on ne peut s'attendre à ce que je saisisse tous les détails dans leur complexité. Il se retourne vers moi de nouveau.

Votre histoire est un récit de vertu, dit-il.

La survie n'a rien à voir avec la vertu, répliqué-je.

Je parle de votre dignité et de votre courage, dit-il. Nous avons besoin que notre combat ait un visage humain, et vous êtes là. Une femme. Une Africaine. Une esclave affranchie qui s'est révoltée. Une autodidacte. Pendant vingt ans, poursuit-il, les parlementaires britanniques ont étouffé toute flamme abolitionniste. Mais cette fois, une femme comme vous peut changer le cours de l'histoire.

La tension m'épuise, mais je ne crains pas de me battre. Quand je baisse la voix, ils s'inclinent tous vers moi. Je ne peux m'adresser à votre Parlement ni rencontrer votre roi, dis-je, sans parler de l'asservissement de mon peuple.

Les hommes continuent d'exercer leurs pressions. Tout propos en faveur de l'abolition totale aura pour effet d'unir les planteurs, les armateurs, les commerçants et les assureurs. Ne puis-je pas comprendre que seuls les propriétaires votent au Parlement ?

Mais j'ai passé l'âge de la ruse. Je ne peux pas m'opposer au commerce des esclaves sans condamner l'esclavage, dis-je. Présentez vos arguments et laissez-moi présenter les miens.

Esquissant un sourire forcé, sir Hastings dit que les Britanniques sont encore hantés par les soulèvements sanglants de Saint-Domingue. Sale affaire que ce massacre d'hommes blancs. Le plus que nous pouvons demander, c'est de faire cesser la traite.

Même si vous détruisez tous les vaisseaux négriers, dis-je, qu'advient-il ensuite des hommes et des femmes déjà en esclavage ? Qu'advient-il des enfants qu'ils ont mis au monde mais qui appartiennent à d'autres ?

Les hommes se tournent vers John Clarkson, l'abolitionniste qui m'héberge. Il est facile de voir qu'il jouit de peu de prestige parmi eux. Il exprime trop ouvertement ses idées, et on ne mentionne jamais son nom dans les journaux. Mais c'est avec cet Anglais que j'ai voyagé, et c'est lui qui m'a présentée aux abolitionnistes. Il fait de son mieux, mais ne réussit pas à me convaincre.

Nous voilà donc dans une impasse. Les abolitionnistes continuent de comploter. Déjà, des audiences ont lieu sur la traite des esclaves. Et un jour, une fois ces audiences terminées, ils présenteront un autre projet de loi au Parlement. Ils disent qu'ils ont des chances de gagner cette fois-ci, et je le leur souhaite. Leur démarche vaut mieux que rien, mais elle n'est pas suffisante.

Les abolitionnistes ont beau m'appeler leur égale, leurs lèvres ne prononcent pas encore mon nom et leurs oreilles n'ont pas encore entendu mon histoire. Pas de la façon dont je veux la raconter. Le monde de l'écrit me passionne depuis longtemps, et j'en suis venue à y voir la puissance du lion endormi. *Voici mon nom. Voici qui je suis. Voici comment je suis venue ici.* En l'absence d'un auditoire, je vais écrire mon récit qui attendra comme un lion tranquille, avec son souffle paisible et son cœur qui bat.

John Clarkson leur dit à voix basse qu'ils ne peuvent continuer à me harceler ainsi. Les abolitionnistes se lèvent tous. Nous avons terminé nos débats pour la journée. Un à un, les hommes viennent me serrer la main et me saluer chaleureusement.

L'un d'entre eux me demande si j'ai suffisamment à manger et si la nourriture anglaise ne choque pas trop mon palais. Je le rassure : mon palais n'est pas choqué. Convaincu que je m'ennuie, un type à la moustache broussailleuse me propose des distractions. Une incroyable exposition de mammifères et de reptiles d'Afrique fait fureur à Londres. L'ai-je vue ? Je n'éprouve pas de grands sentiments pour les créatures conservées dans l'alcool, mais je ne veux pas insulter le brave homme. Non, lui dis-je, je ne l'ai pas vue.

À son tour, sir Hastings m'interroge : Dieu du ciel, que faites-vous donc toute la journée ? N'êtes-vous pas abasourdie par le vacarme des marchands, des chevaux, des voitures ? Il me regarde bouche bée quand je lui dis qu'aucun vacarme ne se compare à celui du ventre d'un navire d'esclaves. Un autre abolitionniste me pose une question sur les petits voleurs des rues de Londres. Me dérangent-ils ? Je réponds que je ne m'intéresse pas aux gamins des rues, mais qu'un vieil Africain en haillons, coiffé d'un chapeau en forme de bateau, se tient au coin de Prince et Old Jewry. Je lui donne parfois quelques pence quand il tend la main. Les abolitionnistes hurlent à l'unisson : je dois faire très attention et ne pas me laisser duper par les tire-au-flanc. Sauf votre respect, disent-ils, les vauriens et fainéants sont des bandits de grand chemin.

Je me dirige vers la porte. Un intarissable bavard me supplie de lui dire comment j'occupe mon temps. Je lui dis spontanément que quelqu'un m'amène à la bibliothèque. Il émet un gloussement. Je peux imaginer les têtes se tourner, dit-il.

Il n'y a pas de quoi rire, dit John Clarkson un peu trop abruptement. Je parie qu'elle a lu plus de livres que vous.

À la fin de chaque réunion, les abolitionnistes m'offrent de petits présents. La dernière fois, j'ai reçu un livre, un journal et un morceau de bonbon dur de couleur jaune avec deux arachides à l'intérieur. Cette fois-ci, sir Hastings m'offre une plume neuve et un encrier de verre décoré de lignes ondulantes bleu indigo. J'aime la texture lisse de l'encrier et son poids dans la main. J'en frotte la surface, mais l'indigo est coulé dans le verre. Les Anglais adorent intégrer une chose si profondément dans une autre que les deux ne peuvent être séparées que par la force : les arachides dans les bonbons, l'indigo dans le verre, les Africains dans les fers.

Serrés tout près de moi, les abolitionnistes se bousculent pour m'escorter jusqu'à la sortie du 18, Old Jewry Street. Je descends les marches et sors dans le cœur de Londres. Je me cramponne au bras de John Clarkson, qui me raccompagne chez lui. Il habite tout près. Ces jours-ci, je mets du temps à parcourir deux pâtés de maisons. Les gens nous dépassent, car nous avançons à pas de tortue, mais peu importe. Je me tiens encore debout et je peux marcher.

À mon retour chez John Clarkson, je prendrai un peu de pain avec un morceau de cheddar fort. J'aime tous les aliments dont les noms ont de belles sonorités : mangue, maniguette, gingembre confit dans du miel, rhum. La première fois que j'ai demandé un verre de rhum, l'épouse de John Clarkson s'est montrée quelque peu scandalisée. *Du rhum ?*

Après une collation et une sieste, j'espère pouvoir reprendre la plume. Si je vis assez longtemps pour finir cette histoire, celle-ci me survivra. Après que j'aurai retrouvé mes ancêtres, peut-être attendra-t-elle à la Bibliothèque de Londres. Parfois, j'imagine la tête du premier lecteur qui tombera sur mon histoire. Une jeune fille ? Peut-être une femme. Un homme. Un Anglais. Un Africain. Une de ces personnes trouvera mon récit et le transmettra à d'autres. Et alors, je crois, ma vie aura eu un sens.

ILS DISENT QUE JE SUIS UNE AFRICAINE

[Île Sullivan, 1757]

Nous fûmes emmenés sur une île non loin de la côte du pays des toubabs. Nous n'étions plus qu'une centaine. On nous enferma tous dans un enclos carré. Armés de gourdins et de bâtons à feu, des sentinelles toubabs montaient la garde à la barrière et patrouillaient à l'intérieur de l'enclos, mais nous étions presque entièrement laissés à nous-mêmes et nous nous demandions ce qui allait advenir de nous.

J'avais l'impression que nous étions arrivés de l'autre côté du soleil. De ce côté-ci du monde, le soleil était usé et il n'était pas digne de confiance. Mes doigts enflaient et devenaient insensibles la nuit. Le jour, ils élançaient à mesure que le soleil grimpait dans le ciel. J'avais froid aux oreilles. J'avais froid au nez. Comme aux autres, on m'avait donné un morceau de tissu rugueux à peine assez long pour l'enrouler autour de mes reins. Couchée sur le sol sablonneux, je grelottais la nuit et, un matin, au réveil, je vis de la fumée sortir de ma bouche. Je pensais que mon visage avait pris feu. Je pensais que quelqu'un m'avait ensorcelée pendant mon sommeil ou avait marqué ma langue au fer rouge. Je me préparais à sentir une brûlure. Je me préparais à hurler. Je retenais ma respiration. Pas de fumée. Je respirais. De la fumée. Elle venait de l'intérieur de moi. Pas de brûlure. Seulement de la fumée. Ma respiration continua de produire de la fumée jusqu'à ce que le soleil s'élève au-dessus de l'horizon. Puis, je remarquai que les bouches des autres aussi dégageaient de la fumée le matin.

La plupart des autres captifs reprenaient des forces de jour en jour. Pour ma part, dans cette île minuscule, mes intestins laissaient échapper des torrents de liquide brunâtre. Mon corps capitulait.

Un matin, Biton vint s'asseoir près de moi. « Tu as traversé le grand fleuve, fillette. Ce n'est pas le moment de mourir. »

Je clignai des yeux. Je n'avais pas la force de répondre. Il resta à mes côtés, me tapotant la main.

Deux fois par jour, sans exception, les toubabs plaçaient des seaux de nourriture et d'eau à l'intérieur de l'enclos, près de la barrière. Ils en apportaient toujours suffisamment pour nous tous. Fanta farfouillait dans le riz et les ignames pour déceler les morceaux de viande qui, disait-elle, sentaient le porc. Elle et moi n'y touchions pas, mais les autres ne se faisaient pas prier pour en manger. Je buvais de l'eau à petites gorgées, mais j'avais perdu l'appétit. Je préférais mourir plutôt que de manger du porc. Biton venait me voir chaque jour et me disait de manger. Du bout des doigts, il formait une boule de riz et l'approchait de ma bouche.

« Regarde. Pas de porc dans ce riz. Pour rester en vie, petite, tu dois manger. » Fanta marmonna que le porc avait contaminé le seau au complet, mais Biton la rabroua et amena de la nourriture à mes lèvres. J'étais trop faible pour protester.

Les jours où j'étais incapable de me lever, Chekura m'apportait de quoi manger et Fomba, de l'eau. Fanta disait qu'elle allait me tirer l'oreille si je ne bougeais pas, mais même malade, je ne voulais pas me faire materner par elle. Personne ne parlait de la mutinerie ni de la tuerie, mais je ne pouvais oublier ce qu'elle avait fait. Nous, les survivants de la traversée, étions séparés par petits groupes pour manger, dormir et passer nos journées ensemble à attendre. Je me retrouvais avec Biton, Chekura, Fomba, Fanta et une jeune femme,

Oumou. La nuit, nous dormions côte à côte tous les six pour conserver notre chaleur, mais je faisais mon possible pour éviter de m'étendre à côté de Fanta.

Les toubabs nous donnaient de l'eau froide pour nous laver et des bols d'huile pour en enduire notre peau. Ils apportaient les seaux de nourriture et restaient à distance. Ils surveillaient toutefois ceux qui mangeaient et s'huilaient la peau et ceux qui ne le faisaient pas, et menaçaient de battre tout prisonnier qui résistait. Chekura s'offrit pour huiler ma peau sèche et crevassée, mais Fanta se planta entre nous deux en disant qu'elle allait s'en occuper. Je préférais la douceur des gestes de Chekura, mais je n'avais pas la force de m'opposer à Fanta. « Les voilà qui nous engraissent, dit Fanta en huilant mes tibias. On sait ce que ça veut dire. »

J'essayais de prier comme papa le faisait. Je pensais que si je pouvais retrouver Allah, quelqu'un pourrait venir me secourir. Les gens de Bayo et des autres villages devaient sans doute maintenant savoir ce qu'il m'était arrivé. Ils pouvaient rassembler suffisamment d'hommes pour vaincre les ravisseurs avec des bâtons à feu, retrouver ma trace et venir me sauver. Agenouillée, tête baissée, je me tournai en direction du soleil levant. Je me tournai en direction de mon pays. *Venez me sauver. Je vous en prie, quelqu'un, venez me sauver.* Je commençai à réciter les prières rituelles, mais Biton m'empêcha de continuer. Sérieux et immobile, il posa sa main sur mon épaule. Il dit que, pas plus tard que la veille, on avait battu un homme pour avoir prié de cette façon. Je ne devais pas prier. Je ne devais pas m'exposer à recevoir des coups. Dans mon état, je ne survivrais pas à une bastonnade. J'avais le devoir de rester en vie, d'abord et avant tout. « Souviens-toi de ton papa et de ta maman. Tu les portes dans ton cœur. Écoute-les. Ils vont te dire quoi faire.

— Et tous ceux qui se sont jetés par-dessus bord, n'avaient-ils pas des mamans et des papas eux aussi ?

— Enlève-toi le bateau de l'esprit, fillette. Ce bateau, c'est comme la carcasse en décomposition sur laquelle tu as marché dans l'herbe. C'est rien d'autre. La carcasse t'a dégoûtée par sa puanteur et ses asticots. Mais tu as continué de marcher et, maintenant encore, tu dois continuer de marcher.

— Crois-tu qu'ils vont venir nous sauver ? »

Biton m'aida à me lever et me jeta un regard sombre : « Qui ?

— Les gens de chez nous. Les nôtres. »

Biton se tourna vers le rivage. Je suivis son regard et remarquai que le bateau qui nous avait amenés avait disparu. Il avait dû mettre les voiles pendant la nuit.

« Non, fillette. Ils ne viendront pas. »

Je me dis que Biton ignorait ces choses-là. Il ne priait pas. Il ne connaissait pas Allah. Il avait certainement tort. Mais peut-être pouvait-il m'aider d'une autre manière.

« Un jour, quand nous aurons retrouvé nos forces, pourrais-tu me faire retraverser ce fleuve ?

— Tu connais l'épaisseur d'une patte de lapin ?

— Oui, répondis-je.

— Nous sommes tous venus à une patte de lapin de la mort. Il y a seulement six lunes, j'enseignais la lutte aux garçons de mon village. Aucun d'entre eux n'aurait pu avoir le dessus sur moi. Mais maintenant, je suis déjà vieux. Trop vieux pour la chose que tu demandes. Et toi, tu es trop jeune pour y penser.

— Un jour, dis-je.

— Aujourd'hui, tu es vivante, petite. Demain, tu pourras rêver. »

Une ou deux autres fois, je récitai les prières rituelles dans ma tête. *Allaahu Akbar. Ashhadu Allah ilaaha illa-Lah. Ash hadu anna Muhamadar rasuululah.* Ce n'était pas la même chose que de prier chez soi dans un coin tranquille en oubliant tous ses soucis. À la maison, même pendant le ramadan, quand nous jeûnions jusqu'au coucher du soleil pendant un cycle complet de la lune, il était facile de prier. Mais dans le pays des toubabs, impossible de prier en solitaire. Quand je priais dans ma tête, je me sentais seule, et les invocations me semblaient futiles. Au fil des nuits, je pensais de moins en moins à Allah.

Dans l'île Sullivan, nous mangions autour des seaux communautaires. Le troisième jour, pendant un repas, Fanta n'arrêtait pas de lancer des regards furieux à Fomba. Celui-ci ramassa de la nourriture dans la paume de sa main et s'éloigna pour manger seul. Biton se leva brusquement, suivit Fomba et, la main sur son épaule, le ramena près du groupe. « Il mange avec nous », dit-il en bambara, et il me demanda d'expliquer à Fanta que peu importait si Fomba et d'autres avaient été esclaves dans notre pays, ici, dans le pays des toubabs, nous allions manger ensemble. Nous n'allions pas afficher nos différences. Les toubabs ne devaient rien savoir de nous.

Fanta donna un coup de pied dans le seau. « Je ne devais pas être capturée, grommela-t-elle. Je suis née libre. »

Nous nous blottissions les uns contre les autres pour dormir sur le sable dur et froid. Biton. Fanta. Chekura. Fomba. Oumou. Quelques autres. Et moi. À Bayo, jamais je n'avais vu autant d'hommes et de femmes dormir ensemble. La chose n'aurait jamais été tolérée. Or, ici, dans cette île, il faisait bon mettre en commun la chaleur de nos corps pour former un nid.

Une nuit, je me réveillai et aperçus le ciel criblé d'étoiles scintillantes. La jambe chaude d'Oumou habituellement posée sur la mienne me manquait, tout comme le ronflement de Biton. Chekura était là, Fomba aussi. Fanta, malheureusement, se trouvait à côté de moi. Mais Oumou et Biton étaient partis.

Je me retournai et retins ma respiration. Ils étaient là. Biton et Oumou ! À quelques pas seulement. L'un par-dessus l'autre, haletants, accordant leurs flancs dans un même mouvement. Ils étaient accrochés l'un à l'autre comme des chiens. Le bruit de leurs chairs humides se collant me fit penser au médecin du bateau qui prenait des femmes dans son lit toujours à la même heure : après le repas, après un coup d'eau-de-vie, mais avant le sommeil. À la maison, avec mes parents, je devais parfois me lever la nuit pour me soulager, mais je vérifiais d'abord : papa et maman pouvaient être ensemble à se bercer et à bouger en cadence, comme Oumou et Biton. Mais ici, je ne pouvais pas me lever. Je devais rester couchée. Je devais fermer les yeux et espérer qu'ils s'arrêtent bientôt et que je ne les revoie plus faire cela.

Au matin, quand j'ouvris les yeux, Oumou et Biton étaient revenus parmi nous, et personne ne souffla mot.

Un bateau s'approcha de notre île. Les toubabs nous rassemblèrent, à commencer par ceux d'entre nous qui avaient toujours des selles liquides. Mon corps voulait s'effondrer. Il ne voulait rien d'autre que se répandre et se fondre dans la terre même. Paille. Herbe. Terre. Sable. Tout m'était égal. N'importe quelle sorte de lit aurait fait l'affaire. Mais ils me forcèrent à me lever et à m'agenouiller. Je craignais qu'ils brûlent ma chair encore une fois, mais je n'avais plus la force de résister. Ils me firent baisser la tête, levèrent mes hanches et insérèrent une motte d'herbe profondément dans mon anus. Je sentis une douleur cuisante et des crampes aiguës, mais je ne pouvais expulser la chose. On me remit debout. Nous dûmes tous enlever le morceau de tissu rugueux qu'ils nous avaient donné et le jeter dans un feu ardent. On nous conduisit ensuite au bateau pour traverser l'eau en direction de la terre qui était en vue.

Le vent charriait une puanteur caractéristique. Je la reconnus avant même de me retourner. Un autre bateau de mon pays. Je pouvais à peine distinguer les gens entassés sur le pont. Leur navire s'approchait lentement de l'île que nous venions de quitter. J'étais soulagée de ne pas avoir à croiser leurs regards ou à sentir leur détresse. J'espérais ne jamais les rencontrer.

Les toubabs distribuèrent à chacun d'entre nous un autre morceau de tissu, aussi grossier que le premier. J'insérai les bras dans les ouvertures et enfilai le vêtement en le passant par-dessus la tête. L'étoffe rêche m'égratignait la peau, mais ce n'était rien à côté de la corde blanche avec laquelle ils me ligotèrent les poignets. On installa des planches pour descendre du bateau sur un quai, et nos pieds se posèrent sur la terre des toubabs.

Jamais je n'avais vu un endroit aussi bondé, aussi bizarre. Je vis des hommes toubabs et des garçons toubabs aux cheveux raides et aux dents jaunies, circulant à pied, à cheval ou en charrette. Certains étaient vêtus de haillons, d'autres portaient plusieurs épaisseurs de vêtements fins et des bottes solides.

Le plus étrange, c'était de voir partout des gens de chez moi ruisselants de sueur transporter des marchandises en criant à tue-tête. Dans leurs voix, je percevais parfois des accents de joie et de plaisanterie. Leurs poignets et leurs chevilles n'étaient pas enchaînés, mais aucun n'essayait de fuir. Quelques travailleurs de mon pays n'avaient pour tout vêtement que des hauts-de-chausses. Les femmes de chez moi prenaient leur temps dans les rues, ondulant de la croupe et arborant des foulards de couleurs variées. Je ne pouvais détacher mes yeux de la valse des rouges, des orangés et des bleus de leurs foulards. Certaines de ces femmes riaient avec les toubabs. J'en vis un poser la main sur le postérieur de l'une d'elles. Elle lui souriait, bouche grande ouverte.

Les garçons toubabs nous raillaient et nous jetaient des cailloux. Dans la rue, dans les escaliers, sur le seuil des portes, sur le toit des édifices en bois et sur les charrettes tirées par des chevaux, les gens criaient en nous dévisageant. Le monde était devenu fou.

Je vis une femme toubab qui tenait, au-dessus de sa tête, un objet rond pour faire de l'ombre. Ses mains étaient aussi blanches que des os. Non, pas comme des os. Ce n'est pas possible. Ses mains avaient la couleur d'une défense d'éléphant bien nettoyée. Je regardai plus attentivement. Ce n'était pas sa peau. C'était autre chose qui recouvrait ses mains. Quelque chose de doux et de délicat. Comme j'en aurais voulu moi aussi ! Peut-être cela aurait-il protégé mes doigts contre le froid et les aurait-il empêchés d'enfler pendant les nuits glaciales.

La femme toubab me regarda fixement. Ses joues, roses et dodues. Ses lèvres, minces et pâles. Ses yeux me faisaient penser à une rivière jonchée de rochers, à des eaux profondes et dangereuses qui semblaient m'appeler. *Plonge, fillette. Plonge. Ça ne te fera pas mal.*

Nos yeux se croisèrent. La femme porta la main à sa bouche. Je pouvais sentir les démangeaisons sur mon cuir chevelu aux endroits où j'avais perdu des cheveux, la plaie suppurante de mon genou et le bouchon d'herbe qui colmatait mon derrière. Je fis le vœu de devenir la femme qui grandissait en moi, de retrouver ma dignité et ne plus jamais en être privée.

Je mis le pied dans un trou et perdis l'équilibre. Même les mains ligotées, Chekura réussit à m'empêcher de tomber en me retenant avec son bras. « Aminata ! Regarde où tu marches ! Avance ! »

Des marchandises s'entassaient de tous côtés. Des sacs de grains, des tas de maïs, du foin pour les chevaux, des montagnes de clous. On conduisait des vaches et des cochons dans les rues. Pas de chèvres, mais des poulets partout, par paquets de cinq ou plus, pattes attachées, suspendus têtes en bas à une ficelle, portés par des garçons toubabs ou des gens de mon pays.

Les rues et caniveaux étaient jonchés d'immondices. Fruits pourris, chats morts, excréments humains, morceaux de viande avariée que des oiseaux charognards bien gras, aux grandes ailes, venaient picorer avant de reprendre leur vol circulaire. J'avais l'impression qu'ils m'avaient repérée, et je les imaginais en train de se dire : *En temps et lieu, ton tour viendra.*

Dans mon pays, les villes que je connaissais étaient bâties en cercle pour que tout le monde soit ensemble. Ici, les gens marchaient dans toutes les directions, empruntant des rues poussiéreuses alignées côte à côte ou se coupant à angles aigus. Je ne croyais pas pouvoir retrouver mon chemin dans un tel endroit.

On nous rassembla sur une place devant un édifice en bois de la hauteur de cinq hommes adultes. La foule y était dense, et je crus que c'était un marché. Je cherchais des tas de courges, de sel ou de noix de karité, mais je ne vis que des gens – des gens de mon pays – ligotés et vêtus d'étoffes rugueuses. Chekura fut séparé de moi, tout comme Fanta, Biton et la plupart des autres. J'appelai Chekura, mais les clameurs de la foule noyèrent ma voix. On bouscula les captifs en bonne santé pour les placer en un grand cercle et on forma un autre cercle avec le reste d'entre nous, soit ceux qui boitaient ou qui saignaient, ou qui étaient devenus aveugles, ou qui, avec leurs côtes saillantes, ressemblaient à des bateaux à moitié construits. Quelqu'un me poussa du coude. Je me retournai. C'était Fomba. Yeux vitreux, tête fortement inclinée sur le côté, il chancelait. On aurait dit que les toubabs savaient déjà que Fomba n'allait pas tout à fait bien.

« Fomba », dis-je. Il me regarda. Il leva ses poignets ligotés pour se ronger un ongle. Il avait perdu l'esprit, mais je pouvais arranger cela. « Ne penche pas la tête comme ça. Tiens ta tête droite. » S'il avait une allure passable, peut-être éviterait-il d'être battu, ou pire.

Deux toubabs occupaient une estrade sur laquelle on fit monter les captifs en bonne santé, un à un. La plupart d'entre eux avaient les épaules voûtées et la tête baissée pendant que les deux toubabs criaient. Quand ces derniers cessaient de crier, on faisait redescendre les captifs et on les emmenait à travers la foule.

Quand vint le tour de Biton de grimper sur l'estrade, il releva le menton. Malgré une entaille au tibia et une cicatrice au visage, il se tenait bien droit. Sa peau huilée luisait. Il m'était désagréable de le voir exposé ainsi à tous les regards. Un toubab leva le pagne de Biton pour regarder son pénis ratatiné. Il remit le pagne en place et testa l'un de ses biceps. Quand les cris prirent de l'ampleur, Biton regarda autour de lui et nos regards se croisèrent. Il ouvrit la bouche. *Aminata Diallo.* Dans le brouhaha, je ne pouvais entendre quoi que ce soit, mais en lisant sur ses lèvres, je savais qu'il prononçait mon nom.

Deux autres toubabs se hissèrent sur l'estrade, tâtèrent les joues de Biton, lui firent ouvrir la bouche et y enfoncèrent leurs doigts. Ils le tripotèrent partout, puis quittèrent l'estrade. Le tumulte s'accentua. Un toubab émit un son d'une voix nasillarde. Il s'arrêta aussi vite qu'il avait commencé. Un autre homme cria dans la foule, et le premier toubab reprit la parole. D'autres hommes poussèrent des cris. La chanson cessa et reprit, encore et encore, jusqu'à ce qu'on fasse descendre Biton de l'estrade pour le conduire au cœur de l'immense rassemblement.

J'appelai Chekura quand ce fut son tour, mais il ne pouvait pas m'entendre. J'espérais qu'il prenne une posture aussi fière que celle de Biton, mais c'était au-dessus de ses forces. Il chancela. Il recula quand quelqu'un enfonça les doigts dans sa bouche. Les toubabs éclatèrent de rire. Après quelques hurlements, on fit descendre Chekura de l'estrade et on l'emmena hors de ma vue.

Les toubabs utilisaient les mêmes plumes et les mêmes encriers que le médecin m'avait montrés sur le bateau. J'observai un homme qui écrivait. De gauche à droite. Encore de gauche à droite. Il n'était pas le premier à le faire de cette façon. Avaient-ils tous appris à écrire à l'envers ? L'homme s'aperçut que je l'épiais. Il me jeta un regard courroucé et se tourna pour que je ne puisse pas voir ce qu'il écrivait. D'autres hommes échangeaient des pièces de métal rondes. Certaines étaient luisantes, d'autres mates. Elles n'étaient pas aussi attrayantes que les coquilles de cauris ou les bracelets de cuivre.

À mes pieds, dans la poussière, je remarquai une pièce de métal qui brillait. Elle mesurait environ trois fois la taille de l'ongle de mon pouce. Je réussis à m'accroupir, à la ramasser et à me relever pour l'examiner de plus près. Une tête d'homme était gravée sur un côté, la même tête que j'avais vue sur des pièces dans la cabine du médecin. Je mordis la pièce. Trop dure pour se briser. Peut-être pourrait-on la percer. Si on pouvait y faire un trou, peut-être pourrait-on y glisser une cordelette de brins d'herbe tissés serré pour l'attacher au poignet ou au cou. Même dans ce cas, ce ne serait pas joli. Je ne pouvais imaginer ce qui donnait de la valeur à cet objet.

J'entendis d'autres cris et tournai mon regard vers l'estrade. C'était au tour de Fanta d'être montrée à la foule. Elle cracha quand ils lui firent ouvrir la bouche et bourra de coups de pied ceux qui essayèrent d'inspecter ses parties féminines. Les gens riaient et lui lançaient des cailloux. Quand elle se mit à crier, ils lui enfoncèrent un chiffon dans la bouche. Elle s'étouffa et ils retirèrent le chiffon. Comme elle se remettait à crier, ils lui remirent le chiffon. Un homme palpa ses seins. Elle l'égratigna au visage, et le sang se mit à couler. On lui ligota les mains derrière le dos. J'espérais qu'elle cesse de résister avant que quelqu'un ne la blesse sérieusement. Quand elle porta un coup de genou au visage d'un autre homme, la foule poussa une clameur. L'homme la gifla et un autre lui enchaîna les chevilles. De tous les captifs amenés sur l'estrade ce jour-là, Fanta fut la seule à avoir être bâillonnée et ligotée aux poignets et aux chevilles. Elle semblait les implorer de la tuer, mais ils avaient beaucoup trop de plaisir pour le faire. Quand les toubabs eurent fini de rire et de crier, ils firent descendre Fanta de l'estrade.

Les captifs en bonne santé étaient partis, tout comme de nombreux toubabs. Sous la garde d'hommes de mon peuple qui portaient des vêtements, mais ne parlaient pas nos langues, le reste d'entre nous attendait sur la place. Le soleil se déplaça dans le ciel, et nous n'avions ni eau, ni nourriture, ni endroit pour nous asseoir. Nous étions environ cinquante captifs : vieux, jeunes, malades et fragiles, estropiés, édentés, aux yeux aqueux, laiteux, inutiles. Certains d'entre nous pouvaient se tenir debout. D'autres ne le pouvaient pas et s'appuyaient contre l'édifice ou s'effondraient. Pendant que nous attendions, un homme de mon pays me détacha les poignets mais Fomba resta attaché. Il réussit à s'asseoir, s'adossa à un arbre et s'endormit. Je m'assis également, mais j'étais sûre de ne pas pouvoir fermer l'œil avec tous les toubabs qui circulaient autour de moi.

Tout d'un coup, je fus réveillée par un jeune de chez moi qui me touchait du bout de son bâton. Il me fit un signe du pouce pour me faire lever. Il y avait désormais bien moins de toubabs et de captifs devant l'édifice. Tous les captifs autour de moi étaient malades ou aveugles ou perdaient du sang ; certains, comme Fomba, avaient les yeux hagards et l'esprit dérangé. Nous n'étions plus que trente environ. Le bruit s'était grandement atténué autour de nous. Les toubabs ne criaient et ne riaient plus. Il n'y avait plus de femmes toubabs qui nous surveillaient.

Deux jeunes de mon pays, munis chacun d'une perche de bois épaisse, nous séparèrent et nous placèrent en ligne en gardant la longueur d'un bras entre nous. Nous, les captifs restants, formions une longue rangée. L'espace devant nous fut libéré. Des toubabs et des travailleurs à la peau noire se tenaient d'un côté ou de l'autre de notre rangée, à l'exception d'un groupe de cinq toubabs qui nous faisaient face à environ trente pas. Ces cinq toubabs formaient eux aussi un rang, et la distance qui les séparait l'un de l'autre était égale. Chacun avait en main une corde et se tenait derrière une ligne qui avait été tracée au sol.

Sur le côté, un toubab hurla quelques mots, leva un bâton à feu au-dessus de sa tête en le pointant vers le ciel. Nous, les captifs au rebut, fûmes écartés un peu plus les uns des autres. Le toubab au bâton à feu allait nous tuer un à un. Une prière me vint à l'esprit : *Faites que je passe en premier.*

Le toubab lança un ordre d'une voix si forte que je sentis mes intestins se vider. Mais je n'eus même pas le loisir de réfléchir à mon humiliation quand le bouchon d'herbe et mes propres excréments jaillirent hors de moi. Les toubabs fonçaient sur nous, munis de cordes, se bousculant pour essayer de mettre la main sur des captifs et de nouer une corde autour d'eux. Un homme m'agrippa. Il tenta de m'attacher, mais un autre l'écarta brusquement et passa sa propre corde autour de ma taille. Il m'attira contre sa poitrine puante et resserra la corde, qui me lacéra la peau. En formant son nœud, il m'écrasa les orteils, pesant de tout son poids sur mon pied droit. Je poussai un cri. Il recula. Je me demandai si mes orteils ensanglantés n'étaient pas fracturés. Une fois la corde bien fixée, on me laissa plantée là, seule.

Une vieille femme – je me demandai comment elle avait survécu à la traversée – fut jetée à terre. Je cherchai Fomba du regard : assis sur le sol, les coudes repliés autour des genoux, les paumes contre les oreilles, les yeux fermés, il se balançait d'avant en arrière. L'homme qui m'avait attachée passait maintenant une corde autour de Fomba. Ils durent se mettre à trois pour le redresser. Fomba s'affaissait dans leurs bras. Comme un poids mort, mais toujours en vie. Un homme lui écarta les mains qu'il plaquait sur ses oreilles et lui cria quelque chose. Il y eut un attroupement, et je perdis Fomba de vue. Nous, les captifs restants, étions désormais tous encordés et regroupés.

Les toubabs munis de cordes s'éloignèrent de l'édifice avec chacun un groupe de deux, trois ou quatre captifs mal en point. Un toubab saisit la corde nouée autour de la taille de Fomba, tira celui-ci vers moi et nous fit emprunter une ruelle poussiéreuse. Je regardai à gauche et à droite pour chercher Chekura, Biton et Fanta, mais je ne vis aucun d'eux ni aucun autre captif en bonne santé.

Fomba marchait à quelques pas de moi. Il avait les yeux ouverts, mais ne me voyait pas. Il ne voyait rien ni personne. Le toubab me marcha de nouveau sur le pied. Je poussai un hurlement. Fomba tourna la tête. Ses yeux se ravivèrent et il me reconnut, enfin. Ma voix semblait la seule chose qui pouvait le tirer de son abattement. J'éprouvais un sentiment de honte. À Bayo, il était censé nous servir. Ici, il avait besoin de moi.

« Ça va ? » lui demandai-je.

Il sourit.

« Si je trouve de l'eau, je vais t'en donner », lui dis-je.

Fomba ouvrit la bouche, mais rien, pas un son, ne sortit de ses lèvres.

Après avoir marché quelque temps, nous fûmes amenés à un jeune travailleur noir qui se tenait près d'un cheval attelé à une charrette. Il y avait près de lui deux captifs attachés, un homme et une femme. Je ne les connaissais pas. Ils n'étaient pas sur notre bateau et avaient l'air plus robustes et en meilleure santé que moi. Je leur dis quelques mots à voix basse, mais il était clair qu'ils ne pouvaient pas me parler, ni se parler entre eux.

Le toubab nous fit placer en file, en nous séparant de cinq pas l'un de l'autre et en nous attachant avec de nouvelles cordes, la taille de l'un à la taille de l'autre. Fomba fut attaché à l'arrière de la charrette. L'autre homme, qui semblait vouloir s'échapper, le suivait. La jeune femme se trouvait devant moi, et je vis qu'elle jetait des coups d'œil à gauche, à droite et en arrière pendant qu'on me plaçait en dernière position. Le toubab grimpa sur la charrette et donna un coup de cravache à son cheval. L'animal se mit en marche et nous n'eûmes d'autre choix que d'avancer.

Nous marchâmes toute la journée. Sans eau. Sans nourriture. Sans pause pour nous soulager. Si vous ne pouviez vous retenir, vous faisiez vos besoins en marchant. L'urine glissait sur vos jambes écorchées et brûlait votre peau crevassée. Parfois, dans une éclaircie, j'apercevais, d'un côté, la grande eau. Mais sur la gauche, le décor était presque toujours le même : des arbres, des terres, un sentier sans fin bordé de marécages. Dans mon pays, jamais je n'avais vu autant de sols humides, avec des herbes et des roseaux poussant directement dans l'eau.

De la mousse pendait aux arbres comme des lambeaux de vêtements. Pendant des heures, j'observai les roues arrière de la charrette. Elles tournaient, avançaient, sans se briser, sans céder. Elles me fascinaient, et j'essayais d'imaginer que mes jambes étaient des roues, tournant sans cesse sous le soleil de plomb. Le travailleur, qui venait de mon pays, marchait près de nous, tête baissée, comme un chien battu.

Quand nous nous arrêtâmes pour la nuit, ils laissèrent les cordes nouées autour de nos tailles, mais nous permirent de nous reposer sur le sol. Je me trouvais donc à côté de la femme qui avait marché devant moi. Nous nous jetâmes un regard franc, et je me sentis soulagée de croiser des yeux amicaux. L'homme de chez moi au service du toubab alluma un feu et fit cuire une bouillie de maïs. Avec une louche, il en remplit des calebasses qui me firent éprouver une terrible nostalgie de mon pays, et il nous offrit de l'eau. On nous indiqua un endroit dans une clairière. Je m'assis puis m'allongeai.

La femme et moi nous étendîmes l'une à côté de l'autre, et elle mit son bras autour de moi. J'étais reconnaissante pour cette chaleur et ce réconfort que je n'aurais jamais pu demander. Comme elle parlait dans une langue inconnue, nous apprîmes nos noms en nous pointant nous-mêmes du doigt. Tala. C'était son nom. Après avoir montré le seau, nous échangeâmes des mots pour désigner la nourriture. L'eau. La lune. Les étoiles. Pour apprendre la langue de cette femme, je n'avais qu'à rester allongée à ses côtés.

Je rêvai que je marchais dans une forêt au pays des toubabs. Des toubabs et leurs travailleurs noirs m'emmenaient loin de la ville. Nous avancions dans la brume du petit matin. Des lapins traversaient le sentier. *Dépêchez-vous,* dis-je, en m'adressant à eux en pensée, *sinon on va vous attraper et vous faire cuire.* Je lançai l'avertissement à voix haute à une lapine en gestation avancée. Au lieu de s'enfuir dans les buissons, l'animal s'arrêta, se retourna et posa longuement sur moi un regard glacial, jusqu'à ce que je m'aperçoive que ses yeux étaient ceux de ma mère. Pendant quelque temps, la bête sautilla devant moi pour m'indiquer le chemin, m'inciter à rester sur le sentier, m'assurer que j'étais sur la bonne voie. Je poursuivis ma route, et les toubabs se transformèrent en chasseurs de mon village. Nous entendîmes des battements de tambour venant de la forêt et les éclats de voix des villageoises lavant du linge au bord d'un ruisseau. Le lapin se transforma en ma mère, qui portait, dans un plateau sur la tête, un lapin mort. Nous venions d'aider une femme à accoucher et rentrions à la maison.

Au réveil, le lendemain matin, lorsque nous reprîmes notre marche, je cherchai à gauche et à droite des signes évoquant des gens de mon village. Sur le sentier battu et dans les champs, il y avait des gens de mon pays partout. Jamais je n'aurais imaginé une telle chose. Je m'attendais à me retrouver seule dans une mer de toubabs. Mais, de toutes parts, des gens de chez moi, hommes et femmes, nous dépassaient. Certains étaient enchaînés. D'autres, attachés avec des cordes. D'autres encore marchaient librement, sans que personne ne les escorte. Avec cette foule de personnes de mon peuple – je voyais bien qu'ils étaient plus nombreux que les toubabs –, ma captivité ne serait certainement pas tolérée. Quelqu'un viendrait me sauver. Mais c'était un monde bien étrange. Je n'arrivais pas à le comprendre. Les gens de mon peuple ne se battaient pas, ne criaient pas, ne couraient pas. Ils ne montraient aucune résistance. Aucun d'entre eux ne se préoccupait de moi.

Quand Tala et moi rencontrions d'autres personnes de chez nous, nous nous adressions à eux dans les langues que nous connaissions. En général, nul ne nous répondait. Mais pendant notre première journée complète de marche, Tala reconnut un homme. Il avait environ l'âge de mon père. Il se trouvait sur le côté du sentier, avec un petit groupe d'hommes de chez nous, tous enchaînés, qui se reposaient dans un champ. Il était lui aussi surveillé par un toubab et un travailleur à la peau noire. L'homme était grand et maigre. Par les zones chauves de son cuir chevelu, son air famélique et sa posture chancelante, il était évident qu'il venait de débarquer d'un bateau, comme nous. Tala l'appela et il répondit. Elle ignora les avertissements fermes de notre chef toubab et continua d'interpeller l'homme. Tala et lui semblaient nommer des gens. *Wole. Youssouf. Fatima.* Ils parlaient aussi vite que deux êtres humains peuvent le faire, échangeant le plus d'informations possible pendant le peu de temps dont ils disposaient. L'homme continua de questionner Tala tandis que nous nous éloignions, jusqu'à ce que ses cris deviennent inaudibles. Tala lui répondait en criant elle aussi. Quand elle n'entendit plus la voix de l'homme, elle s'effondra en sanglotant, et notre petit convoi fut forcé de s'arrêter.

Le toubab descendit de la charrette et se dirigea vers elle, mais je lui fis signe de la main et pointai du doigt ma poitrine puis Tala. Je m'agenouillai près d'elle et murmurai à son oreille. Je lui pris la main et l'aidai à se relever. Je signifiai au toubab que nous pouvions repartir et ramenai Tala sur le sentier. Le toubab remonta dans la charrette et son assistant se plaça à côté de nous. Il portait des mocassins de cuir souple, une chemise de lin sans manches et un pantalon coupé dans un tissu grossier retenu à la taille par une corde. Je me demandais qui il était et d'où il venait.

« Où allons-nous ? », lui demandai-je à voix basse. Il me jeta un regard sans expression et prononça quelques mots incompréhensibles.

Dans ce nouveau pays, les gens de mon peuple étaient en mouvement constant. Sur notre parcours, je vis un toubab menant une mule bâtée et neuf personnes de chez moi, quatre hommes et cinq femmes. Les femmes portaient des ballots de tissu en équilibre sur la tête, des bébés attachés dans le dos, et chacune traînait un assortiment de casseroles. Les hommes n'avaient rien sur la tête ni dans le dos, mais, trempés de sueur, ils portaient chacun un coin d'une grande base de lit. Ils marchaient sur le côté de la route, et nous dûmes les doubler, car ils cheminaient lentement. Ils ne se pressaient pas, mais avançaient péniblement. Comme nous arrivions à leur hauteur, je tentai ma chance encore une fois, en croisant le regard de la femme la plus éloignée du toubab. « Peul ? Bambara ? Parlez-vous ma langue ? » murmurai-je.

Elle était de petite taille et avait la peau brune. Ses hanches larges m'incitaient à croire qu'elle devait savoir comment mettre un bébé au monde toute seule. Elle me regarda fixement et poursuivit son chemin.

Pour tuer le temps, j'étudiais les visages et essayais de parler aux gens quand le toubab au bâton à feu ne pouvait pas m'entendre. Je cherchais des marques tribales et j'examinais la coiffure des femmes. Cheveux nattés. Attachés. Ramassés. Couverts. Je tentais de voir si les gens de mon peuple que je voyais ressemblaient aux habitants de mon village. Beaucoup de ceux que nous croisions ne semblaient pas venir de mon pays. Je me demandais où ils étaient nés et comment ils étaient arrivés ici.

Pendant notre deuxième journée de marche, je vis une femme s'approcher de notre convoi. Par sa façon de tenir son seau en équilibre sur le devant de la tête et son bébé arrimé dans le bas de son dos, je pouvais dire qu'elle était Bambara. « *I ni sógóma* », lui criai-je comme elle approchait. Bonjour.

La femme s'arrêta.

« *Nse i ni sógóma* », répondit-elle en bambara. Bonjour à toi. Fillette ! Tu n'as plus que la peau et les os ! Qui sont tes parents ?

— Je m'appelle Aminata Diallo, et je suis la fille de Mamadou et de Sira, du village de Bayo, près de Ségou. Cela fait deux soleils que nous marchons dans ce pays.

— Je m'appelle Nyeba, fille de Tembe, de Sikasso, mon enfant. Je suis ici depuis cinq pluies. Tu es très forte pour avoir survécu à la traversée.

— Où m'emmène-t-on ? »

Le toubab était descendu de la charrette et venait vers moi l'air furieux.

« Va-t'en ! dit Nyeba, autrement il va te battre.

— Où puis-je te trouver ?

— Si tu as de la chance, tu trouveras des gens par le filet de pêche.

— Le filet de pêche ? »

Le toubab me frappa à la tête et vociféra jusqu'à ce que Nyeba s'éloigne. Il me redonna un coup et, après cela, je n'osai même plus regarder par-dessus mon épaule. Je continuai à marcher avec les autres. Recroquevillé au plus profond de mon corps, mon chagrin était prêt à exploser, mais je devais le garder confiné en moi.

Arrivés à une rivière de la largeur d'un jet de pierre, nous nous arrêtâmes une demi-journée. Huit hommes de mon peuple vinrent nous chercher dans un grand canot creusé dans deux troncs d'arbres. On nous détacha pour nous y faire monter. Le toubab embarqua avec nous, mais laissa son assistant derrière avec le cheval et la charrette.

Torses nus, les hommes enfonçaient de longues perches dans le lit de la rivière pour amener le canot vers une île proche. Leurs muscles se raidissaient sous leur peau, mais plusieurs avaient le dos sillonné en tous sens de cicatrices de coups de fouet. Fomba observait de près les rameurs enfoncer leurs avirons dans l'eau. Il semblait fasciné. Il toucha l'épaule de l'un d'entre eux, grommela et saisit son aviron. Les hommes regardaient Fomba en riant pendant que lui s'efforçait de manier l'aviron tout en gardant son équilibre. Il trouva rapidement le rythme adéquat. Les hommes le laissèrent travailler et, de leurs voix graves, entonnèrent une chanson à l'unisson. C'était la mélodie la plus triste que j'avais entendue, un air qui émanait d'âmes tourmentées et lasses. J'étais convaincue qu'eux aussi avaient survécu à la traversée. Autrement, comment auraient-ils pu chanter comme cela ? Je touchai le bras de celui qui avait prêté son aviron à Fomba.

« Bambara ? lui demandai-je à mi-voix.

— Malinké, répondit-il sans bouger la tête. Appris de ma mère. Elle venait de l'Afrique.

— Elle venait d'où ?

— De l'Afrique. Ton pays. »

Je le regardai avec enthousiasme. J'aurais voulu me jeter dans ses bras. Il leva la tête de façon décontractée. Il ne portait pas de marques tribales. Il s'assura que le toubab ne regardait pas.

« Qu'est-ce que le filet de pêche ? lui demandai-je.

— C'est notre manière de nous retrouver les uns les autres et de nous transmettre des messages.

— Où nous emmène-t-on ?

— Travailler dans une île. Tu resteras proche des femmes et apprendras auprès d'elles.

— Tu n'as pas de marques sur le visage.

— Celles que tu portes sont des marques de ton pays. Elles sont magnifiques, fillette. Mais je n'en voudrais pas.

— Pourquoi ?

— C'est ici que je suis né. Dans ce pays, on ne porte pas de marques.

— Les autres sont-ils nés ici eux aussi ?

— Oui. Mais nous disons que ceux qui survivent à la traversée du grand fleuve ont deux vies à vivre. »

Je ne voulais pas vivre deux vies. Tout ce que je voulais, c'était retrouver ma vie d'avant.

« Pourquoi m'ont-ils fait cela ?

— Tu as été capturée en Afrique pour travailler sur les terres des toubabs.

— L'Afrique, tu dis ? Qu'est-ce que c'est, l'Afrique ?

— Le pays de ma mère. Le pays d'où tu viens.

— On appelle ça l'Afrique ?

— Oui. Si tu es née là-bas, ils disent que tu es une Africaine. Mais ici, ils nous désignent tous de la même façon : nègres ou négros. Ils disent aussi que nous sommes des esclaves.

— Des esclaves ?

— Des esclaves. Cela signifie que nous appartenons à un boukra.

— Et qui sont les boukras ?

— Les hommes qui nous possèdent.

— Je n'appartiens à personne et je ne suis pas une Africaine. Je suis une Bambara. Et une Peule. Je viens de Bayo, près de Ségou. Je ne suis pas ce que tu dis. Je ne suis pas une Africaine.

— Le toubab nous regarde.

— Où m'emmène-t-il ? »

Je sentais de l'admiration dans le regard de l'homme.

« Tu es comme ma mère. Ton esprit est féroce comme un piège. Mais maintenant tu dois manger, apprendre et te rendre utile. Le toubab nous regarde encore. Nous devons nous taire.

— Je suis une croyante née libre, dis-je. *Allaahu Akbar.* »

Il saisit mon avant-bras d'un geste brutal.

« Arrête ! » murmura-t-il.

Le souffle coupé, je le regardai fixement. La colère avait assombri son regard. Telles des griffes, ses doigts serraient mon bras de plus en plus fort : « Tu ne dois jamais prier de cette façon. C'est dangereux, et le toubab va te corriger avec le fouet. Le toubab va tous nous corriger. »

L'homme qui m'avait qualifiée d'Africaine relâcha mon bras, reprit la rame de Fomba et retourna à son travail de rameur.

Glissant sur des roseaux, nous accostâmes une île. Fomba et moi fûmes les premiers à descendre du bateau. Nous pataugeâmes dans un marécage, puis atteignîmes, plus haut, la terre ferme, où un homme de mon peuple nous attendait avec un bâton à feu.

NOS PAROLES, À LA NAGE, VONT PLUS LOIN QU'UN HOMME À PIED

[Île Santa Helena, 1757]

À MON ARRIVÉE À LA PLANTATION d'indigo de Robinson Appleby, je devais avoir environ douze ans. Je crois que c'était au mois de janvier 1757. Il faisait froid, et je n'avais, pour me couvrir, rien d'autre qu'un morceau de grosse toile d'osnabourg autour de la taille. Le tissu m'irritait les hanches, dont la peau devint rouge et à vif, et les orteils de mon pied droit saignaient. Deux d'entre eux semblaient fracturés. Je pouvais à peine marcher. J'entrai en titubant dans l'immense cour devant une imposante maison blanche. Il me vint alors à l'esprit que je ne pourrais même pas tenir un plateau de nourriture en équilibre sur la tête. Si l'on me confiait des oranges ou des bananes, elles iraient s'écraser au sol.

Je m'engageai donc dans la cour en boitant, Fomba à mes côtés. Le nombre d'hommes, de femmes et d'enfants qui s'y trouvaient me laissa bouche bée. Je vis des peaux de couleur brun foncé comme la mienne, mais je remarquai aussi des gens au teint marron clair. Parmi les enfants et les bébés, je notai que certains avaient la peau d'un brun très léger et que d'autres étaient aussi pâles que les boukras. Et puis, les coiffures. Petites tresses collées sur le cuir chevelu. Cheveux ramassés en touffes. Nattes. Crânes chauves. Têtes crépues rasées selon des motifs. Têtes couvertes de foulards aux couleurs les plus vives. Rouges. Orangés. Mon regard s'arrêta sur un foulard jaune, et je me demandai si je pourrais un jour en avoir un moi aussi.

Le jour de mon arrivée devait être un dimanche. Des femmes surveillaient une grande marmite sur un feu où ne brûlaient que trois morceaux de bois. Un ragoût longuement mijoté. Le vent m'en apportait les effluves odorants. De la viande. Des légumes. Des poivrons. Pour la première fois depuis la moitié d'une année, de la nourriture sentait bon. Un homme était assis sur le sol, jambes croisées, le dos appuyé contre un autre homme installé sur un banc, les jambes ouvertes. L'homme assis par terre avait la tête inclinée vers l'avant pendant qu'au-dessus de lui, l'autre glissait un long couteau sur sa nuque, coupait à ras les cheveux, puis, après avoir rincé son couteau dans une calebasse remplie d'eau, rasait une autre section. J'étais si fatiguée que je tenais à peine sur mes jambes, mais je me rappelle les pensées qui me trottaient par la tête. *Cet homme a un couteau et il ne s'en sert pas. S'il a un couteau et qu'il ne peut même pas fuir, que va-t-il m'arriver ?*

Parmi tous ces Noirs se trouvait un toubab vêtu d'une longue veste boutonnée sur le devant. Nez pointu, menton étroit, cheveux raides comme du parchemin. Le soleil faisait luire les boutons de sa redingote, et ses hauts-de-chausses étaient coupés dans un tissu fin et lustré. Solidement campé sur ses jambes écartées, il avait l'air de dominer le monde. À côté de lui, une femme à la chevelure couleur de paille trempa une plume dans un encrier tenu par un Noir et commença à écrire dans un livre. De gauche à droite. Toujours de gauche à droite.

Le chef toubab était accompagné d'un assistant noir, mieux habillé que les autres personnes de notre couleur. L'assistant, qui s'appuyait sur une canne, fit signe à Fomba de se pencher pour qu'il inspecte son visage et sa poitrine. Du bout de sa canne, il tapota les tibias de Fomba, ses côtes et son dos, puis se tourna vers moi.

Scrutant mon regard, il m'ordonna de faire quelque chose. Je remarquai un espace vide parmi ses dents du bas. Je ne comprenais pas ce qu'il me disait. Le toubab s'approcha de moi, m'arracha l'étoffe qui me couvrait la taille et se mit à gesticuler. Il voulait que j'ouvre les jambes. Tous les autres Noirs observaient la scène. Je restai immobile. De nouveau, le toubab me fit des signes, mais je ne pouvais pas bouger. Je ne pouvais me résigner à une autre inspection. Le toubab me frappa, et je tombai. Je restai sur le dos, en pensant qu'il allait devoir se pencher s'il voulait continuer à me frapper. L'assistant leva sa canne. Je serrai les bras autour de moi et fermai les yeux. Puis, j'entendis une voix. C'était le toubab beuglant un ordre. Comme aucun coup ne s'abattait sur moi, j'ouvris les yeux et vis la canne retomber lentement à côté de l'assistant. Le toubab s'accroupit, et je le regardai dans les yeux. Bleus. Ses yeux qui parcouraient mon corps. Ses yeux insistants. Ce n'était pas la marque sur ma poitrine qui attirait son regard. C'était autre chose. À ce moment-là, j'eus le sentiment aigu de ma nudité, car je savais qu'il évaluait mes seins bourgeonnants. Il dit autre chose, et le Noir à la canne s'accroupit lui aussi. Tous les deux se mirent alors à vociférer contre moi.

Une voix de femme coupa court au vacarme. Je vis un foulard rouge, un cou à la peau aussi noire que la mienne, un nez épaté, une rangée de dents étincelantes. La femme portait à la taille un petit carré de tissu fixé à ses vêtements. Je la vis s'essuyer les mains sur ce tissu et invectiver le Noir à la canne. Mille mots fusaient de sa bouche. Ils coulaient à flots en un salmigondis, et il me semblait impossible que quiconque la comprenne. Le Noir et le toubab reculèrent d'un pas, et la grosse femme m'emporta dans ses bras.

Je tressautais sur ses biceps. Je l'entendais respirer en laissant échapper un sifflement pendant qu'elle me portait sans dire un mot. À l'extrémité de la place, nous arrivâmes à une série de cases aux murs de terre séchée et aux toits de chaume. La femme au corps opulent manœuvra pour passer une porte. À l'intérieur, dans une pièce humide, deux hommes étaient penchés et riaient en se frappant dans les mains. La femme me remit debout, mais me tint par le bras pour m'empêcher de tomber. Les hommes se turent et cessèrent de bouger. On aurait dit qu'ils n'avaient rien vu de pareil auparavant.

Les hommes se retirèrent de la case comme s'ils avaient assisté à un miracle, et la femme me conduisit à un lit de paille. Elle étendit une couverture sur moi et approcha de mes lèvres une gourde. Je pris une gorgée d'eau. Ses yeux étaient brun foncé et difficiles à décoder. Elle n'avait pas l'air de quelqu'un qui allait mourir sous peu. Je me sentis en sécurité auprès d'elle et sombrai dans le sommeil le plus profond que j'aie connu depuis de nombreuses lunes.

Parfois, j'entendais la femme s'affairer autour d'une série de calebasses. Leurs surfaces dures comme du cuir s'entrechoquaient en produisant une sorte de musique – presque semblable à celle des tambours-jouets – qui me faisait rêver de mon foyer. Je savais vaguement qu'on me redressait de temps en temps pour me faire boire. Un linge humide et chaud glissait sur mon visage. Une fois, j'entendis un oiseau pépier au cœur de la nuit. Pour qui chantait-il ? Peut-être était-ce moi qu'il appelait. Un corps chaud dormait près de moi. J'aimais l'odeur de la femme, et son ronflement me rassurait. C'était sa vie intérieure qui chantait.

Quand j'émergeai de ce long sommeil, j'étais vêtue d'une robe de toile grossière. La femme qui m'avait accueillie dans son lit me prit par la main pour me présenter à tous les gens qui vivaient sous les toits de chaume. Les hommes s'émerveillaient en me voyant, touchaient parfois mes poignets et prononçaient des paroles que je ne comprenais pas. Les femmes me prenaient par les épaules, me couvraient de caresses, passaient leurs doigts sur mes lunes, riaient comme des folles et m'apportaient des calebasses remplies d'eau, de bouillie de maïs, parfois de viande. Je sentais la viande et m'en détournais. Du cochon. La femme aux bras potelés qui dormait avec moi saisit un poulet dans un enclos, le tint par les pattes, et pointa du doigt ma bouche. Je fis signe que oui, je mangerais du poulet. Mais pas de cet animal qui farfouillait du groin dans l'enclos boueux. Je le montrai du doigt. Non, pas ça. Pas de cochon.

Trois hommes sortirent d'une case, et je vis que l'un d'entre eux était Fomba. Ses yeux s'écarquillèrent et je courus vers lui. Il avait l'air solide et fort; il avait l'air d'avoir été bien nourri. Il ouvrit la bouche pour essayer de dire mon nom, mais ne réussit à produire aucun son. « Fomba, dis-je à la femme. C'est Fomba, de mon village de Bayo. »

Elle sourit. Elle n'avait pas l'air de se préoccuper ni de s'étonner de ce que je disais. Je savais pourquoi. Je savais exactement pourquoi. Elle avait la peau noire, mais elle ne venait pas de mon pays. Elle était d'ici. Ici, c'était son foyer. Ce n'était pas à elle de me comprendre. C'était à moi de la comprendre. Je ne pourrais aller nulle part ni comprendre quoi que ce soit à moins d'apprendre à parler à cette femme. Je savais que je devais apprendre pour moi, mais aussi pour Fomba.

De retour à notre case, la femme me fit asseoir à l'extérieur sur une souche près de la porte et me parla lentement. Elle me prit la main et la posa sur sa paume qui faisait deux fois la taille de la mienne. Elle avait les ongles ébréchés, les doigts calleux et la peau crevassée comme le lit d'une rivière à sec. Elle me tapota la main, glissa un doigt le long de ma cage thoracique et posa sa paume sur mon épaule. Elle mit le doigt sur sa poitrine, dit « Georgia » et tendit les mains vers moi.

« Aminata », lui dis-je.

Georgia me fit répéter trois fois, mais le mieux qu'elle réussit à faire fut de prononcer « Mina ». Dans ce nouveau pays, j'étais une Africaine. Dans ce nouveau pays, j'avais un autre nom, donné par quelqu'un qui ne me connaissait même pas. Un autre nom pour la seconde vie d'une fillette qui avait survécu à la traversée du grand fleuve.

LES LUNES PASSÈRENT. L'air se réchauffait, devenait plus lourd. Les moustiques bourdonnaient avec fureur, s'inséraient dans mes oreilles, me piquaient les chevilles, le dos, le cou.

Nous devions travailler « tout temps, tout temps, tout temps », comme le disait Georgia. Je finis par comprendre que « tout temps » signifiait jusqu'à ce que nous ayons fini notre travail, six jours sur sept. Il y avait les cochons à nourrir et à tuer. Il y avait les poules à pousser pour prendre leurs œufs, le savon à fabriquer avec de la cendre et de la lessive, les vêtements à laver et à repriser. Robinson Appleby, le chef toubab, était absent la plupart du temps, et sa femme ne l'accompagnait que rarement quand il venait à la plantation. En l'absence d'Appleby, un autre toubab vivait dans la grande maison et surveillait notre travail. *Régisseur* fut l'un des premiers mots que j'appris. Mais moins d'une lune ou deux après le départ d'Appleby, le régisseur mourut, et Appleby revint à la plantation. Quand il repartit quelques jours plus tard, Mamed – le Noir à la canne menaçante – fut désigné comme responsable. Lui et ses deux assistants avaient tous des bâtons à feu, des gourdins et des fouets. La plupart du temps, il n'y avait dans la plantation que cinquante Noirs, sous la garde du régisseur et de ses deux assistants, noirs eux aussi. Il n'y avait aucun toubab en vue. Pourtant, personne n'essayait de fuir l'île.

Georgia m'emmenait partout où elle allait, bavardant sans cesse, nommant chaque chose qu'elle faisait. Elle cueillait de hautes herbes qu'elle entrelaçait pour en faire des paniers. Quand les hommes rapportaient des opossums, elle les écorchait. Quand d'autres lui apportaient des tortues, je la voyais mettre celles-ci dans la soupe. La carapace s'enlevait facilement après avoir bouilli. Georgia ramassait sans relâche des feuilles, des baies et des racines.

« Sureau », dit-elle un jour, en examinant un grand arbuste feuillu aux grappes de fleurs blanches.

Revenant à sa marmite, elle en infusa les feuilles dans l'eau bouillante et garda le liquide dans une calebasse. Elle fit cuire les fleurs dans de la graisse de cochon et conserva la décoction dans une gourde de forme ronde au col étroit. La gourde appartenait à un ensemble de calebasses de toutes les dimensions et de toutes les formes accrochées aux murs de sa case par des chevilles et des clous.

« Fleurs de sureau et saindoux », dit-elle à plusieurs reprises, jusqu'à ce que je puisse répéter les mots.

Un jour, elle enduisit de cette pommade une plaie suppurante sur le pied d'un homme qui était venu la voir. Il lui fit cadeau d'une gourde remplie d'un liquide à odeur forte. Elle en prit une grande lampée et ouvrit la bouche comme pour en faire sortir du feu.

« Liqueu' », dit-elle.

Je répétais chaque mot qui sortait de la bouche de Georgia. Après quelques lunes, j'étais habituée à sa façon de parler. À mesure qu'il me devenait possible de suivre son discours et de lui parler, je m'aperçus qu'elle m'enseignait deux langues. C'était comme le malinké et le bambara, langues différentes mais apparentées. L'une sonnait un peu comme l'autre. Il y avait la langue que Georgia parlait quand elle était seule dans la plantation avec les Noirs, une langue qu'elle appelait le gullah.

Et il y avait la langue qu'elle parlait en s'adressant à Robinson Appleby ou à d'autres Blancs, qu'elle appelait l'anglais. « Frè' voler cochon », c'était du gullah, et « frère a volé le cochon », c'était la façon de dire la chose à l'homme blanc. « Gross' chalèr gaspié maï » était une manière de parler, mais il fallait que j'apprenne aussi à dire « La longue chaleur a gaspillé le maïs ». Georgia disait normalement « Boukras donner nous devant; ga'der derrière », mais je devais apprendre à parler d'une autre façon : « Les Blancs nous ont donné le quartier de devant et ont gardé pour eux le quartier arrière. » Les Noirs utilisaient le mot *boukras* pour désigner les Blancs, mais Georgia m'avait bien avertie de ne jamais dire qu'un homme était un « Blanc ».

« Tu appelles 'Blanc' un homme blanc, et il te bat comme plâtre.

— Comment dois-je donc l'appeler ? »

Georgia m'avait dit que je devais appeler le propriétaire de la ferme « Maître Apbee », en m'expliquant que, quand il s'adresserait à moi, il dirait « Maître Appleby ». On devait appeler sa femme « Ma'me » ou « Maîtresse ».

Les leçons et directives étaient innombrables. Le prénom d'Appleby était Robinson, mais j'allais sûrement être battue si je m'adressais à un boukra par son prénom. Si je ne savais pas le nom de famille, « Maître » ou « Maîtresse » feraient l'affaire. Je ne devais jamais dévisager un boukra lorsqu'il me parlait, ni montrer que j'en savais plus que lui. Par contre, il ne fallait pas non plus avoir l'air stupide, disait Georgia. La meilleure attitude était de suivre la conversation du boukra comme un chien bien dressé. Je devais faire mon possible pour éviter Appleby, en particulier si j'étais seule. Enfin, Georgia me dit de ne jamais oublier que les boukras ne connaissaient pas le gullah. Ils ne comprenaient que leur langue. Je ne devais jamais enseigner à un boukra un mot ou une expression que les Noirs utilisaient. Et je ne devais jamais faire voir que je comprenais quelque chose au parler des boukras.

Georgia était manifestement contente que j'aie appris à parler si rapidement. Elle louangeait mes progrès auprès des femmes et des hommes de la plantation. « Elle a appris si vite. Zing zing zing. Les mots volent de sa bouche comme des aigles. »

Je riais. J'adorais écouter Georgia parler. Chaque fois qu'elle ouvrait la bouche, elle disait quelque chose d'étonnant. Sa façon de parler rendait la vie tolérable.

« Petit lapin, me dit-elle un jour. Pourquoi Fomba parle pas ? »

Je répondis qu'il avait perdu la parole sur le grand bateau.

« Il a traversé le fleuve avec toi ?

— Oui. »

Georgia hocha la tête et mit ses mains sur mes épaules : « T'as traversé le fleuve et t'as la tête en feu. Lui, un homme mûr, a traversé le fleuve et fermé la bouche pour toujours. »

Georgia sembla réfléchir à la situation pour tenter de comprendre. Elle se croisa les bras et s'enfonça les mains sous les aisselles. « Vous avez tous traversé un méchant fleuve ferme-bouche. »

Je ne dis pas à Georgia que Fomba avait été le *wolosso* du village. Je ne voulais pas que quiconque le sache. « Il travaille bien, dis-je. Fort comme un bœuf. »

— Je sais, dit Georgia. Hier, il a levé de terre un cochon et l'a accroché au chêne rouge pour le saigner. C'est le travail de trois hommes, mais il a accroché le cochon tout seul. »

Je voulais que Fomba reste en vie. Je m'inquiétais de le voir incapable de parler. Dans cette plantation, j'appris qu'il y avait deux catégories de captifs. Il y avait les Noirs « sensibles », comme moi, qui pouvaient parler la langue des toubabs et comprendre les ordres. Et il y avait les autres. Les « insensibles ». Ceux qui ne pouvaient pas communiquer avec l'homme blanc, à qui on ne confiait jamais les tâches les plus faciles, ou à qui on n'apprendrait jamais à faire un travail intéressant et n'accorderait aucune portion de nourriture supplémentaire, ni aucun privilège.

Je pensais que si tout le monde comprenait que Fomba pouvait lever, suspendre et saigner un cochon tout seul, peut-être qu'on le traiterait bien et qu'on le laisserait tranquille. Je le connaissais suffisamment pour voir qu'il s'affolait quand il était enfermé. Mais quand on le laissait jeter de la chaux vive dans des étangs pour paralyser les poissons et les pêcher ensuite, il s'en tirait assez bien. Dans ces moments-là, il était capable et fort. Je souhaitais désespérément qu'il reste ainsi. Autour de moi, je ne voulais que des gens forts.

Un jour que les moustiques étaient particulièrement voraces, Mamed interrompit mon travail aux bassins de lessive et me dit de le suivre.

« T'as pas à l'embêter, dit Georgia. Elle est occupée comme un oiseau avec sa nichée. » Mamed la repoussa et me saisit le poignet d'une main de fer. Sa poigne me rappela justement les fers qui m'entravaient la cheville sur le vaisseau négrier. Georgia baissa les bras et l'apostropha : « Touche à cette fille et t'auras affaire à moi. »

Mamed se dirigea vers l'arrière des cases, en me tirant derrière lui. Son genou – le droit, du même côté qu'il gardait sa canne – ne pliait pas correctement. Mais cela ne l'empêchait pas de se déplacer rapidement, et il ne manquait certainement pas de force. Ses hauts-de-chausses laissaient voir ses mollets qui glissaient et ondulaient comme des serpents. Ses cheveux argentés n'étaient pas aussi crépus que les miens, et il avait le teint plus clair que celui de la plupart des travailleurs de la plantation.

Lorsque Georgia fut hors de sa vue, Mamed lâcha mon poignet et me conduisit à travers les bois. Nous arrivâmes à une clairière. J'aperçus alors un grand toit de chaume soutenu par de hautes perches, sans murs ni plancher. Le toit ne servait qu'à faire de l'ombre et il abritait de grandes cuves rectangulaires en cyprès. Il y en avait six, en deux rangées de trois, et elles dégageaient une odeur d'urine. Dans chaque rangée, les trois cuves étaient placées côte à côte, chacune légèrement surélevée par rapport à l'autre. Elles étaient reliées par des tuyaux.

Mamed me tendit des aiguilles de pin et une brosse. Il m'indiqua comment grimper dans les cuves, plonger la brosse dans un mélange de lessive et d'eau, puis frotter le bois. Il me surveillait pour vérifier si je suivais ses instructions. C'était une tâche ardue, mais je lui montrai que j'apprenais vite et que je ferais bien le travail. Je n'avais pas l'intention d'éveiller sa colère.

Le soir, je demandai à Georgia pourquoi je nettoyais les cuves.

« Pour l'indigo.

— Indigo », répétai-je.

Elle dit que ça servait à teindre les vêtements des boukras. Je ne voyais pas quel pouvait être le lien entre le nettoyage d'une cuve de bois vide et ces vêtements. Elle ajouta que, pendant que je travaillais avec Mamed, elle et les hommes avaient essouché un coin du domaine. « Serpents, moustiques, insectes, sale travail. »

Jour après jour, Mamed me ramenait aux cuves à nettoyer. Un matin, pendant que je frottais, je levai les yeux et vis Appleby venir vers moi. Mamed cria que j'avais oublié un coin sale dans la cuve et me donna un grand coup de canne. Je sentais les yeux d'Appleby s'attarder sur mon corps et j'étais soulagée d'être vêtue d'une bure d'osnabourg, même si ce tissu était très rugueux. Appleby repartit peu après, et je continuai mon travail sans autre coup de canne.

Quand il était seul avec moi, surveillant mon travail de récurage, Mamed n'utilisait pas la langue des Noirs. Il parlait comme les boukras. Je me demandais si cela avait quelque chose à voir avec la couleur de sa peau. Il avait le teint beaucoup plus pâle que le mien, mais plus foncé que celui d'un boukra. J'aurais aimé savoir qui étaient ses parents, mais je n'osais pas lui poser de questions.

Puis, Mamed commença à me laisser seule pour nettoyer les taches brunes incrustées sur les parois. « Nettoie jusqu'à cet endroit », disait-il, en marquant un point dans la cuve.

À son retour, il vérifiait si j'avais atteint la marque indiquée. Pour éviter les coups de canne, je me dépêchais d'exécuter le travail et j'occupais mon esprit à imaginer les mots d'encouragement de mon père. Quelle différence cela aurait fait d'avoir un père ! Un père qui m'aurait parlé dans ma langue, qui m'aurait montré comment éviter de recevoir des coups de canne ou de me faire serrer les poignets par un homme costaud, comment me comporter dans ce nouveau pays. Je mourais d'envie d'avoir quelqu'un qui connaîtrait tout de moi et saurait exactement comment me guider. Dans mon for intérieur, j'essayais d'entendre le son de la voix basse et régulière de mon père, ses doigts légèrement posés sur mon bras. *C'est ce qu'ils veulent, Aminata, et c'est la seule façon de survivre. Les poulets, par exemple. Dans ce pays, ils ne les saignent pas. Ils leur coupent la tête et leur enlèvent les viscères. Évite le cochon, si tu peux, mais ne t'en fais pas trop avec ça. Tu es dans un nouveau pays maintenant. Fais ce qu'il faut pour rester en vie. Je te surveille, Fille. Les étoiles sont mes yeux, et je te vois dans ce nouveau pays. Tu as traversé le grand fleuve et tu dois continuer à vivre.*

Chaque jour, Mamed revenait vérifier mon travail à quelques reprises, hochant la tête en grommelant et m'apportant parfois à manger ou à boire. Après sept jours de labeur, les cuves furent enfin nettoyées à sa satisfaction.

Dans notre lit, la nuit tombée, Georgia me raconta qu'elle avait entendu Mamed dire que j'avais fait du bon travail.

« D'où vient-il ? demandai-je.

— C'est juste un Noir. Né ici dans les basses terres de la Caroline. »

Je prêtai attention à la façon dont elle disait ce mot. Elle prononçait « Ca-li-ne ». Pendant que je réfléchissais à sa manière d'étirer chaque syllabe, s'arrêtant presque sur chacune, Georgia ajouta un autre détail à mi-voix. « La maman de Mamed est pure Africaine.

— C'est vrai ? m'exclamai-je.

— Parle moins fort, fillette. »

Je lui saisis le poignet et murmurai : « La mère de Mamed est Africaine ?

— Uh-huh.

— De quel endroit ?

— Lâche mon poignet, fille. »

Je retirai ma main. « Mais d'où vient-elle ?

— Une Africaine est une Africaine, c'est tout ce que je sais.

— Sa maman est toujours en vie ?

— Morte et partie depuis longtemps.

— Tu l'as connue, la mère de Mamed ?

— Jamais rencontrée, mais c'est pas tout.

— Quoi encore ?

— Le père de Mamed était un boukra. Avait sa plantation dans l'île Coosaw.

— Son père, il est en vie ?

— Son père est mort comme sa mère.

— Mais comment ça se fait que Mamed soit un esclave ?

— Régisseur, dit Georgia.

— N'est-il pas un esclave, lui aussi ?

— Uh-huh, mais un peu mieux placé que toi et moi.

— Mais son père était bien un boukra ?

— C'est clair comme le jour.

— Alors, pourquoi Mamed est-il un esclave ?

— Si t'as une mère esclave, t'es esclave. Si t'as un père esclave, t'es esclave. Si t'as un peu de sang nègre dans toi, t'es esclave, c'est clair comme le jour. »

J'allais demander comment Mamed avait abouti dans notre plantation, mais Georgia avait déjà la réponse toute prête : « Quand la maman de Mamed est morte, le père boukra a vendu lui à maître Apbee. »

Je me tus pendant quelques instants, mais je ne pouvais pas dormir. Cela me semblait absurde de nettoyer des cuves de bois, de laver le linge et de couper le cou des poulets pour un homme qui ne vivait même pas avec nous. Comment se faisait-il que je lui appartenais et les autres aussi ? Je me demandais si je lui appartenais tout le temps ou seulement quand je travaillais pour lui. Est-ce que je lui appartenais quand je dormais ? Quand je rêvais ?

Georgia ronflait bruyamment, mais je ne pus m'empêcher de lui tapoter le bras.

« Hein ? fit-elle.

— Un esclave, c'est quoi ?

— Ne me réveille pas avec des questions stupides.

— Comment exactement cet homme nous possède-t-il ?

— De toutes les façons.

— Et si nous refusons ?

— Refuser quoi ?

— De travailler.

— Si tu travailles pas, tu meurs, dit Georgia. Le boukra a des choses à faire pousser et des maisons à bâtir, et si tu fais pas le travail qu'il te demande, tu meurs.

— Avant qu'on arrive ici, avant les Noirs, avant les Africains, qui faisait le travail ?

— J'faisais un beau rêve, dit Georgia. Qu'est-ce que t'as à me casser les oreilles avec tes questions ? Qui, quoi, où. Fifille, j'suis morte de fatigue. J'ai les os en bouillie pour avoir essouché. »

Je m'étendis sur le dos et me tus. Une autre fois, peut-être pourrais-je lui reparler de tout cela. Maintenant que je savais comment converser avec elle, ma tête débordait de questions.

Georgia s'écarta de moi dans le lit, resta immobile un instant, puis poussa un grognement et se retourna vers moi. Elle me tapota la main d'un air taquin. « Dans ton pays, les Africains y jacassent tout le temps ?

— Pas plus qu'toi, dis-je. Quand tu t'y mets, tu jacasses comme un chien qui aurait la queue en feu. »

Georgia éclata de rire et se leva pour se soulager dans le seau à l'extérieur.

« Ta bouche africaine est comme un cheval au galop, dit-elle en se remettant au lit. Ralentis et fais gaffe, mon lapin, sinon tu vas frapper un arbre. Maintenant, laisse-moi dormir avant que je te donne la fessée. »

Elle me donna une petite tape sur les fesses, puis se retourna et se remit bientôt à ronfler. Je mis un certain temps à m'endormir, mais j'étais réconfortée par les bruits qu'elle faisait et par sa chaleur qui inondait notre lit.

UNE LUNE PLUS TARD, Mamed conduisit un groupe de Noirs – dont Georgia, Fomba et moi – dans un champ de la plantation. Sous sa supervision, nous fîmes des semailles. C'était comme dans mon pays. Je creusais la terre de mon talon, laissais tomber une graine dans le trou et la recouvrais avec les orteils de l'autre pied. Je voyais que Mamed était impressionné par mon adresse. Avec leurs longues houes, les hommes travaillaient toutefois plus vite.

Nous chantions avec ceux qui travaillaient près de nous, et c'était souvent Georgia qui entonnait la mélodie. Pendant que nous creusions le sol, déposions les graines, recouvrions le trou et recommencions, chacun dans sa rangée, Georgia chantait d'une voix profonde aux accents plaintifs. Jamais je ne sus d'où Georgia tenait toutes ses chansons. Tantôt elle les fredonnait toute seule, tantôt elle nous laissait répondre après chaque phrase. Dans ces moments où nous chantions ensemble, la cadence de la plantation s'accordait avec celle du chant.

Au dernier jour des semailles, pendant que nous creusions le trou, Georgia lançait un couplet : «J'avais un papa grand et fort, mais il est parti.»

Nous laissions tomber une graine et répondions : « Papa grand et fort, mais il est parti. »

Fomba, qui travaillait dans la rangée à ma gauche, laissait tomber une graine lui aussi, même s'il ne chantait pas. Nous recouvrions le trou, faisions un pas en avant et nous arrêtions un instant. Puis, au moment où Georgia reprenait : « Il tira dix souches sous le soleil brûlant », nous creusions un autre trou et laissions tomber nos graines. Avec les autres, je chantais : « Dix souches sous le soleil brûlant ».

En attendant que Georgia n'attaque le couplet suivant, je préparai mon pied pour creuser. Elle commençait à chanter quand je mis le pied sur une couleuvre. L'animal ondula, siffla et se mit à se lover, dardant sa langue. Je poussai un cri. Fomba accourut et trancha la tête de la couleuvre avec sa houe. Avant que j'aie le temps de le remercier, il avait ramassé la tête d'une main et le corps frémissant de l'autre et les avait jetés au loin.

« Pauvre plouc ! » dit Georgia en lui donnant une poussée. Elle courut à l'endroit où Fomba avait lancé la couleuvre et récupéra les restes.

Ce soir-là, elle écorcha la couleuvre et enduisit la peau d'huile chaque jour pendant plusieurs jours. Elle fit ensuite sécher la peau huilée et l'enroula en deux rangs autour du chapeau qu'elle portait le dimanche pour faire sa lessive – un couvre-chef en paille à larges bords orné d'une plume de paon vert et bleu plantée de guingois. « Serpent ou maître, c'est même chose, dit Georgia. Mettre leurs vêtements porte chance. »

Quinze jours seulement s'écoulèrent avant que les graines ne commencent à germer dans la terre sablonneuse. Sous la surveillance étroite de Mamed, j'arrosais les plants avec un seau, ce qui les fit jaillir du sol. Quand ils commencèrent à former des feuilles épaisses, Mamed m'assigna dix rangs de plants par jour. Ma tâche consistait à retirer toutes les sauterelles. J'avais la consigne stricte de ne pas abîmer les feuilles, ni de déranger la fine couche de poudre qui les recouvrait. Je devais simplement prendre l'insecte délicatement, l'écraser, le jeter dans un seau et continuer ainsi de plant en plant. Mamed inspectait les feuilles comme s'il les connaissait personnellement et ne pouvait supporter l'idée de les partager avec les insectes. Pendant des jours, à raison de dix rangs par jour, je nettoyai les plants à mesure qu'ils grossissaient.

La majestueuse demeure de maître Appleby était entretenue par une femme noire qui travaillait avec un bébé arrimé sur son dos à la manière africaine.

Elle vivait dans une maison de terre séchée à l'écart des autres et ne parlait pas beaucoup à qui que ce soit. Peu de temps après que je pus m'exprimer en gullah, je m'approchai d'elle pendant qu'elle travaillait dans son petit potager.

« 'soir, Cindy-Lou. »

Elle grommela et continua à sarcler.

« Tu tiens ton bébé à la manière africaine. »

Elle marmonna quelque chose, mais ne répondit pas.

« Fomba et moi, on vient du même village. À Bayo, on enveloppe les bébés justement comme...

— J'suis de c'te pays, et là je r'dresse les fèves, viens donc pas m'parler d'l'Afrique. »

Quand nous nous mîmes au lit ce soir-là, Georgia me réprimanda : « Arrête ton baratin sur l'Afrique. Que tu marches à côté d'un nègre qui veut pas dire un mot ou à côté d'un homme blanc à cheval ou assis sur son cul, arrête de parler de ton pays et tout et tout. Sinon, le boukra de Ca-li-ne va faire sortir l'Afrique de toi à coups de bâton. »

Le soir suivant, pendant que Georgia me regardait manger, déclarant que j'avais maintenant « de la viande sur les os », Appleby entra chez nous. Grand, bien rasé, il portait des pantalons serrés et de magnifiques bottes de cheval en cuir. Je savais qu'il ne fallait pas lui faire confiance, mais je voulais – en gardant une distance respectable – en apprendre un peu plus sur lui.

J'essayais de suivre toutes les paroles qu'Appleby disait à Georgia. Il parlait d'une femme qui avait des problèmes dans une autre île.

« Si travail toute la nuit, pas travail demain, dit Georgia.

— Matin seulement », répondit Appleby.

Georgia resta sur sa position. Une fois qu'il eut cédé, elle lui demanda de lui apporter de Charles Town un mortier et un pilon, « format bébé ». Appleby accepta. Georgia remplit un sac de toile de ses potions, liquides et plantes et me prit par la main.

« Juste toi, lui dit Appleby.

— Elle venir avec moi.

— Bon, dépêchez-vous. »

Nous nous efforcions de suivre les longues enjambées d'Appleby. Georgia marchait aussi vite qu'elle le pouvait et respirait bruyamment, comme si son nez était congestionné. Nous arrivâmes près d'un Noir de la plantation, surnommé Happy Jack, qui nous attendait avec deux chevaux et une charrette. Georgia et moi grimpâmes derrière et parcourûmes une route cahoteuse qui menait à un quai. Là, on nous fit monter dans un canot fait d'une bille de cyprès creusée et attachée à deux autres billes. Debout dans le canot, des Noirs d'une autre plantation nous firent traverser, Appleby, Georgia et moi, en maniant des perches. Pendant tout le temps que nous passâmes dans le canot, Georgia posa des questions aux rameurs. Elle parlait très vite. Il était clair non seulement qu'Appleby ne comprenait pas, mais qu'il n'écoutait même pas. Où était Old Joe ? demanda Georgia. Et Quaco ? Et qu'est-il arrivé à Sally après qu'ils l'eurent emmenée de l'île Santa Helena ? J'étais capable de comprendre la plus grande partie de ce que les canotiers lui répondaient. Nous arrivâmes à une autre île, et on nous amena dans une charrette tirée par un cheval à une case où une femme se lamentait.

Avant d'entrer, Georgia s'adressa au boukra de cette nouvelle plantation : « Maître, donnez-moi une pipe et du tabac, et deux verges de tissu rouge de Charles Town.

— Je te donne deux pipes et du tabac, rien de plus », répondit-il.

Georgia fit un signe de tête, et nous entrâmes toutes les deux dans la case.

Trois bougies éclairaient la pièce où la femme était étendue. Georgia demanda au nouveau boukra des linges et trois calebasses d'eau chaude, puis le renvoya ainsi qu'Appleby. De son sac, elle sortit une gourde d'huile bien fermée. « Va t'asseoir à son chevet et parle-lui », me dit Georgia.

Pendant que Georgia se frottait d'huile la main droite, écartait les jambes de la femme et glissait les doigts à l'intérieur, je regardai la femme dans les yeux et lui demandai son nom. Elle ne répondit pas. « Ton nom, c'est quoi ? » répétai-je. Pas de réponse.

« Elle t'a demandé ton nom », lui cria Georgia.

Toujours pas de réponse. La femme avait l'air terrifiée. Quand je m'adressai à elle en bambara, elle écarquilla les yeux. Quand je passai au peul, elle se mit à parler d'abondance. Georgia me donna un petit coup de coude. « Bonne chose que tu sois ici, fillette. »

La femme s'appelait Falicha. Elle dit qu'elle avait traversé le grand fleuve il y avait seulement quelques lunes. Elle saisit ma main et se cambra le dos. « Prends de petites respirations quand ça fait mal », lui dis-je.

Georgia plaça ma main sur le ventre de Falicha. À un endroit, puis à un autre et à un autre encore. Elle me demanda si je sentais quelque chose. « Deux bébés », dis-je.

Georgia resta bouche bée : « Comment qu'tu sais ça ?

— J'te l'ai dit. Ma maman m'a montré à aider aux accouchements.

— Ta maman serait bien utile ici, dit Georgia. Cette femme pourrait mourir. »

Toute la nuit, Falicha dut surmonter des vagues de grandes douleurs. Entre les contractions, elle parlait et parlait, comme si elle n'avait pas adressé la parole à quiconque depuis des mois. Elle dit qu'elle avait deux enfants à la maison. Elle avait été capturée avec son mari, mais celui-ci était mort pendant la traversée. Je ne voulais pas entendre parler de ce sujet et je ne lui posai pas de questions, espérant qu'elle s'épuise et se taise, mais Falicha bavardait sans arrêt. Ses enfants avaient vu trois et cinq saisons des pluies. Elle n'avait aucune idée de l'endroit où ils se trouvaient ni de qui s'en occupait. Je me sentis soulagée quand elle cessa de parler et poussa un long gémissement d'une voix caverneuse.

Falicha n'attendait pas les instructions. Elle poussait énergiquement de son propre gré et, après plusieurs tentatives, la tête du bébé émergea. Elle donna une autre poussée et les épaules, puis les fesses et les petits pieds apparurent. Georgia emmaillota le bébé et le mit dans mes bras. L'enfant avait un nez minuscule, épaté, et une bouche fureteuse. Je me demandai combien de temps s'écoulerait avant que cette petite créature comprenne qu'elle ne serait pas libre de vivre comme elle le voulait.

Falicha était à bout de souffle.

« C'est un garçon », lui dis-je. Elle sourit doucement, mais elle n'avait plus la force de parler. « Il y a un autre bébé qui s'en vient », continuai-je.

Le premier-né se mit à pleurer. « C'est bien, il respire, dit Falicha. Je vais mourir. Prends mon bébé, fillette peule. Je vais mourir.

— Personne ne va mourir, dis-je. Tu as un autre bébé dans ton ventre. »

Falicha s'assoupit. Je tins le bébé bien serré contre moi jusqu'à ce qu'il s'endorme.

« Vous deux, vous parlez un drôle de charabia, dit Georgia.

— Peul, dis-je.

— Peu… quoi ?

— C'est notre langue. Le peul. »

Georgia haussa les épaules. Elle alluma sa pipe et se mit à fumer.

Je ne voulais pas éveiller la mère ni le bébé, mais, depuis des jours, je brûlais de poser une question à Georgia.

« Je voudrais trouver un homme appelé Chekura », lui dis-je à mi-voix.

Georgia me regarda intensément. « T'es trop jeune pour chercher un homme.

— Ce n'est pas mon homme. Nous avons traversé la grande eau ensemble. C'est comme un frère.

— Ouais, un frère », ronchonna-t-elle.

Voyant mon regard sérieux, Georgia se radoucit. « S'il se trouve dans les basses terres, le filet de pêche va l'attraper.

— Le filet de pêche, répétai-je.

— Nous avons nos méthodes, dit Georgia. Les Nègres, ils ont des bouches comme les rivières. Nos paroles suivent le courant des rivières, de Savannah à Santa Helena, puis à Charles Town et plus loin encore. J'ai même entendu dire que nos messages s'étaient rendus en Virginie et en étaient revenus. Nos paroles, à la nage, vont plus loin qu'un homme à pied. Quand nous trouvons quelqu'un, c'est par le filet de pêche.

— Ce n'est pas vraiment un homme. C'est juste un garçon, et il s'appelle Chekura.

— S'il est dans les environs, je vais le trouver dans le filet de pêche. Ou c'est lui qui va te trouver. »

De son pouce, Georgia bourra sa pipe de tabac. « Tu fumes ? »

Je secouai la tête : « Les fidèles ne fument pas.

— Les fidèles ? »

Je pointai du doigt le ciel. « Allah.

— De quoi tu parles, fillette ?

— De Dieu.

— Qu'est-ce Dieu vient faire là-d'dans ?

— Dieu dit de pas fumer. Notre livre dit de pas fumer.

— Ne parle pas de livres. Le boukra aime pas ça du tout. »

J'étais dans la plus grande confusion. Sur le bateau, j'avais vu le médecin lire des livres dans sa cabine à la lumière d'une lampe.

« Qu'est-ce Dieu vient faire là-d'dans ? répéta Georgia.

— Dieu dit pas de tabac.

— Huh ! grogna Georgia en se tapant sur les cuisses. Maître Apbee a un Dieu, il fume. Deux nègres de notre plantation arrêtent pas de dire Jésus par-ci, Jésus par-là, et ils fument. Parmi nous, y en a qui ont un Dieu, d'autres non, mais y a pas un nègre dans toute la Caroline qui aime pas le tabac. »

Je ne savais pas comment dire à Georgia que le vin de palme et le tabac n'étaient pas permis, mais que les noix de cola l'étaient. Je n'avais pas vu l'ombre d'une noix de cola depuis que j'avais quitté mon pays. Le Coran était décidément trop compliqué à expliquer.

Le bébé se mit à pleurer. Georgia me le prit des bras et pressa sa petite bouche contre le sein de Falicha. Le bébé se mit à téter activement.

« Ça va l'aider à démarrer », dit Georgia. Comme prévu, Falicha se réveilla et se remit à pousser. Le deuxième bébé sortit très vite. Une fille. Livide et immobile.

Georgia coupa le cordon en tendant l'oreille pour entendre une respiration qui ne venait pas, un cœur qui ne battait pas. Elle enveloppa le bébé des pieds à la tête.

« Et le deuxième ? demanda Falicha.

— Elle est morte, dis-je.

— Une fille ? demanda Falicha.

— Oui.

— J'ai toujours voulu avoir une fille. »

Falicha posa la main sur son front, puis se couvrit le visage et resta complètement immobile.

Je lui caressai les cheveux pendant quelque temps, mais Falicha ne réagit pas. Je sortis prendre l'air. Cette nuit-là, les étoiles scintillaient et les grillons stridulaient leur chant intarissable. Si le ciel était si parfait, pourquoi la terre était-elle tout de travers?

Georgia vint me chercher. « Faut s'en aller. Le boukra va revenir bientôt. Le deuxième bébé, c'est notre secret. Personne n'est au courant. Falicha a eu un garçon, c'est tout. Tu m'entends ? Dis-lui ça, à Falicha. »

Georgia fit un paquet de l'enfant mort et le cacha sous ses vêtements. Nous laissâmes le premier bébé sur la poitrine de Falicha.

À notre arrivée à la plantation d'Appleby, l'aube lançait ses premières lueurs du côté du levant. Nous nous reposâmes sur le seuil de la porte quelques instants. Après nous être assurées que tout était tranquille, Georgia m'emmena avec elle dans la forêt profonde pour enterrer la jumelle morte. Puis, nous nous mîmes au lit rapidement.

Georgia toucha mes cheveux. «Jamais je n'ai vu quelqu'un de l'Afrique apprendre si vite. Mais, attention, fillette. Tu en sais trop, quelqu'un peut tuer toi.

— J'suis pas tuable.

— T'étais pourtant à moitié morte quand j't'ai ramassée dans la cour. Mais j'suis bien contente que tu sois en vie. »

LE TEMPS SE RÉCHAUFFA et devint plus humide. Avec la viande sur mes os qui rendait Georgia si fière, mes saignements féminins revinrent. La chaleur me rappelait mon village, mais l'humidité pesait comme une couverture mouillée. Je vis le premier de nombreux orages. En fin d'après-midi, les nuages moutonneux commencèrent à s'assombrir. Bien avant la fin du jour, la lumière changea subitement comme si le crépuscule était tombé en un instant. Un éclair zébra le ciel, le tonnerre retentit et le ciel explosa. Georgia me tira de la cuve où je prenais un bain. « La foudre va te griller comme du bacon, dit-elle en me tirant à l'intérieur. »

Elle mit son bras autour de mes épaules. « J'espère que l'toit va t'nir le coup. »

Ce n'était pas que de la pluie. C'était comme si des milliers de seaux d'eau étaient versés en même temps. Deux arbres se fendirent. La foudre en fit éclater un troisième. Notre toit tint bon, mais un autre s'effondra. Nous entendîmes les cris des Noirs fuyant la maison détruite, cherchant refuge dans une autre. En peu de temps, la tempête se termina aussi vite qu'elle avait commencé. Le ciel s'éclaircit, les nuages se dissipèrent et le soleil transforma la fraîcheur apportée par la pluie en traînées de vapeur.

Georgia m'emmenait toutes les fois qu'on lui demandait d'aider à des accouchements dans la plantation ou dans les îles voisines. Environ un bébé sur trois mourait à la naissance ou peu de temps après, et un grand nombre de mères rendaient l'âme elles aussi. J'adorais assister Georgia, mais j'avais du mal à affronter la maladie et la mort. Georgia ne voulait pas me laisser seule à la plantation – elle disait que je n'étais pas en sécurité sans elle à mes côtés – mais je la suppliais de me permettre d'y rester quand elle savait d'avance que la parturiente était déjà malade.

Il n'y avait pas que les mères et les bébés qui succombaient. Beaucoup d'autres perdaient la vie, y compris des boukras et des Noirs adultes. Ils mouraient des fièvres, leurs os en feu. Georgia me dit que les boukras craignaient les vapeurs qui flottaient sur les marécages des basses terres. Pendant la moitié la plus chaude de l'année, que Georgia appelait la « saison des maladies », Appleby était presque toujours absent.

Georgia était connue comme accoucheuse et guérisseuse dans toutes les îles de la région des basses terres. Chaque fois que des boukras ou des régisseurs noirs d'autres plantations venaient lui demander des services, elle insistait pour recevoir une certaine forme de paiement. La chose dont elle avait le plus envie – plus que de rhum, de tabac ou d'étoffes aux couleurs vives –, c'était l'écorce du Pérou. Appleby ou les autres planteurs devaient lui en rapporter du marché de Charles Town et se plaignaient de son coût élevé. Parfois, Georgia devait troquer jusqu'à dix accouchements contre un sac d'écorce. Quand elle en obtenait, elle la faisait sécher, en écrasait une partie avec un pilon dans son mortier de la grosseur d'un poing, s'efforçant de ne perdre aucune miette. Elle conservait cette poudre dans une pochette de cuir suspendue à une poutre au plafond de notre maison. Le reste, elle le mâchait. Elle voulut m'en offrir, mais l'écorce était trop amère à mon goût. À part moi et Happy Jack qu'elle accueillait parfois dans son lit, Georgia interdisait à tout Noir d'entrer dans son logis. Elle ne voulait voir personne fourrager dans ses poudres et racines, en particulier dans son écorce du Pérou qu'elle considérait comme le meilleur remède contre les fièvres.

Georgia possédait des sacs de diverses teintes de bleu. Elle insistait pour que je retienne tous les détails. Dans le sac bleu-noir, il y avait du thym pour accélérer l'accouchement et expulser le placenta. Dans le sac bleu outremer, elle conservait de la stramoine comme arme secrète pour causer la démence. Le sac bleu ciel renfermait des aiguilles de pin qu'elle faisait infuser comme décongestionnant. Un sac bleu pâle contenait du fenouil doux et des graines d'anis contre les flatuosités.

« Ça, c'est quoi ? me demanda-t-elle pour tester mes connaissances.

— Un mélange de plantain et de marrube, contre les morsures de serpent.

— Bien. Et ça?

— Du pouliot, pour chasser les insectes.

— Fais voir à aucun boukra combien ta tête travaille vite, fillette. Sinon, ils vont t'amener tout droit à la rivière et te noyer. »

Peu de temps après les semailles d'indigo, Georgia annonça qu'elle allait me rendre très malade, mais que c'était seulement pour s'assurer que je ne mourrais pas plus tard. Elle dit que l'opération prenait du temps et que c'était justement le bon moment pour le faire. La maladie courait dans le pays, disait-elle. À Charles Town. Dans les basses terres. Dans les régions densément peuplées. La maladie allait et venait, et quand elle arrivait, elle prenait beaucoup de vies. Georgia disait qu'une vieille femme des basses terres lui avait appris comment prévenir la variole.

« J'vais t'arranger pour pas que la maladie te tue. » Je lui dis que je ne voulais pas qu'un couteau touche une partie de mon corps. « Juste une petite coupure dans ton bras. » Je refusai.

« Regarde ça », dit-elle en se dénudant les épaules et le dos. Je vis de nombreuses cicatrices de variole. « C'est ça qu'tu vas avoir. Quelques cicatrices comme ça. J'te rends malade pour pas qu'tu meures.

— Quand ça ?

— Tout de suite. Tu vas avoir le temps de t'remettre avant la récolte d'indigo.

— Mais Mamed va me battre si je ne travaille pas.

— Mamed est au courant. Il y a quelques années, je l'ai arrangé contre la variole. »

Je me mis à pleurer. Elle me saisit la mâchoire. « Arrête ça tout de suite. J'te l'fais comme si t'étais ma fille. »

À l'aide d'un couteau bien affûté, Georgia fit une entaille dans mon avant-bras. Je m'attendais à ressentir la pire douleur imaginable, mais ce fut très rapide et la coupure, peu profonde, ne mesurait qu'un pouce de long. Dans l'entaille, elle inséra un bout de fil qui venait, disait-elle, du bras d'un autre homme qu'elle avait rendu malade de la même façon. Elle referma la plaie et la recouvrit d'une mixture de sureau et de saindoux.

« C'est fini ? demandai-je.

— Pour le moment.

— Pas d'autre coupure ?

— Pas d'autre coupure. Mais la maladie va arriver bientôt.

— Quand ?

— À peu près sept jours. »

Georgia me fit rester à l'intérieur de sa maisonnette. Interdit de sortir. Je devais manger et me soulager en dedans. Je faillis devenir folle d'ennui. Je me sentais bien, et il n'y avait rien à faire. Je me disputais avec elle parce que je passais toute la journée dans la pénombre de cette case humide, mais elle n'en démordait pas. Puis arriva la fièvre. J'avais l'impression que mes os et mon dos allaient éclater. Je me rétablis rapidement.

« Puis-je sortir maintenant ?

— T'es pas encore guérie. »

La fièvre revint. La tête me faisait si mal que je dus m'allonger et me couvrir les yeux pour éviter la lumière. Un jour que je me penchais au bord du lit pour vomir, je vis une de mes dents tomber dans le seau. En une journée, des plaies suppurantes apparurent dans ma bouche et mon nez.

« Ça va sentir si mauvais que tu vas te haïr, mais t'inquiète pas. Ça va passer. La senteur va s'en aller. Fais pas attention. »

Des pustules commencèrent à se multiplier sur mon corps. Celles qui apparurent sous mes pieds étaient les plus douloureuses. Elles dégageaient une telle puanteur que j'avais honte de me trouver près de Georgia. Je ne pouvais supporter ma propre odeur.

« J'la connais, c'te senteur. J'y suis accoutumée. T'as de belles pustules.

— Qu'est-ce tu veux dire par de " belles " pustules ? » Ma voix affaiblie n'était plus qu'un chuchotement. J'étais incapable de me lever. Je voulais mourir.

« Les pustules sont éloignées les unes des autres. Une ici. Une là. Elles se touchent pas. Et t'en as qu'une dizaine. Dix, c'est bon. »

Je fus mal en point pendant presque la moitié d'une lune. Les cloques se transformèrent en croûtes. Je me fis la promesse que si je recouvrais la santé, jamais je ne me plaindrais – même pas dans mon for intérieur – d'avoir à peiner en plein soleil ou à travailler pour les boukras. Mes forces commencèrent à revenir, et je finis par pouvoir me tourner dans le lit sans trop de douleur. Puis, je pus m'asseoir, me déplacer dans la case et manger un peu. Quand la dernière croûte tomba, Georgia dit que j'allais mieux. « Va dehors respirer l'air frais. Tu retourneras travailler bien assez vite. »

Pendant tout cet été-là, elle ne cessa de m'examiner. « Tu t'en es tirée rapidement. Juste quèques cicatrices et aucune au visage. » Je lui dis que j'en étais soulagée.

« Quèques cicatrices au visage, ç'aurait été une bonne chose, fillette.

— Pourquoi ?

— T'aurais b'soin de quèque chose pour t'enlaidir. T'es comme une fleur et ça, c'est pas bon. »

GEORGIA AVAIT RAISON. J'étais en pleine forme pour le début de la moisson d'indigo. La veille, elle et moi sortîmes des seaux d'un entrepôt et les distribuâmes aux portes des autres cases.

« On fait ça pourquoi ?

— Pour la pisse », répondit Georgia.

Ce soir-là, debout ou accroupis, les cinquante esclaves de la plantation d'Appleby urinèrent dans les seaux. Le lendemain matin, Georgia et moi traînâmes chacun de ses seaux nauséabonds jusqu'aux cuves que j'avais nettoyées si soigneusement au printemps. Pendant que nous finissions de les transporter, Mamed et les autres s'étaient rassemblés. Mamed donna des ordres, mais tout le monde, sauf Fomba et moi, savait exactement quoi faire. Mamed demanda à Fomba de couper les plants d'indigo au ras du sol. Fomba ne pouvait pas suivre les instructions. Mamed l'enleva de son poste, désigna un autre homme à sa place et me dit alors de ramasser les tiges et les feuilles d'indigo et de les apporter par brassées dans les cuves.

« Pas si vite », dit Georgia d'une voix haletante. Elle avait du mal à me suivre. Un peu à l'écart de notre groupe affairé, je vis Appleby. Il était parti depuis quelques mois, et j'avais cessé de penser à lui.

« Maître Apbee surveille et Mamed a dit de se dépêcher, dis-je en chuchotant.

— Pas comme ça. Fait trop chaud. T'as toute une journée à faire. Vas-y doucement. »

Les plants d'indigo m'égratignaient les bras. Je me dépêchais de les éloigner de ma peau et les jetais le plus vite possible dans les cuves. Mamed me donna un coup de canne sur la jambe. J'étais furieuse qu'il m'ait frappée, moi qui avais travaillé si dur pour récurer les cuves au printemps. En cet instant, je n'avais pas peur de lui. J'étais seulement en colère.

Mamed me saisit le bras : « Marche lentement, dit-il. Ne perds pas ton temps, mais ne cours pas. L'indigo, c'est comme un bébé qui dort. Marche tranquillement pour ne pas le réveiller. »

J'essayai de me libérer de la poigne de Mamed, mais il me retint. « Regarde, dit-il en montrant les feuilles dans les bras de Georgia. Vois-tu cette fine poudre ? »

Je vis des traces de poussière sur les feuilles.

« Si tu remues les feuilles, la poussière tombe. On travaille pour garder cette poussière. La poussière, c'est ce que nous voulons. Marche doucement. Vas-y tout doux avec les plants. »

Je jetai un regard furieux à Mamed, puis je remarquai qu'Appleby me surveillait attentivement. Mouches et moustiques bourdonnaient autour de nous, pénétraient dans mes oreilles et se prenaient dans mes cheveux. Deux Noirs agitaient des branches de cèdre pour les éloigner d'Appleby, et quatre autres éventaient les cuves pour empêcher les insectes de s'y poser.

« Tout doux, répétai-je. Tout doux. »

Mamed lâcha mon bras et je retournai dans la chaîne de travail, me déplaçant comme Mamed me l'avait dit. Une heure plus tard, Appleby me prit à part. « Toi. Mina. »

J'étais surprise qu'il connaisse mon nom. Je baissai les yeux, comme Georgia me l'avait enseigné. « Toi, négresse sensible ?

— Oui, M'sieu.

— Tu apprends vite.

— Juste sensible, Maître Apbee.

— Quel âge as-tu ?

— Douze ans.

— T'es capable de faire quoi ? »

Georgia m'avait préparée à répondre à ces questions. « Faire du savon et nourrir les cochons.

— C'est tout ?

— Non, M'sieu.

— Qu'est-ce que tu peux faire d'autre ? »

Je vis que Georgia regardait la scène.

« Sarcler les champs, nettoyer les cuves, sortir des bébés.

— Où as-tu appris ça ?

— Appris de Georgia.

— Fillette, c'est quoi ces cicatrices dans ton cou ?

— Sais pas, Maître.

— Fillette, t'as eu la variole ?

— Sais pas, Maître.

— Continue à travailler et écoute Georgia.

— Oui, Maître. »

Appleby s'éloigna et retourna auprès de Mamed. « Elle sera parfaite la saison prochaine », dit-il en se dirigeant vers la grande maison.

Je me remis au travail en aidant à faire passer le liquide nauséabond dans la deuxième série de cuves, auxquelles étaient attachées de longues fourches. À l'extrémité de chacune, il y avait un seau dont le fond avait été enlevé. Georgia me montra comment brasser le liquide avec la fourche. Je devais brasser avec vigueur et régulièrement. Pendant que je brassais une cuve, elle brassait celle qui se trouvait à côté de la mienne. Les bras me brûlaient de fatigue, mais Georgia ne cessait pas de brasser. Quand je n'en pouvais plus, Georgia faisait tourner sa fourche d'une main et la mienne de l'autre. Je chassais les moustiques et me remettais à brasser. Petit à petit, le liquide dans la deuxième série de cuves commença à produire de l'écume. Mamed y ajouta de l'huile contenue dans un seau de cuir. Quand une pâte de couleur bleue se forma au fond des cuves, on retira l'eau qui se déversa dans la troisième série de cuves.

« Voilà ce que nous voulons avoir », dit Georgia en montrant la pâte des deuxièmes cuves.

Pendant que la pâte séchait, Georgia et moi chassions les moustiques avec des branches de cèdre. Mamed et les hommes recueillaient la pâte et la mettaient dans de grands sacs qu'ils suspendaient pour que le liquide s'égoutte. Puis, munis de larges palettes, nous étendions cette pâte dans la cabane de séchage. Il était difficile de ne pas s'étouffer à cause des vapeurs qui s'échappaient quand nous façonnions la pâte en pains, que nous placions ensuite dans des tonneaux de bois.

Nous travaillions des premières lueurs de l'aube jusqu'au crépuscule. Dans la cour, devant notre case, Georgia et moi gardions un grand chaudron d'eau sur le feu. Avant d'aller au lit, quelle que soit l'heure et quel que soit notre degré de fatigue, nous remplissions des seaux d'eau, les apportions dans les bois et nous nous lavions sous le ciel étoilé.

« Qu'est-ce qu'ils font avec toute cette pâte ? demandai-je.

— Prennent des vêtements blancs et les rendent bleus, dit Georgia.

— Cette pâte, c'est pour leurs vêtements ?

— La dernière fois qu'il est passé, maître Apbee portait une chemise bleue. T'as pas remarqué ? »

Je répondis que je ne m'en souvenais pas.

« Cinquante nègres enlèvent la pisse d'la pâte pour la chemise de maître Apbee », dit-elle.

Georgia râlait au sujet du travail ardu pendant la récolte, mais elle était aussi attirée par l'indigo. Comme elle pansait les plaies et les coupures de Mamed, celui-ci la laissait prendre de petites quantités de feuilles d'indigo et un ou deux sacs de pâte. Georgia faisait une décoction à partir des feuilles pour soulager les hémorroïdes que les femmes développaient en poussant pour expulser leur bébé, mais elle utilisait aussi la pâte pour mener ses propres expériences.

« Me vois-tu, moi, une femme adulte qui joue avec de la pâte », dit-elle, en éclatant de rire. Je m'assis par terre et regardai Georgia verser de l'eau dans une grande calebasse qui contenait de la pâte d'indigo. « Pas capable d'expliquer pourquoi j'aime tant ça. Quand j'étais pas plus haute que ça, j'avais un chien aveugle. C'était un beau chien, qui n'avait jamais mordu personne, mais complètement aveugle. Voyait pas clair. J'voyais pas plus clair que cette pauvre bête. Un bout de bois dans la pâte, c'est tout ce que je voyais. J'aimais juste planter ce bâton dans la pâte. »

Georgia laissa un linge tremper dans la calebasse. Le lendemain matin, le tissu avait pris une couleur bleu clair. Quand elle le retira de la calebasse et le tint à la lumière, on aurait dit un morceau de ciel. Elle le remit dans le liquide, et nous retournâmes travailler. Quand elle le déploya de nouveau, il était plus foncé, plus violacé, comme l'iris, ma fleur sauvage favorite. Georgia secoua la tête et replongea le tissu dans le liquide. Cette fois, c'était un ciel de nuit à la pleine lune.

« Voilà », dit Georgia. Elle fit sécher le tissu près du feu.

Georgia couvrit ses cheveux de cette étoffe une fois teinte et sèche. Je m'arrêtai pour admirer la nuance d'indigo au-dessus des rides de ses yeux et des coins de sa bouche. On aurait dit que le foulard et le visage s'étaient imprégnés de la sagesse et de la beauté du monde.

La récolte et le traitement de l'indigo durèrent des semaines. Le dernier jour, un sac de pâte d'indigo me glissa des mains. Il tomba sur le sol et fut complètement gaspillé. Furieux, Mamed agrippa mon bras, ses doigts bien enfoncés dans mes muscles fatigués.

« *Allahu Akbar !* », hurlai-je sans réfléchir.

Je craignais que Mamed ne me batte pour avoir prononcé le début de la prière interdite, mais il relâcha mon bras et recula. « *Allahu Akbar* », murmura-t-il pour que je sois la seule à entendre.

Il me fit signe de le suivre à l'orée du bois. « Qui t'a montré ces mots-là ? poursuivit-il à mi-voix.

— Mon père.

— Il parlait arabe ?

— Quand il priait. »

Je me méfiais de la canne sur laquelle il s'appuyait toujours. « Allez-vous me battre encore ?

— Pour quelle raison ?

— Parce que j'ai dit ces mots-là. Parce que j'ai parlé de mon père.

— Non, je ne vais pas te battre. »

Je repris un peu d'assurance et fit éclater ma colère : « Lâchez-moi ! Vous me faites mal. Vous laissez des marques sur mes bras.

— Le gros travail finit aujourd'hui, dit-il. La récolte est terminée. Ce soir, quand t'auras fini de manger, viens me voir. »

Je ne pouvais oublier la pression des doigts de Mamed sur mon bras. Mais peut-être y avait-il quelque chose à apprendre de cet homme qui prononçait les mêmes paroles que mon père. Georgia m'avait enseigné comment survivre dans le pays des boukras, mais peut-être Mamed pouvait-il m'enseigner comment en sortir.

Mamed habitait la dernière des cases d'esclaves. Elle était située à l'une des extrémités de notre rangée de cases, qui avait la forme d'un fer à cheval. Elle était deux fois plus spacieuse que les autres, et ses murs épais étaient faits de chaux, de sable et d'écailles d'huîtres. Georgia et moi avions un plancher en terre battue, mais Mamed s'était construit un plancher de bois. Nous avions une porte mais pas de fenêtres ; lui avait les deux. Notre espace était juste assez grand pour loger un lit et un tabouret et « débarrasser la porte », comme Georgia se plaisait à dire, mais Mamed avait de la place pour deux tabourets, un foyer avec une cheminée, une petite table et une étagère garnie de livres.

Dehors, il faisait nuit noire, mais Mamed avait allumé une bougie. Son lit était une plateforme de bois couverte d'une paillasse. Il avait plusieurs couvertures.

Je regardai tout autour de la case et m'approchai de la porte.

« Je t'ai fait venir pour parler, dit-il en empruntant le style de langage d'Appleby. Devrais-je t'enseigner à parler comme les boukras ?

— J'sais pas.

— J'en serais capable. Comprends-tu ce qu'ils disent ?

— Un peu.

— Tu as peur que je te fasse mal. »

Je me tus. Quand maître Appleby me regardait, il promenait ses yeux sur tout mon corps. Mamed me regardait fixement, mais droit dans les yeux, comme s'il cherchait à m'évaluer et à me comprendre. Il prit un tabouret et l'approcha près de moi. « Assieds-toi. »

Le siège était fait de bois lissé par l'usure et poli à l'huile. Il reposait sur quatre pattes solides réunies par des barreaux enfoncés dans des entailles. Cet objet simple et élégant me rappelait mon foyer. « D'où vient-il ? demandai-je.

— C'est moi qui l'ai fait.

— Avec quoi ?

— Avec une bûche de cyprès.

— Il est magnifique.

— Quand on a du temps, on peut faire de belles choses. Même ici, dans le pays des boukras.

— Est-ce aussi votre pays ?

— Tu veux savoir si je suis né ici ou en Afrique ? »

Je fis signe que oui. Mamed tapota le tabouret et attendit pendant que je m'y installais doucement. Il me raconta que son père avait été propriétaire d'une plantation dans l'île Coosaw et sa mère, la fille d'un chef peul. La mère de Mamed avait appris à lire auprès de son maître, qui avait promis de les affranchir, elle et Mamed, un jour. Elle se rappelait quelques prières qu'elle avait apprises dans son pays et les avait enseignées à Mamed. Elle lui avait aussi transmis toutes les choses qu'elle tenait du boukra.

J'aimais l'entendre raconter son histoire de sa voix mélodieuse. Ses bras étaient sillonnés de cicatrices, mais il n'avait pas l'air du régisseur à la canne prête à frapper. Il semblait différent ; on aurait dit un homme disposé à enseigner.

Si papa était en vie et qu'il avait traversé le grand fleuve avec moi, il m'aurait encouragée à apprendre. Mais je n'osais pas poser à Mamed une question qui me brûlait la langue. S'il savait tant de choses, pourquoi était-il encore dans la plantation d'Appleby ? Il lut l'interrogation dans mon regard.

« Un cheval est tombé sur ma jambe quand j'étais jeune et depuis, je boite. Maintenant, je suis trop vieux pour fuir, dit Mamed.

— Où les Noirs fuient-ils ? »

Mamed m'examina attentivement, les doigts croisés. Il dit qu'ils se cachaient parmi les Indiens ou partaient vivre avec les Espagnols, dans le sud. Lui ne voulait pas se cacher parmi les Indiens ni habiter Fort Musa avec les Espagnols. Il aimait dormir dans le même lit chaque soir et avoir un jardin à entretenir.

« Vous acceptez votre vie telle qu'elle est ? »

Mamed toussota pour dissiper son malaise. « Je reste ici et je vis bien. C'est le mieux que je peux faire. Personne ne connaît le travail de l'indigo autant que moi, et maître Appleby le sait. »

Mamed dit qu'il avait conclu un arrangement avec Appleby. S'il gérait la plantation et assurait la production d'une bonne pâte d'indigo, il pourrait manger ce qu'il voulait, organiser sa maison comme bon lui semblait, se procurer des produits à Charles Town et recevoir chaque année des livres d'Appleby. En retour, il devait verrouiller sa maison et ne montrer les livres à personne ni apprendre à lire à aucun Noir.

Je hochai la tête.

« Je n'avais pas l'intention d'apprendre la lecture à qui que soit. Mais j'ai vu l'étincelle dans tes yeux. »

On m'avait enlevé bien des choses qui me revenaient de droit : ma mère, mon père, mon pays, ma liberté. Et maintenant on m'offrait quelque chose que j'aurais pu ne jamais recevoir. J'avais peur de saisir l'occasion, mais je craignais encore plus de la laisser échapper.

« J'ai toujours voulu apprendre à lire. Même avant de traverser le grand fleuve.

— Les boukras n'appellent pas ça un fleuve. Ils appellent ça la mer. Ou l'océan. Ils appellent ça l'océan Atlantique.

— L'océan Atlantique, répétai-je.

— Tu ne dois dire à personne que je t'enseigne des choses.

— C'est promis.

— Personne ne doit savoir », insista-t-il.

Je le regardai droit dans les yeux et hochai la tête calmement.

À la première leçon, j'appris à prononcer et à épeler mon nom. Mamed fut la seule personne en Caroline du Sud à me demander mon nom en entier. Il le prononça correctement, puis m'enseigna à l'écrire. Dans la plantation toutefois, il m'appelait toujours Mina.

GEORGIA M'ATTENDAIT quand je grimpai dans le lit. « Cet homme t'a-t-il tripotée ? demanda-t-elle.

— Non.

— Qu'est-ce qu'il voulait ?

— Parler, c'est tout.

— Les hommes font aut' chose que parler.

— On a juste parlé. »

Georgia se tut pendant un moment. « Pendant que tu 'juste parlais', Miss Mina, quelqu'un est venu te voir.

— Venu me voir, moi ? »

Je descendis du lit d'un bond. Ce jour-là l'impossible était devenu possible déjà une fois.

« Quelqu'un est venu me chercher pour me ramener chez moi ?

— Calme-toi, fillette. C'était juste un garçon. De la taille d'un petit homme, mais encore un garçon. »

Je retournai dans le lit. « Quel garçon ? demandai-je calmement.

— Il t'a appelée par ton nom africain. Et son nom à lui sonne aussi drôle. Quelque chose comme...

— Chekura ?

— C'est ça. C'est son nom. »

Je bondis à nouveau en criant.

« Moins fort, fillette, sinon tu vas réveiller les morts, ou pire. »

Je baissai la voix, mais restai agrippée à la main de Georgia : « De quoi a-t-il l'air ?

— D'un fainéant. D'un bon à rien. Je n'aime pas son regard. Trop africain. C'est ça que tu m'as fait attraper dans le filet de pêche ? »

Mon excitation se transforma en tristesse. J'étais effondrée de l'avoir manqué.

« Il va revenir, mon trésor. Il est tout près, dans l'île Lady. Pas loin du tout. Il va revenir, comme un chien affamé. »

NOUS AVIONS TERMINÉ une deuxième récolte d'indigo. Le travail était toujours aussi harassant, mais une fois nos tâches journalières accomplies, nous étions libres de faire la cuisine, de jardiner ou de repriser nos vêtements. Aucun boukra ne venait nous déranger. Parfois, quand personne ne me voyait, je grimpais dans un arbre de la forêt et m'exerçais à lire les mots que Mamed avait écrits pour moi. Après avoir appris *chat, chien, lion, eau, père* et d'autres mots simples, je passai rapidement à de nouveaux défis. Mamed savait comment garder mon intérêt. Il disait qu'il agissait comme sa mère l'avait fait pour lui. Un jour, c'était *le chien a mangé le chat,* puis *le chat a fui devant le chien qui aboyait* et *le chien qui aboyait a chassé le chat qui a grimpé dans l'arbre et les oiseaux se sont enfuis du nid.* La langue se mettait en place comme les morceaux d'une énigme, et j'en voulais davantage tous les jours.

Une fois la leçon de lecture terminée, Mamed m'expliquait parfois comment la plantation d'Appleby fonctionnait et, à d'autres moments, il me posait des questions.

Fomba n'avait pas émis un seul son depuis son arrivée à l'île Santa Helena. Son incapacité à suivre les instructions pendant la récolte d'indigo rendait Mamed furieux.

« Que faisait-il dans ton village ? me demanda-t-il un soir.

— Il chassait, et nous mangions les animaux qu'il avait tués.

— C'était un bon chasseur ?

— Le meilleur, répondis-je. Il pouvait tuer un lapin d'un seul lancer de pierre. »

Quelques jours après, Mamed s'arrangea pour qu'un Noir expérimenté aide Fomba à construire un canot de bambou. Ils l'attachèrent fermement avec des roseaux et façonnèrent une perche dans le tronc d'un jeune arbre. Ils fabriquèrent également une pagaie en cyprès. Fomba apprit à manœuvrer le bateau comme s'il faisait partie de son corps. En deux jours ou presque, il était capable de pagayer ou de faire avancer le bateau avec la perche le long des chenaux et des ruisseaux dans les îles des basses terres, jetant des filets pour attraper crevettes, crabes et poissons. Mamed libéra Fomba des tâches liées à l'indigo après lui avoir fait comprendre qu'il devait ramener tous les après-midi les produits de sa pêche. Fomba fit mieux que cela. Il rapportait des écureuils, des opossums, des dindons sauvages et des œufs de tortue pour Mamed et le reste d'entre nous. Tout le monde était si enchanté de ces ajouts aux repas ordinaires qu'on en vint à accepter de laisser Fomba travailler seul.

GEORGIA VOYAIT MES ÉTUDES d'un mauvais œil, mais elle aimait disposer de la case pour elle seule dans la soirée. En me rendant chez Mamed, souvent je croisais Happy Jack, qui se dirigeait vers notre case pour voir Georgia. C'était le seul homme que je connaissais capable de marcher, siffler et tailler un bâton en même temps. Il apportait souvent à Georgia des fleurs qu'il avait cueillies dans les bois et qu'il accrochait à son oreille afin de garder les mains libres pour travailler son morceau de bois.

Un soir, quand je rentrai après mes leçons chez Mamed, Georgia avait des nouvelles pour moi. « Happy Jack et moi, on était occupés à se balancer, à se secouer, à avoir du vrai bon temps, quoi, et v'là qu'arrive cet Africain à la grande gueule. Happy Jack a sauté du lit et s'est enfui. Voilà qu'mon homme était parti ! Et moi je restais là à regarder cet efflanqué d'Africain. Il arrêtait pas de dire ton nom. J'me suis retenue pour pas lui frotter les oreilles.

— Il est allé où ?

J'en sais rien, mais j'espère qu'il est parti loin. Lui et sa façon de parler... »

Je courus dans les bois derrière notre case et appelai Chekura. Il était caché derrière un bosquet. Je me jetai dans ses bras. J'étreignis ce garçon jusqu'à ce que je sente son membre devenir dur contre moi. Je reculai brusquement. Les mots fusaient de ma bouche en peul.

Je voulais savoir où il vivait, où il avait été, ce qu'il avait vu. Je voulais tout savoir en même temps.

Georgia vint nous trouver et dit qu'elle reviendrait au lever du soleil. Chekura dit non, pas au lever du soleil. J'étais surprise de voir qu'il ne parlait pas l'anglais des Noirs aussi bien que moi. Georgia n'était pas intéressée à rester là à écouter les traductions. Je lui expliquai donc rapidement que Chekura devait rentrer à sa plantation avant le lever du soleil. Elle haussa les épaules et partit retrouver Happy Jack.

Chekura me parcourait des yeux, et je me tenais devant lui avec fierté. J'appris que le boukra qui dirigeait la plantation dans l'île Lady était parti pendant la saison des maladies, de sorte que Chekura était libre la nuit. Pendant cette saison, dit Chekura, des douzaines de Noirs passaient leurs nuits à vagabonder à pied ou en canot, à échanger des volailles contre du riz, des légumes contre des gourdes, des lapins contre du rhum. Par le filet de pêche, ils échangeaient aussi des nouvelles des sœurs, des frères, des épouses et des enfants. Chekura avait trouvé des Africains dans toutes les îles des basses terres : il y avait deux Peuls à Edisto, un Bambara à Coosaw et trois Ibos à Morgan.

Chekura avait peine à croire avec quelle rapidité j'avais appris la langue des Noirs. Non sans quelque vanité, je lui murmurai que j'apprenais à lire en secret.

« J'ai quelque chose pour toi », dit-il. Il tira de sa manche un morceau de tissu, le plia en carré et me l'offrit solennellement, comme on offre le traditionnel présent de noix de cola dans notre pays. Un foulard à rayures rouges. Je le pris, le sentis, le passai sur mes joues, puis l'attachai à mes cheveux.

« Que tu es belle avec ça ! » dit-il.

Je lui pris le bras à nouveau. Je voulais sentir sa présence tout près de moi et je mourais d'envie de le trouver à mes côtés quand je me réveillerais au matin.

Je cherchai une façon de lui dire que je n'étais pas prête pour la chose qu'il voulait, mais il vit mon hésitation et m'épargna les explications. Il fallait qu'il parte, dit-il, de façon à se glisser dans sa plantation avant qu'on ne remarque son absence.

CHEKURA NE POUVAIT venir me voir qu'une fois par mois environ. Son visage, sa voix, son odeur, qui me rappelaient mon foyer, me manquaient. J'étais tout excitée à la pensée qu'il me connaissait, qu'il connaissait mon passé avant cette vie en Caroline. Nos étreintes duraient de plus en plus longtemps à chacune de ses visites. Quelque chose s'éveillait dans mon ventre et entre mes jambes. Mais je me méfiais de ces sensations. Je voulais m'en tenir à la voix de Chekura et aux sons de mon village que j'y retrouvais. Il semblait disposé à parler autant qu'il me serait nécessaire. Il n'insistait pas sur autre chose.

LES LUNES PASSAIENT et, pendant la saison froide, quand il n'y avait pas d'indigo à planter ni à récolter, Appleby était fréquemment avec nous. Il revint à la plantation au moment où j'avais passé une année complète à l'île Santa Helena, et ouvrit sa grande demeure. Plusieurs Noirs eurent à travailler jour et nuit pour remettre en ordre la maison et recommencer à faire la cuisine pour lui et sa femme. Celle-ci ne fit qu'un court séjour, après quoi il la ramena à Charles Town et revint seul.

Par une matinée de la saison froide, Appleby vint à notre case. « Georgia, dépêche-toi. J'ai un homme qui va t'amener à l'île Lady pour un accouchement. »

Georgia saisit son sac d'une main et mon bras de l'autre.

« Non, lui dit Appleby. Cette fois-ci, toi seulement. »

Je jetai à Georgia un regard suppliant. « Elle vient avec moi, dit Georgia.

— Assez rouspété, dit Appleby. C'est le temps de partir. »

Après le départ de Georgia, Appleby m'amena dans la grande maison. J'aurais voulu regarder tous les objets bizarres qui s'y trouvaient, toucher les livres et sentir les mets qui cuisaient dans la cuisine. Mais je n'eus pas le temps. Et je savais qu'il ne me le permettrait pas. J'espérais toutefois qu'une petite distraction pourrait me donner la chance de penser à une façon de m'esquiver. La cuisinière me suivit longtemps des yeux et partit. Un homme qui nettoyait les planchers m'examina lui aussi pendant un instant et disparut à son tour.

« Tu me prends pour un imbécile ? demanda Appleby.

— Maître ? »

Appleby me poussa le long d'un couloir, puis dans une chambre, m'arracha mon vêtement, déchira en deux mon foulard à rayures rouges et me jeta sur le lit.

« C'est qui, ce garçon qui te court après ?

— Pas de garçon, Maître. »

Il me gifla. « C'est pas un des miens. C'est qui ?

— Pas de garçon, Maître. »

Il me bâillonna d'une main, m'immobilisa avec sa poitrine et commença à déboutonner son pantalon de l'autre main. Il pesait de tout son poids sur moi. Je sentais sa peau moite, sa sueur. Il puait.

« C'est qui ton propriétaire ? demanda-t-il.

— Maître.

— J'ai dit c'est qui ton propriétaire ? »

Les poils rêches de sa poitrine me piquaient les seins. Sa barbe de plusieurs jours m'égratignait le visage. « Maître, faites pas ça, je vous en prie...

— T'as pas à me dire quoi faire. »

Le souffle coupé, je me débattais, mais j'étais coincée sous son poids. Je pensai à lui mordre l'épaule ou un doigt, mais je craignais qu'il ne me blesse encore plus. Devais-je faire la morte et attendre que le tout soit fini ? J'essayai de garder mes cuisses bien serrées, mais il les écarta avec ses mains. Il possédait déjà mon travail mais, avec son membre tout raide et gonflé, il allait me posséder tout entière.

Si seulement j'avais eu un peu de l'huile dont Georgia se servait pour les accouchements. Mais je n'en avais pas, et la douleur fut terrible quand il plongea dans un endroit de mon être qui n'appartenait qu'à moi. J'étais incapable de repousser son corps qui s'élevait et s'abaissait. Je restai donc aussi tranquille que possible. Tout ce que je voulais, c'était d'en finir. En finir au plus vite. Sa respiration s'accéléra, il poussa un cri perçant et c'était terminé. Quand il se retira, je sentis que tout en moi se vidait.

« Putain d'Africaine », dit Appleby, pantelant.

Il se leva, releva son pantalon et disparut.

Mon sang avait maculé le lit et continuait de s'écouler sous moi. Mais j'étais incapable de bouger, prisonnière de ma douleur et de ma honte.

Quelqu'un apparut dans l'embrasure de la porte. C'était Happy Jack, coiffé d'une toque de cuisinier. Il avait un morceau d'orange à la main. Il s'avança et mit le fruit dans ma bouche. « Prends un peu de douceur, fillette », dit-il en essayant de glisser ses mains sous moi.

Je m'étouffai avec l'orange. Il m'ouvrit la bouche, retira le morceau et le jeta. Il me prit dans ses bras comme un père aurait pris son enfant et m'emporta hors de la maison. Je ne savais pas si j'allais y arriver vivante, mais je savais que j'allais vers le lit de Georgia. Le trajet parut durer une éternité, et je tressautais dans les bras de Happy Jack, qui marchait à longues enjambées. Le halètement du cuisinier et les gémissements des femmes furent les dernières choses que j'entendis.

DU LAIT POUR ALLAITER LONGTEMPS

APRÈS L'ASSAUT D'APPLEBY, Georgia me fit prendre une potion chaude, mélange de tanaisie et de baies de cèdre broyées. La mixture provoqua des crampes atroces et me fit saigner entre les jambes.

« C'est la saleté du maître qui sort de toi », dit Georgia, et je la remerciai.

Je me demandais ce que j'allais dire à Chekura, mais Georgia me conseilla le silence. « Les hommes n'ont pas besoin de tout savoir, et parfois il vaut mieux qu'ils ne sachent rien du tout. »

Après que Georgia m'eut soignée, deux choses m'aidèrent à éviter d'autres problèmes avec Appleby : je ne laissais jamais Georgia d'une semelle quand le maître était alentour, et Appleby acheta une nouvelle esclave appelée Sally. J'étais soulagée d'échapper aux attentions du maître, mais le fait qu'il se tourne vers une autre femme m'accablait. Sally n'avait que quelques années de plus que moi ; elle avait un visage doux, des hanches généreuses et une poitrine opulente. Elle était toutefois de faible constitution et avait du mal à suivre le rythme des autres pendant les semailles et les récoltes de l'indigo. Appleby parvint à ses fins bien des fois avec Sally et aurait pu continuer ainsi, mais elle et huit autres esclaves de la plantation moururent subitement de la variole. Une autre femme m'avait sauvée de l'emprise d'Appleby, mais elle, c'était la mort qui l'avait sauvée.

Deux années s'écoulèrent. Pour moi, il était clair que les Noirs de la plantation d'Appleby ou bien mouraient sur place à un âge avancé ou succombaient plus jeunes à des troubles respiratoires, aux fièvres ou à la variole. Je cherchais le moyen de m'évader de la plantation d'indigo et de retourner dans mon pays. Il n'y avait cependant pas de voie rapide pour obtenir les choses que je désirais. Chaque jour, je pensais à mes parents et les imaginais en train de me dire d'approfondir mes connaissances et d'utiliser mes talents. Mon corps appartenait à Robinson Appleby. C'était pour lui que je peinais dans la puanteur de la pâte d'indigo sous le soleil de plomb, dévorée par les moustiques. Mais c'était pour mon père que j'apprenais tout ce que Mamed savait sur la préparation de la pâte d'indigo et c'était pour ma mère que je devins l'assistante régulière de Georgia pour les accouchements dans les îles des basses terres.

Je savais que j'avais intérêt à comprendre les boukras pour survivre parmi eux. Je dévorais donc les leçons de Mamed. En peu de temps, je sus lire aussi bien que lui, et il lui restait peu de choses à m'enseigner. Je fus déçue d'apprendre que Mamed n'avait aucune idée de la façon dont une personne pouvait se rendre en Afrique. Tout ce qu'il put me dire, c'était que jamais il n'avait entendu parler d'un esclave qui serait retourné en Afrique, ni même qui aurait essayé de s'y rendre. Aucun de ses livres ne traitait de la question, mais je les lisais et relisais dans mes moments de loisir. L'endroit le plus sûr pour lire était la case de Mamed. Il ne s'opposait jamais à ma présence chez lui. Au contraire, il protestait quand quelques soirs s'étaient écoulés sans que je vienne allumer une bougie, m'asseoir sur l'un des tabourets de cyprès et poursuivre ma lecture.

Le principal avantage de la Bible était sa longueur. Elle renfermait d'innombrables histoires merveilleuses, et les récits sur Abraham et Moïse me rappelaient ceux que papa tirait du Coran. Après avoir lu le *Guide médical du planteur*, je fis l'erreur de dire à Georgia que le livre recommandait la saignée comme traitement pour toutes sortes de maladies. Elle me dit que je ferais mieux de cesser de lire si j'avais le moindre bon sens.

« Le boukra est fou à lier, fillette. Imagine. Laisser couler le sang d'un homme malade. »

Mamed me donna également à lire un almanach écrit par un homme qui se dénommait lui-même Pauvre Richard. Cet écrivain savait tout sur la protection des maisons contre les dommages causés par le tonnerre et les éclairs, mais rien sur la façon de passer de la Caroline à l'Afrique.

Lire, comme si je rêvais éveillée, me transportait dans un pays secret. Personne, sauf moi, ne savait comment s'y rendre, et j'en étais la reine. Les livres traitaient tous des coutumes des boukras, mais j'eus tôt fait de comprendre que je ne pouvais passer outre. Et je vivais dans l'espoir de trouver un jour un livre qui répondrait à mes questions. *Où se trouvait l'Afrique, exactement, et comment pouvait-on s'y rendre ?* Parfois, j'avais honte de ne pas avoir de réponse. Comment pouvais-je venir d'un endroit sans savoir où il était situé ?

La saison des récoltes d'indigo battait son plein. Tôt le matin, pendant que Georgia dormait encore, je courais dans les bois pour vomir. Bientôt, Georgia s'en aperçut. Elle posa la main sur mon bras un jour que nous nous rendions aux champs. « Que vas-tu faire quand maître Apbee va s'en rendre compte ?

— De quoi ?

— De c'petit qui t'rend malade tous les matins. »

J'avais l'intention d'en parler à Georgia, mais je voulais que ce secret germe en moi un peu plus longtemps. J'étais gonflée de fierté et de détermination. Mon propre bébé, fait par mon homme ! Un bébé à garder et à aimer. Un bébé venu non pas d'un boukra mais d'un homme que j'avais choisi : un Africain qui savait d'où je venais, parlait ma langue et venait me voir tous les mois. J'en étais venue à dépendre des visites de Chekura, qui coïncidaient immanquablement avec la pleine lune et qui étaient presque toujours assidues pendant la saison des maladies, quand il était plus facile de se déplacer incognito la nuit. Nous parlions rarement de notre longue marche ou de la traversée, mais nous nous réconfortions en nous racontant en peul des histoires de notre enfance et en échangeant des commentaires – souvent en gullah – sur notre nouveau monde en Caroline. Pendant que nous parlions et riions, appuyant nos fronts l'un contre l'autre, Chekura me frottait les orteils, la plante et le dessus des pieds avec de l'huile qu'il avait obtenue de Georgia en l'amadouant, mais au début il n'exigeait rien de moi. Au fil des lunes, ses mains montèrent jusqu'à mes chevilles, puis dépassèrent mes genoux. Le désir finit par s'éveiller en moi comme un torrent à la sortie d'un barrage. J'approchai ses lèvres avides des miennes et le pris au plus profond de mon corps. Nous ne nous étions aimés qu'à quelques reprises quand mes saignements cessèrent.

« J'allais te le dire, dis-je à Georgia.

— Dis-moi pas des choses que j'sais déjà. Dis-moi seulement c'que tu vas faire avec maître Apbee maintenant que Sally est plus là. »

Je ne savais pas quoi dire.

« Pas un mot sur Chekura, dit Georgia.

— Il sait déjà.

— Il sait pas son nom. Si tu veux que c'garçon reste en vie, dis pas son nom. Et autre chose.

— Quoi ?

— Une fois le bébé arrivé, nourris-le jusqu'à ce que ton lait tarisse.

— Pourquoi ?

— Si t'allaites, peut-être qu'Appleby t'enlèvera pas ton bébé.

— Il pourrait m'enlever mon bébé ?

— Si t'es en âge d'avoir un bébé, t'es assez vieille pour savoir que t'appartiens à maître Apbee de la tête aux orteils. Et que tout c'que tu fabriques lui appartient aussi. »

Je me tus. Georgia et moi avions aidé à la naissance de deux bébés dans la plantation d'Appleby, et ils étaient toujours avec leurs mères.

« Il ne prendrait pas un bébé.

— Fillette, le mal a pas de bornes. »

Elle me regarda et posa la main sur mon épaule. « Allaite ton bébé et prie pour avoir du lait. Beaucoup, beaucoup de lait. Assure-toi que tout le monde voie que t'allaites ton bébé. Combien de saignements as-tu sautés ?

— Deux seulement.

— T'as du chemin à faire, fillette. Encore beaucoup de chemin. »

Vers la fin d'un après-midi, pendant que Georgia et moi brassions les cuves pleines de feuilles d'indigo et d'urine humaine, Robinson Appleby apparut avec deux visiteurs. Mamed nous cria de remuer les cuves plus vigoureusement.

L'une des connaissances d'Appleby était un homme élégamment vêtu qui s'éventait pour chasser les mouches et semblait vouloir se protéger du soleil ardent. L'autre homme se pencha pour voir ce que nous faisions. Il était grand, peut-être de l'âge de mon père, et il portait une barbe aussi noire que ma peau. Je continuai d'agiter le mélange d'eau, de tiges et de feuilles dans la deuxième cuve et, en me retournant, je vis qu'il me dévisageait. Nos regards se croisèrent, et je baissai vivement les yeux. Avait-il souri ? Je me remis au travail. Venant d'un boukra, un sourire était un mouvement du visage qui ne m'inspirait pas confiance. Pour moi, il voulait dire, *je sais quelque chose que tu ne sais pas.* Je poursuivis mon brassage.

« Sais-tu qui est cet homme ? demanda Appleby à Mamed.

— Non, M'sieu.

— Je te présente Solomon Lindo. C'est le nouvel inspecteur de l'indigo pour toute la province de Caroline du Sud. »

L'homme qui s'appelait Solomon Lindo s'adressa à Mamed : « Qu'y a-t-il là-dedans ?

— Dans cette cuve-ci ? »

Solomon Lindo hocha la tête. « De la chaux, de l'urine et de l'eau, répondit Mamed.

— Combien de pouces de pâte t'attends-tu de trouver au fond de cette cuve ?

— Trois. »

Solomon Lindo me toucha le bras. Je m'arrêtai de travailler.

« Regarde-moi, s'il te plaît. »

Lentement, je levai mon visage vers lui. Contrairement à Appleby, Lindo avait les yeux sombres. « Et toi, que fais-tu ? me demanda-t-il.

— Je brasse l'indigo pour y faire entrer de l'air.

— Combien de temps brasses-tu ? »

L'homme parlait un anglais que je n'avais jamais entendu auparavant. Son parler ne ressemblait pas du tout à celui d'Appleby. « Jusqu'à ce que la poussière bleue monte à la surface.

— Et après ?

— Nous arrêtons de brasser et laissons le bleu tomber sur la pâte.

— Sais-tu ce qui arrive si tu bats le liquide trop longtemps ?

— La teinture ne sera pas bonne », répondis-je.

Solomon Lindo se tourna vers Appleby. « Vous avez de bons employés. »

Les trois hommes se dirigèrent vers la maison.

Ce soir-là, on nous appela, Georgia, deux autres femmes et moi, pour aider la cuisinière à apprêter une grande casserole de poulet au gombo. « Pas de porc, nous avait dit Appleby. Je ne peux pas en servir au juif. Il est venu tout droit de Londres. Préparez-lui le meilleur gombo de la Caroline, parce qu'il va coter notre indigo. »

Je voulais en savoir plus sur cet homme qui évitait le même aliment que les musulmans. Nous préparâmes une quantité suffisante pour nourrir dix Noirs, servîmes les plats, l'eau et les boissons, et Appleby et ses invités mangèrent presque tout. Ils s'affalèrent ensuite dans les fauteuils du salon, fumèrent des cigares et burent du café au whisky. Appleby renvoya tous les Noirs sauf moi. C'était la première fois en deux ans que je me trouvais en sa présence sans Georgia ni Mamed à proximité. Je me tenais au milieu de la pièce tandis que les trois hommes me regardaient.

« Ma Coromantine de première qualité, dit Appleby aux autres. Trois ans seulement ici, et parfaitement sensible. Elle aide les autres à la cuisine et fabrique du savon. Vous l'avez vue travailler l'indigo. Et la chose la plus étonnante, c'est qu'elle aide aux accouchements des femmes esclaves. Je l'ai eue pour une bouchée de pain à Charles Town. Elle était mal en point quand elle est arrivée à l'île Sullivan. Je ne pensais pas qu'elle allait survivre. Mais regardez-la maintenant. Je pourrais la vendre vingt fois plus cher que je l'ai payée.

— Et combien la vendrais-tu ? demanda Solomon Lindo, en me jetant un coup d'œil.

— Pas moins de vingt livres », dit Appleby.

Le troisième homme posa son cigare et s'avança vers moi. Il avait un énorme ventre qui pendait par-dessus sa ceinture et un gros nez rouge. « Quel âge as-tu, Marie ? »

Les hommes boukras appelaient les Noires « Marie » quand ils ne savaient pas leurs noms, mais je détestais ce prénom. Je gardai la tête baissée et la bouche fermée.

« Fille, dit Appleby, cet homme, c'est William King. C'est lui qui gère pratiquement tout le commerce des esclaves à Charles Town. Il t'a posé une question.

— Quinze ans, je pense.

— Tu penses ça ? dit King.

— Oui, M'sieu.

— Elle a l'air d'en avoir plutôt dix-huit. Des bébés ? »

Comme il s'adressait à Appleby, je ne répondis pas.

Appleby mit soudain un verre dans ma main et me dit : « Bois un peu de madère.

— Ne lui donne pas ça, dit Lindo en m'enlevant le verre. Tu vas la rendre malade. On ne donne pas de vin à une enfant.

— C'est plus une femme qu'une enfant, dit Appleby.

— Elle n'est pas loin de l'enfance, dit Lindo sur un ton réservé.

— C'est moi le marchand, dit King. Tu t'en tiens à l'indigo et moi, je vais te parler des négresses. »

Il se tourna vers moi : « Comment as-tu appris toutes ces choses sur l'indigo ? demanda-t-il.

— Mamed m'a enseigné. »

King me regarda d'un œil soupçonneux : « Qu'est-ce que t'as dit ? »

Enseigné. Je me rendis compte de mon erreur. *Enseigné* était un mot boukra. Mamed m'avait mise en garde de ne jamais m'adresser à un boukra dans un anglais correct. Je rectifiai bien vite.

« M'a montré. Mamed m'a montré l'indigo. »

Appleby amena King visiter la maison, mais Lindo resta avec moi. Il se gratta la barbe de ses doigts longs et effilés. Pas des doigts de planteur ni de régisseur. Peut-être tous les inspecteurs d'indigo avaient-ils des doigts fins aux ongles propres et à la peau douce.

Lindo portait une petite calotte. Ce couvre-chef ne ressemblait pas au bandana que j'aimais porter. Il ne couvrait que le sommet de la tête. Lindo surprit mon regard. « Tu sais ce que c'est ? » dit-il en touchant sa calotte.

Je secouai la tête.

« Tu veux le savoir ? »

Je fis signe que oui.

« Curieuse, hein ? »

Je continuai à le regarder.

« Ça s'appelle une kippa. Je suis juif. Tu sais ce que ça veut dire ? »

Je ne répondis pas. Solomon Lindo se dirigea vers un bureau, prit une plume et un encrier dans le tiroir et écrivit un message sur un morceau de parchemin. Il me montra ce qu'il avait écrit : « Tourne-toi. Tu vas voir ta mère. »

Je me tournai. Rien. Je me retournai vers lui. Il était tout sourire.

« Un petit truc, mais je ne le dirai à personne. »

J'étais pétrifiée. « T'en fais pas. Une fille comme toi pourrait m'être utile. »

J'entendis qu'on parlait à voix haute dans le couloir. Appleby et King étaient de retour, buvant à même des flacons de cuir.

« T'es donc une Africaine pure race », dit King.

Je hochai la tête.

« Dis-moi quelque chose en africain. »

En bambara, je dis qu'il avait l'air d'un homme méchant. King se mit à rire : « Je ne comprends rien de tout ça, dit-il aux deux autres, mais j'aime vérifier s'ils peuvent vraiment parler une de ces langues. »

Une question s'échappa de mes lèvres avant que je puisse la retenir : « Je viens d'où ? »

King me sourit. Il semblait trouver ma question vraiment drôle : « C'est à toi de nous le dire.

— Où se trouve mon pays ?

— Tu veux t'en aller, hein ? » dit King.

Appleby se mit à rire.

King s'avança vers le bureau, ouvrit un tiroir, en sortit un grand parchemin qu'il déroula. Il crayonna des lignes ondulées et me dit qu'elles représentaient de l'eau. D'un côté des lignes, il traça un cercle et dit que c'était la Caroline. De l'autre côté, il esquissa une forme étrange qui ressemblait à un champignon dont la moitié gauche de la tête aurait trop poussé, et dit que c'était l'Afrique.

Il dessina un point noir sur le champignon. « Elle vient de là, dit-il aux hommes, pointant un endroit en haut à gauche. Parmi les Africains, les Coromantins sont les meilleurs, mais mon cher Appleby, il n'y avait aucun Coromantin dans la cargaison que tu as eue. Rien qu'à la voir, je peux dire qu'elle n'est pas Coromantine. Tu tiens là un vrai beau spécimen. Bonne symétrie. Port altier. Plus belle que la plupart. Si belle qu'on oublie presque qu'elle est noire.

— Elle est belle, en effet, dit Appleby à King.

— T'en fais pas, tu en auras un bon prix. Appleby, mon garçon, tu veux gérer une plantation de classe, alors apprends à connaître les gens qui travaillent pour toi. Les esclaves de la côte de l'Or ou de la Gambie sont les meilleurs. Après ça, essaie de choisir des hommes forts de la côte de l'Ivoire. Les Malinkés – au fait, cette fille pourrait bien être une Malinkée – sont sympathiques mais inutiles quand ils sont fatigués. Et ils se fatiguent très vite. Puis, tu as les Ouidahs, qui sont joyeux et vigoureux. Tu ferais bien d'en avoir un ou deux, mais plus que ça, tu vas te retrouver avec trop de danses et de batifolages. Tu peux parier ta fortune qu'un gars du Congo s'en ira directement chez les Espagnols dès qu'il entendra parler de Fort Musa. N'achète aucun Congolais, ni aucun Calabar. Ce sont les pires. Les pires, je te le dis, les pires.

— Tu peux tous les différencier ? demanda Appleby.

— Je ne suis pas devenu riche en dormant. Crois-moi, si tu te retrouves avec un Ibo de Calabar et que tu lui donnes un couteau pour égorger un cochon, c'est sa propre gorge qu'il tranchera. Un Ibo est si paresseux qu'il ne veut même pas vivre. »

Ma tête foisonnait de questions, mais je ne pouvais en poser aucune. D'où venaient tous ces gens ? Comment King en était-il venu à connaître toutes ces tribus et leur mentalité ? S'il s'y connaissait autant, comment pouvait-il dire que les Malinkés se fatiguaient rapidement, alors que j'en avais vu travailler toute la journée au pilon et mortier, levant le pilon et l'abaissant sans arrêt pendant des heures pour transformer du millet en farine ou des noix de karité en beurre ?

« Lindo, venez avec moi, dit Appleby. Parlons de mon indigo. »

Pendant que les deux hommes sortaient de la pièce en refermant la porte, je pus voir Lindo se retourner pour me jeter un coup d'œil en fronçant les sourcils. Je voulus partir, mais l'autre homme me bloqua le chemin. « Sais-tu qui je suis ? »

Je secouai la tête.

« William King. Le marchand le plus riche de Charles Town. »

J'essayai de le contourner, mais il m'empêcha de passer. « Comprends-tu le mot riche ? Fillette, es-tu encore sensible ? »

Je craignis qu'il pense que j'étais devenue insensible, et qu'il se mette à me battre. Les mots fusèrent de ma bouche : « Grande maison, beaucoup de nègres, beaucoup de cuves d'indigo.

— Ton maître, Appleby, s'en tient à l'indigo. Moi, je cultive aussi du riz. Tu crois qu'on travaille dur dans l'indigo ? »

Je hochai la tête à contrecœur.

« L'indigo, c'est rien. Essaie le riz pour voir. Certains nègres tombent raides morts après une seule saison. Tu travailles dans l'eau. Dans l'eau et à la chaleur. Y a aussi des crocos qui viennent se balader où tu travailles. Clac, clac, et t'es cuit. »

William King ouvrit grand les bras et se frappa dans les mains. Je reculai. « J'aime les nègres sensibles », dit-il. Je me demandai si la porte derrière lui était verrouillée.

« Lindo est venu pour coter l'indigo, mais moi je suis venu pour voir ses nègres. C'est moi qui t'ai vendue, et je voulais voir comment tu t'en tirais. Plutôt bien, à ce que je vois. Seulement, tu n'es pas une Coromantine. Je t'ai amenée de l'île de Bence, et aucun Coromantin n'a été expédié de Bence cette année-là. Viens ici. »

Il me tendit la main, mais je ne bougeai pas. « Bence, qu'est-ce que c'est ? dis-je.

— Rien ne t'échappe, n'est-ce pas ? Bence, c'est l'endroit où tu as été vendue en Guinée. »

La porte n'était probablement pas verrouillée, mais contourner ce gros homme s'avérait difficile.

William King enleva sa veste et déboutonna son pantalon. Je reculai et l'esquivai quand il fit un mouvement brusque vers moi. Hélas ! il se jeta de nouveau sur moi et me cloua au mur. « Cesse de te débattre, fille. Je veux juste voir ce que tu es devenue. »

Ses hauts-de-chausses étaient descendus aux chevilles. Son gros membre se balançait comme une branche dans le vent.

Derrière King, on entendit du bruit à la porte. J'entendis Lindo parler à Appleby.

« Damnation ! », marmonna King en remontant son pantalon à toute vitesse.

Environ un mois plus tard, Georgia reçut des nouvelles par le filet de pêche. Le juif de Charles Town avait offert de m'acheter, mais Appleby avait refusé. J'étais déçue. J'avais le sentiment qu'il aurait mieux valu partir avec Solomon Lindo que de rester dans la plantation d'Appleby. Georgia dit qu'Appleby ne me vendrait jamais. « Pourquoi ? demandai-je d'une voix faible.

— Parce que tu es trop bonne. Trop précieuse. Tu aides les femmes à accoucher et tu sais fabriquer la pâte d'indigo. Pourquoi cet homme voudrait-il te vendre ? »

Mes seins prenaient de l'ampleur. Bientôt, ma grossesse paraîtrait. Appleby interdisait à ses Noirs de se marier. Certains d'entre eux sautaient le balai en secret, et les autres vivaient tout simplement ensemble ou se rendaient visite la nuit. Pour ma part, je n'avais aucun doute sur ce que mes parents auraient voulu, et je dis à Chekura que je voulais me marier.

Nous choisîmes la pleine lune du mois d'août. L'idée d'une cérémonie, si humble fût-elle, m'excitait. Je voulais unir ma petite famille et nous garder ensemble. Il était impossible d'organiser un mariage comme dans mon pays, avec les anciens du village et les *djélis* comme témoins pour raconter l'événement aux générations suivantes. Il n'y aurait pas de négociations compliquées entre les parents et les villages, ni d'échanges de cadeaux pour compenser ma famille de la perte de sa fille. Pourtant, j'insistai pour que Chekura offre un beau cadeau à Georgia. Il se débrouilla pour trouver deux poulets, deux foulards, un bocal de verre bleu, une bouteille de rhum et un sac d'écorce du Pérou.

« Où donc ce cinglé de garçon a-t-il déniché de l'écorce du Pérou ? » ne cessait-elle de répéter.

À partir de ce jour-là, Georgia décida qu'elle aimait bien Chekura.

Les invités arrivèrent avec des présents et des plats. Georgia et Fomba avaient traîné une marmite dans la cour, et Georgia y avait fait mijoter un ragoût de lapin. Mamed m'apporta une bougie et un magnifique tabouret fait de bois de cyprès bien astiqué. Fomba avait sculpté une statuette représentant une femme et son bébé dans les bras. Il l'avait huilée et polie pendant des jours et semblait immensément heureux de me l'offrir. Chekura me donna un peigne, un bocal d'huile de maïs qu'on disait efficace pour démêler les cheveux crépus, un foulard rouge et or et un magnifique morceau d'étoffe bleue en coton doux et lisse, le même tissu dont étaient faits les vêtements portés par des boukras en visite à la grande maison. J'offris à Chekura une couverture jaune vif que j'avais reçue après avoir aidé à un accouchement. Georgia dit que je n'avais pas à lui donner quoi que ce soit. « Tu donnes toi-même à lui, et c't'idiot d'Africain à grande gueule a déjà bien de la chance de t'avoir. »

Des flûtes et un banjo animaient la fête. Certains chantaient et dansaient, tandis que d'autres buvaient du rhum et fumaient la pipe. J'avais cessé de prier depuis des années, mais j'évitais toujours les spiritueux et le tabac, même le soir de mon mariage. Après le repas, Mamed déposa un balai par terre, nous fit sauter pardessus et nous déclara mari et femme. Chekura et moi nous embrassâmes. Nous étions mariés, et le bébé aurait désormais un père officiel. Nous retournâmes à la case pour nous étreindre comme des époux et tomber endormis dans les bras l'un de l'autre. Du moins, je tombai endormie dans les siens.

À mon réveil, Chekura n'était plus là. Il était retourné au travail dans sa plantation de l'île Lady.

ROBINSON APPLEBY REVINT à la plantation en décembre. Il me fit appeler. J'arrivai, ventre proéminent, sur la vaste véranda qui entourait sa grande maison. Mon bébé devait naître dans trois lunes seulement.

« Je le savais, dit-il en faisant un signe de tête en direction de mon ventre.

— P'tit bébé », dis-je.

Je ne voulais pas montrer ma fierté, mais ma lèvre inférieure frémit.

Il avala sa salive. Il se mordit la joue. Il plongea les mains dans ses poches, les ressortit, puis consulta sa montre de gousset. « Qui est le père ? » demanda-t-il.

Je restai coite.

« Je sais qu'un garçon vient te voir. »

Je baissai la tête pour ne pas qu'il lise quoi que ce soit sur mon visage. J'espérais qu'il ne sache rien du mariage.

« C'est moi ici qui prends les décisions d'accouplement », dit-il.

Il me fit signe d'approcher. J'obéis.

« On porte des vêtements chics ces temps-ci ? Une robe bleue, un foulard rouge et or. J'parie que t'adores ces vêtements. Fais voir cette robe. Viens ici. Juste ici. »

Je m'approchai.

« Dis 'J'aime mes vêtements, Maître'. »

Je répétai la phrase.

« Viens dans la cour. »

Je ressentis momentanément une vague de soulagement. Si nous devions aller à l'extérieur, il y avait des choses qu'il ne ferait pas. Appleby cria à Georgia et à Mamed de rassembler tous les hommes, femmes et enfants de la plantation. Ceux qui ne viendraient pas sauteraient les trois prochains repas et ne recevraient pas les petits cadeaux qu'il avait rapportés de Charles Town : du rhum, des morceaux d'étoffe et du sel. Un grand cercle se forma autour de nous. Appleby ordonna à deux femmes d'allumer un petit feu. Il demanda à Mamed de sortir un baril vide de l'entrepôt. Un autre homme fut chargé d'apporter un rasoir. Une femme reçut l'ordre d'aller chercher une cuvette et des ciseaux. Et Georgia, d'apporter tous les vêtements qui m'appartenaient à Appleby, qui se tenait près du feu.

Quand le feu se mit à pétiller, que la cuvette fut emplie d'eau et le rasoir à portée de main, Appleby cria que toute personne qui émettrait un mot de protestation subirait le même sort que moi, voire pire.

« Tes vêtements », me dit-il.

Devant mon hésitation, il les déchira et les jeta sur la pile que Georgia avait apportée. « Nous avons une loi dans la province de Caroline du Sud. Les nègres ne doivent pas s'habiller chic. »

Je pris alors une décision. De toute façon, il allait faire ce qu'il voulait. Je venais de Bayo, je portais un enfant et je garderais ma fierté.

« Jette-les dans le feu », me dit Appleby en montrant les vêtements qu'il avait jetés par terre.

Je restai immobile. Appleby se tourna vers Georgia et me pointa du doigt : « Georgia. Tu sais que je suis sérieux. Dans le feu, ou ce sera pire pour elle. »

Les traits de Georgia avaient perdu toute expression. Elle se pencha, ramassa mes vêtements et les jeta dans le feu. Dans mon for intérieur, je la remerciai. Elle avait brûlé mes vêtements mais sauvé ma dignité. Devant tous les Noirs qui regardaient, j'avais tenu tête à Appleby. J'avais remporté cette petite victoire, et je m'en souviendrais.

Ensuite, il pointa du doigt le baril : « Mets-toi à genoux et plonges-y la tête. »

Je restai immobile.

«Je t'le dis pour la dernière fois. La tête dans le baril. »

Je m'agenouillai mais, avec mon gros ventre, je ne pouvais pas approcher ma tête du baril.

« Alors, redresse-toi. »

Il versa trois seaux d'eau sur moi. L'eau coula sur mon visage, mon cou et mon ventre. Appleby roula le baril jusqu'à moi. « Penche-toi sur ce baril.

— Non, criai-je.

— Fais ce que je dis et fais-le tout de suite, ou je vais vider ta case et brûler tout ce que tu as. Vêtements, peigne, tout. Les affaires de Georgia aussi. Je vais jeter ses vêtements, ses sacs et ses gourdes au feu. Tout. Tu m'entends ? »

J'essayai de me pencher, mais mon ventre était trop gros. Appleby me saisit par les cheveux et me releva la tête.

« Alors, reste bien droite. »

Toujours à genoux, je me redressai le dos.

« Toi et ton homme mystérieux, dit Appleby. T'es donc pas intelligente ? Pensais-tu que je ne m'apercevrais pas que t'avais un bébé en route ? Toi et tes foulards. Habillée comme les Blancs, tu fais honte aux négresses de Charles Town.

Appleby passa derrière moi et m'agrippa les cheveux. « C'est quoi, ça ? » hurla-t-il.

Je criai de douleur.

« C'est quoi, ça ? répéta-t-il.

— Mes cheveux.

— C'est pas des cheveux, dit-il, tirant ma chevelure encore plus vers l'arrière. C'est de la laine. »

Lorsqu'il tira plus fort, j'eus le souffle coupé.

« Pas des cheveux. Dis 'laine'.

— Laine.

— Dis 'C'est d'la laine que j'ai sur la tête, pas des cheveux'.

— C'est d'la laine, pas des cheveux.

— C'est juste de la laine, et tu n'as aucun droit là-dessus sans ma permission. »

Le coude appuyé sur mes omoplates pour me forcer à rester penchée au-dessus du baril, Robinson Appleby commença à donner des coups de ciseaux. Des mèches de cheveux se mirent à tomber sur mon front et dans mes yeux. D'autres me tombèrent dans la bouche, pendant que des larmes silencieuses ruisselaient sur mes joues.

Je perdis tous les cheveux que Georgia et moi avions coiffés chaque dimanche matin. Nous les avions peignés, huilés, tressés et ramassés. Il ne restait plus rien. Quand Appleby en eut fini avec les ciseaux, il me savonna le crâne et s'empara du rasoir.

« Tu bouges d'un poil, et j'te fais une entaille. »

J'entendis les femmes pleurnicher. J'avais gardé mon sang-froid jusqu'à ce moment-là, mais soudain je craquai. « Maître, je vous en supplie... »

Il me pencha la tête davantage et me savonna tout le cuir chevelu. Puis, il commença à me raser brutalement, faisant glisser la lame de mon front jusqu'à ma nuque. Il versa sur ma tête d'autre eau savonneuse qui brûla les coupures qu'il m'avait faites, coula sur mon visage et m'irrita les yeux. Son goût amer se mêlait aux mèches de cheveux qui s'étaient logées dans ma bouche. Appleby me maintenait courbée en gardant son coude bien appuyé sur mon dos. Il passa le rasoir encore et encore, toujours vers l'arrière de ma tête. Finalement, il me rinça la tête et me força à me lever. Il approcha un miroir de mon visage.

Un cri d'une force inouïe jaillit de ma poitrine. Je ne me reconnaissais plus. J'étais nue, le crâne rasé. La beauté, la féminité avaient disparu.

« J'te laisse partir sans te battre cette fois-ci. Va-t'en et mets ta robe d'esclave. Si j'te reprends à t'habiller comme une Blanche, je vais te raser comme un mouton encore une fois et brûler tout ce qu'il y a dans la hutte de Georgia.

— Georgia vit pas dans une hutte, murmurai-je.

— J'te conseille de pas répliquer.

— Elle a une maison. C'est dans une maison qu'elle vit. »

Appleby resta bouche bée. Je m'éloignai de lui. Rasée, dénudée, le ventre gonflé comme un ballon, je me dirigeai vers le fond de la cour. C'était un dimanche, et les gens avaient fait leur lessive et leur cuisine. Chacun, homme, femme ou enfant de la plantation, resta silencieux sur mon passage. Tête baissée, Fomba se couvrait les yeux de ses mains. Je lui touchai le bras en passant, retint mes sanglots et refusai de courir pour ne pas ajouter à ma honte.

« Ce bébé ne t'appartient pas plus que la laine sur ta tête, lança Appleby. Ils sont à moi tous les deux. »

Je continuai à marcher, aussi doucement que je le pouvais avec mon gros ventre, sans verser la moindre larme avant de me retrouver seule chez moi.

QUAND MA GROSSESSE ARRIVA à terme, je vivais à l'île Santa Helena depuis quatre ans. C'était le 15 mars 1761, et j'avais seize ans.

« Ton foyer est ici maintenant, dit Georgia. Pour toi et ton bébé, c'est ici, en Caroline. »

Je craignais d'offenser Georgia en exprimant mon désaccord et je me tus. Où donc serait le foyer de mon enfant ? En Afrique ? Dans la plantation d'indigo ? Le premier endroit semblait impossible, le second, inacceptable. Pour mon enfant, le foyer, ce serait moi. Je serais son foyer. Je serais tout pour cet enfant jusqu'à ce que nous rentrions chez nous ensemble. Mais je ne dis rien de tout cela à la femme qui avait pris soin de moi comme une mère depuis mon arrivée dans ce pays.

Georgia me lava au clair de lune dans une grande bassine de cuir. Elle me frotta le dos et adoucit ma peau et mes muscles par un massage. Le temps était venu, et des ondes violentes parcouraient mon corps. Quand les contractions les plus fortes arrivèrent, la douleur me submergea. Georgia se préparait à glisser sa main en moi, mais je refusai. Je n'étais pas prête. Il fallait attendre encore un peu. Les contractions reprirent en vagues de plus en plus fortes, comme si une révolte se déchaînait dans mon ventre. Comment un si petit enfant pouvait-il causer pareille commotion ?

Je songeai à tous les bébés que ma mère et moi avions accueillis ensemble. Je faisais déjà du bon travail à l'âge de huit ans, mais je n'avais pas la moindre idée des souffrances qui accompagnaient l'accouchement. Comment aurais-je pu les connaître ? J'entendis un hurlement surgir de ma gorge, un cri animal. Je savais que j'étais prête. Pousser... pousser... pousser.

Georgia me dit que je devais me reposer un moment avant de réessayer. Elle appliqua sur mes hémorroïdes un baume de feuilles d'indigo. Je repris haleine et bus de l'eau à petites gorgées. Georgia me fit entrer ensuite dans une cuve et me lava avec de l'eau chaude. Quand les contractions reprirent, je m'accroupis dans la cuve et poussai encore. Mon bébé glissa hors de moi.

« Mamadou, dis-je en haletant.

— C'est un nom africain ? demanda Georgia.

— Mamadou, répétai-je. C'était le nom de mon père. »

J'approchai immédiatement Mamadou de mon sein. Pendant les quelques instants où il tétait, je me sentis remplie de joie et d'énergie. Une fois qu'il fut rassasié, Georgia le nettoya, l'emmaillota et me donna de l'eau, de petites quantités de sucre, des morceaux de banane et d'orange, une bouillie de maïs. Elle me remit le garçon dans les bras. Je le tins serré contre moi, l'entourai de mon corps, et nous nous endormîmes.

À mon réveil, les femmes abattirent quelques poulets que nous gardions pour notre propre usage. De nombreux habitants de la plantation mangèrent ensemble ce soir-là et vinrent un à un dans la maison de Georgia pour voir le bébé et me féliciter. Que Robinson Appleby voie le bébé avant Chekura me chagrina terriblement. Il s'approcha de mon lit et me donna un panier tressé. Je ne voulais pas qu'il vienne si près, ni qu'il touche Mamadou. Georgia se glissa entre nous, prit habilement le bébé et le tint solidement dans ses bras. Appleby leva un pan de couverture pour vérifier le sexe de mon bébé, puis, heureusement, se retourna et nous laissa seuls.

J'avais espéré voir Chekura le jour même de la naissance de notre fils. Mais il ne vint pas. Il savait pourtant à quelle lune je devais accoucher. Le père de mon bébé ne se montra pas pour faire connaissance avec son fils ou m'embrasser. On m'avait raconté que mon père m'avait tenue dans ses bras le lendemain de ma naissance. Où était donc l'homme qui m'avait conduite jusqu'à la mer, qui avait survécu à la traversée avec moi, qui était revenu renifler entre mes jambes, qui avait planté sa semence en moi et, enfin, qui avait sauté le balai avec moi à la lueur de la pleine lune ?

« Les hommes, ça part et ça vient, dit Georgia. T'occupe pas de Chekura et donne ton lait au p'tit homme. »

LES JOURS PASSÈRENT, et mon mari ne se présentait toujours pas.

« Arrête de t'en faire avec ça, dit Georgia. Ton homme va venir aussitôt qu'il pourra. »

Une nuit où Georgia était partie passer la nuit chez Happy Jack, je m'endormis avec Mamadou blotti tout contre moi. Je rêvai qu'une main m'attrapait le cou et, soudain, le rêve se transforma en cauchemar : quelqu'un était en train de voler mon bébé. Je saisis la main qui avait touché mon cou et la mordis furieusement. Le cri de douleur de Chekura me réveilla.

« Ma dangereuse femme, dit-il en se secouant la main.

— Se pointer quatorze jours après que son fils est né, oui, ça peut être dangereux.

— Tu comptais les jours ? Ça veut dire que tu m'aimes, après tout ? »

Je le regardai tendrement. Le cauchemar avait disparu, et mon mari était finalement venu. « Approche-toi pour voir ton fils.

— C'est justement ce que je faisais quand tu m'as mordu. »

Chekura se pencha pour prendre Mamadou, qui poussa un grognement mais continua de dormir. Il mit le bout de son doigt dans la bouche du bébé. Même endormi, Mamadou se mit à sucer. Chekura, tout sourire, s'installa dans le lit avec moi.

Pendant que le bébé dormait entre nous deux, Chekura expliqua qu'il n'avait pu quitter la plantation ces derniers temps. Un nouveau régisseur essayait de faire cesser le commerce auquel les Noirs se livraient la nuit. Des sentinelles avaient été postées et des pièges à hommes installés tout autour de la plantation. Tout Noir pris à circuler la nuit était tué. Tout Noir attrapé dans un piège recevait cinquante coups de fouet. Chekura dit que les esclaves préparaient une rébellion, et qu'il avait dû user de la plus grande prudence afin de s'échapper de la plantation sans être vu. Je lui dis de retourner à la plantation bien avant l'aube et de reprendre ses visites quand la situation se serait calmée. Je ne voulais pas que mon mari se fasse tuer pour être venu me voir la nuit. Je ne voulais pas que le père de Mamadou s'expose au danger pour un caprice.

Georgia apparut soudain dans l'embrasure de la porte. «J'ai entendu du bruit. C'est pour ça que je suis venue inspecter le nid. Pour voir quel oiseau avait volé jusqu'ici.

— Si seulement je pouvais voler, dit Chekura. Difficile de voir les pièges à hommes, la nuit. J'les ai repérés le jour pour m'en souvenir à la clarté de la lune.

— Ne te fais pas tuer, ajouta Georgia. Retourne tout de suite avant qu'on s'aperçoive de ton absence.

— Toi aussi, Georgia, tu me jettes dehors, comme Aminata ? »

J'adorais entendre Chekura prononcer mon nom. Au complet.

«Je ne t'aime pas, dit Georgia, adressant un grand sourire à mon mari. Mais je reconnais que tu fais maintenant partie de la famille. »

Chekura sortit du lit et s'approcha de Georgia en feignant de lui donner un baiser. « T'es adorable », lui dit-il.

Georgia lui donna une tape affectueuse et sortit pour retrouver Happy Jack. Quand elle se fut éloignée, Chekura dit : « Tu aurais dû m'attendre pour choisir le nom du petit. Je l'aurais appelé Sundi.

— C'est le nom que nous donnerons au prochain, dis-je en tenant la main de mon homme. Viens voir ton fils le plus souvent que tu peux, mais ne te fais pas attraper et ne te blesse pas.

On me donna un congé d'une semaine, après quoi je dus accomplir une demi-tâche dans la plantation.

Les autres me relayaient lorsque je sentais une baisse d'énergie. Georgia ne fit pas de changement à notre maison, mais elle passait ses nuits avec Happy Jack. Je portais Mamadou dans mon dos à l'aide d'une écharpe orange vif. Les bruits et les mouvements qu'il faisait étaient pour moi une sorte de langue que je voulais apprendre pour lui donner tout ce dont il avait besoin. Je l'allaitais avant qu'il n'ait faim et me fis la promesse de ne jamais lui donner de raison de pleurer. J'étais même capable de le sentir se préparer à soulager ses intestins, ce qui me donnait le temps de le retirer de l'écharpe avant qu'il ne fasse ses besoins.

Quand mon fils Mamadou eut tout juste dix mois, je me réveillai au milieu de la nuit en entendant ses gémissements. Je me retournai dans le lit pour le rapprocher de moi, apaiser ses pleurs et soulager la pression du lait dans mes seins. Je le cherchai à tâtons sur la paillasse. Le lit. L'air. Mon corps. Rien d'autre. J'ouvris les yeux. Les pleurs venaient maintenant de l'extérieur de ma chambrette. Là-bas, dans la nuit. Je bondis, éperdue, prise de vertiges et pleine comme une vache qu'on aurait oublié de traire. Je vis Robinson Appleby mettre mon bébé dans les bras d'un homme assis dans une voiture. Je courus vers eux. Le cocher fouetta le cheval et la voiture partit. Un autre coup de fouet la fit accélérer. Mon bébé disparut dans l'obscurité comme une étoile filante.

Je courus vers Appleby et lui donnai des coups de poing à la poitrine. Je le giflai et le frappai jusqu'à ce qu'il me jette par terre.

« Ramenez-moi mon bébé ! » criai-je.

Il me rit au nez.

« Ramenez-le-moi !

— Trop tard. J'l'ai vendu. J'ai eu cinq livres seulement, mais c'est un garçon. Il va grandir et, un jour, il va rapporter un joli profit à son nouveau maître. »

J'avais les genoux couverts de poussière, et du lait coulait de mes seins. Jamais je n'avais voulu tuer un homme auparavant, mais j'aurais tué Robinson Appleby. Mon cœur et mon corps criaient qu'on me rende Mamadou. Mon bébé n'était plus là. Vendu, vendu, vendu. Appleby ne dirait pas où on l'emmenait.

Nous lançâmes le filet de pêche le plus loin possible, mais personne n'avait entendu parler d'un bébé arrivé sans sa mère. Du moins, pas à l'île Santa Helena, ni dans aucune des îles voisines. Il n'était pas dans les îles Lady, Coosaw, Edisto ni Hunting.

« Il n'est pas dans le filet de pêche, dit Georgia. Il est parti bien loin. Maître Apbee a réussi son coup. »

Je perdis tout le feu et l'énergie qui m'animaient. Jamais je ne m'étais sentie aussi mal depuis mon arrivée en Caroline. Chekura ne vint pas me voir une seule fois. J'étais convaincue que c'était ma faute. Mon mari s'était détourné de moi parce que j'avais perdu le fils que nous avions conçu ensemble. Je me sentais malade, désespérée, et je n'avais plus la volonté de lever le petit doigt. J'attrapai la fièvre qui tuait tant de Noirs et encore plus de boukras, mais Georgia me soigna et je recouvrai la santé. J'aurais volontiers accueilli la mort, mais elle ne fit que siffler à ma porte et s'éclipsa.

« Si ton homme ne vient pas, dit Georgia, c'est qu'il a été vendu ou qu'il travaille loin d'ici et ne peut tout simplement pas venir. »

Mais je ne la croyais pas. Je refusais de travailler. Je n'aidais plus aux accouchements et ne nettoyais plus les cuves d'indigo. Appleby menaça de me raser la tête encore une fois, mais je ne bronchai pas. Mon fils était parti, mon mari ne venait plus me voir, et tous mes efforts pour apprendre les manières des boukras avaient abouti à un désastre. Georgia se mit en colère contre moi parce que je refusais de travailler, et Mamed dit qu'il ne pourrait pas toujours me protéger. Appleby me battit, mais je ne voulais plus travailler pour lui. Au début de la saison de l'indigo, je ne plantai aucune graine. Je cessai de manger. Je ne quittais plus le lit.

Un matin, Appleby fit irruption dans la pièce et me traîna dans la cour. Je me préparai à être fouettée, mais il se contenta de m'insulter – *toi, espèce de stupide bonne à rien de Guinée* – et me vendit à Solomon Lindo.

LA FORME DE L'AFRIQUE

[Charles Town, 1762]

CHEKURA ME MANQUAIT CRUELLEMENT. À cette époque, mon jeune corps était parfait, lisse et robuste, tout en courbes et en rondeurs. Ma peau avait soif d'être baisée et câlinée. Mes mains étaient prêtes à étreindre et caresser un homme, mes cuisses étaient prêtes à s'écarter pour lui. Je me réveillais la nuit, humide entre les jambes, mourant d'envie de sentir les attouchements de Chekura. Mais je ne le revis plus, ni n'entendis plus parler de lui, même si j'avais laissé à Georgia un mot à son intention pour lui dire que j'étais partie à Charles Town, chez Solomon Lindo. Il aurait pu me trouver s'il avait voulu. Une angoisse indicible s'emparait de moi à la pensée que si, d'une manière ou d'une autre, je réussissais à retourner à Bayo, il n'y aurait ni bébé dans mes bras, ni mari à mes côtés. Nul enfant de ma chair à montrer, nul mari qui m'accompagnerait fièrement pendant que je raconterais à mes proches les étranges coutumes des boukras.

CHARLES TOWN BOURDONNAIT d'activité. Sitôt arrivée dans le port avec Solomon Lindo, je reconnus, à l'odeur d'aliments pourris et d'excréments humains, le lieu où j'étais venue cinq ans auparavant. J'essayai de chasser ce souvenir de mon esprit. J'observai le grand homme qui était mon nouveau propriétaire. Quand nous entrâmes dans un marché, je remarquai qu'il regardait calmement les éventaires en chantonnant.

« Avez-vous d'autres esclaves ? » lui demandai-je.

Il tressaillit. « Une autre. Mais ma femme et moi préférons le terme *domestique*. Et nous ne traitons pas nos domestiques avec brutalité. Dans notre maison, tu ne retrouveras pas la barbarie de l'île Santa Helena. »

Des tables remplies de crevettes luisaient au soleil, les crabes et les poissons formaient de hautes piles, mais ce qui m'étonnait le plus, c'était de voir des femmes noires déambuler librement avec des plateaux sur la tête et des paniers à la main. Elles étaient vêtues de robes aux couleurs vibrantes, de foulards et de tabliers éclatants de blancheur. Certaines portaient des chapeaux bordés de fourrure, d'autres des chaussures bien cirées. Elles riaient, faisaient des gestes en parlant et marchandaient. Elles menaient leurs conversations en un feu roulant, semblaient tout à fait à l'aise et se comportaient comme si personne au monde ne pouvait leur faire de mal.

« M'sieu, achète-moi des oranges pour un shilling. »

Une femme noire enceinte vendait des oranges dans un grand sac posé à ses pieds. Elle agrippa les pantalons de Lindo pour qu'il sorte de la monnaie de sa poche. Lindo recula, mais ne sembla pas choqué. « Donne-m'en dix. »

Elle leva le doigt et l'approcha du visage de Lindo : « Cinq pour un shilling.

— La semaine dernière, j'en ai eu dix pour le même prix.

— Les prix, ça change », répliqua-t-elle.

Il déposa une pièce dans sa main. Elle le gratifia d'un grand sourire. « Oranges bonnes, M'sieu. Toujours acheter de moi. Oranges pour vous et vot' p'tite femme. »

Sa *petite femme*? Il ne répondit rien. Elle mit les oranges dans la sacoche de Lindo et s'éloigna d'un pas nonchalant. Je la regardai se frayer un chemin parmi la foule. Un Blanc vêtu de haillons lui offrit quelque chose pour ses fruits. Elle cracha par terre et tourna les talons. Pour elle, l'homme dépenaillé ne présentait pas plus d'intérêt qu'un rat de caniveau. Lindo, portant perruque et vêtements fins, était le seul type d'hommes avec qui elle voulait faire affaire.

Lindo me regarda et sourit. « Tu vas trouver des vendeurs de fruits et des colporteurs dans toute la ville. Ils gardent une partie de leurs recettes, mais appartiennent toujours à un maître. »

Nous retournâmes dans la rue. En voulant éviter une voiture, je mis le pied sur du crottin de cheval. Dégoûtée, j'essuyai mes pieds dans une partie plus propre de la rue, recouverte de sable et de coquilles d'huîtres broyées. « Tu pourras te nettoyer en arrivant à la maison, dit Lindo. À Charles Town, il faut toujours regarder où l'on marche. Toujours. »

Après avoir vérifié que je pouvais marcher sans crainte sur le sol devant moi, je levai les yeux. D'énormes vautours planaient dans le ciel, en cercles lents et patients. « La loi interdit de tuer ces oiseaux, dit Lindo. Les gens d'ici les apprécient parce qu'ils les débarrassent de la charogne puante. Ils nettoient nos rues gratuitement.

— Georgia ferait bouillir un oiseau de cette taille avec des oignons et des ignames pour en faire une soupe.

— Georgia ?

— La femme qui prendre soin de moi dans la ferme de maître Appleby.

— Qui a pris soin de toi, n'est-ce pas ?

— Oui, Maître. Elle a pris soin de moi.

— N'aie pas peur de parler correctement, Mina. Je sais que tu es capable de lire et de bien parler.

— Vous voulez que je parle comme vous ? Que je parle comme les Blancs ?

— Je veux que tu parles anglais. »

Il s'arrêta de marcher quelques instants. « Je ne suis pas un Blanc. Je suis un juif, c'est bien différent. Toi et moi, nous sommes tous les deux des étrangers. »

J'espérais qu'il ne décèle pas de l'incrédulité dans mon regard. Je ne voulais pas avoir de problèmes avec cet homme. Nous passâmes à côté d'une taverne. Des hommes bruyants en sortaient, certains avec des verres à la main. L'un d'eux se plaça sur le côté de l'édifice et urina au vu des passants. Par la porte ouverte, je pus voir deux Noirs buvant avec des hommes blancs. Cela me semblait incompréhensible. Des femmes qui négociaient au marché, des Noirs qui trinquaient avec des Blancs, et pourtant, moi, j'étais une esclave.

Quelqu'un cria « Qui dit deux livres ? »

Devant un édifice imposant, je vis un Blanc debout sur une estrade auprès d'une femme africaine aux vêtements en lambeaux. Elle jetait des regards furtifs à gauche et à droite, et de l'écume blanchissait à la commissure de ses lèvres. Elle agitait la main devant son visage, dans le vide. Des hommes lançaient d'autres chiffres.

« Deux, cria quelqu'un.

— Qui dit cinq livres ? » reprit l'homme de l'estrade. Personne ne répondit. Il y eut des éclats de rire dans la foule. « Messieurs, je vous en prie. Je ne demande que cinq livres. Avec de bons soins, cette négresse va se rétablir. »

Près de l'estrade se trouvaient un groupe d'Africains, certains à peine capables de tenir debout, d'autres aux jambes couvertes de plaies purulentes. Cinq d'entre eux semblaient vouloir s'abandonner aux griffes de la mort. Je sentais mon estomac se retourner, ma gorge se serrer. Je baissai les yeux pour ne pas croiser leurs regards. J'étais nourrie, ils étaient affamés. J'étais vêtue, ils étaient nus. Je ne pouvais rien faire pour changer leur destin, ni même le mien. Je compris ce que voulait dire être esclave : ton passé n'a aucune importance, dans le présent tu es invisible et, quant à l'avenir, tu n'as aucune emprise sur lui. Ma situation présente n'était pas meilleure qu'avant. Je ne savais pas où était mon enfant. Je ne savais même pas si on avait changé son nom. J'avais perdu tout espoir de le retrouver. Au cours des cinq années que j'avais vécues en Caroline, j'avais perdu plus que je n'avais gagné.

Soudain, Santa Helena me manqua terriblement : les caresses de Chekura, les soirées de lecture de la Bible avec Mamed, les rassemblements autour de la marmite de soupe les dimanches après-midi, l'odeur de poisson et de légumes pendant que Georgia me coiffait. La mélopée ininterrompue des grillons me manquait aussi, car j'imaginais qu'ils étaient la voix de mes ancêtres. Ils semblaient dire : *Nous allons pleurer ainsi toujours toujours toujours pour ne pas que tu nous oublies.*

Je regardai de nouveau la rue et les malheureux captifs. Je fis le vœu de ne pas laisser la rumeur de la ville noyer leurs voix ou me voler mon passé. Oublier aurait été moins douloureux, mais je voulais observer et me souvenir.

SOLOMON LINDO POSSÉDAIT une demeure spacieuse en bois, à deux étages, dans King Street. Au rez-de-chaussée, il avait installé son bureau d'inspecteur officiel de l'indigo pour la province de Caroline du Sud. Sa femme et lui vivaient à l'étage et derrière le bureau.

À mon arrivée, personne ne m'enleva mes vêtements pour m'examiner. Lindo me laissa seule. Je remarquai les grandes fenêtres, les tableaux représentant Lindo et une femme, des fauteuils aux pattes sculptées. Pendant que je regardais une table en bois sur laquelle étaient posés des vases en argent, une femme entra dans la pièce. Grande et élancée, à la peau très blanche, elle n'avait pas dix ans de plus que moi. Elle portait une coiffe et une robe jaune avec un simple tablier. Ses lèvres et son nez étaient minces, et ses yeux bleuâtres ornés de minuscules paillettes orangées autour de la pupille. Les Blancs ont de drôles d'yeux. Ils jettent les éclats les plus étranges et nulle paire n'est pareille à l'autre. La femme de Solomon Lindo avait un regard amical. Elle n'avait pas l'air d'une personne capable d'utiliser un fouet.

« Mina. Est-ce que je prononce bien ton nom ? » Elle avait une voix aiguë, comme celle d'un enfant excité. J'avalai ma salive. C'était la première personne blanche qui savait mon nom avant de me connaître.

« Je suis Mme Lindo. Je suis enchantée de faire enfin ta connaissance. M. Lindo m'a tout dit sur toi, entre autres que tu étais jeune et brillante. »

Comme je n'étais pas certaine s'il était sage ou non de la regarder en face, je baissai les yeux.

« Assieds-toi, je t'en prie. »

Je pris place dans un fauteuil rose aux coussins épais et au dos rigide.

« Il fait une chaleur torride. Boirais-tu quelque chose ? »

Je ne savais que répondre, car elle me parlait comme si j'étais son invitée. À Bayo, refuser la nourriture ou la boisson qu'on vous offrait était considéré comme une grossière insulte. J'acceptai donc. Lorsque j'approchai le verre délicat de mes lèvres, une douceur s'empara de mon palais, comme pour dire *Nous n'allons pas te laisser oublier cela.*

« J'espère que tu aimes ce cordial au citron. »

Elle parla de sa maison, de sa vie, de l'agitation qui régnait à Charles Town. Elle me dit combien elle et son mari avaient hâte que je vienne vivre avec eux. Je comprenais ses paroles, mais je ne les absorbais pas. Pendant qu'elle abordait mille sujets, je me demandais où étaient les Noirs et quand on me montrerait l'endroit où j'allais dormir.

Je sentis une vague de soulagement quand une femme noire au ventre proéminent apparut dans l'embrasure de la porte. Je devinai qu'il lui restait environ cinq mois de grossesse. « Bon, dit-elle, c'est elle qui va prit ma place ?

— Ne dis pas ça, Dolly. M. Lindo et moi, nous t'avons déjà dit que personne ne prendrait ta place.

— Maintenant qu'j'ai un bébé dans mon ventre, cette jolie fille arriver et va prit ma place.

— Mina va t'aider pour le bébé. M. Lindo dit que Mina a aidé beaucoup de femmes à accoucher. »

Dolly, incrédule, fit une grimace. « Elle, ce p'tit agneau ? Attraper mon bébé ? »

Je m'attendais à ce que Mme Lindo menace de battre Dolly, mais elle se contenta de pousser un soupir. « Ça suffit. Amène Mina à vos quartiers. Et sois gentille avec elle. Sinon, tu vas perdre tes privilèges. Pas de marché, pas de nouveaux vêtements, pas de congé le samedi. C'est compris ?

— Oui, Ma'me.

Dolly sortit de la pièce, et je la suivis.

DERRIÈRE LA MAISON, il y avait un jardin, un magnolia, quelques arbres fruitiers et un chêne de Virginie. Un peu plus loin s'élevait une bâtisse en bois, à deux étages, qui semblait assez grande pour accueillir vingt personnes. En entrant, je remarquai que le plancher était en bois. Pas de boue, pas de terre, pas d'eau entre les orteils. Au rez-de-chaussée, je vis des bougies et un lit garni d'une paillasse. « Qui habite ici ?

— Des employés engagés par les Lindo quand ils en ont b'soin, répondit Dolly.

— Engagés ?

— Les Lindo payer eux pour travailler. Des esclaves d'autres propriétaires engagés par les Lindo. »

Je hochai la tête, pensant avoir compris.

Dolly me conduisit à un escalier aux marches de bois. Au sommet, je découvris la pièce la plus vaste dans laquelle j'aie jamais dormi.

« C'est ma chambre, mais tu vas maintenant dormir ici toi aussi. »

Deux lits avaient été construits avec des planches de bois à environ un pied du sol. Il y avait des paillasses sur les planches et des couvertures par-dessus. La pièce était si spacieuse que deux personnes devaient s'y sentir seules. Un espace comme celui-ci aurait été plus joyeux si Georgia et deux ou trois autres femmes s'étaient trouvées là en train de rire et de se coiffer l'une l'autre.

« Je m'occupe de la cuisine, dit Dolly, et je vais au marché. Si tu m'enlèves mon travail, ils vont me mettre à la porte.

— Te mettre à la porte ? Tu n'es pas leur esclave ?

— Vont me vendre en Géorgie.

— T'en fais pas. Je ne sais pas faire la cuisine.

— Tu fais pas la cuisine ? T'es quelle sorte de femme, toi ? »

Elle m'examina attentivement et finit par dire : « Toi, Africaine ?

— Oui.

— Pure Africaine ? De l'Afrique, direct du bateau ?

— Je viens d'Afrique.

— Mme Lindo, elle dit 'pure Africaine'. »

Je hochai la tête.

« J'ai jamais rencontré une Africaine qui sait pas faire la cuisine et qui parle si bien. »

Je lui souris.

« J'aime manger, mais je déteste faire la cuisine.

— Si j'détestais faire la cuisine, maître Lindo me mis à la porte. Tu dois bien êt' bonne à aut' chose. »

Mes premières semaines à Charles Town furent consacrées à suivre Dolly quand elle allait au marché. Chaque matin, elle partait acheter des fruits, des légumes et du pain. Dolly aimait faire ses courses avant les orages.

En marchant avec Dolly dans les ruelles poussiéreuses de la ville, je devais souvent bondir de côté pour éviter d'être heurtée par des attelages de chevaux. Charles Town puait : merde de cheval, merde humaine, animaux qui farfouillaient dans les détritus, habitants qui ne se lavaient jamais et aliments qui pourrissaient dans les rues ou étaient jetés dans la rivière Ashley. Il n'était pas nécessaire de regarder vers le port ou de jeter un œil du côté de l'île Sullivan pour détecter la présence d'un navire négrier. L'odeur des cadavres et des moribonds arrivait jusqu'à la ville en bouffées épaisses, étouffantes.

Quand j'allais en ville pour les commissions des Lindo, je me distrayais de la puanteur en examinant les vêtements féminins. Dolly ne portait pas le genre de tissu grossier qui m'égratignait la peau à Santa Helena. Ses vêtements étaient faits d'un coton plus fin, souvent teint en bleu ou en rouge, et les Lindo m'en donnèrent à moi aussi. Dolly aimait porter un tablier autour de la taille, mais je préférais me servir d'une verge d'étoffe que Lindo m'avait donnée, l'enrouler autour de moi et la nouer à la hanche, à la manière africaine. Dolly ne s'embarrassait pas d'un foulard ou de chaussures quand elle travaillait à « Lindoville » – c'est ainsi qu'elle appelait la maison –, mais pour rien au monde on ne l'aurait croisée dans les rues sans son foulard rouge, son écharpe orange et ses chaussures rouges à grosses boucles de métal. Dolly et moi commentions les chaussures de toutes les couleurs, les tabliers, les foulards de soie et les gants blancs que nous voyions sur les autres. Dolly raffolait des chaussures à boucles à un point tel qu'elle gardait une petite collection de savates usées, dissimulées sous une planche amovible dans notre logis. De temps en temps, elle les sortait, les époussetait et les essayait.

Un jour, Dolly me montra une femme portant un tablier de soie et dit : « T'as vu celle-là ? Elle est belle. Elle est habillée comme la reine.

— La reine ? Qu'est-ce que c'est ?

— Tu connais même pas la reine et le roi ? »

Non, je ne les connaissais pas.

« Le roi George et la reine Charlotte. »

Elle prononçait *Chaalotte*, en étirant le *a*.

« Qu'est-ce qu'il fait, le roi ? demandai-je.

— C'est l'patron de tout l'pays.

— De quel pays ?

— Tout le pays des boukras. Et elle, c'est la patronne. »

Nous fîmes quelques pas pendant que je réfléchissais à ce que je venais d'entendre. Puis, Dolly se pencha vers moi et dit : « On l'appelle la reine noire.

— Comment ça se fait ?

— Elle a de l'africain dans elle », dit Dolly à mi-voix.

Je ne la croyais pas. Personne n'aurait laissé une Africaine devenir patronne de tout le pays des boukras.

Tous les vendeurs du marché savaient que Dolly travaillait pour Lindo. D'habitude, elle achetait ses légumes et ses épices d'un Noir solitaire, assis sur une souche qu'il trimbalait chaque jour dans sa charrette. Il s'appelait Jimbo, et ses cheveux lui tombaient dans le visage. Une tignasse épaisse et touffue. « Il est pas beau, mais il nous traite correct.

— Toutou poilu, murmurai-je à l'oreille de Dolly.

— M'sieu Lindo veut quoi aujourd'hui ? demanda Jimbo à Dolly.

— Les mieux légumes que t'as.

— Toujours les mieux pour M'sieu Lindo. C'est grâce à lui que je reste en affaires. C'est mon genre d'homme blanc. J'te donne du gombo, des haricots mange-tout, des tomates et trois cous de poulets.

— Lindo en mange pas de tes cous de poulets, dit Dolly.

— J'te les donne à toi, pour que tu m'aimes plus.

— J'ai déjà eu un amoureux qu'a fiché le camp, dit Dolly en riant et se tapotant la bedaine, et j'en ai pas besoin d'un aut'. Mets les cous dans l'panier et j'les f'rai cuire pour moi.

— Comment s'appelle ta p'tite amie ? demanda Jimbo.

— Me demande pas son nom africain. Pas capab' de l'prononcer. On l'appelle juste Mina. Jolie. Gentille. Mais elle vient direct des basses terres et peut pas faire la différence entre une buse et une baignoire.

— Pas vrai ! J'la sais la différence, dis-je en me glissant dans la conversation. La buse laisse tomber ses petites affaires sur ta tête, et la baignoire, c'est c'que t'aurais eu b'soin hier. »

Jimbo se mit à rire en se tapant sur les cuisses.

« Alors, tu fais quoi, fillette Mina ? T'es bonne à quoi ?

— J'donne un coup d'main à Dolly parce qu'elle rendue grosse comme une maison.

— Bonne fille », dit-il.

Jimbo calcula ce que Dolly lui devait. « J'sais pas compter », me dit-elle. Se tournant vers Jimbo, elle ajouta : « M'sieu Lindo va passer demain pour t'payer. »

À la sortie du marché, nous vîmes un homme blanc tirant cinq jeunes Noirs dans la rue, tous âgés d'environ huit ans, à la tête rasée et à la peau claire. Les garçons dansaient, chantaient et frappaient dans leurs mains. Un sixième garçon – plus grand et plus robuste, d'environ mon âge – marchait derrière eux, portant un écriteau : QUINTUPLÉS DE COULEUR. À LOUER. FÊTES À DOMICILE. RENSEIGNEMENTS WILLIAM KING, WATER STREET.

Je repérai William King avec ses beaux vêtements et son allure hautaine. Il jeta un regard dans ma direction sans toutefois me reconnaître. L'homme qui m'avait jadis vendue à Robinson Appleby n'avait aucune idée de ce que j'étais devenue.

Les quintuplés de couleur de King s'entourèrent les chevilles de chaînes et se mirent à danser pour s'en libérer. Ils prirent une orange et se la passèrent par-devant et par-derrière, toujours en dansant. La moitié du temps, leurs pieds ne touchaient pas le sol. Ayant tiré chacun trois oranges de leurs poches, ils commencèrent à jongler. Ils scandaient quelque chose de fou, de joyeux et d'insensé, quelque chose qui évoquait mon pays, même si les mots ne signifiaient rien pour moi. *Bokélé bokélé bo. Bokélé bokélé bo. Awa. Bokélé bokélé bo.* Ils chantaient et battaient des mains pendant que les oranges dessinaient des cercles dans les airs. Ils remirent ensuite les fruits dans une boîte de bois, se penchèrent et se mirent à marcher et à danser la tête en bas, battant des pieds comme si c'étaient leurs mains.

Un jeune homme blanc, torse nu, âgé d'environ dix-huit ans, s'inséra dans leur groupe et se mit à chanter et danser avec les jeunes Noirs.

« Les Blancs adorent ces garçons, dit Dolly.

— Pourquoi le garçon blanc fait-il l'idiot ?

— C'est le rhum, j'pense. Y a des hommes qui s'battent dans toute la ville. Ils boivent et attendent de retourner chez eux.

— Ils se battent contre qui ?

— Se battent entre eux. Les Anglais et les Français se tuent entre eux et les Indiens aussi. »

Je secouai la tête. Cela me dépassait. Jamais je n'avais vu des Blancs se battre les uns contre les autres.

« Les Blancs, ils s'battent pour n'importe quoi, dit Dolly. Lindo m'a dit qu'y a bien longtemps, des Blancs sont allés s'tuer juste pasque l'un d'entre eux avait coupé l'oreille d'un autre. Jenkins, il s'appelait, ç'ui qu'a eu l'oreille coupée, c'est pour ça qu'ils ont appelé ça la guerre d'l'oreille de Jenkins. »

L'homme qui conduisait les garçons noirs chassa le danseur blanc au torse nu. Le défilé atteignit l'extrémité du pâté de maisons et tourna le coin de rue. Dolly avait entendu dire que l'homme qui possédait les quintuplés de couleur faisait de l'argent en les louant pour animer des fêtes chez les gens. Je lui dis que cela me semblait étrange que des Blancs acceptent des Noirs dans leurs fêtes.

« Les Blancs, c'est bizarre, dit Dolly. Ils aiment que leurs Noirs de fêtes soient pâles, mélangés, mulâtres et métis. Les choses qu'ils aiment, c'est bizarre et les choses qu'ils aiment pas, c'est encore plus bizarre. »

Sur le chemin du retour, Dolly dut s'arrêter pour se reposer. « Mes pieds gueulent comme un prédicateur. »

J'adorais sa façon de parler. Même si elle ne parlait pas comme Georgia, elle me faisait quand même penser aux gens de Santa Helena assis autour d'un feu le soir, tisonnant les braises et racontant des histoires. Les livres des boukras m'avaient enchantée, mais j'étais également fascinée par les langues des Noirs, des langues qui évoquaient mon pays. Je me mis à défaire les boucles des souliers de Dolly et les mots fusèrent de ma bouche.

« Tes pieds, y sont trop bouffis pour ces foutus souliers rouges.

— Souliers juste parfaits et j'suis pas bouffie.

— J'ai accouché des femmes dans toutes les basses terres. Sitôt qu'tu d'viens grosse avec un p'tit, tes pieds gonflent.

— C'est une jeune poulette comme toi qui va sortir mon bébé ?

— Dans cinq mois.

— Dieu me protège. Tu vas m'tuer comme un chien tue un chat. »

Les Lindo prenaient leur repas principal au milieu de l'après-midi. Dolly devait faire la cuisine, puis la vaisselle, mais une fois ses tâches terminées, elle était libre de son temps. Elle n'était pas obligée de travailler le samedi, jour du sabbat pour les Lindo, mais elle devait préparer la veille le repas du sabbat. Les juifs de Charles Town avaient enseigné à l'un de leurs esclaves à faire boucherie selon leurs croyances, et Dolly passait chez le boucher pour acheter de la viande et de la volaille. Solomon Lindo et sa femme évitaient le porc eux aussi. Peut-être Lindo avait-il raison de dire que nous nous ressemblions. Je décidai qu'aussi longtemps que je vivrais avec les Lindo, j'essaierais de manger la viande qu'ils faisaient préparer. Souvent, les Lindo nous permettaient, à Dolly et à moi, d'emporter les restes des repas pour les manger dans notre maison et, à l'occasion, Mme Lindo nous donnait des grenades, des figues et du fromage.

Le territoire que couvrait Charles Town avait la forme d'un doigt, bordé par la rivière Cooper d'un côté et la rivière Ashley de l'autre. La marée montait et descendait deux fois par jour dans la ville et, quand l'eau se retirait, les marécages boueux empuantissaient l'atmosphère sous le soleil ardent. Parfois, on y trouvait des carcasses d'animaux en décomposition. Parfois aussi, des corps d'Africains s'échouaient sur le rivage ou on les découvrait à marée basse. Quand un attroupement se formait au bord de l'eau, je me gardais bien de me mêler au groupe. Je ne supportais pas de voir ces cadavres gonflés.

Un samedi, Lindo nous permit d'aller à une foire à l'extérieur de la ville. Comme les Noirs que j'avais observés avec tant d'étonnement après être débarquée du navire d'esclaves, Dolly et moi déambulions sans penser le moins du monde à fuir. À la foire, nous vîmes des combats d'ours savants et de coqs, et des Blancs qui se battaient avec des cochons huilés pendant que les spectateurs hurlaient, riaient et jetaient des pièces de monnaie. Le premier qui réussissait à clouer son cochon au sol pouvait l'apporter chez lui. Dolly semblait calme, mais je ne me sentais pas à l'aise dans cette foule d'hommes blancs qui criaient et buvaient. Je craignais que leur hilarité tapageuse ne se transforme subitement en colère et qu'alors, je me retrouve coincée dans la cohue, comme sur le bateau.

Sur le chemin du retour, nous passâmes devant la taverne *À l'Enseigne de Bacchus*. Sur le mur, il était écrit : JEUNE NÉGRESSE BLANCHE, YEUX GRIS ET CHEVEUX BLANCS. J'essayai de jeter un coup d'œil entre les portes battantes, mais je ne pus apercevoir qu'un bref instant une femme de race noire au teint pâle buvant à un comptoir avec des hommes blancs. « Les boukras, ils aiment que leurs nègres soient blancs, dit Dolly. La peau jaune, délavée, avec une p'tite teinte africaine. »

Je ne croyais pas tout ce que Dolly disait. Je me souvenais de Robinson Appleby. Et de nombreux hommes me dévisageaient dans les rues de Charles Town.

Quand je circulais en ville, en particulier les jours où Dolly était trop fatiguée pour m'accompagner, j'avais découvert que je devais être prudente. En plein jour, un homme blanc m'avait agrippée par le bras et attirée à l'intérieur d'une taverne. Je m'étais dégagée d'un mouvement brusque et m'étais enfuie. Le lendemain, au marché de poisson, ce fut au tour d'un grand Noir de plaquer sa main sur mes seins et d'essayer de me tirer par le poignet.

« Viens dans mon bateau. J'ai un cadeau pour toi. »

Je me sauvai de lui aussi.

SOLOMON LINDO ME DONNA le temps de m'habituer à la routine de Dolly et de m'orienter dans Charles Town. Je m'attachai à ce nouveau confort; je dormais et mangeais mieux que jamais depuis que j'avais quitté mon pays. Un jour, Lindo me fit venir dans son bureau. Il dit que sa femme était sortie pour discuter de livres et de musique avec ses amies, mais qu'elle était au courant de son intention de me parler. Lindo m'offrit un verre de cordial au citron avec trois glaçons – j'adorais la glace plus que tout au monde pendant ces journées chaudes et humides de Charles Town – et me regarda droit dans les yeux. « Je ne sais pas comment tu as réussi à apprendre à lire. »

Je m'assis un peu plus droit dans le fauteuil au dossier rigide.

« Mais cela ne me regarde pas. Tu gardes ce secret, comme tu dois garder secret ce que je vais te dire. Je suis prêt à t'apprendre à lire encore plus. »

Il me demanda si cela me plairait. Je fis signe que oui. Il ajouta que Mme Lindo et lui allaient me donner des leçons d'arithmétique et d'écriture. Les habitants de Charles Town ne verraient pas d'un bon œil qu'une Noire sache lire, dit-il. La chose devait donc demeurer secrète.

« D'accord, dis-je.

— Dolly dit que tu n'es pas très douée pour la cuisine.

— C'est vrai, Monsieur.

— Ne t'en fais pas. J'ai autre chose en tête à ton sujet. Aimes-tu ta vie de domestique dans cette maison ?

— Beaucoup, Maître Lindo.

— Bien. J'ai l'intention de commencer à te faire payer à ta manière.

— Payer ?

— Cette ville compte dix mille habitants, et plus de la moitié sont des Noirs. Tu vas commencer à aider des femmes de Charles Town à accoucher.

— Quelles femmes ?

— Les domestiques noires, mais je sais que certaines juives pourraient aussi vouloir utiliser tes services. Je vais t'inscrire dans le système des personnes à leur compte. »

Je m'avançai sur le bout de mon siège. « À leur compte ?

— Le matin, tu travailleras à mes livres et tiendras ma comptabilité. Je vais t'apprendre comment faire. Et quand tu ne seras pas occupée à ce travail, tu pourras pratiquer des accouchements. De ce que tu vas gagner, tu me donneras dix shillings par semaine. »

Solomon Lindo commença à m'enseigner deux heures par jour, tôt le matin, avant sa longue journée de travail. Il promit de me donner un livre si je pouvais apprendre tout sur la monnaie en Caroline du Sud. Il me montra une annonce qu'il avait fait publier dans la *South Carolina Gazette* :

> Sage-femme expérimentée. Demoiselle de Guinée obéissante et sensible. Services à louer. Renseignements : Solomon Lindo, King Street.

« Que signifie le mot 'sage-femme' ? lui demandai-je.

— C'est comme ça qu'on appelle une femme qui pratique des accouchements.

— Et qu'est-ce qu'une 'demoiselle' ?

— Une jeune femme.

— Mme Lindo est-elle une demoiselle ? »

Il se redressa, se frotta les mains, puis me regarda directement dans les yeux : « C'est une dame.

— Je ne viens pas de la Guinée », dis-je soudain.

La colère qui teintait ma voix me surprit moi-même. Je me levai brusquement, renversant au passage un encrier. « Et je ne suis pas une demoiselle. J'ai eu un bébé et je l'aurais toujours si maître Appleby ne me l'avait pas volé. Je ne suis pas une demoiselle. Je suis une épouse. Je suis une mère. Ne suis-je pas une femme ? »

Lindo replaça l'encrier, puis épongea la flaque d'encre avec du papier. Il esquissa un sourire. « C'est seulement un mot pour le journal. Calme-toi. Je n'emploierai plus ce mot s'il te froisse. Mais qu'est-ce qui ne va pas avec la Guinée ? »

Il me regardait avec intérêt. Il semblait s'amuser. Je n'aimais pas la façon dont ses yeux se posaient sur mon corps.

« La Guinée ne veut rien dire pour moi. Comment pourrais-je venir de la Guinée ? Je viens de Bayo. C'est mon village. Le connaissez-vous ?

— C'est un continent immense et mystérieux. Je ne le connais pas du tout. Personne ne le connaît, d'ailleurs. Assez bavardé, Mina. Nous avons du travail. »

Le grand livre était un registre où les avoirs étaient inscrits. Tenir le grand livre voulait dire noter les dépenses et les revenus. C'était là que les choses se compliquaient. Lindo disait qu'on pouvait obtenir un produit de deux façons. L'une d'elles était de le payer en offrant quelque chose en échange.

« Comme quand Georgia recevait du rhum ou du tissu pour avoir aidé une femme à accoucher, dis-je.

— Exactement. Voilà pourquoi je t'ai achetée, dit Lindo. Je savais que tu apprendrais vite. J'ai vu de l'intelligence dans tes yeux et je voulais t'éduquer.

— M'éduquer ?

— Te donner la chance de développer les talents que Dieu t'a donnés. »

Aucun Blanc ne m'avait parlé de la sorte et je me méfiais de Lindo.

« Pratiques-tu une religion, Mina ?

— Mon père priait Allah, et j'ai appris de lui.

— Tu es donc musulmane et moi, juif. Tu vois, nous ne sommes pas si loin l'un de l'autre. »

Je tripotais la plume et l'encrier. Je voulais éviter son regard. Mais Solomon Lindo continuait de parler. « Nos religions viennent de livres semblables. Ton père lisait le Coran et moi, je lis la Torah. »

J'étais sidérée de voir que Solomon Lindo pouvait nommer le livre que mon père m'avait montré à Bayo.

« Dans ma religion, on considère que c'est une très bonne chose de donner à une autre personne ce qu'il lui faut pour devenir autonome et prendre soin d'elle-même dans la société. »

Je lui demandai alors pourquoi il ne me libérait pas. Je crois qu'il sentit la froideur de mon regard, car il retourna brusquement à nos leçons.

LINDO M'EXPLIQUA que je pouvais soit troquer un objet, soit le payer avec des pièces de cuivre, d'argent ou d'or. La chose me laissa perplexe. Il me semblait insensé que quelqu'un préfère être payé avec une pièce de métal inutile plutôt qu'avec cinq poulets ou un baril de maïs. Lindo mit quelques pièces de monnaie dans ma main gauche et me demanda de me figurer que j'avais un poulet vivant dans la main droite. Je devais imaginer que je me rendais au marché avec ces deux possessions seulement. Une personne qui vend des oranges serait heureuse de prendre ma monnaie, mais seule une personne qui aurait besoin d'un poulet accepterait l'oiseau en paiement.

« Et si les pièces de monnaie devenaient inutiles ? Les gens vont toujours trouver le poulet intéressant, mais vont-ils toujours vouloir un vilain disque de métal ? Il est laid et ne peut être mangé. Si *moi*, je vendais des oranges, je prendrais le poulet. »

Lindo tapa sur la table. « Ce n'est pas une discussion. C'est une leçon. Es-tu prête à continuer ? »

Je fis signe que oui.

Nous passâmes au calcul. Un shilling plus un autre égalent deux shillings. Deux plus deux font quatre. D'un geste rapide, Lindo lançait les pièces de monnaie sur la table. Avec un shilling, je pouvais acheter dix œufs. Avec cinq shillings, je pouvais en acheter cinquante. Pendant deux heures chaque matin, six jours par semaine, j'étudiais l'arithmétique. Après les additions et les soustractions, j'assimilai assez rapidement les multiplications et les divisions. Solomon Lindo faisait galoper mon esprit comme un cheval, et j'adorais relever le défi de le suivre.

Les leçons suivantes de Lindo portèrent sur les devises en circulation à Charles Town. Il y avait la pièce espagnole de huit réaux, mais le plus simple était de l'appeler un dollar. Cette monnaie n'était pas britannique, mais c'était de l'argent et c'était la monnaie la plus courante en Caroline. Lindo me montra un dollar espagnol qui avait été coupé en morceaux. Les huit parties triangulaires étaient utilisées parce qu'il n'y avait pas suffisamment de petite monnaie. Un dollar espagnol valait six shillings. Puis, Lindo se mit à m'expliquer la relation entre les pence, les shillings, les couronnes, les livres et les guinées. Il y avait des pièces de cuivre et d'argent, mais la guinée était en or.

« Une guinée ? C'est le mot que vous avez utilisé pour désigner mon pays. »

On les appelait des guinées parce qu'elles étaient fabriquées avec de l'or extrait en Éthiopie.

« De quel endroit ?

— De votre pays.

— Je croyais que vous l'aviez appelé la Guinée.

— Nous l'appelons de diverses façons. Guinée, Éthiopie, Nigritie, Afrique, tous ces mots veulent dire la même chose.

— Et vous avez nommé votre grosse pièce d'or d'après le mot qui signifie Afrique ?

— Nous l'avons appelée la guinée. Elle vaut vingt et un shillings. »

Je restai bouche bée. Les boukras s'emparaient de l'or et des personnes de mon pays, et utilisaient le premier pour acheter et vendre les deuxièmes.

Je n'avais pas envie d'en apprendre plus cette journée-là et fus soulagée de voir la leçon se terminer. Comme nous nous levions et nous apprêtions à quitter le bureau, Lindo dit : « Tu vas me rapporter une bonne somme d'argent. Je vais veiller à ce que tu sois vêtue et nourrie convenablement. Tu seras mieux traitée que toute personne noire de ton pays, je peux te le garantir.

— Je viens de Bayo et je suis née libre », murmurai-je.

Solomon Lindo recula. « Pardon ?

— Je suis une musulmane née libre.

— Bon. Je suis né en Angleterre, mais nous sommes dans les colonies maintenant. »

Je croisai les bras. Il garda les yeux rivés sur moi pendant une minute et dit : « Tu seras bien assez libre. Tu seras libre de gagner plus d'argent en louant tes services comme sage-femme. De mon côté, je vais réaliser un profit sur mon investissement. J'ai payé une fortune pour t'avoir. »

Je fus plutôt surprise de m'entendre dire, sur un ton sarcastique : « Avez-vous payé cette fortune en argent ou en poulets ? »

Lindo eut l'air abasourdi. Peut-être n'allait-il pas tolérer ces paroles. Peut-être allais-je être atrocement battue. Mais Lindo secoua la tête, passa la main dans sa barbe et éclata de rire. C'était la première fois que je faisais rire un homme blanc. Mais moi, je ne trouvais pas cela drôle du tout.

LINDO ME MIT À L'ÉPREUVE pendant plusieurs jours et décida que j'avais assimilé tout ce qu'il m'avait montré en arithmétique et sur la monnaie. Comme présent, il m'offrit un livre intitulé *Les Voyages de Gulliver* de Jonathan Swift. Mes yeux tombèrent sur le passage suivant :

> Je me couchai sur l'herbe, qui était très fine, où je fus bientôt enseveli dans un profond sommeil, qui dura neuf heures. Au bout de ce temps-là, m'étant éveillé, j'essayai de me lever ; mais ce fut en vain. Je m'étais couché sur le dos ; je trouvai mes bras et mes jambes attachés à la terre de l'un et de l'autre côté, et mes cheveux attachés de la même manière.

J'eus immédiatement grande envie de lire le livre. « Il semble aussi intéressant que l'Exode, dis-je à Lindo.

— Et que sais-tu à ce sujet ? »

J'expliquai que j'avais lu la Bible à l'île Santa Helena. « Nous parlons tous de l'Exode, savais-tu cela ? » dit-il.

Tout en me trouvant stupide d'en dire trop, je ne pus m'empêcher de poser une question : « Que voulez-vous dire ?

— Je veux dire que les juifs, les musulmans et les chrétiens ont tous un Exode dans leurs livres sacrés. Les Israélites sont mon peuple, et le livre de l'Exode relate l'histoire de leur libération de l'esclavage. »

J'écoutais Lindo attentivement et réfléchissais à ce qu'il venait de dire. Cette découverte me fascinait et me troublait tout à la fois. Peut-être Lindo pourrait-il m'expliquer pourquoi les chrétiens et les juifs gardaient des musulmans en esclavage si nous avions le même Dieu et si nous célébrions tous la fuite des Hébreux hors d'Égypte.

Je me demandais combien on avait déboursé pour moi et qui avait fait les arrangements pour m'amener dans ce pays. De quelle façon les Noirs qui m'avaient capturée à Bayo étaient-ils liés aux chrétiens et aux juifs qui se livraient à la traite des esclaves en Caroline du Sud ? Au moment où je commençais à comprendre le monde des boukras, les choses devenaient de plus en plus obscures. Les réponses menaient sans cesse à d'autres questions. Lindo interrompit le cours de mes pensées. « J'ai l'intuition qu'un Africain peut tout apprendre si on lui en donne la chance. Faisons donc l'expérience et voyons jusqu'où tu peux aller. »

Lindo posa une main sur l'autre. Mon regard tomba sur l'anneau qu'il portait au doigt. *La Guinée,* me dis-je dans mon for intérieur. *L'or de la Guinée. Utilisez-moi si vous le voulez, mais je vais vous utiliser moi aussi.*

Solomon Lindo jouissait de diverses sources de revenus à titre d'inspecteur officiel de l'indigo pour la province de Caroline du Sud. Il ne recevait pas de salaire, mais la Chambre d'assemblée le payait cinq cents livres par année pour calculer combien de livres d'indigo étaient expédiées en Grande-Bretagne, et les producteurs d'indigo le rétribuaient pour coter leur pâte d'indigo et les conseiller sur la façon de l'améliorer. Je tenais ses livres, envoyais des rappels pour les comptes en souffrance et, comme suite à l'annonce publiée par Lindo dans la *South Carolina Gazette,* répondais une ou deux fois par semaine à des demandes pour assister des femmes en couches à Charles Town et dans les environs. Lindo me donna de l'argent pour acheter au marché un sac en tissu, des herbes médicinales et d'autres fournitures. Pour montrer que j'avais le droit de me déplacer en ville comme personne à son compte et pour éviter d'être harcelée ou arrêtée par les boukras, je devais épingler à mes vêtements un badge en étain de forme hexagonale sur lequel étaient inscrits mon nom et l'année courante : Mina, 1762.

Au marché, j'achetai des fleurs de sureau qui, mêlées à du saindoux, traitaient les morsures de puces chiques, ces insectes qui se cachent dans les guirlandes de mousse espagnole qui pendent aux branches des chênes. Je me procurai des racines de coton, car on me demandait parfois d'empêcher un enfant de grandir dans le ventre de sa mère, comme Georgia l'avait fait pour moi quand j'avais été violée par Robinson Appleby. J'obtins aussi de l'écorce de cerisier noir, que je ferais macérer dans de l'eau chaude pour aider les femmes dont les menstruations étaient trop abondantes. Il me fallait aussi de l'écorce des racines de l'arbre de Géorgie et des feuilles d'agave américain contre les morsures de serpents à sonnettes, car parfois des gens venaient me voir à ce sujet quand j'aidais une femme à accoucher. Les feuilles de mûrier étaient efficaces contre les maux d'estomac et la diarrhée, et les décoctions de racines de sassafras blanc pouvaient guérir la cécité. Les infusions de cornouiller, d'écorce de cerisier et d'écorce de chêne rouge aidaient à combattre les fièvres dont étaient victimes les Noirs qui travaillaient dans les endroits marécageux et malsains.

Après avoir réuni ma collection d'herbes et de racines, je commençai à aider les esclaves de la ville à accoucher. J'appris à négocier avec leurs propriétaires avec autant d'assurance que les vendeuses de poisson dans les rues. Comme je devais remettre à Solomon Lindo dix shillings par semaine, j'exigeais des propriétaires d'esclaves douze shillings pour un accouchement. J'essayais de disposer toujours de plusieurs semaines d'économies dissimulées sous une planche amovible dans la chambre où je dormais avec Dolly. Parfois, il s'écoulait une semaine entière sans que je gagne quoi que ce soit. À d'autres moments, on louait mes services plusieurs fois dans la même semaine, et je rapportais à la maison une ou deux livres. Certains maîtres refusaient de me payer en monnaie, mais les seules autres rétributions que j'acceptais étaient du madère, du rhum, du tabac et des étoffes de coton de première qualité. Je savais quelle quantité de chacun équivalait à douze shillings, et je pouvais troquer ces produits contre les articles dont j'avais besoin.

LORSQUE LINDO EN EUT TERMINÉ avec les leçons d'arithmétique, de monnaie et de tenue de livres, sa femme commença à me guider dans l'apprentissage de l'écriture. Mme Lindo se plaisait en ma compagnie, et il était fort agréable de l'avoir comme professeure. Elle m'enseigna à former des lettres gracieuses et fluides, s'assurait que je connaissais l'orthographe des mots et me montra à composer des expressions et des phrases. J'étais avide d'acquérir les connaissances que mon père avait commencé à m'inculquer des années auparavant et je buvais chacune de ses paroles. *Chien. Os. Chat. Arbre. Le chien a mordu l'os. Le chat a grimpé dans l'arbre.* C'était facile. C'était amusant. À mesure que je progressais, Mme Lindo me laissait de plus en plus m'exercer seule à l'écriture. *Dix bars coûtent un shilling au marché de poisson. La production d'indigo augmentera l'année prochaine. Un jour, je rentrerai chez moi.*

Quand Mme Lindo jugea que je pouvais écrire à sa satisfaction, son mari me confia des lettres d'affaires à rédiger :

> Monsieur William King. Sommes impayées à Solomon Lindo, inspecteur de l'indigo pour la province de la Caroline, 55 livres sterling pour consultation sur la production d'indigo et 20 livres sterling pour inspection. Prière d'envoyer le paiement à Solomon Lindo, King Street. Les arrérages porteront intérêt à dix pour cent par année. Votre humble serviteur, Solomon D. Lindo.

Pendant des mois, comme je réussissais à remettre mes dix shillings par semaine, on me permit de lire de plus en plus de livres que Solomon Lindo empruntait de la Charles Town Library Society. Je lus d'autres romans de Jonathan Swift. Je lus Voltaire. Je lus *The Shipwreck* de William Falconer. Et, dans la chambre que je partageais avec Dolly, je laissais la bougie allumée jusque tard dans la nuit pour lire la *South Carolina Gazette* en regardant toujours avec attention les annonces d'esclaves en fuite.

> Négresse nouvelle de Guinée, de jolie figure, partie marronne depuis mercredi dernier de Goose Creek, portant un manteau et une robe d'osnabourg neufs et un foulard à rayures noires sur la tête. Insensible, visage marqué de petite vérole. En donner avis à son propriétaire, Randolph Clark. Il y aura une récompense de dix livres.

Au fil du temps, je réussis à m'acheter un joli foulard rouge, un pagne indigo, un sac d'écorce du Pérou, et il me restait encore dix livres en argent. Jamais M. et Mme Lindo ne me battirent, mais Georgia et Chekura me manquaient terriblement, et Mamadou n'était jamais loin dans mes pensées.

Un soir, j'aidai l'une des rares Noires libres en ville à mettre son bébé au monde. La mère était à peine plus âgée que moi, et son homme s'était engouffré dans la chambre dès l'instant où mon travail fut terminé. Il prit sa femme et son bébé dans ses bras. De retour à la maison, je trouvai Dolly assoupie, la main sur son gros ventre. Je m'assis sur le bord de mon lit, me voilai le visage de mes mains et laissai mon chagrin éclater. Mes sanglots réveillèrent Dolly.

« Qu'est-ce qu'y a, mon p'tit lapin ? »

L'accent compatissant de sa voix fit redoubler mes pleurs. Dolly se leva et mit son bras autour de mes épaules.

« Un jour ton homme va r'venir et tu vas tout r'commencer. »

QUELQUES MOIS PLUS TARD, j'aidai Dolly à mettre au monde son fils Samuel. Nous vivions tous les trois dans notre maison, le bébé arrimé sur le dos de Dolly pendant qu'elle vaquait aux tâches domestiques, ou installé dans son lit la nuit. C'était agréable d'avoir cette nouvelle vie alentour, mais parfois, j'éprouvais un pincement au cœur quand j'entendais Samuel téter et gazouiller.

Les Lindo étaient si contents de ce qu'ils entendaient dire sur mon travail de sage-femme que, quand vint le temps pour Mme Lindo d'accoucher de son premier bébé, elle me prit à part pour me parler. « Nous avons entendu parler du médecin de la ville, murmura-t-elle. Il saigne les femmes pendant leur travail. »

C'est donc moi qui assistai Mme Lindo quand elle mit au monde un garçon en bonne santé nommé David. À ma grande surprise, les Lindo firent circoncire leur fils, comme nous aurions fait à Bayo. Quelques semaines plus tard, M. et Mme Lindo m'amenèrent dans leur salon, m'offrirent un cordial et me demandèrent quel cadeau me ferait plaisir.

« Un cadeau ? m'exclamai-je.

— Pour tout ce que tu fais pour nous », dit Mme Lindo.

Je réfléchis un instant. Je demandai si je pouvais voir une carte du monde.

« Pourquoi veux-tu voir une carte ? demanda M. Lindo.

— Elle a lu des douzaines de livres, interrompit sa femme. Elle fait tout ce que nous lui demandons. Je ne vois pas ce qu'il y a de mal là-dedans.

— Qu'aimerais-tu savoir ? demanda-t-il.

— Je ne sais pas d'où je viens.

— Tu viens de l'Afrique. Tu as traversé l'océan. Nous sommes à Charles Town. Tu sais déjà toutes ces choses.

— Oui, mais je ne comprends pas où se trouve la Caroline du Sud par rapport à mon pays. »

M. Lindo poussa un soupir. « Je ne vois pas pourquoi tu dois savoir ça.

— Solomon, dit Mme Lindo en posant la main sur le genou de son mari. Amène-la à la bibliothèque de Charles Town. Montre-lui les cartes. »

Il se leva brusquement du canapé, renversant son verre. « Il faut toujours que je me mette à plat ventre pour qu'on me laisse entrer à la Society, cria-t-il.

— Solomon, s'il te plaît », insista Mme Lindo.

Je pris le torchon que me tendit Mme Lindo pour éponger la flaque. Je gardai les yeux baissés. M. Lindo avait mentionné à quelques reprises que les juifs avaient été des esclaves dans l'Égypte ancienne et que ses propres ancêtres avaient été chassés d'Espagne. Il m'avait dit que les juifs et les Africains pouvaient se comprendre les uns les autres, car ils étaient tous deux des étrangers. Pourtant, même si M. Lindo préférait dire *domestique* au lieu d'*esclave*, je lui appartenais, Dolly lui appartenait et désormais, le fils de Dolly lui appartenait. Il avait une vaste demeure et brassait des affaires dans toute la région des basses terres. Il portait de beaux vêtements et allait et venait librement. Il pouvait prendre le prochain bateau pour Londres s'il le souhaitait.

Je pensais que M. Lindo serait embarrassé de s'être mis en colère, mais il semblait incapable de se contenir.

« Je suis assez bon pour être leur inspecteur d'indigo, mais est-ce que je peux voter à leurs élections ? Les anglicans ne me permettent même pas de siéger à la direction de la bibliothèque. »

Je gardais les yeux rivés sur mes mains, mais je pouvais entendre le tremblement dans la voix de

M. Lindo. Mme Lindo se leva, prit la main de son mari et le fit asseoir près d'elle.

« Personne n'est obligé de se mettre à plat ventre, dit-elle calmement, la main posée sur le bras de son mari. Tu n'as pas à emprunter la carte. Tu entres et tu vas la consulter.

— Et Mina ?

— Amène-la avec toi. C'est ta domestique. »

Elle s'adressa ensuite à moi en étouffant un petit rire : « Mina, apporte un éventail pour chasser les mouches pendant ses consultations. »

La Charles Town Library Society conservait ses livres et ses cartes dans un édifice de Union Street. Le bibliothécaire était assis à un bureau à l'entrée. Il me jeta un coup d'œil rapide et détourna les yeux, comme s'il avait vu quelque chose de désagréable. « Oui, Monsieur Lindo. Je suis désolé, mais nous n'acceptons pas les Noirs ici.

— Monsieur Jackson, n'avez-vous pas un frère dans le commerce de l'indigo ? »

Le bibliothécaire referma soigneusement un livre sur son bureau. « Je suis sûr que personne ne s'opposera cette fois-ci, Monsieur Lindo.

— Bien. Nous voulons consulter quelques œuvres de Voltaire et vos cartes du monde les plus récentes. »

L'homme nous conduisit à une table à l'autre bout de la pièce, nous apporta deux livres de Voltaire et quelques cartes enroulées, puis nous laissa seuls.

« Continue de m'éventer, dit Lindo.

— Il ne regarde pas.

— Fais-le quand même. Il fait chaud ici. »

Pendant que j'agitais l'éventail, Solomon Lindo dénouait la ficelle qui entourait un rouleau épais.

« Je n'ai jamais vu autant de livres, dis-je en regardant autour de moi et en souhaitant que les femmes et les Noirs aient accès à la bibliothèque.

— Ils ont un millier de livres, marmonna Lindo, et j'en ai payé la moitié.

— Où sommes-nous ? demandai-je en pointant la carte.

— Voici l'Amérique du Nord britannique », dit-il en montrant une étendue de terre.

À la lisière de cette terre, tout près d'une immense tache bleue appelée l'océan Atlantique, Lindo mit le doigt près d'un point à côté duquel était écrit le nom Charles Town. « Et voici l'Afrique », dit-il.

De l'autre côté de la mer bleue, je vis une surface aux contours étranges, plus large au sommet, incurvée au milieu et plus étroite vers le bas. « Comment le savez-vous ?

— En regardant attentivement, on peut lire les lettres. Tu vois ? *A-F-R-I-Q-U-E.*

— C'est mon pays ? Qui a dit qu'il avait cette forme bizarre ?

— Les cartographes qui dessinent les cartes. Les commerçants qui naviguent de par le monde. Les Britanniques, les Français, les Hollandais et d'autres qui se rendent en Afrique tracent les contours du continent en longeant les côtes. »

Sur la carte, je remarquai quelques gribouillis ressemblant à des triangles sans base. Lindo m'expliqua qu'ils servaient à indiquer les montagnes. Je vis un lion et un éléphant dessinés au milieu du territoire appelé Afrique. Je vis aussi que l'Afrique était presque entièrement entourée d'eau. Mais la carte ne me disait rien de l'endroit d'où je venais. Pas de Bayo, pas de Ségou, ni de Joliba. Pas un seul indice pour reconnaître mon coin de pays.

« De ce côté-ci de l'eau, en Amérique du Nord britannique, dis-je en pointant du doigt un lieu sur la carte, c'est écrit Charles Town. Je peux voir où nous sommes. Mais pour l'Afrique, il n'y a pas de noms de villes. Seulement ces endroits le long des côtes. Cap Vert. Cap Mesurade. Cap des Palmes. Comment faire pour savoir où sont les villages ?

— On ne connaît pas les villages.

— Je les ai traversés. Il y a des gens partout.

— Ceux qui ont dessiné cette carte ne les connaissaient pas. Regarde ici, dans le coin. C'est indiqué *1690*. C'est une copie d'une carte datant de soixante-treize ans. Ils en savaient encore moins à cette époque-là. »

Je me sentis flouée. Maintenant que j'étais capable de lire, j'étais tout excitée par la perspective de trouver mon village sur une carte. Mais il n'y avait aucun village, ni le mien ni celui de quiconque.

« N'y a-t-il rien d'autre ? » demandai-je.

Solomon Lindo regarda sa montre et dit que nous avions le temps de regarder une autre carte.

La deuxième carte était intitulée *Carte de l'Afrique, corrigée d'après les plus récentes et les meilleures observations*. Je notai la date : *1729*. Peut-être serait-elle plus détaillée que la première. La carte montrait un continent à la forme d'un champignon dont la tige était décalée vers la droite. Près du sommet, je lus les mots *Désert de Barbarie ou Sahara*, en dessous, *Negroland*, et, plus bas, le long des côtes sinueuses, *Côte des Esclaves, Côte de l'Or, Côte de l'Ivoire* et *Côte des Graines*. Il y avait des mots minuscules inscrits à l'endroit où la terre rencontrait la mer, mais à l'intérieur des terres, on trouvait surtout des dessins d'éléphants, de lions et de femmes aux seins nus. Dans un coin de la carte, je vis le croquis d'un enfant africain couché sous un arbre, à côté d'un lion. Jamais je n'avais vu chose plus ridicule. Aucun enfant ne serait assez stupide pour dormir avec un lion. Dans un autre coin de la carte, j'examinai l'illustration d'un homme portant sur son épaule un animal à longue queue.

« Qu'est-ce que c'est ?

— C'est un singe », dit Lindo.

Cette « Carte de l'Afrique » ne représentait pas mon pays. Elle sortait de l'imagination de l'homme blanc. « Il manque certains détails, dit Lindo. Mais maintenant tu sais quelle est la forme de l'Afrique. »

Je répondis que j'en avais assez vu. Après tous les livres que j'avais lus, après tout ce que j'avais appris des coutumes des Blancs en Caroline du Sud, j'éprouvais plus que jamais le sentiment que ces gens ne me connaissaient pas du tout. Ils savaient comment amener des bateaux jusqu'à mon pays. Ils savaient comment me capturer et me déporter. Mais ils n'avaient aucune idée de ce à quoi ressemblait ma patrie, ni des gens qui y vivaient ou de la façon dont ils vivaient.

De retour à la maison, le désespoir s'empara de moi. Non seulement avais-je perdu mon fils et mon mari, mais il semblait que jamais je ne retrouverais le chemin pour rentrer chez moi. Je ne voulais pas emprunter la route des esclaves en fuite et chercher refuge auprès des Indiens ou des Espagnols dans le sud. Me cacher dans les marécages et les forêts ne me rapprocherait pas de l'Afrique. Le seul choix que j'avais était de continuer d'écouter, d'apprendre et de lire. Peut-être un jour comprendrais-je suffisamment le monde de l'homme blanc pour découvrir comment le quitter.

PAROLES TARDIVES D'UNE NOURRICE

Les années passaient, et je poursuivais mon travail de sage-femme à mon propre compte, mais les pertes ne cessaient de s'accumuler dans ma vie. Après avoir été vendue aux Lindo à Charles Town, je ne revis plus jamais Georgia. Un jour, j'appris la triste nouvelle par le filet de pêche : Georgia était morte dans son sommeil, d'un mal inconnu. Mon compatriote Fomba avait été tué par un patrouilleur. Il pêchait dans sa yole la nuit tombée quand un boukra l'interpella pour qu'il donne son identité. Fomba n'avait jamais recouvré la parole, et le patrouilleur l'avait tué d'une balle dans la tête. Au lieu de m'habituer au chagrin, je trouvais que chaque blessure rendait la suivante pire encore.

À l'automne de 1774, près de treize ans après mon arrivée chez les Lindo, une épidémie de variole emporta quelque deux cents personnes de Charles Town, parmi lesquelles Mme Lindo, Dolly, et leurs fils. Écrasés de douleur, Solomon Lindo et moi nous parlions à peine. Lorsqu'il passait près de moi en arrivant à la maison ou en partant, en général accompagné d'un homme de sa synagogue, c'était comme s'il ne me voyait pas.

Titubant dans la brume de sa détresse, au moins Solomon Lindo avait-il des amis qui venaient lui rendre visite et lui apportaient de la nourriture, mais je n'avais personne pour me consoler de tous mes deuils. Il était interdit aux Noirs de venir en visite dans le logis des domestiques, et la plupart des personnes avec qui je m'étais liée au fil des années n'étaient plus là : ils étaient soit partis avec leurs propriétaires qui les amenaient où bon leur semblait, soit morts des fièvres ou de la variole.

Je ne pouvais m'empêcher de penser à Dolly et à son fils, qui avaient été mes compagnons de tous les jours pendant toutes ces années à Charles Town. Dolly s'était occupée de moi comme une mère, préparant mes repas et nettoyant mes vêtements, et chaque fois que je lui offrais quelque chose qu'on m'avait donné pour mon travail de sage-femme – une boîte miniature en merisier, une petite bouteille de rhum des Antilles – son visage s'illuminait comme celui d'un enfant. Elle gardait la bouteille avec ses chaussures à boucles racornies, les examinant de temps en temps comme s'il s'agissait de vieux amis.

Dolly s'était montrée incroyablement fière de me voir lire et écrire. Parfois, quand je lisais dans notre maison, la journée terminée, elle s'allongeait à mes côtés et s'endormait la main sur mon bras. Elle n'avait jamais ouvert un livre, mais elle aimait s'asseoir près de moi et me regarder apprendre à lire à son fils Samuel. Comme résultat de nos leçons du soir, celui-ci savait lire dès l'âge de dix ans. « T'as donné lui la seule chose que j'peux pas donner lui. »

Perdre Mme Lindo me plongea également dans une grande peine. Au cours de mes années de service, jamais elle n'avait levé la main sur moi. J'avais confiance en elle plus qu'en toute autre personne blanche, et j'en étais venue à m'occuper de son fils David comme s'il avait été le mien.

Après la mort de Dolly, de Samuel et de David, Mme Lindo avait contracté la fièvre elle aussi. Son corps s'était couvert de pustules qui lui causaient d'indicibles souffrances aux talons et aux paumes. Il n'y avait plus que moi pour prendre soin d'elle et, par la façon dont les pustules se répandaient, attaquant son visage, son cou, son dos, je savais que ses jours étaient comptés.

Je pleurai sa disparition une semaine entière. Il m'était interdit d'observer la shiva ou de dire aux gens de la maison combien j'avais aimé Mme Lindo. Le seul moyen qu'il me restait pour lui faire mes adieux, c'était d'épousseter et de caresser chacun des livres qu'elle m'avait donnés au fil des ans. Il y a longtemps, elle avait décidé de m'offrir, chaque mois, un livre et une bouteille d'huile de baleine pour ma lampe. J'avais rangé les livres en treize piles – une pour chaque année de service auprès d'elle – dans un coin de la maison au fond de la cour. C'était un endroit sûr, car aucun Blanc ne vint jamais dans la pièce où je dormais. J'avais ainsi monté ma propre petite bibliothèque et, parfois, je lisais jusqu'à une heure avancée de mes longues nuits de solitude, pendant que Dolly et Samuel dormaient.

Avant de quitter la chambre de Mme Lindo pour la dernière fois, jamais je n'avais imaginé que je pourrais déplorer la mort d'une personne blanche. Jamais je n'avais cru possible que mon cœur saignerait pour l'une d'elles.

Pendant une semaine, Solomon Lindo accueillit dans sa maison des membres de sa synagogue, et des visiteurs continuèrent de passer presque chaque jour pendant un mois. Des femmes apportaient des mets de toute nature, et la sœur de Solomon Lindo – petite femme austère du nom de Leah, que ma simple présence semblait offenser – venait souvent surveiller la maison.

Quelques semaines après la mort de Mme Lindo, son mari et moi passâmes un rare moment seul à seule.

« Tous ces gens qui vont et viennent, dit-il, c'est suffocant. »

Au moins avait-il ses proches, avec qui il pouvait casser la croûte et pleurer. Moi, je n'avais personne.

Les habitants de Charles Town traversaient des temps difficiles. L'argent était plus rare que jamais, et le gouvernement britannique avait promulgué des lois interdisant d'utiliser la monnaie de papier en Caroline du Sud. Les gens étaient si furieux de la façon dont les Britanniques contrôlaient l'expédition et la vente du thé qu'ils refusaient d'en boire chez eux. D'énormes quantités pourrissaient sur les quais de Charles Town. Lindo et ses amis imputaient leurs problèmes aux Britanniques et craignaient que la guerre ne se déclenche si les choses ne s'amélioraient pas. Lindo m'avait confié que le prix de l'indigo de la Caroline équivalait à peine à la moitié de celui du Guatemala et des Antilles françaises, et que les propriétaires de plantation parlaient de passer à d'autres cultures. Par surcroît, la fièvre, la syphilis et la variole maintenaient les gens dans un état constant de frayeur et d'agitation. Les Charlestoniens avaient souvent peur de se serrer la main ou de quitter leur maison. Pendant un certain temps, les autorités municipales tentèrent d'enrayer la maladie en empêchant les vaisseaux négriers d'accoster l'île Sullivan.

En janvier 1775, quelques mois après que l'épidémie de variole eut fait ses ravages, Solomon Lindo me dit qu'il partirait pour New York où il passerait un mois dans l'espoir de convaincre les autorités britanniques de maintenir les subventions gouvernementales aux producteurs d'indigo de la Caroline. Il disait que la pâte d'indigo servant à la teinture se vendait si mal sur les marchés internationaux que la production pouvait être réduite à néant en Caroline si les subsides britanniques étaient diminués ou supprimés.

Après le départ de Lindo, sa sœur Leah s'installa dans la maison, mais elle prenait ses repas seule et ne fit aucun arrangement pour moi en ce sens.

« Il n'y a rien à manger, lui dis-je le lendemain du départ de Lindo par bateau.

— Ne travailles-tu pas à ton compte ?

— Oui.

— Tu peux donc t'acheter de quoi manger. Je ne vais pas gaspiller du temps ou de l'argent pour toi et, à mon avis, mon frère ne demandera à personne d'autre de s'occuper de toi. »

Quand j'essayai d'entrer dans la maison pour prendre quelques livres que Mme Lindo y avait laissés, la sœur de Lindo refusa de déverrouiller la porte. N'ayant rien à lire ni à manger, j'errais par les rues toute la journée, essayant de soutirer des fruits, des arachides et des morceaux de viande cuite aux femmes que j'avais connues au marché. Le soir, j'achetais parfois du poisson grillé qu'on vendait derrière une taverne où des hommes blancs cherchaient des mulâtresses.

Il était presque impossible de trouver des pièces de monnaie, de sorte que, dans les marchés, même les petits articles faisaient l'objet de troc. C'est avec nostalgie que je me rappelais les leçons sur la monnaie que Lindo m'avait données des années auparavant. Il semblait que j'avais eu raison. Les poulets étaient plus fiables que l'argent. J'avais rarement des poulets à échanger, mais je troquais les produits que je recevais des juifs et des anglicans pour avoir aidé aux accouchements de leurs femmes ou de leurs esclaves.

Quelques nouvelles mères me donnèrent de petites quantités de rhum, et une femme riche m'offrit une boîte remplie de cinquante flacons de verre. De prime abord, je me sentis flouée. À quoi pourrait bien me servir une boîte de bouteilles vides ? Mais une fois rentrée chez moi, j'ouvris la boîte et constatai que le verre, décoré de veines ondulées de couleur bleue, était d'une beauté extraordinaire. Les petits flacons pouvaient contenir environ deux onces de liquide, mais ils avaient tous des formes différentes : certains étaient cylindriques, d'autres sphériques, d'autres cubiques et d'autres encore légèrement ovoïdes. Je les remplis de deux onces de rhum chacun et les fermai avec un bouchon de liège.

Pendant des mois, j'utilisai ces élégants flacons au verre lisse orné de lignes bleues pour faire des achats au marché. Les vendeurs noirs raffolaient du rhum et conservaient les flacons, car ils croyaient que souffler dans du verre bleu leur porterait chance. Quand ils me voyaient venir, ils m'appelaient la Fille au verre bleu, et mes flacons devinrent une monnaie d'échange parmi les autres acheteurs et vendeurs.

Je dormais dans la maison des domestiques et me sentais horriblement seule sans Dolly et son fils. Être obligée de dormir seule me semblait une violation de la nature humaine. Parfois, je trouvais consolation en pensant à mes parents à Bayo, ou à Georgia, à sa chaleur et à ses ronflements dans le lit que je partageais avec elle à la plantation d'Appleby. Lorsque le sommeil tardait à venir, je relisais mes livres jusqu'à une heure avancée de la nuit en pensant aux êtres chers – Georgia, Chekura, Mamed, Dolly et Mme Lindo – qui faisaient encore partie de ma vie quand je les avais lus la première fois.

Une nuit, j'entendis des pas au rez-de-chaussée. Je sortis du lit d'un bond et me couvris de mon pagne. « Qui est là ? criai-je.

— Aminata ? »

Un homme m'appelait à voix basse.

Je restai immobile. Quand donc quelqu'un m'avait-il appelée par mon nom africain la dernière fois ?

Chekura apparut sur la dernière marche, et je me jetai dans ses bras. Mes mains serrèrent son dos, et je posai mes orteils sur les siens. Je retrouvais mon enfance dans sa chair et mon pays dans sa voix. Je restai accrochée à lui pendant de longues minutes, quasi effrayée de découvrir l'homme qu'il était devenu.

Qu'arriverait-il si je ne retrouvais plus le garçon qui m'avait aidée à rester en vie pendant la longue marche jusqu'à la côte de l'Afrique, ou le jeune homme qui m'avait épousée et donné un fils ?

Il avait perdu ses cheveux, et son crâne chauve luisait. Il était toujours mince, à peine plus lourd que moi, et un peu plus grand de quelques pouces seulement. À sa main gauche, il manquait la moitié du majeur, mais il avait le même sourire que celui qu'il avait affiché presque toujours pendant notre périple en Afrique. J'adorais la lumière de ses yeux et l'expression de sa bouche quand il me regardait. Nous reprîmes notre conversation comme si nous nous étions quittés la veille.

« Comment m'as-tu retrouvée ?

— J'ai demandé où était la maison de Lindo le juif.

— Comment es-tu arrivé à Charles Town ?

— Avec un homme qui apporte des basses terres son butin de tabac et de rhum pour le vendre au marché de Charles Town.

— Combien de temps peux-tu rester ?

— Cette nuit seulement. Mais il se peut que je puisse revenir une fois ou deux par mois.

— Une fois ou deux », dis-je en lâchant sa main et en m'asseyant sur le lit.

Il s'assit à côté de moi et posa sa main sur la mienne. Je retirai ma main. Il la reprit, mais je la repoussai fermement. « Non, dis-je, tu ne peux pas me faire ça. Tu m'as manqué plus que tu ne peux t'imaginer. Mais tu ne peux pas grimper dans mon lit avec la promesse que tu pourrais revenir 'une fois ou deux'.

— As-tu quelque chose à manger ?

— Je mange en ville. Il n'y a rien à manger ici. Lindo est parti. »

Il fit glisser ses doigts recourbés le long de mon cou.

« Tu pourrais donc venir avec moi, et il ne saurait pas que tu es partie. »

Je détournai mon visage. « Tu veux que je m'enfuie avec toi dans les basses terres ? Et ton propriétaire ?

— Il pourrait me laisser partir une journée ou deux. Je connais des endroits où nous pourrions être seuls.

— Une journée ou deux, ce n'est pas ce que je veux avec toi.

— Parfois, une journée ou deux, c'est tout ce que nous pouvons avoir. »

Nous restâmes silencieux pendant quelques instants.

« J'ai épousé l'homme que j'aime.

— Et j'ai épousé la femme que j'aime.

— Veux-tu encore de moi ?

— Je n'ai jamais cessé de vouloir de toi.

— Tu n'es même pas venu me voir après qu'ils m'ont enlevé Mamadou. »

Chekura s'allongea sur le lit, m'attira à lui et me murmura à l'oreille : « Mon maître de l'île Lady m'a envoyé en Géorgie pendant trois ans. J'étais parti avant que Mamadou ne soit vendu. »

Je m'écartai pour bien scruter son regard. Il me sourit et passa ses doigts dans mes cheveux.

« Mon maître et le tien se connaissaient. Ils m'ont éloigné pour ne pas avoir de problèmes. »

Je pris ses mains dans les miennes. « Pendant tout ce temps, j'étais convaincue que tu allais me blâmer.

— Te blâmer de quoi ?

— D'avoir perdu notre enfant. »

Chekura me prit dans ses bras et me serra contre lui. « Quelle mère pourrait être blâmée pour avoir perdu son enfant ? »

Nous étions couchés côte à côte et j'avais posé la main sur sa cuisse. « Qu'est-ce qu'ils t'ont fait faire en Géorgie ?

— Planter du riz. C'est pire que l'indigo. Bien pire.

Tu travailles toujours dans l'eau. Si tu ne travaillais pas assez dur, tu étais fouetté. Et si tu travaillais dur, tu crevais. Je suis resté là pendant trois saisons. »

Chekura approcha mon visage de sa poitrine et murmura : « Quand ils m'ont renvoyé à l'île Lady, je savais que tu étais à Charles Town. Mais il était interdit de voyager et de faire du commerce. Des sentinelles empêchaient les Noirs de se déplacer la nuit. Je réussis à déjouer les sentinelles, mais je tombai dans un piège à hommes. »

Je m'écartai de sa poitrine pour lire dans ses yeux. Je pris sa main et la caressai, puis touchai son demi-doigt.

« Ma punition », dit-il.

J'embrassai ses neuf doigts intacts et restai plus longtemps sur le dixième, caressant de mes lèvres la moitié restante. J'éprouvais un amour intense pour cet homme, mais songeais à ce que je ressentirais s'il pénétrait mon corps, puis disparaissait pendant quatorze autres années.

« Tes yeux sont aussi ronds que des glands, et tes lunes sont magnifiques. »

Je pensais à la fière allure que j'avais dans la vingtaine, quand je repoussais les avances odieuses des hommes soûls de Charles Town – Blancs ou Noirs – et que je devais supporter les regards de Solomon Lindo et des rares amis qu'il invitait chez lui pour qu'ils se rincent l'œil. À trente ans, je n'avais rien à moi. Pas de fils. Pas de famille. Pas de pays. Et même ma beauté allait bientôt se faner.

« Ne sois pas triste, dit Chekura en caressant mes bras. Personne n'a traversé l'Atlantique avec des lunes aussi belles que les tiennes sur son visage. Pendant toutes ces années où tu me manquais, j'attendais chaque nuit de voir luire le moindre croissant de lune. Ces nuits-là, une fois ou deux par mois, par temps clair, je sentais que tu étais avec moi. »

Je fondis en larmes. Chekura me prit dans ses bras et me serra fort. Quand mes pleurs devinrent de faibles gémissements, je sentis sa poitrine se soulever et s'abaisser régulièrement. Je restai éveillée longtemps après que Chekura eut commencé à ronfler, me demandant s'il allait être encore là à l'aube. Je fus la première à m'éveiller et je le trouvai étendu près de moi, sa main dans la mienne. Je la pressai contre ma poitrine. Un jour, nous avions sauté le balai, un jour nous avions conçu un fils et un jour j'avais espéré que nous restions ensemble.

Chekura s'éveilla et trouva nos mains réunies. Il se tourna vers moi.

« Un mari a besoin de sa femme. Veux-tu m'aimer maintenant ? »

La douce lumière du matin nimbait son visage, et je remarquai quelques rides au coin de ses yeux. Cet homme avait un jour marché à mes côtés pendant trois lunes, pendant tout le trajet jusqu'à la côte de notre pays. Cet homme avait risqué sa vie plus d'une fois pour me rendre visite la nuit dans les champs d'indigo de l'île Santa Helena. Cet homme avait perdu la moitié d'un doigt et tous ses cheveux, mais pas son amour pour moi. Un désir longtemps enfoui grandissait au creux de ma gorge. Je fus submergée par la même vague brûlante et mouillée qui m'avait envahie pendant les milliers de nuits passées loin de Chekura, mais cette fois, mon homme était avec moi et il était à moi.

Je ne savais pas quand j'allais le revoir et je voulais savourer chaque instant dont nous disposions. Léchant et touchant chaque pouce de sa peau, je me prélassais dans son odeur et sa sueur et sentis ma passion culminer sous sa langue et ses doigts qui me caressaient et me dévoraient. Nos lèvres s'unirent. Je fis entrer en moi l'extrémité de son sexe, et nous restâmes ainsi à nous embrasser, à nous lécher et à nous bercer doucement. Je gémis lorsque ses lèvres chatouillèrent mes mamelons et que son pouce glissa sur ma féminité gonflée et durcie. Chekura se cambra et s'enfonça au plus profond de moi. Chacun humait la vie de l'autre. La musique de sa respiration haletante m'amena au sommet de mon propre plaisir. Une fois, deux fois, trois fois, je tressaillis quand mon mari se déversa en moi et que nos cris se mêlèrent. Nous restâmes collés l'un à l'autre longtemps, à bout de forces, et nous nous embrassâmes une fois encore avant de retomber endormis.

Chekura me réveilla en me caressant les joues. Il me souriait doucement, et je savais qu'il devait partir bientôt. « Sais-tu ce qui est arrivé à Mamadou ? demandai-je.

— Il a été vendu en Géorgie.

— Qui te l'a dit ?

— Différentes personnes. Les nouvelles sont venues par le filet de pêche.

— Comment se fait-il que tu aies su cela et moi jamais ?

— Je travaillais en Géorgie. J'ai passé trois longues années là-bas. Dans la plantation de riz, on m'a dit qu'il avait été vendu et, plus tard, que tu avais été toi-même vendue. Quand j'ai appris cela, j'ai pensé me noyer. »

Je caressai le dos de sa main. « Tu gardais l'espoir de revoir ta femme.

— C'est peut-être ça qui m'en a empêché. »

Chekura s'assit en tailleur sur le lit. « Je n'aime pas ce Lindo. Il te laisse ici toute seule, sans prévoir de nourriture pour toi pendant son absence.

— Il est meilleur que bien d'autres. Ne m'a jamais battue, ça, je peux le dire.

— J'ai entendu parler de Lindo par le filet de pêche.

— Qu'est-ce qu'on disait de lui ?

— C'était peu de temps après que Mamadou a été vendu. Je savais que tes amis à Santa Helena et dans les îles voisines cherchaient à savoir où on l'avait emmené. Quand j'étais en Géorgie, je m'informais à son sujet où que j'aille. Chaque fois que je rencontrais un Noir, j'en glissais un mot dans le filet de pêche. Quelqu'un, quelque part, devait savoir où était mon fils. Un an ou deux après, il y eut une réponse : Mamadou avait été vendu à une famille en Géorgie, à Savannah. J'avais l'intention de continuer mes recherches par le filet de pêche. J'aurais fini par trouver la famille et tuer quelqu'un. Mais la variole s'est propagée dans la ville et notre bébé est mort.

— Il est mort ? »

Je saisis la main de Chekura et la serrai fort.

« Un an environ après avoir été vendu.

— Il était dans quelle sorte de famille ?

— Je ne sais pas son nom, mais c'est Solomon Lindo qui a arrangé la vente.

— Comment sais-tu que c'était lui ?

— Par le filet de pêche. C'était une riche famille blanche de Savannah. Ils avaient une nourrice esclave dans leur maison. Une nourrice née en Afrique. Quand notre bébé à la peau noire est apparu tout seul, sans parents, la nourrice a lancé la nouvelle dans le filet de pêche.

— Qu'a-t-elle dit exactement ?

— L'homme qui avait organisé la vente s'appelait Lindo, le juif de l'indigo. C'est ce que j'ai entendu dire. La nourrice a dit que "le juif de l'indigo" se trouvait chez la famille à l'arrivée du bébé. On lui a donné de l'argent, puis il est parti. »

Je me précipitai dans l'escalier et m'enfermai dans les cabinets. Je sanglotai jusqu'à me mettre à tousser, puis à vomir. Vidée et hébétée, je finis par retourner en haut. Chekura n'avait pas bougé d'un poil.

« Et le bébé est mort ? Es-tu sûr qu'il est mort ?

— Je l'ai entendu dire à trois reprises par le filet de pêche. Trois personnes qui ne se connaissaient pas m'ont fourni le même renseignement. Il savait que j'étais le père du bébé qui est arrivé sans parents à Savannah, et ils connaissaient la nourrice. C'est elle qui avait informé chacune de ces personnes. Elle a dit que le bébé avait succombé à la variole en 1762. »

Je demeurai assise et silencieuse pendant un long moment. Puis, Chekura me dit qu'il ne pouvait pas rester plus longtemps. Il avait rendez-vous avec son homme à midi, dans Broad Street.

Nous marchâmes en ville tous les deux. J'échangeai un flacon bleu rempli de rhum contre deux morceaux de bar grillé, deux petits pains et deux oranges à une vendeuse du marché du matin. Nous mangeâmes parmi la foule de Noirs, de mulâtres, de métis et de Blancs.

« Veux-tu que je le tue ? demanda Chekura.

— Tu vas tuer Appleby aussi ? Et chacun des hommes blancs qui nous ont amenés ici ?

— Non, seulement Lindo. Ici, en ville, je pourrais mettre la main dessus. Je pourrais venir une nuit sans que personne ne me voie.

— Personne ne te verrait, mais moi je saurais. Le tuer ne nous ramènera pas notre bébé. Je veux que tu restes en vie et je veux que tu restes honnête.

— Tu veux que je reste honnête ?

— Il y a eu suffisamment de tueries dans nos vies. De toute façon, tu n'es pas un tueur. Tu es encore ce morveux trop stupide pour t'enfuir avant qu'ils ne t'enchaînent et t'embarquent sur le bateau.

— J'aurais pu m'échapper des mains des ravisseurs, mais je savais que tu allais traverser le grand fleuve et je voulais aller avec toi. »

J'esquissai un petit sourire. « Bien essayé ! dis-je sur un ton moqueur. Tu étais stupide mais honnête. Si tu restes honnête, reviens et reste un peu plus longtemps. On ne sait jamais. Je pourrais te prendre pour mari.

— C'est maintenant que tu me le dis. »

Il me regarda longuement, amoureusement, m'étreignant des yeux aussi solidement et aussi férocement qu'un homme peut le faire avec son corps.

Le moment était venu pour Chekura de partir. À midi, il devait rejoindre un homme, celui qui lui avait donné le congé d'une nuit et que Chekura devait guider dans les cours d'eau des basses terres. J'écartai les doigts et les nouai aux siens. Ensemble, nos mains ressemblaient à la charpente d'une maison. Je pressai un peu plus fermement le bout de ses doigts, qui étaient restés lisses et veloutés malgré les années. Quand Chekura souriait, je pouvais voir des crevasses profondes à la commissure de ses lèvres.

« Au revoir, ma femme adorée. »

Un homme blanc nous surveillait de l'autre côté de la rue. Ce devait être le propriétaire de Chekura.

Je n'arrivais pas à sourire. Je n'avais plus de mots. Je pressai le bout des doigts de Chekura encore une fois. Puis, mon homme disparut.

Solomon Lindo rentra chez lui après un mois d'absence. Pendant ce temps, j'avais aidé à deux accouchements, mais n'avais reçu qu'un flacon de rhum, un petit sac de tabac et une verge de tissu teint à l'indigo.

Lindo renvoya sa sœur chez elle, passa la journée dans ses affaires, puis m'appela dans son bureau. « J'ai examiné les comptes. Tu me dois deux livres. »

J'évitai son regard.

« Je m'attends à ce que tu me répondes quand je te parle. »

D'une voix monocorde, je répondis : « Vous me devez beaucoup plus que de l'argent.

— Tu dois me payer dix shillings par semaine, mais pendant mon absence tu n'as rien laissé à ma sœur.

— Je n'ai rien à vous donner. Et j'ai autre chose à l'esprit. »

Lindo poussa un grognement. « J'ai perdu mon poste d'inspecteur officiel de l'indigo. Veux-tu savoir pourquoi ? »

Je ne répondis pas à sa question. Ses problèmes d'indigo me laissaient froide.

« Parce que, poursuivit-il, la production d'indigo est insuffisante pour justifier mes inspections. Si je ne réussis pas à convaincre les Britanniques de montrer plus de générosité et si le prix de l'indigo ne remonte pas sur les marchés internationaux, l'économie de la Caroline fondée sur l'indigo va s'effondrer.

— Et quel rapport y a-t-il avec moi ? »

Il donna un coup de poing sur le bureau. « Je t'habille et te nourris, vociféra-t-il. Tu vis mieux dans cette maison que n'importe quel domestique de cette ville. Il n'y aura aucun vêtement, ni repas, ni profit, ni soutien jusqu'à ce que tu rendes ce que tu me dois. Dix shillings par semaine, pas un penny de moins.

— Je ne peux pas vous donner de l'argent si je n'en gagne pas.

— Dans ce cas, tu ne sortiras plus à moins d'être appelée comme sage-femme ou pour exécuter d'autres tâches que je te confierai.

— Vous allez commencer à m'appeler 'esclave' au lieu de 'domestique' ? »

Il me saisit le poignet et m'attira vers lui. Je pouvais sentir son haleine souffler sur mon front. « Tu vas faire la cuisine et m'obéir.

— Certainement pas. »

Je tentai de libérer mon poignet, mais Lindo le tenait fermement. De l'autre main, il me gifla, puis me lâcha. Ma joue brûlait. Je le regardai fixement dans les yeux jusqu'à ce qu'il détourne la tête.

« Pardonne-moi, dit-il doucement, les yeux baissés. Je ne sais pas ce qui m'a pris. Je ne suis plus moi-même depuis que Mme Lindo n'est plus là.

— Vous ne pouvez pas imputer tous vos problèmes à votre malheur. » Quand il leva les yeux, j'ajoutai : « Vous avez vendu mon fils.

— Je ne sais pas de quoi tu parles. C'est Robinson Appleby qui a vendu ton fils.

— Vous l'avez aidé. Et vous avez été payé pour faire cela. Vous avez vendu mon fils à une famille de Savannah, en Géorgie.

— Qui t'a dit ça ?

— Vous êtes un drôle de juif. Et vous dites que vous n'êtes pas un Blanc.

— Tu as fouillé dans mes papiers ? »

Je craignais qu'il me frappe ou qu'il déchire mes vêtements et se jette sur moi. Je craignais qu'il me mette à la porte et me laisse me débrouiller seule dans les rues de Charles Town. Mais Solomon Lindo ne fit rien de tout cela. Il s'affaissa dans son fauteuil et me pria de m'asseoir. Je refusai et restai debout, les bras croisés.

« Je ne m'attends pas à ce que tu comprennes, mais tu ne connais pas toute la vérité. »

Je n'avais plus rien à dire, car Solomon Lindo et ses vérités ne m'intéressaient guère.

AU COURS DES SEMAINES SUIVANTES, Lindo affichait de la lourdeur dans ses mouvements et travaillait à contrecœur. Nous avions conclu une paix précaire. Je ne le payais plus, et il ne me procurait plus ni nourriture ni vêtements, ni huile de baleine, ni assistance de quelque nature, outre le droit de dormir en paix dans la maison des domestiques.

Les juifs de Charles Town ne m'engageaient plus comme sage-femme, et les anglicans propriétaires d'esclaves ne me rétribuaient qu'avec de très petites quantités de rhum et de tabac, que je troquais avec difficulté dans les marchés de la ville. Je dus enrouler plus serré autour de ma taille et de mes hanches le dernier morceau de tissu rouge convenable, et il commençait à s'effilocher.

Solomon Lindo ne me confiait plus la tenue de ses livres et commença à prendre ses repas chez sa sœur. Pour la première fois depuis mon arrivée à Charles Town, j'éprouvai les tourments de la faim tous les jours. Dans les marchés, les Blancs se plaignaient d'être devenus les esclaves du roi d'Angleterre, mais j'avais cessé d'écouter leurs lamentations. *Liberté pour les Américains. À bas l'esclavage.* Ils ne parlaient pas de l'esclavage que je connaissais ni de la liberté à laquelle j'aspirais, et tout cela me semblait ridicule.

Contre toute raison et toute logique, j'attendais et espérais le retour de Chekura. Il avait dit qu'il pourrait revenir. Mais aucune voix ne prononçait mon nom africain, aucun pas ne grimpait l'escalier la nuit pour me retrouver. Je le cherchais dans les rues et les marchés, mais il restait introuvable. Je consultai même les journaux de Charles Town, au cas où quelqu'un aurait annoncé un « serviteur » en fuite du nom de Chekura. Or, les journaux racontaient plutôt que les Britanniques s'étaient emparés des terres espagnoles du sud. Dans cette ville hostile et la région des basses terres hautement surveillée par des sentinelles, des gardes, des pièges à homme et des propriétaires de plantation prêts à abattre les délinquants noirs, je savais qu'il était peu probable que Chekura puisse revenir à Charles Town en sécurité ou que je puisse passer inaperçue en me rendant à l'île Lady. Impossible d'aller ni de se cacher nulle part.

Trois mois après son retour de New York, Solomon Lindo me fit venir dans son salon. Je n'avais pas mis les pieds chez lui depuis une éternité et je ne me rappelais pas la dernière fois que j'avais mangé à ma faim.

« Il semble que nous souffrons tous les deux, et je vais mettre fin à cette impasse. Je dois me rendre à New York de nouveau. J'ai une dernière occasion de défendre les subventions pour l'indigo. »

Lindo me tendit un plateau de pain, de fromage et de fruits, ainsi qu'un ballot de vêtements. « Prends cette nourriture et ces choses pour te vêtir, car j'ai tort de te laisser t'étioler. »

Je croyais qu'il allait me vendre, mais l'homme qui alléguait n'être pas un Blanc me surprit encore une fois. « Le bateau part demain matin à dix heures. Sois prête à huit heures pile. J'ai décidé de t'emmener. Nous serons partis pendant un mois. Je m'assurerai que tu aies de quoi manger et que tu sois vêtue convenablement pour affronter le climat nordique. Tu écriras des lettres, tiendras mes livres et feras des courses. Peut-être allons-nous pouvoir réparer nos blessures. Laisse-moi maintenant, s'il te plaît, car j'ai du travail à finir. »

Je décidai de partir avec lui le lendemain matin. Ce serait mon Exode. Avec un brin de chance, je ne reviendrais jamais dans la province de Caroline du Sud.

LIVRE TROIS

LES PAYS MOINS BÉNIS QUE TOI

[Londres, 1804]

Les abolitionnistes craignent que mes jours ne soient comptés, et je ne peux pas leur donner tort. C'est comme si on avait accordé à mes poumons un nombre précis de respirations. Et maintenant que la fin approche, je peux presque discerner ce nombre inscrit dans les volutes des nuages au coucher du soleil. Le matin, je me réveille un peu inquiète. Le coucher du soleil reste dans mon esprit toute la journée, mais j'essaie de ne pas m'y attarder, de crainte qu'il m'empêche de voir chaque nouveau jour comme un cadeau. Je n'ai pas connu Dieu au sens où l'entendraient un musulman, un juif ou un chrétien, mais le matin, je trouve du réconfort en imaginant une voix douce me dire : *Vas-y, c'est cela, prends une journée de plus.*

Je ne m'épuise plus à la tâche ni ne m'échine toute la journée pour remplir mon estomac ou m'abriter, et il m'est facile d'apprendre quelque chose de nouveau chaque jour. Ainsi, j'ai découvert récemment ce qui se produit quand les gens se rendent compte qu'ils pourraient ne plus vous revoir. Ils s'attendent à ce que vous fassiez preuve de sagesse. Et ils veulent vous avoir près d'eux lors d'événements marquants.

Hier, le jovial abolitionniste – sir Stanley Hastings, pour le reste du monde – a finalement réussi à me convaincre de l'accompagner à l'office du dimanche. Il me l'avait demandé à plusieurs reprises, et je ne pouvais plus me défiler.

Nous sommes allés à son église qui, selon lui, est le seul temple respectable de la ville. Fidèle à sa parole, il m'a surveillée pendant toute l'épreuve et m'a soutenue sur tous les plans. À l'entrée, quand nous sommes passés sous la voûte de pierre peuplée d'échos immémoriaux, des hommes et des femmes de tous les horizons, coiffés de toutes les perruques et de tous les chapeaux imaginables, se sont attroupés autour de moi pour faire connaissance.

« Nous avons entendu dire qu'ils vont vous faire comparaître sous peu, dit l'un d'entre eux.

— Il paraît que la commission parlementaire va bientôt se réunir, dit un autre.

— Nous avons appris que vous pouvez citer Voltaire et Swift, dit un troisième.

— Seulement quand mes propres mots me manquent », ai-je répliqué, ce qui a soulevé des éclats de rire.

Lorsque l'évêque s'est levé, j'ai pu enfin reposer mon dos fatigué sur un banc. Au premier rang, rien de moins. Sir Stanley m'a chuchoté à l'oreille que derrière nous se pressaient près de mille personnes, et j'avais l'impression que deux fois ce nombre d'yeux scrutaient la peau brun foncé de mon cou. Inutile de préciser que j'étais la seule personne au teint de cette couleur dans l'enceinte sacrée. Je trouvais assommant d'être toisée par l'évêque en chaire et tous les congrégationalistes assis derrière moi. Tout ce que je voulais, c'était me retirer dans le confort et la solitude de ma chambre pour dormir. Mes paupières étaient lourdes comme des briques, mais je me suis efforcée de garder les yeux ouverts. Pour rien au monde je n'aurais voulu offenser mon brave hôte ; je suis donc restée assise aussi droite et immobile que les anglicans blancs de Londres, rêvant tout éveillée d'un lit douillet et d'un oreiller de plumes.

Le peuple de Grande-Bretagne et ceux d'autres pays de navigateurs ont conçu d'indicibles châtiments pour les enfants de Cham, mais, dans cette église, aucun ne me semblait pire que cette torture qu'ils se sont infligée à eux-mêmes : rester assis, sans bouger, avec l'interdiction de dormir, dans une pièce sinistre aux voûtes de pierre et aux fenêtres condamnées, tandis qu'un petit homme les entretenait d'une voix monocorde pendant la majeure partie de cette heure détestable.

Je faisais de mon mieux pour tenir le dos bien droit. Je me disais que, si je fermais les yeux seulement à moitié, personne ne pourrait savoir que je m'évadais dans des rêves d'autres pays et d'autres époques. Je pensais à ma mère, qui me paraissait si sage et si vieille quand je n'étais qu'une enfant. Même lorsqu'on gravit les dernières marches de la vie, on aspire toujours à se laisser bercer doucement dans les bras d'une mère. Se laisser bercer. Mon corps se berçait. Pendant un instant, j'ai revécu un cauchemar : le bercement dans les bras d'une mère s'est transformé en roulis de bateau. J'ai chancelé sur le banc. La main de sir Stanley m'a effleuré le bras. Je me suis redressée, en sueur, inquiète, embarrassée. Mes yeux se sont écarquillés. La voix de l'évêque bourdonnait toujours. Ce timbre de voix n'a dû être inventé que pour donner à une femme vieillissante l'envie de dormir.

Autour de moi, les gens se sont levés tous ensemble, et j'ai fait de même. Je suis restée debout pendant qu'ils priaient, j'ai attendu pendant qu'ils chantaient, je me suis agenouillée comme eux et me suis rassise sur le banc avec toute la grâce dont j'étais capable. Pas étonnant qu'il n'y ait eu aucune personne d'origine africaine dans l'église. Si la chose avait été permise, aurait-elle pu endurer cette heure de purgatoire ?

Se pouvait-il que chaque oreille anglicane reste à l'écoute de ce marmonnement constant de l'évêque, qui abordait maintenant la résurrection et l'éternité ? J'ai entendu quelque chose sur les Israélites et la terre promise, mais tout mon corps aspirait à la position horizontale. Bientôt, je vais me jeter dans un lit pour ne plus me relever. Mais pas tout de suite. Mes yeux se sont ouverts un peu plus grand. *Pas tout de suite, s'il vous plaît.*

J'aurai besoin d'énergie pour parler devant la commission parlementaire. Ce jour-là, j'aurai besoin de jambes solides et de l'élan de ma vieille passion. Hélas ! j'ai atteint cet âge vénérable où il est plus facile de parler que d'écouter. Soudainement, durant l'office, je me suis dit qu'un petit évêque anglican dont les yeux, les mains et les jambes restaient immobiles, et qui ne s'élançait pas dans les bras de Jésus était vraiment la dernière personne sur terre à qui donner le droit de parler à d'autres. On aura beau m'offrir mer et monde, jamais plus de mon vivant je ne remettrai les pieds dans une église anglicane. Si Dieu doit être louangé, je préfère que ce soit parmi les baptistes de Birchtown ou de Freetown. Au moins, eux, ils dansaient quand ils s'adressaient à Jésus et s'égosillaient assez fort pour garder éveillés ceux qui étaient à moitié morts.

J'ai réussi à garder le menton haut et les yeux suffisamment ouverts pour ne pas me faire remarquer. Il ne m'était guère agréable de rester assise bien tranquille dans l'église, mais ce n'était pas une raison pour embarrasser sir Stanley Hastings, sa femme et ses cinq enfants.

Vers la fin de l'office, j'ai été secouée de ma torpeur une dernière fois quand la foule s'est levée pour chanter. Je me suis levée moi aussi, bien réveillée cette fois. J'avais des élancements dans les talons. On aurait dit qu'on leur avait enlevé tous leurs coussinets et que mes pieds étaient faits d'os et seulement d'os. Pendant que je me tenais debout, vertueusement éveillée, mes talons et toutes les autres parties endolories de mon corps aspirant à voir se terminer l'office, un événement s'est produit, qui a atténué mon inconfort et m'a fait tendre l'oreille. J'ai entendu des voix. Mille voix. Les voix des braves anglicans vibraient à l'unisson.

Quand j'ai saisi la mélodie, elle m'a semblé vaguement familière. Un souvenir lointain, incroyable. Où l'avais-je entendue ?

> Quand la Bretagne, pour la première fois au
> [commandement du ciel
> S'éleva de l'océan azuré
> Voici quelle fut la charte du pays
> Et les anges gardiens chantèrent cet air...

Le chœur continuait pendant que je creusais dans ma mémoire. L'avais-je entendue à Charles Town ? Non. À New York ? Non plus. Où donc ?

> Règne, Bretagne ! Bretagne, règne sur les flots
> Jamais, jamais, jamais les Bretons ne seront esclaves...

Les Bretons? Des esclaves? Que signifiait ce charabia? J'ai dressé l'oreille de nouveau. Les mots n'avaient aucun sens. Mais ce n'étaient pas des paroles dont je me souvenais. C'était de la musique. Qu'était donc cette chanson, et comment diable se pouvait-il que je reconnaisse son élan et son ton optimiste?

> Les pays moins bénis que toi,
> Tomberont à leur tour sous la férule des tyrans ;
> Tandis que ta grandeur et ta liberté fleuriront,
> Dans la crainte et l'envie de tous ces pays...

J'ai essayé de m'attacher aux mots et de les retourner dans ma tête. *Les pays moins bénis que toi, Tomberont à leur tour sous la férule des tyrans.* J'ai jeté un coup d'œil à ma droite. Sir Stanley Hastings chantait avec enthousiasme, bouche grande ouverte comme un bébé rouge-gorge au printemps. Voilà le refrain qui revenait. Le chœur. Cette partie qui me semblait la plus familière de toutes. Un air qui soulevait la passion chez les bons fidèles anglicans et les faisait chanter joyeusement comme jamais je n'avais entendu des Blancs chanter.

Règne, Bretagne ! Bretagne, règne sur les flots
Jamais, jamais, jamais les Bretons ne seront esclaves...

Oui, bien sûr ! Je m'en souvenais. Ce n'était pas à New York, ni à Charles Town. C'était avant, bien avant. C'était sur le vaisseau négrier. Dans la cabine, sous les ponts, avec le médecin. Parfois, il se mettait à chanter, et je n'avais aucune idée de la signification des paroles. Peut-être était-il souffrant, peut-être même fou, car parfois, au milieu de la nuit, quand il avait abusé de la bouteille et souillé une autre femme de mon pays, il s'étendait sur son lit, les yeux tournés vers le plafond bas, puis, couvrant de sa voix sonore la rumeur des vagues et le claquement des voiles, il entonnait le refrain encore et encore.

En guise de public, il n'avait que le perroquet dans sa cage couverte d'une housse, et moi, étendue à ses côtés, paralysée d'effroi.

Règne, Bretagne ! Bretagne, règne sur les flots
Jamais, jamais, jamais les Bretons ne seront esclaves...

Ignorant l'anglais, non habituée à l'homme blanc, non encore femme mais dangereusement sur le point de l'être, je restais allongée aussi immobile que possible dans le lit du médecin en me demandant ce qu'il chantait. Qu'il chante, me disais-je, car ses mains ne me touchaient pas quand il chantait. Qu'il chante, me disais-je en espérant passer une nuit de plus hors de portée de ses doigts épais et poilus. Qu'il chante, me disais-je, ravalant ma honte qu'il abuse des femmes de mon pays. L'infortune de ces femmes avait été ma chance, leur supplice, ma délivrance.

> Règne, Bretagne ! Bretagne, règne sur les flots
> Jamais, jamais, jamais...

Jamais, jamais, jamais ont été les derniers mots que j'ai entendus, jusqu'à ce que je perçoive des cris d'alarme autour de moi. J'ai dû perdre conscience. Il est clair que sir Stanley Hastings m'a rattrapée avant que je ne m'effondre, car quand je suis revenue à moi, j'étais étendue sur le banc de bois. Enfin ! La position à laquelle j'aspirais depuis une heure entière. *Jamais, jamais, jamais...* Je n'étais plus avec le médecin, je n'étais plus à six pieds de la tombe la plus froide au monde. J'étais dans une église anglicane, allongée sur une surface dure, sous la protection de l'abolitionniste le plus respecté d'Angleterre. La main ferme de sir Stanley Hastings m'empêchait de tomber du banc. J'ai gardé les yeux fermés en me demandant que faire. Les anglicans étaient dans un état d'agitation vocale, et sir Hastings plus que les autres.

« Je vous en prie, Messieurs Dames, ne vous approchez pas. S'il vous plaît. Reculez. Notre noble invitée s'est évanouie, assurément en raison de l'exaltation de notre foi, mais n'ayez crainte. Nous allons la ranimer. Voilà. Je sens son pouls. Elle respire bien. Éloignez-vous, s'il vous plaît, et nous pourrons la secourir. Tout ce dont elle a besoin, c'est d'un peu d'air. »

J'ai gardé les yeux fermés jusqu'à ce qu'ils me portent à la lumière du soleil.

VA-ET-VIENT À HOLY GROUND

[Manhattan, 1775]

Solomon Lindo et moi montâmes à bord du *Queen Charlotte* à Charles Town. Pendant ces journées interminables en mer, les vagues se soulevaient, retombaient et formaient de l'écume à la crête, comme pour me dire *Tu ne reverras plus jamais la terre.* Les flots obscurs semblaient suffisamment menaçants pour nous anéantir tous dans leur froideur. Je craignais de me retirer dans ma cabine minuscule sous le pont, et je serais volontiers restée jour et nuit au-dessus du niveau de l'eau si l'atmosphère ne s'était pas refroidie à mesure que nous gagnions le nord. Chaque jour, Lindo tentait de me parler, mais j'évitais poliment toute discussion au sujet du travail qu'il pourrait me confier.

Des serveurs noirs vêtus de hauts-de-chausses blancs et de vestes rouges offraient du crabe bouilli et des arachides grillées aux marchands de Charles Town qui, à bord, étaient plutôt bien disposés envers eux, mais il m'était interdit d'entrer dans la salle à manger réservée aux passagers blancs, et j'avais refusé les invitations de Lindo d'aller dans sa cabine privée. Il semblait considérer ce voyage comme une occasion de se détendre et de faire la paix avec moi, et ne cachait pas sa frustration de constater que je gardais mes distances.

Au troisième jour du voyage – seul moment doux et ensoleillé –, les hommes et les femmes des familles de planteurs ou de marchands prirent place dans des fauteuils sur le pont, servis par des Noirs qui leur apportaient du madère, des cigares et des oranges. Lindo déballa son jeu d'échecs portatif et me demanda de m'asseoir près de lui, ce que j'acceptai pour la seule raison que mes jambes étaient trop fatiguées pour me permettre de rester debout plus longtemps. Les gens étaient surpris de découvrir que je savais jouer. Lindo lança à un homme coiffé d'un chapeau de paille, aux avant-bras rougis par les coups de soleil, le défi de disputer une partie avec moi. Ils gagèrent deux guinées. Quelques années auparavant, à l'époque où nos relations étaient encore cordiales, Lindo m'avait montré toutes les stratégies. En premier lieu, prendre la maîtrise du centre de l'échiquier. Placer les fous comme des canons et les cavaliers comme des espions. Ne laisser à l'ennemi aucune place pour bouger. Contrôler, attaquer et coincer le roi. C'était un vilain jeu, pensais-je, mais il m'évitait de devoir converser avec Lindo ou d'écouter ses longs discours sur le déclin du marché de l'indigo. L'homme aux coups de soleil fut abasourdi d'être échec et mat, et furieux de voir Lindo me remettre les guinées qu'il venait de gagner.

« C'est elle qui les mérite », dit Lindo avec un haussement d'épaules. » Je savais bien que je ne devais pas dévisager mon opposant et je glissai les pièces d'or dans mon vêtement.

Nous accostâmes le port tard dans la matinée du lendemain. En approchant de la terre, je m'aperçus que New York était une île, pareille à une longue jambe, avec tous ses habitants rassemblés au bout, dans le pied. « On l'appelle Manhattan, dit Lindo, d'après le mot indien *Manna-hata* qui veut dire 'île vallonnée'. »

J'avais été déprimée pendant tout le voyage. Cependant, lorsque je vis les rues étranglées entre les édifices et que je comptai une quinzaine de clochers – le plus haut avait la taille d'un arbre géant –, le fardeau du passé commença à s'alléger. *Manna-hata* offrait une sorte de chaos confortable. Île ou pas, peut-être y trouverais-je refuge.

Sur le quai, une foule bruyante s'agglutina autour de nous. Un Noir jeta ma valise et la malle de Lindo dans une charrette et exigea un shilling de Lindo, qui s'exécuta. Sur les talons du porteur, nous nous frayâmes un chemin dans les rues bondées de passants, de voitures et de chevaux. Les édifices en bois ou en brique étaient anguleux et rectangulaires, propres et bien tenus. Nous arrivâmes bientôt dans un faubourg dépourvu d'édifices dignes de ce nom ; c'était plutôt un ramassis de baraques, cabanes et tentes dont les coins saillaient comme des os fracturés. Des Noirs, hommes et femmes, s'activaient dans les allées et sentiers boueux, certains transportant des débris qu'ils avaient dû piller dans les chantiers navals : mâts brisés, voiles déchirées et longues planches de bois recourbées comme des côtes. « Canvas Town, dit Lindo. Fuis cet endroit, si tu as le moindre bon sens.

— Qui sont ces gens ? demandai-je.

— Les Noirs de Canvas Town. Des bons à rien toujours prêts à vous soulager de vos biens.

— Sont-ils libres ?

— La question à poser est comment ils vivent. »

Je jetai un dernier coup d'œil en direction des Noirs qui entraient dans leurs masures ou en sortaient, traînant de la toile et de l'eau. Une femme faisait même cuire quelque chose dans une marmite posée sur un feu au ras du sol. Ils avaient tous l'air de jouir d'une totale liberté. « Ne nous attardons pas », dit Lindo en demandant au porteur de presser le pas.

Nous quittâmes la limite de Canvas Town et pénétrâmes dans un autre secteur garni d'édifices. Je lus les noms de chaque rue. Broadway. Wall Street. William Street. Nous croisâmes Broad Street, puis Pearl Street.

Sous une enseigne indiquant *The Fraunces Tavern*, notre porteur ouvrit les portes d'un hôtel.

Un Noir grand et robuste, à la peau claire, vêtu d'une chemise de chintz bleue et portant une montre attachée à une chaîne, se tenait derrière la réception. « Bienvenue », dit-il en souriant, avec un accent qui n'était ni américain ni africain.

Il serra la main de Lindo. « Sam Fraunces, mais vous pouvez m'appeler Black Sam ou Sam seulement, si vous préférez. Je sais que vous n'êtes jamais venu ici, car je n'oublie jamais un client. »

Il se tourna vers moi et me serra la main aussi. « Et je sais, sans l'ombre d'un doute, que je ne vous ai jamais vue. J'attends depuis longtemps de rencontrer une femme comme vous. Oui, depuis longtemps. »

Je souris.

Il était Antillais. Probablement Jamaïcain. J'avais entendu l'accent jamaïcain à Charles Town, mais aucun Jamaïcain ni aucun Noir d'une autre origine n'auraient pu y tenir une taverne. Et ce n'était pas seulement une taverne. C'était un hôtel de dix chambres logé dans un édifice de brique rouge à deux étages, dont la réputation de bonne table était si largement répandue que des gens en avaient parlé sur le bateau en provenance de Charles Town.

« Je ne connais malheureusement pas vos noms », poursuivit Sam.

Lindo ne donna que son nom.

« Par vos bagages, je présume que vous venez de loin, ajouta Sam.

— Charles Town », répondit Lindo.

Je vis un sourire étirer la belle bouche de Sam, aux lèvres pulpeuses. Calme et solide, calme et sûr de lui. « La dame aura-t-elle besoin...

— Oui, l'interrompit Lindo. Des chambres séparées. J'ai besoin d'une chambre spacieuse et, s'il vous plaît, faites monter une table et une chaise, car j'ai des affaires à régler.

— Certainement, Monsieur. »

Lindo signa le registre. Il écrivit *Solomon Lindo et domestique,* s'impatienta et dit qu'il devait faire un peu de toilette et mener certaines démarches en ville avant la fermeture des bureaux.

« Mais le formulaire, Monsieur, et le paiement ? Désolé, mais je ne prends pas de monnaie de papier. Je ne prends que de l'argent.

— Elle va s'en occuper », dit Lindo en me tendant une pochette.

Pendant que Sam Fraunces appelait un porteur pour escorter Lindo à sa chambre, j'écrivis mon nom dans le registre : *Aminata Diallo.* Être libre d'écrire mon vrai nom à New York me parut de bon augure. Le simple geste de tracer les lettres avec aisance, sans faute, à la plume, selon la calligraphie que Mme Lindo m'avait si patiemment enseignée, scellait un pacte que j'avais conclu avec moi-même. Je venais d'écrire mon nom sur un document public ; j'étais donc une personne, avec autant de droits à la vie et à la liberté que l'homme qui se disait mon propriétaire. Je ne retournerais pas à Charles Town. Peu importait si avril à New York était aussi froid que décembre à Charles Town. Peu importait le crottin de cheval, les vociférations des porteurs, les hurlements et les bousculades des hommes travaillant sur les quais. Peu importait tout cela. J'avais déjà compris que les Noirs circulaient librement à New York. Je trouverais bien ma place parmi eux. Je n'accepterais plus d'être encore la propriété de quelqu'un.

Solomon Lindo et le porteur montèrent à l'étage. Sam reprit la plume que j'avais utilisée et la replaça sur le porte-plume. « Si je peux me permettre, jamais je n'ai vu une dame écrire d'une main si assurée et si gracieuse. »

Je souris et croisai ses yeux couleur d'ébène, curieux et pétillants. Sam Fraunces se croisa les doigts et jeta de nouveau un coup d'œil au registre. « C'est un nom extrêmement fascinant. A-mi...

— Mina. Vous pouvez m'appeler simplement Mina.

— C'est plus facile que ça en a l'air. M. Lindo est-il votre...

— Mon propriétaire. »

Je voulais qu'il soit au courant de ma situation. L'assurance de cet homme m'incitait à penser qu'il pourrait m'aider. « Mais pas pour longtemps », ajoutai-je.

L'homme de haute taille s'affaira dans ses papiers, puis reprit, à voix basse : « New York est une ville pleine de possibilités.

— Pouvez-vous m'aider ? » demandai-je, en murmurant moi aussi.

Le garçon qui avait monté les bagages de Lindo revenait chercher les miens. Sam s'éclaircit la voix. « Chambre 4 », dit-il, pointant ma valise.

Une fois le porteur disparu, Sam demanda : « Avez-vous mangé ?

— Non. Nous sommes restés quatre jours en mer et j'ai perdu l'appétit.

— Et comment est-il maintenant, votre appétit ? dit Sam avec un grand sourire.

— Il est revenu.

— Je vais vous apporter quelque chose que j'ai moi-même préparé. »

Le porteur me conduisit à ma chambre. J'ouvris les volets et regardai par la fenêtre, qui donnait sur une rue grouillante d'activité. J'aperçus un jeune Noir qui jouait du violon. Après avoir repéré un homme blanc de belle apparence, il courut vers lui et se mit à jouer en marchant aux côtés du passant, qui finit par se départir d'une pièce de monnaie. Le musicien regarda autour de lui, remarqua un autre homme blanc en gilet et se dirigea vers lui.

Je m'éloignai de la fenêtre, m'étendis sur le lit moelleux et tombai endormie au son du carillon des églises et du claquement des sabots des chevaux.

JAMAIS AUPARAVANT je n'avais vécu l'expérience de voir un grand homme noir ouvrir ma porte et entrer chez moi en apportant un plateau de mets fumants qu'il posa sur une table près de mon lit. « Excusez-moi, mais vous avez dit que vous aviez faim. »

Je m'étais endormie tout habillée, et je ressentis un certain embarras à me lever et à lisser les faux plis de mes vêtements.

« Peut-être préférez-vous manger seule ? demanda-t-il.

— Si le temps vous le permet, vous pouvez rester avec moi, car je n'ai jamais mangé seule. »

Il sourit. « Merci pour cette aimable invitation. »

Il prit place sur une chaise en face de moi.

« M. Lindo est parti pendant que nous préparions votre repas. Il fait des affaires dans quel domaine ?

— Dans l'indigo.

— Il a dit que vous assisteriez tous les deux à un concert ce soir, et m'a demandé de vous rappeler d'être prête pour sept heures. »

Je m'attablai pour manger. Sam avait préparé une soupe aux fèves relevée de piment à tel point que je me serais crue revenue dans mon pays. Sur une assiette reposait du pain de maïs sucré avec du miel et du lait de coco. Il m'avait apporté aussi des galettes de crabe fraîches. Il dit que la façon de préparer une galette de crabe décente était d'ajouter une petite quantité de chapelure, de beurre fondu et de crème à la viande de crabe. C'était si bon qu'on avait envie de les manipuler délicatement. « Il ne faut pas faire disparaître le goût du crabe avec des épices fortes. Le crabe doit fondre tranquillement sur la langue. »

J'avais une faim de loup. Entre les bouchées, je lui posai des questions. Sam était né et avait grandi en Jamaïque. Son père était propriétaire d'esclaves et sa mère, une esclave affranchie par lui. Sam avait été libéré à quinze ans, avec suffisamment d'argent pour se rendre à New York et investir dans une entreprise. Il avait conservé soigneusement son argent et avait géré des restaurants pendant deux ans jusqu'à ce qu'il comprenne les tenants et aboutissants de ce commerce et noue toutes les relations dont il avait besoin avec les fournisseurs. Puis, il contracta une hypothèque pour acheter l'édifice de cet hôtel et ouvrir un restaurant qu'il avait appelé *The Queen Charlotte.*

« On l'appelle la reine noire, dis-je.

— Certains disent cela, d'autres les contredisent. Mais ici, tout le monde s'en fiche. À New York, les Britanniques – du premier au dernier, roi et reine compris – ne sont pas les gens les plus appréciés. »

Sam ne voulait pas que sa taverne et son hôtel soient associés à la royauté britannique. Il avait donc renommé son entreprise *The Fraunces Tavern.* « C'est mieux pour les affaires, précisa-t-il. Les tories peuvent manger ici et se sentir à l'aise. Les Américains peuvent aussi manger ici. Vous avez fait disparaître ces galettes de crabe. Je prends cela comme un compliment. Et permettez-moi de vous en faire un : vous êtes très belle. »

Je posai délicatement ma fourchette. « Je vous suis reconnaissante pour le repas et votre compagnie. Je ne voudrais pas être impolie, mais... »

Il leva sa main. « Permettez-moi de vous rassurer, dit-il en se redressant sur son siège. Une sorte d'appétit ne mène pas automatiquement à une autre.

— Je suis sûre qu'un homme dans votre position ne manque pas d'occasions. »

Il sourit et ne démentit pas l'affirmation. Je croyais qu'il allait se lever et partir immédiatement, mais il posa ses mains l'une sur l'autre, laissa son sourire s'estomper et dit : « D'après les lunes dessinées sur votre visage, je soupçonne que votre voyage a commencé bien avant Charles Town. Je ne peux pas aider chaque personne qui entre chez moi, mais je vais faire ce que je peux pour vous.

— Est-il possible de s'échapper à New York ?

— La plupart s'installent à Canvas Town. Mais les Blancs organisent parfois des raids et attrapent qui ils peuvent, leurs propres esclaves ou des Noirs libres. »

Ayant trouvé une source sympathique d'information, je pus formuler toutes mes interrogations. Oui, selon Sam, je pourrais probablement trouver une façon de subvenir à mes besoins à New York. Lui-même pourrait me donner du travail.

« Peut-on prendre un bateau pour l'Afrique ?

— Impossible, dit Sam.

— Vous en êtes sûr ?

— Même en rêver serait pure folie.

— Pourquoi ?

— Les bateaux qui partent de New York ne vont pas en Afrique. Ils se dirigent d'abord vers l'Angleterre, débarquent du sucre, du rhum, du tabac et l'indigo que votre Lindo aime tant, puis ils voguent vers l'Afrique.

— Il est donc possible d'aller en Afrique.

— Pour un affréteur, un commerçant ou un marchand d'esclaves, oui. Via Londres. Pour vous, non. Jamais. Quel capitaine de bateau de Liverpool perdrait son temps à vous amener en Afrique ? Il vous vendrait simplement comme esclave encore une fois, et vous aboutiriez probablement à la Barbade ou en Virginie. Et si, par hasard, vous réussissiez à retourner en Afrique, les marchands d'esclaves vous captureraient et vous renverraient directement ici. »

Je baissai la tête.

« Ne perdez pas espoir, dit Sam. New York est la meilleure ville pour vous. Il y a de bonnes cachettes et toutes sortes de possibilités de travail. Je m'en suis très bien tiré en arrivant ici.

— Oui, mais vous étiez libre.

— Vous êtes déjà libre où cela compte le plus, c'est-à-dire dans votre esprit. C'est le meilleur endroit dans les Treize Colonies. C'est la meilleure place au monde. Oubliez Londres. C'est New York qu'il vous faut. »

J'avais mille autres questions – où pourrais-je me cacher, comment trouver du travail, comment me nourrir ? –, mais Sam Fraunces n'avait plus le temps de me parler.

« J'attends une salle complète pour ce soir. »

CE SOIR-LÀ, SOLOMON LINDO m'amena écouter un violoncelliste jouer en solo dans un concerto de Jean-Sébastien Bach à l'église de la Trinité, dotée du plus haut clocher de la ville. « Cent soixante-quinze pieds », dit Lindo.

En montant l'escalier, je vis des hommes, des femmes et des enfants noirs, la main tendue. J'étais embarrassée de n'avoir rien à leur donner et j'espérais ne pas être obligée de joindre leurs rangs par malchance. Lindo tira six pence de sa poche, les déposa dans la main d'une femme et me prit le bras. Ce geste complaisant me mit en colère. S'il pensait me convaincre ainsi de rédiger ses lettres assidûment le lendemain, il découvrirait bien vite son erreur. À l'intérieur de l'église, je vis une note écrite à la main affichée sur un mur : *Bénévole demandé pour enseigner à des Noirs.*

Nous prîmes place dans le premier banc. J'étais assise si proche du musicien que j'aurais presque pu toucher les cordes de son archet en tendant le bras. C'était un jeune homme noir à la barbe brune soignée, aux yeux noisette qui scrutaient mon visage pendant qu'il jouait. Il savait sa partition par cœur et, au lieu de garder les yeux sur ses feuilles de musique, cet homme qui, selon le programme, s'appelait Adonis Thomas, me regardait. Lorsqu'il se penchait sur son instrument, puis s'en écartait et s'en approchait de nouveau, baissant la tête pour marquer un changement de tempo, j'avais l'impression qu'il me parlait.

J'avais toujours trouvé difficile d'écouter le son frénétique produit par un ensemble d'instruments. À Charles Town, les flûtes, les hautbois, les cors et les violons que j'avais entendus en concert à l'occasion me faisaient toujours penser à des voix belliqueuses. Ici, par contre, je pouvais établir un lien d'amitié avec le violoncelliste, me plonger dans sa musique, prêter attention à l'impulsion mélodique et m'émouvoir de la façon dont les notes basses évoquaient les voix des anciens de mon village et les aiguës, celles des enfants. Le violoncelle d'Adonis Thomas murmurait à l'oreille de mon âme. *Ne perds pas espoir*, disait-il. *Toi aussi, tu peux réaliser quelque chose de beau, mais tu dois d'abord conquérir ta liberté.*

LINDO M'AVAIT DONNÉ RENDEZ-VOUS à huit heures le lendemain matin pour prendre le petit déjeuner, mais j'arrivai quelques minutes en avance et vis Sam Fraunces.

« Comment était le concert ?

— Une musique pour élever mon âme.

— Espérons qu'elle élève son âme à lui aussi.

— L'âme de qui ?

— Voyons, celle d'Adonis Thomas, le violoncelliste.

— Qu'est-ce qui ne va pas avec lui ?

— Lindo ne vous a pas dit qu'il était l'esclave d'un homme riche ? »

Je restai bouche bée.

« Il a joué de façon si merveilleuse.

— Avec beaucoup de nostalgie, je suppose », dit Sam.

Lindo descendit dans le hall et m'amena à la salle à manger. Jamais je n'avais mangé avec un homme blanc dans un endroit public et j'étais surprise qu'on me laisse entrer. Mais le Noir qui vint prendre nos commandes se contenta de m'adresser un petit sourire. Lindo commanda des petits pains et des œufs pour deux personnes, ainsi que du café. Je demandai au serveur de m'apporter du thé avec du lait et du sucre.

« Ce matin, nous avons du café et de la bière, dit le serveur.

— Je prendrai donc du café avec lait et sucre.

— Les patriotes sont furieux contre les Britanniques et se privent de thé, me dit Lindo à mi-voix. Ils disent que le thé affaiblit l'action de l'estomac, provoque des tremblements et des spasmes. Je ne peux pas les blâmer. Les Britanniques ont soulevé la colère unanime des patriotes en promulguant la loi sur le thé et bientôt, si nous perdons les subventions pour l'indigo, ils susciteront encore plus de ressentiment en Caroline du Sud. »

Je n'avais pas faim, mais je sentais qu'il me fallait avaler quelque chose. Je devais garder mes forces et ma santé, car je pressentais que bientôt les périodes entre les repas s'allongeraient.

Lindo dit qu'il avait préparé une lettre à l'intention de William Tryon, gouverneur de New York, sur l'importance de maintenir les subsides britanniques pour l'indigo. Peut-être le gouverneur pourrait-il à son tour convaincre les bonnes personnes à Londres. « J'ai fait une ébauche, avec des corrections dans les marges. Je te demanderais de la transcrire au propre pour que je la remette demain. »

J'aurais préféré refuser, mais l'idée ne me semblait pas sage. « Où est-elle ? demandai-je.

— Dans ma chambre. Je vais te laisser la clé. Sur le grand bureau, tu vas trouver tout ce qu'il te faut pour écrire. »

Je hochai la tête. « Combien de temps serez-vous absent aujourd'hui ?

— J'ai des réunions jusque dans la soirée. Obtenir un rendez-vous avec le gouverneur me prendra des heures de persuasion. Il joue au golf toute la journée avec les anglicans et dîne avec eux. »

Je sirotai mon café au lait bien chaud et bien sucré. « Saviez-vous qu'Adonis Thomas était un esclave ? demandai-je

— Qui ?

— Le violoncelliste d'hier soir.

— Bien sûr. Penses-tu qu'un Noir pourrait apprendre à jouer si bien sans formation ? Et où crois-tu qu'il a reçu cette formation ? En vivant à Canvas Town ?

— J'aurais pensé...

— Je n'ai pas le temps de parler de ça maintenant, dit Lindo en se levant de table. Assure-toi que la lettre soit prête avant la fin de la journée. Il faut qu'à Londres quelqu'un soit mis au courant que l'indigo pourrit dans des barils sur les quais de Charles Town. »

Après le petit déjeuner, je ne pouvais me décider à entrer dans la chambre de Lindo. Je me reposai sur mon lit jusqu'à ce que des bruits venus de la rue m'incitent à sortir. Je me sentais légère, comme si mes pieds touchaient déjà une terre de liberté. Des gens se pressaient dans toutes les directions, et personne ne voyait d'objection à ma présence. En tournant un coin de rue, le soleil en plein visage, je me sentis incroyablement optimiste.

Comme je pouvais aller où bon me semblait, je me dirigeai vers Wall Street. J'entendis alors des cris et regardai en direction de Broadway. À l'extérieur d'une belle maison de bois à deux étages, j'aperçus un attroupement bigarré d'hommes blancs qui agitaient les bras. Voyous et travailleurs côtoyaient des gens bien mis. « On va enfoncer la porte ! » cria quelqu'un. La foule bourdonnait d'une énergie haineuse.

La maison était peinte en blanc et un sentier de pierre bien découpé menait de la rue à la porte. À Charles Town, une habitation comme celle-là aurait pu abriter un homme, une femme, leurs enfants et un ou deux esclaves. Je me demandais si des esclaves s'y trouvaient. Je me demandais si, pour une raison ou une autre, ces hommes en colère ne voulaient pas mettre la main sur les Noirs.

« À bas les Britanniques ! » cria quelqu'un.

Un petit groupe s'élança pour marteler la porte à grands coups de poing et de pied. D'autres commencèrent à tirer des cailloux sur les fenêtres aux volets clos. La porte s'ouvrit. Un majordome blanc apparut. On le fit sortir en le bousculant, on le frappa au visage et on le projeta au sol. Le nez de l'homme se mit à saigner. La horde déferla sur lui et s'engouffra dans la maison. Je sentais que je devais courir me mettre à l'abri, au cas où ils s'attaquent ensuite à moi, mais aucun autre habitant de la maison – Blanc ou Noir – ne franchit la porte. Je ne vis que les émeutiers, certains se frayant un chemin pour entrer dans la maison, d'autres se démenant pour en sortir avec des vases, de magnifiques coffrets en acajou, des fauteuils et des tapis. À l'intérieur, les volets furent brisés et les rideaux de soie jetés par les fenêtres. Comme témoin de ce débordement hystérique, j'étais quasi hypnotisée, mais après quelques minutes, quand des pillards sortirent avec une barrique de rhum et léchèrent avidement la boisson à même leurs mains, je ne pus m'empêcher de penser à l'horreur qu'auraient ressentie Mme Lindo ou

Dolly si elles avaient été piégées dans leur maison par de tels forcenés.

Le majordome parvint à se remettre sur ses pieds. Au lieu de s'enfuir, il resta sur le côté, les doigts sur les tempes. De plus en plus de gens affluaient de Wall Street, criant des nouvelles que je ne comprenais pas.

Un jeune garçon blanc qui n'avait pas plus de dix-sept ans se tenait près de moi et hurlait comme s'il s'adressait au monde entier : « Le sang coule à Lexington et à Concord ! » À la faveur de l'excitation ambiante, je risquai une question : « Qu'est-ce que tu veux dire ?

— Les rebelles ont battu les tories au Massachusetts. Ils ont gagné ! »

Il beuglait si fort que je m'éloignai de lui. Il se rendit compte que j'avais du mal à le comprendre, mais au fond, tout ce qu'il voulait, c'était d'être entendu par un public. « Les rebelles, c'est moi, dit-il. Les tories, c'est... es-tu une tory ?

— Un tory, c'est quoi précisément ?

— Tu parles bien pour une négresse. Tu ferais mieux de ne pas être une tory. La guerre est déclarée et nous l'aurons, notre liberté.

— La liberté ? Pour les esclaves ?

— Pour les négros, rien du tout. Je parle de nous autres. Les rebelles. Les patriotes. Nous allons nous libérer des Britanniques et de leurs impôts. Jamais plus nous ne serons leurs esclaves. Êtes-vous pour les rebelles ou les tories ?

— Quelle différence ?

— Range-toi du côté des rebelles, si tu as un peu de bon sens », répondit-il en courant rejoindre ses amis.

Les rues grouillaient de gens qui chantaient, criaient et tiraient des coups de mousquet dans les airs. Je revins à la taverne Fraunces où un véritable chahut régnait. Des hommes ivres morts buvaient en maudissant les Britanniques et en jurant de gagner un jour leur liberté. D'autres étaient attablés, et Sam et son équipe s'affairaient à les servir. « Que se passe-t-il, Sam ? demandai-je.

— Si tu me donnes un coup de main pour nourrir cette populace et les faire sortir d'ici, je te revaudrai ça. »

J'avais grande envie de me retrouver dans un endroit sûr, loin de cette furie, mais l'offre était trop belle pour ne pas la saisir.

Je travaillai à la cuisine, versant de la bière en fût dans des pichets, préparant des punchs avec du rhum, de la limonade et des morceaux d'orange, dressant des assiettes de viandes, de fromages et de fruits et les passant aux serveurs. Les clients étaient si bruyants que je me demandais si la situation n'allait pas tourner à l'émeute. Mais tout sauvages qu'ils avaient été dans la rue, ils adoraient Sam Fraunces et se sentaient à l'aise dans sa taverne. Même s'ils étaient soûls et tapageurs, rien ne fut cassé.

La foule finit par se disperser, et les patriotes retournèrent dans les rues pour célébrer. Sam me prit par le bras. « Mina, profites-en pour fuir. »

— Maintenant ?

— La guerre est inévitable, et les Brits auront la surprise de leur vie. Ils ne savent pas à quel point les gens sont en colère. Si tu pars maintenant, Lindo n'aura pas le temps de se mettre à ta poursuite.

— Pourquoi ?

— Je viens d'apprendre que les Britanniques parlent de fermer le port. Ton propriétaire va vouloir retourner à son domicile ou à ses affaires, car il pourrait y avoir des émeutes là-bas aussi. S'il ne part pas dès aujourd'hui, il risque d'être coincé ici pour de bon. »

Je ne voulais pas revoir Lindo à tout prix, mais l'idée de m'enfuir me terrifiait. « Où vais-je me cacher ?

— Va vers le nord pour le moment. Monte Broadway et dirige-toi vers la forêt.

— Pourquoi pas Canvas Town ?

— Non, pas maintenant. Il pourrait envoyer un agent pour t'y retrouver. »

Je me sentais paralysée. Que ferais-je toute seule dans les bois ? Mais Fraunces était déjà en train de mettre dans un sac des pommes, du pain, une languette de bœuf salé et une petite couverture. « Prends ce sac. Et pars tout de suite. Ne retourne pas à ta chambre. Vers le nord. Monte Broadway. Quand tu arriveras aux limites de la ville, continue de marcher en t'enfonçant dans les bois. »

Dehors, dans Pearl Street, des hommes se versaient dans les mains du rhum d'une autre barrique qu'ils avaient razziée.

« Reviens me voir dans quelques jours, murmura Fraunces. Viens par la ruelle une fois la nuit tombée et frappe trois coups à la porte de la cuisine. »

Je sortis donc au milieu de cette folie, me frayant un chemin parmi les ivrognes et les émeutiers qui riaient, poussaient des jurons et se bagarraient en pillant toutes les belles maisons de Wall Street. J'atteignis Broadway, passai près de l'église de la Trinité où je me trouvais justement la veille au soir, et remontai la rue jusqu'à une petite église, la chapelle Saint-Paul. Cherchant un endroit tranquille pour réfléchir, je gravis les marches du porche et jetai un coup d'œil à l'intérieur. Je remarquai quelques Noirs en réunion. Ils se retournèrent et me dévisagèrent. Je fis demi-tour et sortis de la chapelle. Dans la rue, un vieil homme noir m'agrippa le bras : « Je n'irais pas dans cette direction si j'étais toi.

— Dans quelle direction ?

— Dans la direction où tu vas. Vers Holy Ground.

— Holy Ground ? Qu'est-ce que c'est ?

— Le terrain est la propriété de l'église, mais il est plein de dames de mauvaise vie. Tu as l'air d'être nouvelle en ville et il est bon que tu le saches.

— Quelle direction est la plus sûre ?

— Ces temps-ci, il n'y a aucun endroit sûr. Au nord, il y a la forêt. Mais sois prudente une fois rendue là. »

Je changeai de direction et me dirigeai vers le nord comme l'homme me l'avait recommandé. La foule s'éclaircit, et la clameur des rebelles s'estompa. Quelques minutes plus tard, je traversai la dernière rue et pénétrai dans un boisé. Je continuai de marcher. J'étais effrayée par l'obscurité qui tombait et le bruissement solitaire de mes pas sur les feuilles mortes, mais je poursuivis mon chemin. Je me demandais s'il était déjà venu à l'esprit de Solomon Lindo que je puisse m'enfuir.

En traversant une clairière, je remarquai des bouts de bois taillés au couteau, enfoncés dans le sol selon un motif rectangulaire, près d'un tas de pierres formant un cercle parfait. Plus loin, je vis d'autres bâtons et des pierres arrangés de la même manière. Quand je me rendis compte que j'avais marché dans la forêt plus loin que Lindo pouvait l'imaginer, je m'assis à même le sol, posai le sac de Sam Fraunces près d'un tronc d'arbre, en guise d'oreiller, et m'allongeai pour détendre mes jambes. En cette fin d'après-midi du 23 avril 1775, j'avais recouvré ma liberté.

Je me mis à penser qu'à ce moment même, Solomon Lindo devait revenir à la taverne Fraunces pour récupérer sa lettre corrigée, adressée au gouverneur Tryon. Dans le chaos et la rébellion qui régnaient dans les rues de New York, il ne trouverait personne pour le renseigner sur moi. En fait, s'il s'arrêtait pour s'informer auprès de quelqu'un, il risquait d'être pris pour l'un des propriétaires des belles maisons de Wall

Street et de s'exposer au danger. Je me demandais si Sam avait eu raison de penser que Lindo prendrait le premier bateau pour le sud. S'il s'était trompé, Lindo me chercherait dans toute la ville, mais une chose était sûre, il ne viendrait pas jusqu'ici. Près de vingt années s'étaient écoulées depuis ma capture dans la forêt de Bayo. Je me retrouvais seule, dans la forêt d'un autre continent, mais libre à nouveau.

Cette nuit-là, je dormis d'un sommeil agité, pelotonnée sous ma mince couverture. Dans mes rêves, des lapins traversaient des sentiers et s'arrêtaient à mi-chemin, yeux écarquillés, pour me dévisager. Deux fins croissants de lune se détachaient dans le ciel. J'entendis un hibou m'appeler. *Aminata Diallo,* ululait-il encore et encore. Je me réveillais souvent, mais me rendormais chaque fois, et les images étranges revenaient.

Au matin, je sentis de la lumière toucher mes paupières et j'entendis des voix. Des voix d'Afrique. Était-ce moi qu'on appelait ? J'ouvris les yeux. Le sol était mouillé. J'avais toujours la couverture sur moi et le petit sac de nourriture contre mon ventre. D'où venaient donc ces voix ? Je me levai, remis la couverture dans le sac en frissonnant dans ce matin froid et humide, et revins sur mes pas vers la ville en direction de ces bruits.

Ce n'étaient pas des voix menaçantes. C'étaient des voix de deuil, des voix de mon pays. Une minute plus tard, je posai la main sur le tronc d'un arbre à la lisière d'une petite clairière et regardai la scène qui s'offrait à mes yeux. Près des bâtons et des amas de pierres que j'avais vus le soir précédent, une poignée de Noirs scandaient des chansons d'Afrique. Je ne reconnaissais pas la langue, mais avec ses accents profonds chargés de nostalgie, elle venait à coup sûr de mon pays. Les gens formaient un cercle et dansaient comme je l'avais vu auparavant, bras levés, hanches en rotation, bougeant à peine les pieds. Je me glissai parmi eux comme un enfant attiré par sa mère.

Au milieu du cercle se tenait une Africaine éplorée, le cadavre d'un enfant dans les bras. L'enfant avait la tête découverte, mais le corps emmailloté dans un linge de couleur indigo, et on avait enroulé autour de sa taille un rang de perles de verre bleues, vertes et blanches. La femme déposa le petit cadavre dans la fosse, et un homme muni d'une pelle le recouvrit de terre. Des femmes entassèrent ensuite des pierres en un amas parfaitement circulaire, pendant que d'autres enfonçaient dans le sol des morceaux de bois taillés au couteau de façon à dessiner un rectangle aux dimensions de l'enfant.

J'avançai au rythme de la complainte et me retrouvai au milieu de ces gens, pleurant et dansant avec eux. Certains avaient des scarifications sur le visage, mais personne n'arborait des lunes comme les miennes et personne ne parlait bambara ou peul. Ils me firent une place parmi eux sans me demander d'où je venais. Rien qu'à me regarder et à entendre ma voix secouée de sanglots, ils savaient que j'étais l'une des leurs. L'enfant mort, c'était l'enfant que j'avais été. C'était aussi mon Mamadou perdu. C'était chaque personne qui avait été jetée dans les eaux impitoyables au cours de l'interminable traversée du grand fleuve.

Une fois le rituel terminé, un vieil homme prit la direction de la ville, et les autres le suivirent à la file indienne. Je me retrouvai avec une femme à la queue du cortège. « Où habites-tu ? » lui demandai-je.

Comme elle ne parlait pas anglais, je répétai ma question à la femme qui la précédait. « Il y a des Africains partout, répondit-elle. Certains vivent à Canvas Town, tu connais ?

Je fis signe que oui.

« D'autres vivent chez leurs propriétaires blancs.

— Certains sont libres, d'autres pas ?

— Personne ne sera vraiment libre tant que nous ne retournerons pas dans notre pays.

— Où c'est, votre pays ? En Afrique ?

— Nous venons de partout, dit-elle en montrant ceux qui la devançaient, mais moi, je suis Achanti. »

Je ne connaissais pas ce mot. Je le répétai après elle. « Et toi ? demanda-t-elle.

— Je suis une Peule et une Bambara.

— Un peu des deux ? C'est comme ça ici.

— Tu habites Canvas Town ? demandai-je.

— Non, répondit-elle. J'travaille dans la maison d'un homme d'Angleterre qu'a dit que lui me rendre libre un jour. Mais y a pas de liberté dans c'pays. Y a que du manger pour ton ventre, des vêtements pour ton dos et un toit pour t'abriter de la pluie. Not' pays, c'est la seule place où on est libre. La p'tite fille qu'on vient d'enterrer s'en retourne chez elle. T'as vu les perles de couleur ?

— Autour de sa taille ?

— Ils vont apporter son esprit de l'aut' côté d'l'eau et la ramener là d'où elle vient. »

Je souris à la femme, mais je m'arrêtai de marcher. Nous nous approchions de la lisière de la ville et je n'osais pas aller plus loin.

« Bonne place pour s'cacher, dit-elle. Les toubabs ne viennent pas jusqu'à not' cim'tière. » Elle leva la main en guise de salutation et repartit. Les Africains continuèrent de marcher en direction sud à travers la forêt, et personne ne se retourna vers moi.

APRÈS DEUX AUTRES JOURS et deux autres nuits dans les bois, je frappai à la porte arrière de la taverne Fraunces. J'attendis, cognai de nouveau, et Sam vint ouvrir la porte de la cuisine. « Quelle mine tu as ! »

Je frissonnais, et mes vêtements étaient humides et crasseux. « Est-il ici ?

— Parti, le jour de l'émeute, dit Sam. Il est venu une heure après ton départ, est sorti de ses gonds pendant quelques minutes, puis s'est embarqué sur le premier bateau pour le sud.

— Puis-je avoir quelque chose à boire et à manger ?

— Je vais te préparer quelque chose pendant que tu changes de vêtements.

— Il n'a pas pris mes affaires ?

— J'ai caché ton sac et lui ai dit que tu l'avais emporté.

— Je te dois beaucoup. »

Sam mit sa main sur mon épaule. « Tu vas sans doute traverser des moments encore plus difficiles. Mais ne t'en fais pas. Tu vas t'en tirer. »

Je conclus un marché avec Sam Fraunces. Il me donnait cinq shillings par semaine. Je disposais d'un lit de fortune dans un réduit servant de débarras, je prenais mes repas avec le personnel de la cuisine et, en retour, je travaillais six heures par jour pour lui. Je lavais la vaisselle, balayais les planchers, nettoyais les légumes, vidais les pots de chambre et envoyais des factures et des reçus. Mais je savais que l'arrangement serait temporaire. La taverne Fraunces n'était guère un endroit sûr pour se cacher de Lindo.

À l'église de la Trinité, je découvris que l'enseignement aux Noirs était dispensé à six pâtés de maisons vers le nord, à la chapelle Saint-Paul. Le temple était minuscule comparativement à l'église de la Trinité, mais c'était un endroit charmant qui convenait mieux aux gens ordinaires. Le pasteur blanc me serra les mains quand il apprit que je savais lire et écrire. « Vous êtes la personne que je cherchais. »

Il répandit la nouvelle par l'entremise de quelques Noirs qu'il connaissait, et je donnai ma première leçon dès le mardi soir suivant. Six personnes se glissèrent dans la chapelle au crépuscule. Dans une pièce éclairée de lampes et de bougies, ils se présentèrent, se rassemblèrent autour de moi, posèrent leurs mains sur mes épaules, mes bras, mon dos, et scrutèrent les mots qui prenaient forme sous ma plume.

« Qu'est-ce que c'est ? demanda un grand homme mince d'environ vingt ans.

— C'est ton nom. Claybourne Mitchell.

— Ouais, mais j'sais pas lire, alors comment que j'peux savoir que c'est l'mien et pas ç'ui d'un aut' ?

— Je vais t'enseigner.

— J'peux t'fabriquer une barrique de n'importe quelle grandeur, mais j'suis pas enseignable.

— Bien sûr que tu l'es.

— Non, Ma'me. Mon maître y a vu. C'est pourquoi j'me suis sauvé de lui.

— Tu es capable. »

La main sur mon épaule, il me regardait écrire. « Claybourne, c'est l'seul nom qu'i m'ont donné. Mitchell, c'est l'nom que moi, j'me suis donné. Une fois, j'ai entendu un homme dire ce nom et j'l'ai tellement aimé que j'ai décidé, en arrivant ici, que j's'rais un homme nouveau. Un homme lib'. Avec deux noms rien que pour moi. »

Une femme à peu près du même âge, plus petite que Claybourne mais deux fois plus large, s'approcha : « Tu lui donnes trop d'temps à ç'ui-là. Mon nom à moi, quand c'est que tu vas l'écrire ?

— Tout de suite.

— Où ça ?

— Ici, dis-je, en pointant son nom dans la liste. Bertilda Mathias.

— C'est l'nom qu'j'ai eu et j'vois pas d'raison de changer comme ce Claybourne. Ç'ui-là, i a une gueule grande comme un pont-l'vis.

— Qui c'est qu'tu traites de pont-l'vis ? demanda Claybourne.

— Tu t'figures que c't'Africaine est juste pour toi ? » répliqua-t-elle.

Je demandai à Bertilda de me parler un peu d'elle et j'écrivis quelques mots pour qu'elle les voie. 'Blanchisseuse dans les casernes des Britanniques.'

« T'as pas écrit combien i me paient.

— Non, tu ne me l'as pas dit.

— C'est bon. Pasque j'veux plus. Tu l'écriras quand j'gagnerai un shilling par jour. C'était c'que ma mère gagnait jusqu'à ce qu'elle parte pour l'aut' monde.

— Si j'écrivais 'Je veux un shilling par jour' ?

— Fais donc ça, Sœur. Montre-moi de quoi ç'a l'air.

— Tu t'es sauvée de ton maître, toi aussi ? lui demanda Claybourne.

— Pas du tout, répondit-elle. Dis pas que j'suis esclave. J'l'ai jamais été et j'le s'rai jamais. Ma maman était lib' avant de m'avoir, et elle était blanchisseuse pour les Britanniques quand j'étais p'tite. »

J'écrivis quelques mots de plus – 'Je suis née libre' – pendant que mes six élèves jouaient du coude pour se rapprocher de moi.

Après que j'eus écrit les noms et une brève description de chaque personne, je leur fis répéter les sons de chaque lettre. Puis, j'écrivis quelques autres mots : *New York. Canvas Town. Tories. Patriotes. Nègres. Esclaves. Personnes libres. Blancs.* Deux heures plus tard, le pasteur apporta du pain, du fromage et des pommes.

« V'là du bon pain, dit Claybourne. Du pain frais. L'dernier morceau que j'ai mangé était plus coriace qu'un tonneau de rhum. Un rat s'y s'rait cassé les dents. »

Tout le monde éclata de rire, y compris Bertilda. Claybourne dit au pasteur que j'étais un bon professeur.

« Vous feriez mieux de bien la traiter, dit le pasteur, parce qu'elle vous enseigne gratuitement.

— Elle, meilleure prof qu'j'ai eue, dit Claybourne.

— T'en as jamais eu avant, de prof, corrigea Bertilda.

— Oui, mais maintenant j'peux lire mon nom.

— Bientôt, vous allez tous apprendre à écrire vos noms, dis-je.

— Comment écris-tu 'Rats interdits ici' ? » demanda Claybourne.

Tout le monde le regarda en se demandant ce qu'il voulait dire.

« J'm'en vas écrire un grand panneau et le mettre dans Canvas Town. »

Ils se mirent à rire et continuèrent jusqu'à la sortie de la chapelle. Une fois dans la rue, le groupe se dispersa et chacun disparut dans la nuit.

Après deux semaines de leçons, Claybourne offrit de me montrer où trouver des matériaux pour construire ma propre cabane à Canvas Town. Il dit qu'il apporterait un marteau et une pince-monseigneur. Pour ma part, je devais apporter quelques shillings et une lanterne. Nous nous étions donné rendez-vous à la tombée de la nuit dans Pearl Street, devant la taverne Fraunces. Claybourne était là avec un sac de toile suspendu à l'épaule.

« Où allons-nous ? lui demandai-je.

— Faut trouver une maison en train d'êt' pillée. »

Nous passâmes plus d'une heure à déambuler dans les rues, évitant les chevaux et leurs déjections. Chaque fois que nous tournions un coin de rue, je remarquais qu'un groupe de jeunes Noirs nous suivaient à un pâté de maisons de distance. « T'occupe pas d'eux », dit Claybourne.

Nous continuâmes de parcourir les rues de la ville jusqu'à ce que nous voyions, devant nous, une bande d'hommes blancs sortir d'une maison à deux étages avec des lampes, de l'argenterie et des barriques de spiritueux. « On va attend' qu'les abeilles quittent la ruche », dit Claybourne.

Nous avions contourné les lieux et y étions revenus une demi-heure plus tard. Il faisait nuit. La porte avait été défoncée et les volets, arrachés des fenêtres. Deux barils étaient renversés dans la rue, et les dernières gouttes de vin répandu miroitaient au clair de lune. « C'est not' tour », dit Claybourne.

— Et s'il y a quelqu'un à l'intérieur ?

— Les pilleurs comme eux arrivent puis déguerpissent. Y a plus personne en dedans et y reste plus grand-chose non plus. »

Je n'avais pas très envie d'entrer dans la maison de quelqu'un d'autre, même si elle avait déjà été cambriolée. Je pensais à ma mère. Si elle savait tout ce que j'avais traversé, que dirait-elle maintenant ? Claybourne me vit hésiter sur le seuil de la porte. « Chacun a son tour, et le truc, c'est d'savoir quand i faut saisir sa chance. Viens, fille, c'est maintenant ou jamais. »

Je le suivis à l'intérieur. La maison avait été saccagée. Le plancher était jonché de vases réduits en miettes, de supports à bouteilles de vin vides, fendus en éclisses. Sur un mur s'étalait le portrait d'un homme et d'une femme assis dans des fauteuils élégants. La toile avait été déchirée au couteau.

« Qui vivait ici ? demandai-je.

— Sont plus là, dit Claybourne.

— Oui, mais qui étaient-ils ?

— Des tories, j'suppose. Les rebelles attaquent les grandes maisons des tories depuis Lexington et Concord. »

Pendant que je tenais la lanterne, Claybourne posa son sac, en retira la pince-monseigneur dont il se servit pour détacher les pattes d'une belle table. Dans une armoire vidée de ses vêtements, il trouva deux couvertures de laine. Dans la cuisine où les seuls aliments qui restaient avaient été jetés sur le plancher, il retira trois tiroirs d'un comptoir. Passant rapidement d'une pièce à l'autre, il arracha les montants des lits, ramassa une paillasse, démantela une table verte bizarre, garnie sur les côtés de pochettes remplies de boules de couleur. « Qu'est-ce que c'est que ça ? demandai-je.

— J'en ai déjà vu une, dit Claybourne. C'est un jeu de Blancs, c'est tout c'que j'sais.

— Comment on va faire pour tout transporter ça ?

— As-tu les cinq shillings ?

— Oui.

— Bon. »

Après que nous eûmes empilé notre butin à la porte principale, Claybourne inséra deux doigts dans sa bouche et poussa un sifflement strident. Quatre adolescents noirs apparurent au coin de la rue et vinrent nous trouver en courant. « Canvas Town, et grouillez-vous », dit Claybourne.

Les garçons restaient immobiles. « Un shilling à chacun », reprit Claybourne.

Je déposai une pièce dans chacune des quatre mains. Les garçons s'emparèrent de tout ce qu'ils pouvaient porter et disparurent dans la nuit. J'avais un paquet de pattes de table dans les bras, et Claybourne, le dessus de la table en équilibre sur son dos. Nous avancions à grand-peine dans les rues obscures, mais un peu plus tard, les garçons revinrent nous aider.

Le lendemain, sur les instructions de Claybourne, je donnai un shilling à un débardeur qui me laissa emporter un rouleau de plusieurs verges de toile déchirée. Avec l'aide de trois autres hommes à qui j'avais enseigné à lire et à écrire à la chapelle Saint-Paul, Claybourne me construisit une petite cabane à la lisière de Canvas Town. Il ne semblait pas possible de bâtir une maison à partir des matériaux que nous avions volés, mais des gens apportèrent d'autre bois provenant de tables brisées et de panneaux arrachés des murs. En quelques jours, je fus en mesure de quitter la taverne Fraunces et de m'installer dans un appentis juste assez grand pour moi. Pour ne pas que la paillasse repose directement sur le sol, on l'étala sur la table recouverte d'un tissu vert et garnie de pochettes, dont on avait soigneusement scié les pattes. J'avais de la place pour une chaise, une lampe et les trois tiroirs superposés. Si je réussissais à dénicher quelques livres, c'est là que je les rangerais. Je suspendis un morceau de toile dans l'embrasure pour préserver un brin d'intimité, et Claybourne promit de me construire une vraie porte pour me protéger du froid.

« Tu f'rais mieux de te trouver un homme avant qu'la neige s'mette à tomber, me dit-il.

— J'en ai déjà un, et j'espère qu'il va retrouver ma trace.

— Où c'est qu'il est ?

— Je ne peux pas le dire pour le moment. Quelque part en Caroline du Sud. »

Claybourne secoua la tête, mais n'ajouta rien.

SOLOMON LINDO NE REVINT PAS à New York. Je pouvais donc retourner travailler à la taverne Fraunces en toute sécurité. Sam me laissa y prendre mes repas, me soulagea de la corvée des pots de chambre et me confia plus de travail d'écriture et de tenue de livres. Il augmenta mon salaire : je gagnais désormais sept shillings par semaine, ce qui me permit de me vêtir convenablement. Quand des voyageurs laissaient des livres, des vêtements ou de vieilles chaussures dans leur chambre, Sam me les donnait. La rumeur se répandit que je pouvais aider à des accouchements, et j'en pratiquai deux gratuitement à Canvas Town. À mesure que le printemps cédait la place à l'été, le groupe de Noirs qui fréquentaient mes cours du soir passa de six à dix, puis à quinze. Parfois, du fond de la salle, le pasteur nous observait pendant quelques minutes, puis se retirait. Personne ne me payait, mais une ou deux fois par quinzaine, quelqu'un passait à ma bicoque pour m'apporter du bois, des clous ou de la toile.

« On va arranger c'te cabane comme i faut, dit Bertilda, pour que not' prof africaine traverse l'hiver de New York. »

Une Noire de soixante-dix ans aux cheveux blancs appelée Miss Betty apprit l'alphabet en trois leçons et, un mois plus tard, elle lisait couramment. Je lui demandai si elle était affranchie. Elle me répondit qu'elle était trop vieille pour ces folies. Elle appartenait depuis trente ans au même Blanc, qui vouait une véritable adoration au roi George et avait quitté Boston récemment pour venir s'installer à New York. Maintenant qu'elle était vieille et inutile, il ne voyait pas d'objection à ce qu'elle apprenne à lire. « Tu devrais t'enfuir », lui dit Claybourne.

— Pour vivre dans cette soue à cochons que vous appelez Canvas Town ? répliqua Miss Betty.

— Nous aut', on est lib'.

— Lib' avec des poux, c'est ça qu'vous êtes. Moi, j'ai un lit propre sous un toit qui coule pas et j'ai pas besoin de la popote de la chapelle Saint-Paul.

— Bon, dit Claybourne. J'peux avoir ta pomme ? »

Bertilda lui donna une tape amicale : « Dis donc, t'es un vrai casse-pieds, toi, savais-tu ça ?

— J'garde ma pomme, merci beaucoup, juste pour te contrarier, M'sieu Claybourne-connaissant », reprit Miss Betty.

Au fil de l'été, Miss Betty assista à toutes les leçons, même lorsque je commençai à en donner deux soirs par semaine. Elle s'asseyait toujours à côté de Claybourne et semblait tirer beaucoup de plaisir à le taquiner. Un jour, elle manqua deux leçons de suite. Bertilda revêtit ses plus beaux atours et me demanda de l'accompagner chez le propriétaire de Miss Betty. Nous frappâmes à la porte.

Un homme blanc aux cheveux blancs ouvrit la porte, armé d'un fusil. « Si vous êtes des voyous, je vais vous flamber la cervelle.

— Nous cherchons Miss Betty.

— Vous êtes qui ?

— Je suis son institutrice.

— Institutrice ? Qu'est-ce que c'est que cette folie ?

— Son institutrice, à la chapelle Saint-Paul.

— Tu lui enseignes quoi ?

— À lire et à écrire.

— Vieille bique ! Elle ne m'a rien dit de tout ça. Elle disait qu'elle allait faire ses dévotions, et j'étais d'accord. Eh bien, elle est malade, et je pense que vous ne la verrez plus bien longtemps. »

Nous demandâmes la permission de lui rendre visite. L'homme, qui disait s'appeler M. Croft, nous conduisit à une chambre située à l'arrière de la maison. Miss Betty était alitée sous une mince couverture rouge et pouvait à peine murmurer.

« J'ai jamais eu de visiteurs avant, dit-elle, le souffle court.

— Que se passe-t-il ? demandai-je.

— Vieille et mourante, rien de plus à dire. »

Je vérifiai son faible pouls et mis la main sur son front. Elle ne faisait pas de fièvre. « Tu n'as besoin de rien ?

— Enseigne-moi quelque chose. »

Je lui montrai quelques lignes de la *New Amsterdam Gazette*, et nous les lûmes toutes les deux. L'article racontait que les rebelles avaient saccagé un arsenal à l'hôtel de ville et déversé directement dans le fleuve la cargaison d'aliments d'un navire britannique.

« Va y avoir du grabuge, dit-elle.

— Oui, on dirait », dis-je.

M. Croft apparut sur le seuil. Il voulait nous mettre à la porte. Avant de partir, je lui fis promettre de nous autoriser à revenir.

« Merci, fille, dit Miss Betty. Ta maman t'a bien élevée. »

J'aurais souhaité passer la nuit à veiller Miss Betty. J'aurais souhaité rester avec elle et lui tenir la main jusqu'à ce qu'elle quitte ce monde. Le mieux que je pus faire fut de lui serrer le bras en lui disant que nous allions revenir bientôt.

Bertilda et moi amenâmes Claybourne rendre visite à Miss Betty deux jours plus tard, mais nous dûmes frapper à la porte à de multiples reprises avant que M. Croft vienne nous ouvrir.

« Comment le savez-vous ? demanda-t-il.

— Quoi ?

— Elle est morte cet après-midi. Je suis allé à l'église de la Trinité, mais ils ne prennent plus les Noirs dans leur cimetière. Je ne sais pas quoi faire de son corps.

— On va s'en occuper », dit Claybourne.

M. Croft se joignit les mains. « Je vais vous dédommager. Vous pouvez aller la chercher dans la chambre à l'arrière. »

Bertilda et moi habillâmes Miss Betty avec les vêtements qu'elle portait pour aller à l'église. Claybourne prit le coffre qui renfermait ses effets personnels, mais je lui demandai de le reposer par terre. Je l'ouvris et trouvai quelques perles et flacons de verre qu'elle avait conservés dans une pochette de cuir. « On va l'enterrer avec ça », dis-je.

M. Croft nous laissa prendre les draps et les couvertures du lit de Miss Betty. Nous les pliâmes dans le coffre, à l'exception du meilleur drap qui servit de linceul. Claybourne emporta le coffre à Canvas Town et revint plus tard muni d'une pelle et d'une lanterne, accompagné de plusieurs personnes.

Miss Betty pesait une plume. Sa dépouille sur nos épaules, nous marchâmes un bon moment sur Broadway en direction nord, traversâmes Chambers Street et atteignîmes la forêt. Nous poursuivîmes notre route jusqu'au cimetière des Noirs. Pendant que les hommes creusaient la fosse, Bertilda et moi retirâmes le drap, arrangeâmes les cheveux de Miss Betty et plaçâmes les perles et les flacons de verre sur son ventre.

Personne d'entre nous ne connaissait vraiment Miss Betty, mais nous chantâmes, main dans la main pour lui dire adieu, comme nous espérions que quelqu'un le fasse pour nous, un jour.

« *Notre Seigneur et Sauveur Jésus,* entonna Bertilda, *emmène cette femme par-delà les eaux vertes et froides jusque chez elle.* »

Une fois la dépouille déposée dans la fosse peu profonde, et recouverte de terre, Claybourne et les hommes ramassèrent des cailloux au clair de lune et les entassèrent pour former un amas circulaire.

« Pourquoi faites-vous cela ? demandai-je.

— J'sais pas trop, dit Claybourne, mais j'ai vu ça sur toutes les aut' tombes de Noirs et ça me semblait correct. »

Nous retournâmes vers le sud en direction de Manhattan, puis nous dispersâmes par petits groupes.

Cette nuit-là, mon lit me sembla plus froid et plus vide qu'il n'avait jamais été depuis mon arrivée à New York. Une année s'était écoulée depuis que Chekura était venu me rendre visite une nuit à Charles

Town. Était-il revenu pour me chercher ? Si oui, n'importe quel vendeur noir du marché de Charles Town avait pu lui dire que Solomon Lindo était parti avec moi pour New York.

EN NOVEMBRE, LE FROID S'INSTALLA. J'avais récupéré du coffre de Miss Betty un bonnet et des moufles que je portais jour et nuit. Je gardais le bonnet sur la tête même à l'intérieur de la taverne. « T'as pas besoin de ça ici, dit Sam, en me voyant m'asseoir sur un tabouret pour lire la *New Amsterdam Gazette*.

— Je ne veux perdre aucune chaleur, pour qu'il m'en reste plus longtemps quand je vais retourner dehors. »

Il m'apporta un café fumant. Selon le journal, la guerre avait éclaté entre les tories et les rebelles. Qu'arriverait-il aux Noirs de New York, me demandai-je, si les rebelles en chassaient les Britanniques ? Sam me confia à voix basse que, selon lui, les rebelles étaient de meilleures personnes. Il n'avait aucune confiance en les Britanniques, même ceux qui venaient dîner dans sa taverne. Ils étaient trop amicaux, trop enthousiastes envers sa cuisine, et la moitié d'entre eux possédaient des esclaves. Pour ma part, j'avais le sentiment qu'il ne fallait faire confiance à personne.

Je sirotai mon café, aromatisé de mélasse et de lait, puis posai la tasse et retournai à ma lecture. À la une figurait une proclamation de lord Dunmore, gouverneur de la Virginie, promettant la liberté à tous les Noirs qui accepteraient de combattre aux côtés des Britanniques pendant la guerre.

> Afin de restaurer le plus tôt possible la paix et l'ordre, disait la proclamation de Dunmore, je demande à toute personne capable de porter des armes de servir sous le drapeau de Sa Majesté [...] Et je déclare libres tous les

> domestiques engagés, Noirs ou autres (appartenant aux rebelles), capables de porter des armes et prêts à joindre les troupes de Sa Majesté le plus tôt possible, afin de ramener rapidement cette colonie dans le sens de son devoir envers la couronne et la dignité de Sa Majesté.

Les Britanniques nous promettaient la liberté si nous nous battions dans leurs rangs. Mille questions surgirent dans mon esprit. Je me demandais comment ils allaient nous libérer, et où et comment ils nous laisseraient mener notre vie. La proclamation parlait de personnes capables de porter des armes. Elle semblait donc s'adresser aux hommes seulement. Ils ne laisseraient assurément aucune femme noire porter une arme. Mais si tous les Noirs portant des armes étaient abattus par les tirs des rebelles, à quoi leur servirait la liberté ?

Sam revint de la cuisine. « As-tu lu ça ? demandai-je.

— Ça mobiliserait tout ton Canvas Town, mais je ne m'attarderais pas trop à cette nouvelle. Les Britanniques continuent de mourir et ont besoin de plus de combattants. C'est pour ça qu'ils font appel aux esclaves et cela rend les rebelles fous de rage. Ils disent que ce n'est pas juste de voler des Noirs à leurs bons propriétaires.

— Mais cette offre de liberté, qu'est-ce que ça veut dire ?

— Tôt ou tard, les Britanniques vont partir. Quand ils quitteront le pays, penses-tu qu'ils vont t'emmener avec eux ? »

Ce soir-là, dans la chapelle, mes élèves bondirent quand je leur montrai l'article de la *New Amsterdam Gazette*. Ils me demandèrent de lire et de relire la proclamation.

« Ça veut dire quoi, tout ça ? demanda Bertilda.

— Ça veut dire qu'les hommes qui s'battent pour les Britanniques vont avoir leur liberté, dit quelqu'un.

— Ça veut dire qu'les hommes qui s'battent pour les Britanniques vont mourir avec cinq balles dans la tête, dit Claybourne.

— Pourquoi qu'on se battrait dans leur guerre ? demanda un autre.

— Tu veux pas être lib', toi ? dit Bertilda.

— Lib' de mourir, dit Claybourne. Merci beaucoup, moi j'suis d'jà lib'.

— T'es lib' jusqu'à ce qu'un gros Blanc qui cultive le riz s'montre le nez et t'accroche un fer autour du cou, dit Bertilda. Lève-toi de ton cul d'efflanqué et va t'battre, bonhomme.

— Pourquoi tu t'bats pas, toi aussi ? dit Claybourne.

— J'irai, dit Bertilda, s'i m'laissent faire. Qu'i me donnent un mousquet, et j'descends les propriétaires de plantation un par un. J'les fais crever plus vite qu'un chef vaudou.

— Tire un bon coup en mon nom aussi », dit Claybourne.

Une semaine plus tard, je remontais Broadway par un soir glacial et venteux, entre l'église de la Trinité et la chapelle Saint-Paul, quand une main robuste me couvrit la bouche. J'essayai de me tourner, mais l'homme me coinçait le cou. Le gaillard enfonça mon visage dans son bras recourbé et me traîna dans une ruelle. Je n'entendais ni bruit de pas ni voix, seulement la respiration râpeuse de l'agresseur qui me projeta au sol. Couchée sur le dos, le souffle coupé, je vis un jeune homme blanc, les pantalons déjà déboutonnés. J'essayai de rouler sur le côté, mais il sauta sur moi.

Quand je me mis à crier, il me bâillonna de nouveau et utilisa son autre main pour me frapper. Il se jeta de tout son poids sur moi et me cloua au sol, dans la boue froide. Je lui crachai au visage et lui mordis la main, mais son poids et sa force m'empêchaient de bouger. J'entendis et sentis qu'il déchirait mes vêtements.

Des pas, enfin, puis des cris. La voix en colère d'un homme dans la nuit. « Hé, toi ! Espèce de brute ! Touche pas à cette femme. Laisse-la partir ou je tire. »

Mon assaillant ne lâchait pas prise. Son membre était dur, et il essayait de s'enfoncer en moi.

Seul un coup de feu le fit s'arrêter. « La prochaine, c'est pour ta cervelle. »

Le voyou roula sur le côté. Il se mit sur les genoux, se releva en titubant, empoigna ses culottes et s'enfuit encore déboutonné.

« Quelle honte ! » dit l'homme au pistolet.

Je ne voyais pas son visage, mais je reconnus l'accent britannique. « Une minute de plus et je lui tirais dessus. Venez. Laissez-moi vous aider. »

J'étais reconnaissante qu'il ait neutralisé mon attaquant, mais je voulais qu'il me laisse tranquille. Mes vêtements en lambeaux laissaient voir ma peau. Tout ce que je voulais, c'était de franchir les deux pâtés de maisons qui me séparaient de la chapelle, où l'on pourrait me venir en aide. Je gardais les yeux baissés. « Merci, mais ça va aller maintenant. Vous pouvez me laisser...

— Vous parlez très bien anglais. Je vous connais. Vous enseignez aux Noirs dans la chapelle. Vous êtes celle qu'on appelle Mina. »

Je levai les yeux et vis un jeune homme portant l'uniforme de la marine britannique. Je serrai la main qu'il me tendit.

« Lieutenant Malcolm Waters », dit-il en lâchant ma main.

Il avait des yeux vifs, un visage anguleux et des cheveux blonds très courts, coiffés sur le côté. « Croyez-le ou non, je parlais de vous justement l'autre jour.

— Merci, mais je dois vraiment y aller.

— Je ne peux pas vous laisser comme ça. Vous alliez à la chapelle ? »

Je fis signe que oui.

« Je vais vous accompagner jusque-là. Pendant que vos amis vont s'occuper de vous, je vais vous trouver une couverture. »

Je commençai à marcher avec lui. « Le pasteur de la chapelle a dit que vous étiez institutrice, c'est vrai ? Et j'ai entendu dire que vous étiez aussi sage-femme. »

Je me demandais pourquoi diable il avait parlé de moi au pasteur, mais je hochai la tête et continuai d'avancer. Une fois à la chapelle, il me laissa à mes amis, qui me prirent dans leurs bras et nettoyèrent les blessures sur mon visage. Ils jetèrent de hauts cris : c'était pure folie que de me promener dans les rues seule, la nuit tombée. Une heure plus tard, le lieutenant Waters arriva avec une couverture dans laquelle je m'enroulai. Il offrit de me raccompagner à Canvas Town. « Pas bonne idée, dit Bertilda, pour un homme blanc bien habillé comme toi. Tu peux aller à Canvas Town, mais revenir, c't'une autre histoire.

— Je vais faire un bout de chemin avec vous deux », dit-il.

Bertilda, le lieutenant Waters et moi partîmes donc en direction de Canvas Town.

« T'es qui, toi ? demanda Bertilda.

— Je suis un lieutenant de la marine britannique.

— Qu'est-ce que tu lui veux à ma Mina ?

— J'ai des choses à lui demander.

— Quelle sorte de choses ?

— Des choses personnelles, dit-il tranquillement.

— Hum. Ç'ui qui l'a attaquée avait aussi des choses personnelles à lui demander.

— Oui, mais moi, c'est pas pareil. Je suis un homme honorable. »

Il avait une drôle de voix chantante, et il semblait amusé plutôt qu'offensé par les questions de Bertilda. Il offrit de m'inviter à dîner à la taverne Fraunces le lendemain, puis nous laissa à l'entrée de Canvas Town et disparut dans la nuit.

« Il est pas un peu fou, c't'homme blanc, pour vouloir s'balader dans Canvas Town en plein mi'ieu d'la nuit ? dit Bertilda.

— On est un peu folles, nous aussi, dis-je, de se promener dans les rues de New York la nuit.

— Le Claybourne, lui, qui nous dit toujours de pas sortir la nuit, il est fou lui aussi, dit Bertilda. Si elle veut se déplacer, qu'est-ce qu'une femme peut faire, sinon prendre ses deux jambes ? Et moi, j'ai pas d'homme dans mon lit, ni quèqu'un pour me r'conduire la nuit.

— Moi non plus, dis-je.

— T'as un œil sur Claybourne ? demanda-t-elle.

— Pas du tout. J'ai mon homme à moi.

— Où c'est qu'il est ?

— Je ne le sais pas. Et toi, as-tu un œil sur Claybourne ? »

Bertilda fit un grand sourire et ses yeux se mirent à pétiller. « J'passe mes nuits à l'attendre et j'me demande si c'grand idiot va finir par me d'mander un p'tit brin d'amour.

— Faudrait peut-être qu'il sache que tu en veux, de l'amour.

— Y a vraiment rien ent' vous deux ?

— Rien de rien.

— Bon. J'espère que tu vas pas changer d'idée. »

Canard rôti. Pommes de terre bouillies. Haricots. Café à la mélasse. Je dégustai un merveilleux dîner aux frais du lieutenant Malcolm Waters. Il n'aborda aucun point particulier pendant tout le repas. Il était en poste à New York depuis un an et avait bonne réputation auprès de ses supérieurs. Il reconnut que la guerre s'avérait difficile avec les rebelles, mais oui, lord Dunmore était tout à fait sérieux en offrant la liberté à tout Noir qui se battrait aux côtés des Britanniques.

« Tout homme noir ? »

Il prit une gorgée de café. « Oui, c'est ça. Oui, il parlait bien sûr des hommes noirs qui feraient partie des troupes britanniques. Mais il y d'autres moyens de servir. Il y a d'autres tâches qu'une personne qualifiée et digne de confiance pourrait accomplir. »

Je baissai les yeux vers ma tasse de café et attendis qu'il continue. « Je dois vous parler dans la plus stricte intimité », dit-il.

À part nous, la salle à manger était vide. Sam Fraunces vint à notre table, et je lui demandai s'il pouvait faire en sorte que ses employés nous laissent seuls pendant quelque temps.

Sam fronça les sourcils et me lança un regard qui semblait dire *J'espère que tu sais ce que tu fais.* Mais lorsque le lieutenant Waters se tourna vers lui, Sam dit : « Certainement », et quitta la pièce.

« C'est justement la discrétion dont j'ai besoin en ce moment, dit le lieutenant Waters.

— Et pourquoi ce moment-ci est-il si critique ? »

Il resta bouche bée. « On a déjà dû vous dire que, pour une Africaine, vous avez la plus extraordinaire...

— Diction. »

Il sourit. « Je comprends qu'on vous l'a déjà dit. »

Il se tut pendant quelques instants.

« Je suis quelque peu dans le pétrin. »

Je continuai de siroter mon café.

« Vous êtes sage-femme ? »

Je fis signe que oui.

« Vous avez fait beaucoup d'accouchements ? »

Je hochai la tête de nouveau.

« Avez-vous entendu parler de Holy Ground ?

— J'étais tout près de là quand vous m'avez sauvée de mon agresseur.

— Oui, c'est ça. Un secteur chaud. Vous devez savoir qu'il y a de nombreuses belles-de-nuit à Holy Ground. »

Je le regardai calmement et le laissai poursuivre son propos. Il se pencha vers moi, les coudes sur la table, le menton dans les mains en forme de coupe, le visage tout près du mien. « Je me suis compromis un peu trop avec l'une d'entre elles.

— Vous avez une petite amie, dis-je doucement, et elle a besoin de mes services.

— Je la tiens en haute estime, mais elle est... elle est... comment dire... de couleur. Elle vient de la Barbade, pour être exact. Une fille charmante, tout à fait gentille, belle comme un cœur, et j'ai bien peur qu'elle ne soit désemparée en ce moment.

— C'est urgent ?

— J'espérais que vous veniez juger par vous-même.

— Je demande une livre en argent.

— C'est une petite fortune.

— C'est mon tarif.

— Vous n'allez pas me dire qu'une Noire de Canvas Town crache une livre pour vos services.

— C'est le tarif que je demande, répétai-je, résistant à la tentation d'ajouter les mots « pour vous ».

— Dix shillings.

— Une livre. »

Je pensais déjà aux vêtements chauds que je pourrais me procurer. J'avais besoin de chaussettes plus épaisses, d'un chandail de laine et d'un manteau.

« Quinze shillings », reprit-il.

Je le regardai droit dans les yeux. « D'accord, dit-il. Une livre. Pouvons-nous y aller ?

— Quand ?

— Eh bien, tout de suite. Il n'y a pas de temps à perdre. »

Rosetta Walcott avait le teint laiteux et les joues couvertes de taches de rousseur brun foncé. Son ventre énorme contrastait avec ses bras maigres et ses jambes fines. Elle était venue de la Barbade avec la famille blanche qui la possédait. Peu de temps après leur installation dans le New Jersey, elle avait fui à pied une nuit et avait abouti à Holy Ground. Elle avait treize ans et était enceinte de huit mois. Elle se disait amoureuse du lieutenant Malcolm Waters.

« Il m'a jamais battue, pas une seule fois. Il me donne des vêtements et de la nourriture, mais maintenant il dit que j'dois m'en aller. J'peux revenir quand j'aurai maigri, mais j'peux pas revenir avec un enfant.

— Qu'est-ce que tu veux faire ? demandai-je.

— Noyer cet enfant dans le fleuve et revenir au lieutenant Waters.

— Il se peut que tu changes d'idée quand le bébé commencera à téter.

— Le lieutenant est amoureux de moi.

— Comment le sais-tu ?

— Il a toujours pris soin de moi. M'a installée dans cette petite chambre, et j'ai pas été obligée d'aller avec les autres officiers. Il m'a gardée pour lui tout seul et est venu me voir chaque semaine.

— S'il était vraiment amoureux de toi, il ne te dirait pas de te débarrasser du bébé.

— Il dit que j'peux pas revenir avec le bébé. Mais j'ai pas besoin de bébé. Je l'aime et il m'aime. »

Le lieutenant Waters offrit de me raccompagner à Canvas Town. Je refusai. Il insista, mais je lui dis de me laisser s'il voulait que je revienne aider à mettre au monde son enfant. « Chut, fit-il, même s'il n'y avait personne autour de nous. Vous allez aider à la naissance de *son* enfant, et c'est tout ce qu'il y a à dire là-dessus. »

Souhaitant avoir exigé cinq livres au lieu d'une, je lui permis de me raccompagner jusqu'à Canvas Town. Solomon Lindo avait mis quelque temps à révéler son côté ignoble, mais le lustre du lieutenant Malcolm Waters avait terni le jour même où nous avions pris un repas ensemble.

« Quel âge avez-vous ? lui demandai-je.

— C'est une question impertinente.

— Si vous voulez que je vous aide, dites-moi votre âge.

— Vingt-deux ans.

— Et elle en a treize, dis-je.

— Elle est assez vieille.

— Assez vieille pour quoi ?

— Pour savoir ce qu'elle fait.

— Elle pense que vous l'aimez et que vous allez prendre soin d'elle.

— Holy Ground n'est pas une place pour les bébés.

— Vous ne voulez tout simplement pas vous embarrasser d'un bébé.

— Connaissez-vous un endroit où elle pourrait rester ? demanda-t-il.

— Pourquoi ne faites-vous pas quelque chose pour elle ? Pourquoi ne l'aidez-vous pas ? »

Un air de frustration passa dans son regard. « Je suis vraiment tombé amoureux d'elle. Je ne pensais pas qu'on en arriverait là.

— Et pourquoi ne l'aidez-vous pas maintenant que vous en êtes arrivés là ?

— C'est justement la raison pour laquelle je vous ai demandé de l'aide.

— Une livre pour l'accouchement et trois livres de plus pour les installer tous les deux à Canvas Town.

— C'est scandaleux, dit-il.

— Ce qui est scandaleux, c'est de la laisser partir avec votre bébé. J'aimerais que vous lui fassiez construire un abri pour trois livres. »

QUELQUES SEMAINES PLUS TARD, un messager des casernes britanniques – un Noir à l'abri de tout soupçon – me retrouva dans Canvas Town pour me demander de le suivre immédiatement à Holy Ground. J'aidai Rosetta à mettre au monde son bébé, et j'utilisai l'argent pour payer Claybourne et une équipe d'hommes qui volèrent, achetèrent et transportèrent les matériaux nécessaires à la construction d'une cabane assez grande pour la mère et sa petite fille. Il n'y avait pas d'espace à côté de la mienne, car quinze bicoques avaient été bâties depuis que j'y avais élu domicile. Rosetta et son bébé se retrouvèrent donc à l'extrémité de la rangée d'abris de fortune.

Je pratiquai dix autres accouchements à Holy Ground au cours des mois suivants. Je ne ressentais que du mépris envers les officiers britanniques, mais je savais que leurs petites amies souffriraient sans mon aide. Les officiers des casernes situées sur Broadway et Chambers Street me surnommèrent « Mina-une-livre ». Avec l'argent gagné, j'achetai de la nourriture, des vêtements et des morceaux de bois pour traverser l'hiver long et froid.

En avril 1776, une année après mon arrivée à New York, en revenant de mes leçons à la chapelle Saint-Paul, je trouvai Rosetta Walcott en pleurs à la porte de ma cabane.

« Sont tous partis.

— Qui ?

— Les Brits. Z'aviez pas remarqué ? Depuis plusieurs jours, on les amène aux bateaux dans des canots, et les derniers sont partis hier soir. J'suis allée avec le bébé pour voir le lieutenant Waters.

— Tu l'appelles 'lieutenant' ? »

Rosetta me jeta un regard impatient. « Il a vu la p'tite une seule fois. Mais les casernes sont vides. Les Brits sont tous partis. Soldats, officiers, tous. Et il est parti avec eux. »

Les troupes britanniques au complet avaient quitté la ville de New York. Selon la *New Amsterdam Gazette*, même le gouverneur William Tryon avait trouvé refuge sur un navire ancré dans le port. Les rebelles déferlaient dans Broadway, tirant des coups de feu et vidant des bouteilles de gin.

À la taverne Fraunces, les clients chantèrent, célébrèrent et burent jusqu'aux petites heures du matin. Je me sentais privilégiée de travailler à la cuisine, mais maintenant que les Britanniques étaient partis, je me demandais comment gagner assez d'argent pour me nourrir, me vêtir et réparer ma cabane.

« Quoi ? dit Sam. Tu penses que les rebelles n'ont pas de bordels ? Tant qu'il y aura des hommes qui se battent, il y aura du travail pour des filles comme Rosetta et du travail pour toi aussi. »

LES NOIRS ET AUTRES BIENS

Les rebelles occupèrent Manhattan durant six mois, puis les Britanniques reprirent la ville et en restèrent maîtres pendant sept ans. Il n'y avait plus de leçons d'anglais à la chapelle Saint-Paul, parce que les tories y enfermaient les prisonniers rebelles et les y laissaient crever de faim. Les hurlements des hommes blancs à l'agonie résonnaient comme ceux des captifs sur le vaisseau négrier, et j'évitais de me trouver aux abords de la chapelle.

Il ne me restait que trois endroits pour enseigner à lire aux Noirs et partager les nouvelles avec eux : le cimetière noir pour les grands rassemblements, une salle à la taverne Fraunces (pour vingt personnes au maximum) et l'espace devant ma cabane.

Canvas Town attirait les fugitifs. Chaque jour, il en arrivait deux ou trois, surtout après la proclamation de Philipsburg en 1779. Chaque Noir à qui j'enseignais apprit les mots de la proclamation, émise par sir Henry Clinton, commandant en chef des forces britanniques :

> Tous les esclaves noirs qui déserteront la cause des rebelles recevront une protection totale, leur liberté et des terres.

Tous les Noirs qui le pouvaient proposèrent leurs services aux Britanniques. Cette fois-ci, ces derniers ne recherchaient pas seulement des soldats. Ils engageaient des cuisiniers, des blanchisseuses, des forgerons et des débardeurs. Ils avaient également besoin de tonneliers, de cordiers, de charpentiers et de nettoyeurs de latrines.

Et ils avaient besoin de moi.

Quand Malcolm Waters revint à New York, il arborait des galons de capitaine. Je lui dis que cette promotion était probablement attribuable à sa réputation à Holy Ground, et je le surnommai Saint-Capitaine. Les Britanniques ne logeraient plus leurs maîtresses dans les maisons individuelles de Holy Ground, car les officiers supérieurs avaient réquisitionné des maisons dans toute la ville. Mais les bordels étaient florissants et offraient des femmes de toutes sortes : des Noires dans certaines maisons, des Blanches dans d'autres et les deux groupes se côtoyaient dans d'autres maisons encore.

On ne me demandait pas seulement d'aider aux accouchements. Souvent, on m'appelait pour que je donne à des femmes des doses de tanaisie ou de racine de coton et que je reste avec elles pendant que leur grossesse se terminait dans le sang. Les hommes aussi avaient recours à mes services pour traiter les cloques et pustules sur leur pénis. Je gardais à portée de main une provision de sanguinaires et d'aloès, et j'exigeais une livre de chaque personne capable de payer. J'avais besoin de cet argent. J'en avais besoin désespérément. Les prix explosaient, et tout le monde trichait, même les boulangers. La situation s'aggrava à tel point que les Britanniques fixèrent le prix du pain à vingt-deux *coppers* l'unité et établirent un règlement selon lequel chaque miche devait peser exactement deux livres. Pour combattre la fraude, les boulangers imprimaient leurs initiales sur les miches.

Chaque fois que des rumeurs de changement se propageaient, les habitants de Canvas Town s'assemblaient à l'extérieur de ma cabane et attendaient que je leur lise la *New Amsterdam Gazette*. Je leur parlai de Thomas Paine et leur lus des extraits de son livre, *Le Sens commun*, qui souleva un chœur de huées et de sifflements. Mes auditeurs trouvaient absurde que les Blancs des Treize Colonies se plaignent d'être esclaves des Britanniques.

Sam Fraunces était présent à cette lecture et soutenait que Thomas Paine avait raison. « Dites ce que vous voudrez, mais les Américains vont gagner contre le roi George et les Anglais. »

Selon Sam, les rebelles voulaient simplement diriger leurs propres affaires, et Paine ne voulait dire rien d'autre en affirmant que les Américains étaient des esclaves dans leur propre pays.

Les Noirs de Canvas Town adoraient Sam Fraunces, qui leur donnait des restes de nourriture après les réceptions et banquets, et ils étaient fiers de voir l'un des leurs gérer la taverne la plus populaire en ville. Ce jour-là cependant, ils le conspuèrent.

« D'quelle liberté z'ont besoin ? L'ont déjà ! » cria Claybourne. Bertilda prit la main de Claybourne et se mêla de la partie : « Sont assez lib' pour descend' ici, nous mett' les fers au cou, nous sortir d'ici et nous traîner jusque dans le sud, direct dans les champs de riz. Vous savez tous qu'i peuvent v'nir ici aussi souvent qu'i veulent. »

Quelque deux cents personnes manifestèrent leur accord en hurlant.

« Personne va m'ramener dans l'sud, dit Claybourne. J'me lève et j'meurs avant ça. Si y en a un qui m'colle un fer autour du cou, mon cœur fait un bond et s'arrête. J'baisse les yeux et j'dis à mon cœur, tu peux t'r'poser pour toujours. Ferme le clapet et va dormir. »

Tout le monde éclata de rire. « Y a pas d'quoi rire, dit Claybourne. Pendant tout l'temps qu'les rebelles et les tories se battaient, j'ai montré à ma bouche à envoyer des messages à mon cœur. J'dis stop, et i s'arrête. J'dis à mon cœur qu'i a perdu son job. C'est fini, baby, t'es congédié. T'es en chômage. Tu restes tranquille, tu t'couches et tu meurs. Et mon cœur va obéir, comme un bon chien. V'là pourquoi y a personne qui va m'ramener dans l'sud. »

Un homme cria à Claybourne : « Hé, Claybourne, ton cœur, c'est quelle race de chiens ?

— C't'un retriever britannique, c'est ça qu'i est, mon cœur. »

Sam Fraunces partit, dégoûté. Pour lui, Claybourne n'était qu'un clown, le genre d'hommes qui ne sortirait jamais de l'esclavage. « Il n'y a que les clowns et les Claybourne qui ont raison d'avoir peur des Américains, dit Fraunces. Les rebelles demandent leur propre liberté et sont plus honnêtes que les Britanniques. La liberté va triompher dans ce pays. Celle des Noirs va suivre peu de temps après. »

En 1782, je lus aux gens rassemblés devant chez moi que les Britanniques avaient décidé de capituler. Une foule nombreuse s'était réunie ce soir-là, et les gens restèrent silencieux et songeurs longtemps après nos discussions. Nous nous accrochions aux mots de la proclamation de Philipsburg : *Tous les esclaves noirs qui déserteront la cause des rebelles recevront une protection totale.* Même moi, j'espérais, en dépit de tout, qu'ils m'emmènent à Londres. J'imaginais que c'était de là, et seulement de là, que j'aurais une chance de prendre le bateau pour l'Afrique.

Le 26 mars 1783, tout Canvas Town s'immobilisa. Ceux qui faisaient la lessive des Britanniques revinrent à leurs cabanes. Les trois plongeurs et les deux aides-cuisiniers qui travaillaient à la taverne Fraunces quittèrent leur emploi et se plantèrent devant ma maison. Les forgerons posèrent leurs outils, les tonneliers abandonnèrent leurs barriques, les débardeurs désertèrent les quais. On aurait dit que les hommes, les femmes, les enfants de notre communauté s'étaient blottis les uns contre les autres, en proie au désarroi.

Pour ceux qui n'étaient pas encore au fait des rumeurs, j'ouvris la *Royal Gazette* et lus à voix haute le texte du traité de paix signé par le commandant en chef des forces armées de Sa Majesté dans les colonies.

Pour Canvas Town, le seul passage du traité qui comptait était la section VII :

> Toutes les hostilités, tant sur mer que sur terre, cesseront dorénavant et tous les prisonniers des deux camps seront libérés et Sa Majesté britannique retirera desdits États-Unis ses armées, garnisons et flottes dans un délai acceptable et sans causer de destruction ni emporter les Noirs ou autres biens des habitants américains.

Les nouvelles réjouirent les Blancs de New York, mais pour quiconque avait échappé à l'esclavage, le traité annonçait une catastrophe. En acceptant de ne pas emmener les « Noirs ou autres biens », les Britanniques nous avaient trahis et condamnés à tomber aux mains des propriétaires d'esclaves américains.

Enhardis par la capitulation des Britanniques, les propriétaires de plantation envoyèrent leurs hommes de main mener des raids dans Canvas Town. Nous mîmes sur pied un système de vigiles qui, à tour de rôle, surveillaient les étrangers, Noirs et Blancs. En général, nos patrouilles réussissaient à mettre la main au collet des agresseurs, à les battre et à les retenir jusqu'à ce qu'ils soient remis aux autorités britanniques. Mais les propriétaires d'esclaves et leurs agents, de la Virginie à la Géorgie, continuaient de rôder dans la ville, en plus grand nombre qu'auparavant, attrapant les fugitifs qui leur tombaient sous la main.

Vivre à New York devint dangereux. Mais fuir était encore plus dangereux. New York était le seul endroit des Treize Colonies encore gouverné par les

Britanniques et, jusqu'à leur départ définitif, ils nous assuraient une certaine protection.

Quelques jours après ce que tout le monde appela la trahison des Britanniques, Waters vint me voir pendant que je donnais ma lecture habituelle du lundi matin à la taverne Fraunces. Il était devenu un bel homme, encore plus séduisant dans son uniforme orné de décorations, épaulettes, galons d'argent, boutons resplendissants et tout. Mais ce jour-là, je ne l'accueillis pas en l'appelant Saint-Capitaine. Je n'étais pas d'humeur à plaisanter. Les Britanniques avaient déjà une fois auparavant abandonné les gens qu'ils avaient promis de protéger, et il semblait qu'ils allaient nous laisser tomber de nouveau. Je jurai de refuser d'aider Waters, aussi désespérée que soit sa demande ou quelle que soit la somme d'argent qu'il m'offrirait. J'étais fatiguée d'adoucir la vie des officiers britanniques en aidant aux accouchements de leurs maîtresses.

Tout le monde semblait partager ma déception et ma colère. « Ça sert à quoi d'vous rend' service ? dit Claybourne en apostrophant Waters. Quelle sorte d'hommes êtes-vous donc pour nous vend' aux rebelles ?

— Vous sautez trop vite aux conclusions, dit Waters. Mina, voulez-vous venir avec moi ?

— Je ne travaille pas aujourd'hui.

— Ce n'est pas ce que vous pensez.

— Je ne travaille plus pour vous, capitaine Waters. »

Waters s'avança vers moi et baissa la voix pour que je sois la seule à l'entendre : « Il ne s'agit pas de Holy Ground. C'est différent et c'est urgent.

— Je reviens tout de suite, dis-je à mes amis.

— Ne comptez pas là-dessus », dit Waters.

Dans une cantine d'officiers des casernes britanniques, on m'apporta du thé avec lait et sucre, une pomme, du pain frais et une tranche de stilton. Je bus le thé et mangeai le pain et le fromage, mais je glissai la pomme dans mon sac à main.

Waters me présenta le colonel Baker, décoré de galons, au port altier, affichant une assurance capable de nous avaler tous les deux.

Le colonel me serra la main chaleureusement. « Je vais aller droit au but, car vous avez peu de temps à perdre et moi, encore moins. »

Suivant son exemple, je me rassis et attendis la suite.

« Le capitaine Waters dit que vous venez de Guinée, est-ce exact ?

— Je viens de Bayo, en Afrique.

— Et que vous savez lire et écrire sans faute. »

Je fis signe que oui.

« Et que vous avez fait de la tenue de livres et comprenez ce travail. Les colonnes, les rangées, les chiffres, les noms à la bonne place et tous les autres détails. »

Je répétai que cette information était juste. Waters ne pouvait avoir obtenu ce dernier renseignement que de Sam Fraunces, dont j'avais tenu la comptabilité pendant plusieurs années.

« Chose plus importante, on dit que vous connaissez la plupart des personnes de couleur de Canvas Town, et que la plupart vous connaissent. Et que vous parlez deux langues africaines. Et que, partout où vous êtes passée, vous avez mérité le respect des hommes et des femmes de votre communauté. C'est vrai ? Bien. Sa Majesté le roi requiert vos services. Nous devons utiliser vos compétences et nous n'avons pas une journée à perdre. »

Pendant quelques instants, je me demandai s'il ne s'agissait pas d'un plan complexe pour que je pratique des accouchements auprès des maîtresses des plus hauts gradés de l'armée britannique à New York.

Le colonel Baker me demanda si je connaissais la section VII du traité de paix provisoire.

« J'ai enseigné à la moitié de Canvas Town à la réciter par cœur.

— Je sais que les personnes de couleur se sentent trahies par cet article, dit le colonel Baker, mais il n'y a aucune raison de paniquer. Comme vous le voyez, la section VII dit que nous n'emporterons aucun Noir ou autres biens des habitants américains. Le mot 'biens' est un terme technique. »

Le colonel Baker s'arrêta un instant, puis se pencha vers moi : « Vous comprenez ? Les personnes de couleur ne sont pas les 'biens' des Américains. Si vous avez travaillé pour les Britanniques pendant au moins un an, vous êtes libres. Vous n'êtes le bien de personne. »

Il était facile pour lui d'affirmer cela, lui qui n'avait pas eu à se défendre contre les ravisseurs d'esclaves dans Canvas Town. Mais il ne me semblait pas sage de le défier.

« Voulez-vous dire que vous allez tenir les promesses faites aux Noirs ?

— En vous emmenant en Nouvelle-Écosse, comme nous avons la ferme intention de le faire, nous ne violons aucune disposition du traité de paix.

— La Nouvelle-Écosse ? » répétai-je.

J'espérais qu'il ne s'agissait pas d'une colonie pénitentiaire.

« Pourquoi pas Londres ? demandai-je.

— La Nouvelle-Écosse est une colonie britannique préservée de l'influence américaine, à deux semaines de bateau du port de New York. C'est en fait une belle colonie, au bord de l'océan Atlantique, mais plus au nord, avec des forêts, de l'eau douce, une faune abondante et des terres qui ne demandent qu'à être déboisées pour en faire des fermes. La Nouvelle-Écosse, Miss Diallo, sera votre terre promise. »

J'avais d'autres questions à poser, mais le colonel était pressé de continuer. Les forces britanniques avaient accepté de quitter New York avant la fin de novembre, soit à peine huit mois plus tard, et il y avait beaucoup à faire. Des milliers de loyalistes allaient être emmenés en Nouvelle-Écosse, sur des douzaines de frégates, navires royaux et bateaux privés. Les propriétaires seraient également déplacés, bien sûr, en nombre beaucoup plus élevé que les Noirs.

« À cet endroit que vous appelez la Nouvelle-Écosse, dis-je, serons-nous libres ?

— Entièrement libres. Vous serez aussi libres que tous les loyalistes. Mais je vous préviens, le travail sera dur. On vous donnera des terres et on s'attendra à ce que vous les cultiviez. Vous aurez besoin de semences, d'outils et de provisions, et on vous les fournira. La Nouvelle-Écosse est immense, et il y en aura pour tout le monde. »

Comme presque tous les Noirs de Canvas Town, je voulais désespérément partir avec les Britanniques avant que les Américains – entre autres les propriétaires d'esclaves – ne s'emparent de New York. Je me demandais si les promesses du colonel Baker étaient crédibles. Mais il me fallait choisir à qui je devais faire confiance et, sachant ma liberté précaire, ma décision était déjà prise.

« Pourquoi m'avez-vous fait venir ? demandai-je. Pourquoi dites-vous...»

Il m'interrompit encore une fois. « Vous allez informer vos concitoyens. Vous allez nous aider à les recenser. Le moment venu, vous recueillerez leurs noms, leur âge et inscrirez comment ils en sont venus à servir les Britanniques. Nous pouvons aider seulement ceux qui ont servi les Britanniques pendant au moins une année. Nous avons besoin de savoir combien d'entre eux veulent partir. Et nous devons commencer l'embarquement presque immédiatement. »

Le colonel Baker se leva pour quitter la pièce, mais il vit mon doigt levé. « Colonel, sauf votre respect, je n'ai pas encore accepté votre proposition. »

J'entendis le capitaine Waters pousser un léger soupir. Je ne regardais pas dans sa direction, mais j'étais certaine qu'il réprimait une envie de rire.

« Je sais que vous avez la réputation de demander une juste rétribution, Miss Diallo. Vous serez rémunérée équitablement.

— Je veux aller en Nouvelle-Écosse moi aussi.

— Vous avez ma parole.

— Alors j'accepte.

— Magnifique. Adressez-vous à Waters pour les détails. »

Le colonel Baker me serra la main une dernière fois et sortit. Je me tournai vers Waters. « Et les autres ?

— S'ils ont servi pendant une année complète à nos côtés et s'ils peuvent obtenir un certificat pour le prouver, oui, ils pourront partir.

— Comment peuvent-ils se procurer ce certificat ? Et les femmes de Holy...

— Tous les Noirs qui ont servi à nos côtés et possèdent le certificat obligatoire auront la permission de partir pour les colonies. »

Ces paroles me donnaient l'espoir que les femmes pourraient partir elles aussi, mais Waters me laissait à peine le temps de parler.

« Et mon salaire ?

— Une livre par semaine, en argent. Vous allez devoir résider dans nos casernes, car il y aura du travail tous les jours. On vous hébergera et on vous nourrira en plus de vous donner un salaire.

— Toute cette information sur les Noirs, où va-t-elle être consignée ?

— Dans un registre spécial.

— Comment désignera-t-on ce document ? »

— Si on l'appelait l'Exodus de Holy Ground ? » dit Waters sur un ton pince-sans-rire.

Je croisai les bras. « Vous trouvez cela drôle ? »

Waters consulta sa montre de poche et redevint sérieux. « On l'appellera le *Registre des Noirs*. Vous avez rendez-vous avec le colonel et moi au petit déjeuner, demain matin, à sept heures, à la taverne Fraunces. Nous devons mettre au point la logistique, et cela prendra une longue journée de travail. Pendant huit mois, vous aurez de longues journées.

— Le *Registre des Noirs* », marmonnai-je.

Je hochai la tête et me levai pour partir. Waters leva la main, me dit de l'attendre et quitta la pièce. Il revint une minute plus tard pour me remettre un sac de toile contenant des pommes, deux miches de pain, du fromage et des figues séchées. « Un cadeau de notre réserve. Je suis sûr que cela peut être utile. »

Moins de deux heures après mon retour à Canvas Town, tout le monde sans exception était au courant des nouvelles. Mes amis se rassemblèrent devant ma porte pour me dire au revoir.

« On va t'la garder, ta cabane, au cas où t'en aies par-dessus la tête des Blancs, dit Claybourne.

— C't'un beau parleur, dit Bertilda, mais sitôt que t'as le dos tourné, i va prendre tout ton bois. En criant lapin.

— J'vas rien prend' du tout, pasque c'est moi qui l'a construite, c'te cabane. J'l'a bâtie avant qu'tu viennes rester avec moi.

— I'a une gueule comme un pont-l'vis, mais j'l'aime, mon homme », dit Bertilda en lui prenant la main.

Je leur donnai la moitié du contenu du sac et gardai le reste pour Rosetta. Claybourne prit le pain et jugea de son poids dans sa main. « Ma femme, elle a son pain à elle dans l'four. »

Bertilda lui donna une tape sur le bras. « Chut, dit-elle en riant. T'étais pas supposé l'dire. »

J'écarquillai les yeux et souris à Bertilda. Sa grossesse ne paraissait pas encore.

« Un pain dans l'four, dit Claybourne. Une vraie bonne miche. »

Plus tard ce soir-là, pendant que je rassemblais mes effets personnels, deux hommes de Canvas Town vinrent frapper à ma porte. « Mina, dit le premier, y a un homme ici.

— Un homme ?

— I' dit qu'i veut t'voir. »

Ma gorge se noua. Ils m'avaient trouvée. J'imaginais qu'ils allaient me coincer et me ligoter dans ma propre cabane. Je savais qu'à l'extérieur je pourrais essayer de fuir. Je sortis dans la nuit.

« Mina, connais-tu cet homme ? » dit l'un des gardes.

C'était une nuit sans lune. Je m'approchai de lui. Noir. Mince. Quelques pouces seulement de plus que moi. L'un des gardes frotta une allumette et alluma sa lanterne.

« Aminata Diallo ! » dit l'homme.

Je sautai au cou de mon mari et souris aux gardes par-dessus son épaule. « Oui, je connais cet homme. Je le connais de toutes les manières et dans tous les recoins. »

Je pris les mains de Chekura, sentis le doigt mutilé et m'aperçus de l'absence de deux doigts dans l'autre main. « Tu vas devoir arrêter de disparaître, dis-je. Reste à côté de moi et prends garde à tes doigts.

— Il m'en reste bien assez pour te serrer fort.

— Neuf ans que je t'attends.

— C'est mieux que quatorze, dit-il en souriant.

J'ai entendu dire que tu étais venue ici vers le début de la guerre.

— C'est exact. Et toi, où étais-tu ?

— Dans les basses terres, comme toujours. J'ai parcouru toute la Géorgie, puis je suis revenu à l'île Lady. Quand les Britanniques se sont emparés de Charles Town, ils m'ont engagé comme guide pour que je les pilote sur les chenaux des basses terres sans qu'ils se fassent tirer dessus. Mais je n'ai pas sauvé grand monde. Quelques-uns ont été abattus d'un coup de mousquet, mais la fièvre et la variole en ont emporté bien d'autres.

— As-tu l'intention de rester plus longtemps qu'une nuit ?

— Ton mari est un homme libre, Aminata Diallo. Libre cette nuit, libre demain, libre de rester ici avec toi.

— Ici, nous ne sommes pas loin d'être libres, mais ce n'est pas encore gagné. Pas avant de quitter les Treize Colonies. »

Il n'est pas facile de faire l'amour avec un homme absent depuis neuf ans. La dernière fois que je l'avais vu, j'avais trente ans. Je craignais d'être moins belle qu'alors. Mes seins avaient perdu de leur fermeté. Mon ventre mou allait-il le faire fuir ? Pour ma part, je ne le trouvai pas moins séduisant qu'auparavant. Les quelques mèches grises qui coloraient ses tempes et une légère calvitie ne me dérangeaient nullement. C'était mon homme, rendu seulement un peu plus loin sur la trajectoire de la vie. Je voulais le regarder vieillir encore. Je voulais noter tous les changements qu'il subirait au jour le jour, et je voulais protéger ses mains dans les miennes.

Je m'endormis ce soir-là en étant assurée de me réveiller aux côtés de mon mari. Au matin, après avoir quitté Canvas Town, j'aurais une autre chose à négocier avec le colonel Baker : la pension à la caserne pour mon mari et son départ avec moi pour la Nouvelle-Écosse.

Au petit déjeuner, on me donna un message à répandre dans tout Canvas Town. À compter du lendemain, de huit heures à onze heures chaque matin, toute personne noire, homme ou femme, qui aurait passé une année ou plus derrière les lignes britanniques serait la bienvenue pour faire la queue à la taverne Fraunces. Chacun disposerait de deux minutes pour s'expliquer. Si la personne pouvait attester de ses bonnes mœurs et d'avoir servi les Britanniques pendant au moins une année, on lui indiquerait de se rendre à tel quai, tel jour, pour embarquer sur tel bateau. On procéderait à une inspection plus approfondie sur le bateau. Quiconque ferait des déclarations mensongères serait livré aux Américains.

Le lendemain matin, quatre cents personnes se rassemblèrent à l'extérieur de la taverne. Le colonel Baker invita les trente premières à entrer et dit aux autres de revenir un autre jour. « Nous avons plusieurs mois pour faire cela, cria-t-il. Nous ne pouvons pas vous accueillir tous en une seule journée. »

Mon travail consistait à interroger les Noirs et à transmettre leurs réponses aux officiers. Je fis la connaissance de personnes originaires de contrées dont je n'avais jamais entendu parler. Je n'arrivais pas à comprendre certains d'entre eux, mais je fus en mesure de recueillir de l'information sur la plupart et de leur expliquer ce qui était écrit sur le ticket qu'ils recevaient. La pièce était exiguë, l'air étouffant, les journées longues. Même si j'avais hâte de retrouver les bras de Chekura, j'adorais mon nouveau travail. Je sentais que je donnais quelque chose de spécial aux Noirs qui cherchaient refuge en Nouvelle-Écosse et qu'en retour ils me donnaient quelque chose de spécial. Ils me disaient que je n'étais pas seule.

Je m'étais en effet imaginé que mes migrations imprévisibles avaient rendu ma vie unique. Or, j'appris que je n'étais nullement différente des autres. Chaque personne qui se présentait devant moi pouvait raconter une histoire aussi incroyable que la mienne, dans tous ses aspects. Au terme de chaque entretien, je me hâtais de répéter les détails clés : le quai où la personne devait se rendre, l'heure, le nom du bateau où on l'emmènerait en canot, et les effets personnels qu'elle avait le droit d'emporter : une barrique de nourriture, une barrique d'eau potable et un coffre de vêtements. Le colonel Baker insistait sur ce point, même si je lui avais dit qu'aucun Noir de Canvas Town ne possédait de barrique de nourriture ni de coffre de vêtements. Mais je fis quelque chose d'autre pour les personnes qui passèrent la première entrevue. Je leur montrai leur ticket, lus leur nom à voix haute et m'assurai qu'elles le voient inscrit au registre.

Au cours des deux jours suivants, nous reçûmes soixante émigrants de plus. Puis, Baker demanda à la foule rassemblée à l'extérieur de la taverne Fraunces de revenir deux semaines plus tard. On ne distribuerait pas d'autres tickets avant la mi-mai.

Une chambre agréable avait été réservée pour moi dans une maison de Holy Ground. Chekura eut la permission de demeurer avec moi, et on lui promit un passage vers la Nouvelle-Écosse.

« Nous pouvons lui proposer un travail d'entretien ménager des casernes pour le tenir occupé, dit Waters. Il devrait l'accepter, car il ne vous verra pas beaucoup. »

Après que les quatre-vingt-dix premiers Noirs furent rassemblés au quai Murray à la première heure, le 21 avril 1783, mon véritable travail commença. On les emmena dans des canots vers les bateaux ancrés dans l'East River : le *Spring*, l'*Aurora* et le *Spencer*, tous trois en partance pour Saint John, et le *Peggy*, à destination de

Port Roseway. Je savais que Saint John et Port Roseway étaient situés dans ce qu'on appelait la Nouvelle-Écosse, car on m'avait montré leur emplacement sur une carte.

Le colonel Baker, le capitaine Waters et moi fûmes les premiers à être emmenés au *Spring* dans un canot. Dès notre arrivée à bord, des assistants dressèrent une table à notre intention. Deux officiers de l'armée américaine se joignirent à nous. Ils devaient s'assurer qu'on ne permettrait de partir à aucun Noir non autorisé. Les marins et les officiers pouvaient circuler sur le pont, mais les passagers devaient rester dans une salle d'attente au-dessous. On comptait aussi à bord des douzaines de loyalistes blancs, les premiers à avoir embarqué, mais nous ne nous occupions pas d'eux. Nous étions là pour examiner la situation des Noirs. Mon travail consistait à écouter les officiers interviewer les réfugiés et à consigner l'information sur des feuilles garnies de colonnes. « Déployez tous vos talents de rédactrice, me dit le colonel. Soyez claire, concise et précise. »

Ces feuilles devaient constituer un registre où seraient inscrits les noms de tous les Noirs déportés vers les colonies britanniques à la fin de la guerre. Si les Américains en venaient plus tard à exiger une compensation, dit le colonel, le *Registre des Noirs* montrerait quelles personnes auraient quitté New York.

On fit monter sur le pont un groupe de dix Noirs. Je ne les avais jamais vus auparavant. « Qui sont-ils ? demandai-je à Waters.

— Des esclaves et des domestiques engagés.

— Mais je croyais…

— Nous finirons par évacuer les réfugiés de Canvas Town, mais en premier lieu, nous inscrivons ceux qui appartiennent aux loyalistes blancs. »

Le colonel commençait à interroger un Noir affligé d'un bégaiement incontrôlable, quand un loyaliste blanc s'avança et dit « Il est à moi. » Le loyaliste, lieutenant-colonel Isaac Allen, dit qu'il avait acquis le Noir comme domestique engagé et qu'il l'amenait avec lui à Saint John.

Suivant les instructions du colonel, je commençai à remplir le registre. Dans la première colonne, j'inscrivis *George Black*. Sur la même ligne, *35 ans*. Puis j'écrivis le nom du propriétaire ou de l'employeur, *Lcol Isaac Allen*. Dans la dernière colonne, je notai comment l'homme avait conquis sa liberté avant d'être engagé. *Affranchi par Lawrence Hartshorne, avec certificat.*

Une jeune fille apparut devant moi. Par son regard désespéré et par l'homme blanc qui se tenait à côté d'elle, je pouvais voir que ce voyage n'avait rien à voir avec une quelconque liberté.

Hana Palmer, écrivis-je, recopiant les paroles du colonel. *15 ans, jeune femme robuste. Ben Palmer de Frog's Neck, requérant.*

« Requérant ? demandai-je au colonel une fois que le Blanc eut emmené la jeune fille.

— Cela signifie qu'il en est le propriétaire. »

Nous accueillîmes les autres Noirs. Aucun d'entre eux n'était engagé ni esclave, et l'interrogatoire était plus rigoureux. Comment s'étaient-ils affranchis ? Pouvaient-ils certifier qu'ils avaient servi les Britanniques ? Possédaient-ils un certificat signé par un militaire britannique autorisé prouvant qu'ils avaient servi derrière les lignes de Sa Majesté ? Quand le colonel devenait impatient en raison des accents des Noirs, je poursuivais l'entretien et l'inscription.

Une jeune femme arriva avec un bébé dans les bras. Je me rappelais l'avoir vue à Holy Ground.

Harriet Simpson, écrivis-je dans la première colonne. Puis, *19 ans*. La colonne suivante servait à donner une brève description physique. « Un mot ou deux suffiront, me dit Baker. Écrivez 'jeune femme robuste'. »

J'écrivis *jeune femme robuste,* dégoûtée par cette expression. *Anciennement propriété de Winston Wakeman, Nancy Mum, Virginie.* Comme elle avait une preuve de service auprès des Britanniques, j'ajoutai *CGB*, pour *certificat du général Birch.*

Pendant que Baker s'affairait à bourrer sa pipe, Harriet me confia à mi-voix que le père de son enfant était un capitaine britannique. *Sara, 2 ans, enfant en bonne santé. Fille de Harriet Simpson et née derrière les lignes britanniques.* J'étais soulagée de voir que Harriet avait en main un certificat d'affranchissement. Personne ne jugea nécessaire de lui demander des précisions sur la façon dont elle avait servi les Britanniques.

Un homme de quatre-vingt-neuf ans se présenta en déclarant « né en 1694, en Virginie », et j'écrivis ce renseignement. Quant à la façon dont il avait servi les Britanniques, il dit : « J'ai déserté les rebelles, et ça suffit pour dire que j'ai servi. Je suis né esclave, mais je vais mourir libre. » Voyant que les détails agaçaient le colonel et que les inspecteurs américains commençaient à s'ennuyer, je notai à toute vitesse les éléments qui me semblaient importants : *John Cartwright, 89 ans. Épuisé, un œil blanchâtre. Anciennement propriété de George Haskins, Virginie. Dit qu'il a joint les lignes britanniques il y a trois ans.*

Le vieil homme ne possédait pas de certificat attestant qu'il avait servi les Britanniques, mais personne ne le demanda, et on lui permit de rester.

Nous avions inscrit tous les Noirs qui devaient monter à bord du *Spring.* « Dix seulement ? demandai-je à Waters.

— Une grande partie des places est réservée aux loyalistes blancs et à leurs biens. »

Pour l'*Aurora,* nous examinâmes quatorze Noirs. Je constatai de nouveau que les Britanniques rendaient effectivement leur liberté à quelques fugitifs, mais qu'ils permettaient aussi à des loyalistes blancs d'amener des esclaves avec eux.

Plus tard ce soir-là, au lit avec Chekura, j'étais intarissable sur les choses que j'avais vues. Mais lui n'était pas impressionné. « Des esclaves et des Noirs affranchis ensemble en Nouvelle-Écosse ? dit-il en faisant claquer sa langue. En voilà une terre promise ! »

Pendant quatre autres journées, on nous conduisit en canot vers les bateaux qui mouillaient dans l'East River. Pour les cinquante bateaux, près de six cents hommes, femmes et enfants devaient être interrogés. Comme Baker, Waters et moi ne suffisions pas à la tâche, on forma trois autres équipes d'inspecteurs. Je travaillais chaque jour de l'aube au crépuscule, et le temps filait. J'aimais écrire les noms dans le *Registre des Noirs,* noter comment les gens avaient conquis leur liberté, quel âge ils avaient et leur lieu de naissance : Caroline du Sud, Géorgie et Virginie ; Madagascar, Angola et Bonny. J'aurais voulu en écrire davantage sur chacun, mais l'espace était insuffisant, et le colonel Baker insistait pour réduire les files d'attente. Le colonel se montrait particulièrement impatient devant les longues descriptions et préférait les expressions brèves telles que *jeune femme robuste, marques sur le visage, homme robuste, visage marqué par la variole, homme prometteur, homme ordinaire, épuisé, borgne, jeune femme vigoureuse, boiteux incurable, petit homme, garçon prometteur* et *bel enfant.* Les descriptions ne m'intéressaient guère, mais j'aimais observer les gens suivre le mouvement de ma main pendant que j'écrivais leur nom et la façon dont ils me demandaient de lire tout haut quand j'avais terminé. Je me réjouissais à l'idée que, dans cinquante ans, quelqu'un pourrait trouver le nom d'un ancêtre dans le *Registre des Noirs* et dire : « C'était ma grand-mère. »

En juin, on m'envoya à Canvas Town pour informer les Noirs que dix-sept navires supplémentaires avaient été mis à leur disposition dans le fleuve North Hudson.

Sur le *Free Briton*, qui fut inspecté le 13 juin, nous inscrivîmes trente-quatre personnes, tous des domestiques engagés. Une jeune femme semblait terrifiée de devoir partir avec l'homme qui l'avait engagée, mais je ne pus faire autre chose que de noter les mots dictés par le colonel Baker : *Sarah Johnson, 22 ans, jeune femme trapue, quarteronne. Engagée de Donald Ross. Anciennement esclave de Burgess Smith, comté de Lancaster, qu'elle quitta avec Thomas Johnson ci-dessus inscrit, son mari.* Le même Donald Ross amenait avec lui sur le bateau cinq domestiques engagés.

En quittant le *Free Briton*, je demandai au colonel : « Engagé, est-ce un autre mot pour dire esclave ?

— Non. Vous vous engagez de votre plein gré, pour une période déterminée. En échange, on vous loge, on vous nourrit et on vous donne un salaire. »

Après avoir accompli un si long périple pour conquérir ma liberté, je ne voyais pas comment j'aurais pu être d'accord avec cette définition.

Au cours du mois de juillet, cinquante navires supplémentaires partirent du port de New York, emportant plus de huit cents hommes, femmes et enfants. Sur un bateau à destination de Saint John, je levai les yeux du registre pour interviewer la personne suivante. Je tombai nez à nez avec Rosetta et sa fille. Je savais qu'elle avait fini par dénicher un emploi de cuisinière dans les casernes britanniques. J'aurais voulu me lever de mon siège pour les embrasser toutes les deux, mais je craignais que le colonel ou l'un des inspecteurs m'en empêchent, croyant que j'aidais des amis. Je la regardai dans les yeux un bref instant. Rosetta m'adressa un signe de tête à peine perceptible. Elle ne voulait pas non plus qu'on la surprenne.

Je m'éclaircis la voix et me remis au travail. J'examinai le certificat qu'elle me tendit, lui demandai son nom et son âge et retournai au registre. « Dépêchez-vous, Miss Diallo, me dit Baker. Si elle est libre, vous pouvez simplement indiquer qu'elle est indépendante. »

Rosetta Walcott, 21 ans, jeune femme robuste, indépendante. Dit qu'elle a servi derrière les lignes britanniques durant six ans. Certificat du général Birch.

Adriana Walcott, 8 ans, fille de Rosetta. Belle enfant.

À partir de ce moment-là, quand j'inscrivais le nom d'une femme plutôt jeune qui avait servi derrière les lignes britanniques et qui voyageait seule avec un enfant, je me disais qu'elle devait fuir Holy Ground, et j'étais contente pour elle dans mon for intérieur.

Nous interrogeâmes également des Noirs sur des bateaux à destination de Québec, de l'Allemagne et de l'Angleterre. En premier lieu, j'enviais les Noirs qui se dirigeaient vers l'Angleterre, car je savais que, de là, on pouvait prendre un bateau pour l'Afrique. Mais il s'avéra que ceux qui partaient pour l'Europe appartenaient à des officiers britanniques ou hessois qui retournaient dans leur pays après la guerre. Certains Noirs avaient appartenu à ces officiers pendant de nombreuses années, et d'autres avaient été capturés dans des plantations du Sud et repris comme esclaves par les Britanniques. Mon envie se transforma assez vite en pitié.

David, 10 ans, garçon prometteur, le requérant, M. le général Kospoth, réside en Allemagne. Le garçon part avec le général qui l'a acheté à Philadelphie. Le garçon ne peut pas dire avec qui il vivait antérieurement.

C'est la description que le colonel me fit écrire, mais David m'avait parlé brièvement à bord du *Hind* et m'avait dit que le général Kospoth et ses soldats hessois l'avaient enlevé, lui et de nombreux autres esclaves appartenant à un cultivateur de tabac. « Tenez-vous-en à des mots simples, Mina », avait dit Baker après avoir dicté la description.

CHEKURA FIT PREUVE DE PATIENCE pendant tout le processus. Pour cinq shillings par semaine, il passait le balai dans les casernes britanniques et traînait les seaux à ordures jusqu'à un quai à la charpente pourrie. Chaque jour, nous nous éveillions deux heures avant l'aube pour nous étreindre, glisser les mains sur la peau de l'autre et nous remémorer des épisodes des vingt-sept années que nous avions passées en Amérique. Nous n'étions jamais à court d'histoires. Je voulais qu'il me raconte tout ce qu'il avait vécu. Je voulais lui raconter tout ce qu'il m'était arrivé. De savoir que mon mari connaissait le récit de ma vie au complet m'apportait un grand réconfort.

Je crois que notre enfant fut conçu le 15 août 1783. Je le savais par la façon dont mon mari s'était enfoncé de plus en plus profondément en moi et par la façon dont nous avions tressailli et exulté à l'unisson. C'était très tôt le matin, car les soldats britanniques avaient un poulailler et aucun coq n'avait encore chanté.

« Je veux partir d'ici avec toi dès que possible, lui dis-je, ma jambe enroulée autour de la sienne. Je veux vivre une vraie vie avec toi, mon mari. »

Chekura prit mon visage entre ses mains et passa ses pouces sur mes lunes. « Ce que nous avons en ce moment, c'est ça, la vraie vie.

— Mais les Britanniques nous ont promis la liberté en Nouvelle-Écosse, dis-je.

— N'oublie pas tous les esclaves et les engagés que tu as inscrits dans le registre. Ils ont été volés aux rebelles et remis en esclavage par les Britanniques. Il se peut que nous arrivions à la terre promise et il se peut que non, mais où que nous soyons, la vie ne sera pas facile. Mais cela ne nous a jamais arrêtés.

— Arrêtés de faire quoi ?

— De faire ça, dit-il, en pressant une fois de plus ses lèvres contre les miennes.

Au mois d'août, tant de navires étaient partis que Canvas Town commençait à se dépeupler. Ce résultat aurait été encourageant, n'eût été le fait que les ravisseurs d'esclaves avaient moins de difficulté à opérer. Le nombre d'endroits pour se cacher avait diminué, il était devenu difficile de passer inaperçu dans les foules de plus en plus restreintes et il restait moins de Noirs pour se protéger les uns les autres. Les hommes blancs qui agissaient en bandes étaient devenus de plus en plus audacieux pour capturer les Noirs, esclaves fugitifs ou non. Si Chekura et moi n'avions pas été hébergés dans les casernes britanniques, nous n'aurions pas été en sécurité. Pourtant, j'éprouvais un certain malaise. Plus nous restions derrière pour aider les autres à obtenir leur liberté, plus nous risquions de perdre la nôtre.

En septembre, un jour qu'on me remettait ma paie hebdomadaire, je demandai au colonel si Chekura et moi pouvions partir. Baker leva les yeux de son livre de comptes. « Il peut partir quand bon lui semble, dit-il avec un petit coup de menton en direction de Chekura. Mais vous, vous devez rester jusqu'à la fin. Nous avons besoin de vous, Mina. Nous nous étions entendus là-dessus. Nous vous avons engagée, et vous devez rester jusqu'au bout.

— Le bout, ce sera quand ?

— Avant la fin de l'année. »

UNE CINQUANTAINE D'AUTRES BATEAUX quittèrent New York en octobre. Sans le moindre avertissement, sans la moindre explication, je fus affectée à une nouvelle équipe d'inspecteurs. Avec eux, je passai une longue journée à inscrire des Noirs sur *La Aigle* en partance pour Annapolis Royal, en Nouvelle-Écosse. Un grand nombre d'entre eux possédaient des documents attestant qu'ils avaient servi une troupe britannique appelée les Black Pioneers.

Joe Mason, 25 ans, homme robuste, Black Pioneers. Anciennement domestique de Samuel Ash, Edisto, Caroline du Sud, évadé en avril 1780.

Prince, 30 ans, homme ordinaire avec une jambe de bois, Black Pioneers. Anciennement domestique de M. Spooner, Philadelphie, évadé en 1777.

Les gens arrivaient par groupes, tantôt une famille entière, tantôt des soldats, des cuisiniers ou des blanchisseuses ayant servi dans le même régiment, ou des esclaves ayant fui, des années auparavant, le même maître à Charles Town, à l'île Edisto ou à Norfolk. Il y avait des nonagénaires et des nouveau-nés. Il y avait des soldats en bonne santé et d'autres à l'article de la mort. Il y avait ceux qu'on devait porter et d'autres qu'on tenait par la main.

Sarrah, 42 ans, femme ordinaire, complètement aveugle, Black Pioneers. Ancienne esclave de lord Dunmore, évadée en 1776.

« Comment as-tu perdu la vue ? lui demandai-je à mi-voix.

— J'brassais la lessive pour faire du savon, et tout a explosé. Le gars à un pied de moi m'avait tendu sa veste rouge en me disant de la laver délicatement. L'a été tué en un éclair, j'ai donc eu d'la chance.

— Ç'a dû faire horriblement mal, dis-je.

— J'ai connu pire, dit-elle. Dis donc, t'es une Noire ?

— Africaine.

— Tu vas écrire tout ça ?

— C'est mon travail.

— R'mercie l'bon Dieu, fille. R'mercie l'bon Dieu. J'ai toujours voulu apprendre à lire. J'pense que tout c'que j'peux faire maintenant, c'est apprendre à chanter.

— Lord Dunmore, c'était ton propriétaire ?

— Oui, Ma'me.

— Le lord Dunmore de la Proclamation ? Le premier à dire que nous serions libres si nous combattions pour les Britanniques ?

— Le lord Dunmore lui-même. Le gouverneur d'la Virginie devait avoir ses esclaves.

— Tu es libre maintenant, Sarrah, et tu pars pour Annapolis Royal.

— J'sais pas où c'est, mais c't'un bien joli nom.

— C'est sur la côte, au nord, en Nouvelle-Écosse. À deux semaines de bateau.

— T'as l'air si intelligente. J'parie qu't'es belle en plus. »

Je me penchai vers elle pour lui dire un secret que je n'avais encore confié à personne, excepté à mon mari. Je m'assurai que nul ne pouvait nous entendre : « Je vais avoir un enfant.

— Un p'tit, c't'un miracle, surtout de not' temps. Ton mari est avec toi ?

— Oui.

— R'mercie l'ciel. Tu voyages avec nous, fille ?

— Pas sur ce bateau. Bientôt, j'espère.

— Fais attention, fille, et prends garde à tes yeux. »

PAR UN FROID MATIN D'OCTOBRE, après que nous eûmes fait l'amour, nous étions allongés, mains enlacées, et Chekura me raconta comment il avait perdu le bout de ses doigts.

« J'avais guidé les Britanniques parmi les chenaux des basses terres. Ils avaient pillé toutes les plantations qu'ils avaient pu trouver. Ils avaient abattu des rebelles. Ils avaient volé des couteaux, des poulets, des cochons et de l'argent. Ils avaient emmené quelques esclaves comme trophées et en avaient converti d'autres, comme moi, en assistants. Ils promettaient d'affranchir tous ceux qui les aidaient. Mais quand le temps est venu d'évacuer Charles Town par bateau, les Britanniques n'ont pris avec eux que certains Noirs. Ils avaient promis d'en emmener plus, mais comme d'habitude, ils mentaient. Je savais que si je ne partais pas, un homme du comté de Beaufort n'attendait que l'occasion de me mettre la main dessus pour avoir essayé de fuir avec les Britanniques. Les soldats ont commencé à lever la passerelle. Avec un autre, j'ai sauté à l'eau tout habillé. J'étais à quelques pieds seulement du bateau. Nous avons essayé de grimper l'échelle, mais les hommes à bord ont crié qu'ils allaient tirer si nous ne lâchions pas prise. Je ne les ai pas crus. Je les avais servis pendant des mois. Nous avons continué à monter, même si deux marins sur le pont nous menaçaient avec des coutelas. 'Allez-vous-en', ont-ils hurlé, mais nous nous sommes entêtés. En fin de compte, ils n'ont pas tiré sur nous. Mais quand mon ami a posé la main sur l'échelon supérieur, l'un des soldats lui a tranché les doigts. Il est retombé dans l'eau en criant et a continué de hurler quand sa tête a refait surface. J'avais les deux mains sur la rambarde. L'un des marins m'a flanqué un coup à la main gauche. Il m'a tranché le bout de deux doigts. Mais je me suis agrippé avec la main droite. J'aurais préféré mourir noyé plutôt que de retourner à mon propriétaire.

«J'ai croisé le regard d'un autre marin. Je l'avais déjà vu. J'avais fait du commerce avec lui dans les basses terres. J'ai vu sa figure changer quand il m'a reconnu. Il m'a hissé à bord, m'a donné un linge pour éponger ma main en sang et m'a caché derrière lui sur le pont. La fièvre ne m'a pas lâché tout le temps que j'étais en mer, mais je n'arrêtais pas de penser à toi. À l'arrivée à New York, on m'a débarqué à Brooklyn Heights. C'est là que je suis resté jusqu'à ce que j'entende parler de Canvas Town et que je parte à ta recherche. »

Chekura m'avait manqué depuis que nous avions mis le pied en Amérique, et je ne voulais plus passer une journée de plus sans lui. Même si mes journées de travail étaient longues, les petits matins nous appartenaient à nous seuls, pour faire l'amour et bavarder.

« Laisse-moi parler à ce bébé dans ton ventre, dit-il en approchant sa bouche de mon nombril.

— Ôte-toi de là, dis-je en riant.

— Non, laisse-moi lui dire quelque chose. Je veux lui parler à elle. »

Je souris à mon homme en me rappelant que mon père avait fait la même chose avec moi quand j'étais dans le ventre de ma maman.

« Accroche-toi à ta mère, petite fille, murmura Chekura contre mon nombril.

— Tu penses que c'est une fille ?

— Sûr que c'est une fille. Ton papa est bon à rien, donc reste proche de maman.

— Papa est très bien, vraiment très bien.

— Papa est un voyageur.

— Nous sommes tous des voyageurs. Tous tant que nous sommes. »

À la caserne, le lendemain, on m'informa que le capitaine Waters et le colonel Baker étaient partis pour l'Angleterre. Sans au revoir. Sans remerciement. Sans indication sur qui me donnerait mon salaire. Sans un mot sur la date de mon départ.

Je m'adressai à l'intendant général adjoint, homme désagréable et impatient : « Nous n'avons plus besoin de vos services. Nous avons aussi besoin d'espace dans les casernes. Vous allez devoir retourner à Canvas Town.

— Et mon bateau ? Quel bateau puis-je prendre avec mon mari ? »

Il farfouilla sur son bureau et poussa quelque chose vers moi sans même lever les yeux. « Prenez ça », dit-il en me faisant signe de partir.

Sur nos billets, on pouvait lire « *Joseph*, embarquement le 7 novembre à destination d'Annapolis Royal. »

CHEKURA ET MOI ATTENDIONS sur le quai Murray avec une foule de deux cents autres Noirs. Blottis les uns contre les autres sous la pluie glaciale, nous espérions qu'Annapolis Royal offrirait des hivers plus cléments comparativement au froid mordant et à la neige de Manhattan. Dans mon épais manteau, je gardais le certificat qu'on m'avait donné quand j'avais commencé mon travail pour le *Registre des Noirs*.

> New York, 21 avril 1783. CECI certifie à qui de droit que la titulaire, Mina Di, négresse d'origine mandingue, a servi derrière les lignes britanniques, en conséquence de la Proclamation de lord Dunmore, gouverneur de la Virginie, et de sir Henry Clinton, regretté commandant en chef pour l'Amérique ; et que ladite négresse a la permission de Son Excellence sir Guy Carleton d'aller en Nouvelle-Écosse, ou à quelque autre endroit qu'elle jugera propice. Par ordre du général de brigade Birch.

J'avais aussi en main des galettes de crabe, du fromage à pâte ferme, deux miches de pain, six pommes et quatre bouteilles de bière. Toutes ces provisions avaient été emballées dans du papier journal par Sam Fraunces qui nous les avait apportées au quai en venant nous dire au revoir. Mes amis étaient tous partis, certains pour Saint John, d'autres pour Annapolis Royal, d'autres encore pour Québec. Je ne connaissais aucune des personnes rassemblées sur le quai. Sam Fraunces serra la main de Chekura et m'embrassa. Je ne savais comment le remercier. Après que Chekura et moi eûmes été obligés de quitter les casernes britanniques, Sam nous avait hébergés dans sa taverne. Canvas Town était trop dangereux, nous avait-il dit, car les hommes blancs rôdaient dans le secteur chaque nuit. La rumeur courait que George Washington envahirait la ville avant la fin de novembre.

Juste avant notre départ, Sam s'approcha de nous et me murmura à l'oreille que George Washington lui avait promis du travail quand la guerre serait terminée. Il allait être engagé comme chef cuisinier à la résidence du général, à Mount Vernon, en Virginie.

« Quand les tories auront levé la dernière ancre, on se rendra compte que les Américains sont les meilleurs. Tu n'as jamais été juste envers eux.

— Je vais tenter ma chance avec les Britanniques. »

Sam me serra la main. « Écris-moi aux bons soins du général Washington, Mount Vernon. »

On nous amena en canot sous la pluie jusqu'au *Joseph* et on nous rassembla sous le pont pour attendre l'inspection. Pendant deux jours, on chargea le bateau de bœuf salé, de pois secs, de suif, de vin et d'eau. Finalement, trois Britanniques commencèrent les inscriptions dans le *Registre des Noirs*. Je n'en connaissais aucun. Deux Américains surveillaient nos moindres faits et gestes. Ils appelèrent Chekura avant moi.

Chekura, 41 ans, petit homme, dit qu'il a servi les Britanniques à Charles Town, s'est enfui de son propriétaire, M. Smith, de Beaufort, en 1779. Certificat du général Birch.

Quand vint mon tour, il me semblait que moins je leur en dirais, mieux cela vaudrait. Je leur donnai même mon nom tronqué pour que ce soit plus simple.

Mina Di, 38 ans, née en Guinée, a servi derrière les lignes britanniques à New York depuis 1777, a auparavant appartenu à M. Lindo de Charles Town. Certificat du général Birch.

Après quelques griffonnages administratifs à la plume, nous étions libres. Chekura et moi nous dirigeâmes sous le pont avec les derniers Noirs qui avaient été inspectés. Mais au moment où on allait lever l'ancre du *Joseph*, une voix forte se fit entendre : « *Mina Di, présentez-vous, s'il vous plaît.* »

Les Britanniques et les Américains se concertaient à voix basse. Les Américains détenaient un bout de papier et montraient à l'intendant général adjoint certains détails. L'intendant finit par s'adresser à moi : « Mina Di, une réclamation a été déposée contre vous. Nous ne pouvons pas vous laisser partir pour le moment. Vous devez suivre ces messieurs.

— Mais...

— Ne discutez pas.

— Mais j'ai un certificat du général Birch. J'ai servi les Britanniques pendant des années. J'ai travaillé du mois d'avril jusqu'à il y a une semaine sur ce même *Registre des Noirs,* sous les ordres du colonel Baker.

— Vous pourrez répondre aux allégations de votre requérant.

— Quel requérant ?

— Messieurs, emmenez cette femme. »

Chekura me prit la main. « Je suis son mari et je vais avec elle. »

L'intendant général adjoint fronça les sourcils. « Écoute, mon garçon, si tu descends de ce bateau, je peux te garantir que tu n'embarqueras sur aucun autre. Si elle obtient gain de cause contre son requérant, elle pourra prendre un autre bateau. Mais si tu quittes ce navire, tu restes à New York. J'y veillerai personnellement. Je n'ai pas de temps à perdre.

— Reste sur le bateau, Chekura. Je vais revenir.

— Je ne peux pas te laisser, femme.

— Pars avec ce bateau. Il n'y a pas d'autre solution. Nous nous retrouverons en Nouvelle-Écosse. Tu me chercheras et je te chercherai. »

Il me prit dans ses bras. Je serrai ses mains dans les miennes. Ses doigts durent me lâcher quand on m'expulsa du pont pour me faire descendre la passerelle puis m'embarquer dans le canot qui me ramena au quai Murray. Pendant tout le trajet, je gardai les yeux rivés sur le *Joseph*. Je savais que c'était Solomon Lindo qui avait déposé une réclamation contre moi. Il avait contribué à me séparer de mon fils plus de vingt ans auparavant, et voilà maintenant qu'il voulait me séparer de mon mari. Je n'aimais pas le sentiment de haine qui montait en moi et j'essayais de chasser Lindo de mon esprit en pensant plutôt aux bras de Chekura qui venaient de m'enlacer.

Je passai la nuit en prison. On me retira mon sac, qui renfermait quelques vêtements et toutes mes économies. Je n'avais même pas quelques shillings pour soudoyer le geôlier noir. Je réussis tout de même à le supplier à voix basse d'aller dire à Sam Fraunces ce qu'il m'arrivait. Je l'assurai que s'il pouvait faire cela pour moi, Sam le récompenserait sûrement de quelque façon.

Le geôlier me sourit. « J'allais faire ça pour vous de toute façon. Je sais qui vous êtes.

— C'est vrai ?

— Vous avez enseigné à ma fille à la chapelle Saint-Paul, et elle lit très bien maintenant. À son tour, elle m'a montré à lire. »

Le lendemain matin, Sam Fraunces vint me rendre visite. Lui qui avait toujours affiché un optimisme incroyable ne souriait pas du tout.

« J'avais confiance aux Britanniques, dis-je. Ils

avaient dit qu'ils nous protégeraient et je les ai crus. »

Sam me prit la main. Il dit que certains planteurs qui fournissaient des preuves étaient autorisés à réclamer leurs esclaves en fuite. « Je ne peux pas promettre de te tirer d'ici, mais je vais faire tout ce que je peux. J'ai d'abord une mauvaise nouvelle à t'annoncer.

— Laquelle ?

— Je viens d'apprendre que Solomon Lindo est en ville. »

Je pris mon visage entre mes mains. « Ç'en est fini de moi.

— Tiens bon, dit Sam. Je vais voir ce que je peux faire. »

Le geôlier escorta Sam vers la sortie. Je caressai mon ventre et fredonnai des airs de mon enfance à mon bébé pour le rassurer. Je ne voulais pas céder à la peur. Je ne voulais pas que ce soit moi qui apprenne la peur à ce bébé. Pour calmer mon angoisse, j'essayai d'imaginer la forme de sa petite bouche et le son de ses premiers pleurs.

Après deux jours passés en prison, on m'emmena, pieds et poings liés, à la taverne Fraunces, dont la salle de réunion avait été transformée pour l'occasion en tribunal.

J'attendis avec le gardien de prison et un juge de paix qui ne voulut même pas me dire le nom de la personne qui me réclamait.

La porte s'ouvrit toute grande, et Robinson Appleby fit son entrée. Je restai bouche bée. Je n'avais pas vu Appleby depuis mon départ de l'île Santa Helena, vingt et un ans auparavant. Malgré sa calvitie et son ventre proéminent, sa confiance en lui s'était raffermie au fil des ans. Il arborait un large sourire. « Mina, quelle agréable surprise !

— Comment osez-vous ?

— Fais attention quand tu parles à celui qui t'a possédée.

— Vous ne possédez rien d'autre que votre propre conscience.

— Tu t'es fait toute une réputation à New York. Je n'ai pas eu de mal à te retracer. »

Appleby déclara au juge de paix qu'il était toujours mon propriétaire. Il expliqua que je n'avais été que prêtée à Solomon Lindo, que Lindo s'était enfui avec moi et qu'à mon tour j'avais fui Lindo. Selon Appleby, je n'avais jamais été affranchie, j'étais à New York en situation illégale et je lui appartenais toujours.

Appleby déplia une feuille de papier froissée. « Ce papier, Monsieur, atteste que j'ai acheté cette femme de M. William King, à Charles Town, en 1757.

— Qu'avez-vous à répondre ? me demanda le juge de paix.

— Ce qu'il vient de dire est vrai. Mais il m'a vendue en 1762 à Solomon Lindo. »

Je n'eus d'autre choix que de poursuivre avec un mensonge. « Et M. Lindo m'a affranchie en 1775.

— Où sont vos papiers ? demanda le juge de paix.

— Je les ai perdus.

— Elle prétend avoir eu des papiers, mais elle les a perdus, dit Appleby. Moi, je dépose ma réclamation avec des documents.

— Avez-vous quelque chose à ajouter ? me demanda le juge de paix.

— Il ment. »

À ce moment, Sam Fraunces fit irruption dans la salle.

« Monsieur Fraunces, dit le juge de paix, avez-vous quelque chose à apporter à ce procès ?

— Vous savez que je suis un homme d'affaires respectable, dit Sam.

— Votre réputation est intacte, dit le juge.

— Je demande donc un bref ajournement. J'ai besoin de deux heures. Je suis en voie d'obtenir une preuve en faveur de cette femme. »

Le juge poussa un soupir. « J'ai trois autres causes aujourd'hui. Je vais les entendre. Quand j'aurai terminé, si vous n'avez pas produit votre preuve, je n'aurai d'autre choix que de prendre une décision dans cette affaire. »

On me fit asseoir sous bonne garde, toujours enchaînée, pendant qu'Appleby sortit pour déjeuner. Du fond de la salle, j'entendis les réclamations contre deux autres Noirs qui, comme moi, avaient été expulsés des bateaux dans le port. Les deux, un homme et une femme, furent remis à des hommes qui prétendaient être leurs propriétaires. J'éprouvais du mépris envers les Américains qui s'appropriaient ces Noirs, mais j'en ressentais davantage à l'égard des Britanniques. Ils s'étaient servis de nous de toutes les façons pendant leur guerre. Cuisiniers. Prostituées. Sages-femmes. Soldats. Nous leur avions donné notre nourriture, notre lit, notre sang, nos vies. Et lorsque les propriétaires d'esclaves arrivaient avec leurs histoires et leurs papiers, les Britanniques nous tournaient le dos et les autorisaient à se saisir de nous comme de la marchandise. Notre humiliation ne voulait rien dire pour eux, ni nos vies.

Appleby attendait avec deux colosses d'assistants. Pour sûr, ils n'auraient pas de mal à m'emmener. Sam Fraunces revint finalement dans la salle.

« Monsieur Fraunces, dit le juge, avez-vous des éléments nouveaux ?

— Oui, Monsieur le Juge.

— Faites-nous-les connaître.

— Merci. »

Sam ouvrit la porte et fit entrer Solomon Lindo.

Solomon Lindo ? Sam devait avoir perdu la tête. M'avait-il trahie ? Était-il en train de sceller mon sort ? Peut-être Lindo lui avait-il offert de l'argent. Les temps étaient si durs que Sam en avait peut-être besoin. Mais cela me semblait impossible. Contrairement à Appleby qui, lèvres pincées, avait adopté une attitude de défi, Lindo marchait en traînant les pieds et gardait la tête baissée. Il prenait soin de ne pas croiser mon regard.

« Veuillez vous présenter, dit le juge de paix.

— Solomon Lindo.

— Lieu de résidence ?

— Charles Town.

— Occupation ?

— Commerçant.

— Avez-vous des biens ?

— Oui, j'ai des biens. Une maison à Charles Town et une plantation d'indigo à l'île Edisto. »

Ses affaires d'inspection de l'indigo avaient dû péricliter pendant les années de la guerre. Il avait dû gérer sa plantation avec l'énergie du désespoir. J'étais incapable de me faire à l'idée de continuer à vivre s'il me demandait à nouveau de superviser sa production d'indigo ou de tenir ses livres.

« Êtes-vous venu à New York pour réclamer cette femme ?

— Je suis venu discuter d'indigo avec le gouverneur de New York. Mais je savais qu'elle était ici.

— Quels sont vos intérêts dans cette cause ?

— Cet homme, dit Lindo, en désignant Appleby d'un signe de tête, m'a vendu Mina Di en 1762. J'ai les papiers ici.

— Vous dites donc qu'elle vous appartient ? Vous la réclamez pour vous-même ?

— Monsieur Appleby n'en est pas le propriétaire. C'est à moi qu'elle appartient.

— Monsieur Appleby a déjà montré ses papiers, dit le juge. Avez-vous une preuve plus récente de cet achat ?

— Oui. Puis-je vous la montrer ?

— Monsieur Lindo, la journée a été longue. Lisez le document à voix haute, tout simplement.

— Je préférerais...

— Lisez, Monsieur Lindo. »

Lindo s'éclaircit la voix et sortit une feuille de papier de sa poche. Il la déplia avec soin, se gratta le menton, se racla la gorge de nouveau et commença à lire. « 'Contrat de vente entre Robinson Appleby de l'île Santa Helena et Solomon Lindo de Charles Town. Daté du 1er février 1762. Objet de la vente : Mina, femme de Guinée.' Cela sera-t-il suffisant ?

— Poursuivez, dit le juge.

— 'Solomon Lindo accepte d'acheter ladite femme Mina pour soixante livres sterling, et...' »

Lindo fit une pause. Je voyais le papier tressauter dans sa main.

« Nous n'avons pas toute la journée, Monsieur Lindo. Veuillez continuer. »

Lindo poursuivit sa lecture. « '... et d'arranger la vente de Mamadou, fils de Mina. Ladite vente sera exécutée à Savannah, Géorgie, aux conditions de Robinson Appleby. Les profits de la vente du fils seront divisés comme suit : les trois quarts à M. Appleby et le quart à M. Lindo.' »

Les trois quarts des profits à l'un et le quart à l'autre. Je ne voulais pas empoisonner de haine mon propre cœur, car j'avais un petit à l'intérieur de moi. Pour cet enfant, je voulais rester aussi calme qu'une villageoise de Bayo marchant avec un ballot sur la tête. Je posai la main sur mon ventre et attendis la fin de l'histoire.

« Ce contrat a-t-il été signé et exécuté ? demanda le juge.

— Oui.

— Et vous vous prenez pour des gentlemen ? »

Appleby se taisait, mais Lindo leva la main pour

prendre la parole. « Monsieur le juge, je ne suis pas fier de ce que j'ai fait, mais je tiens à reconnaître mes torts. M. Appleby était déterminé à vendre le bébé à un propriétaire et la mère à un autre. Il était obsédé par le désir de punir son esclave parce qu'elle avait défié son autorité. Je n'ai pas pu le persuader de me laisser acheter les deux. Mais, moyennant une somme substantielle, beaucoup plus que le tarif courant à cette époque, j'ai fini par le convaincre de me vendre Mina. Il consentit à la seule condition que je serve de négociateur pour l'enfant. J'ai fait de mon mieux pour confier le petit à un homme respectable. Quant à Mina, il est vrai que je voulais l'acheter et que j'avais planifié de profiter de son travail. Par contre, j'éprouvais aussi le sentiment qu'il valait mieux la prendre avec moi plutôt que de la laisser aller travailler dans une plantation de riz en Géorgie. »

Le juge de paix secoua la tête. « Monsieur Appleby, voulez-vous répondre à ce qui vient d'être dit ?

— Je n'ai rien à dire au juif, dit Appleby.

— Faites voir le contrat », dit le juge de paix.

Il prit le document, en lissa les plis, l'examina attentivement, puis le rendit à Lindo et se tourna vers Appleby. « Monsieur Appleby, vous faites une mauvaise réputation aux hommes blancs. Vous avez vingt-quatre heures pour quitter New York. Si demain, à midi, vous êtes toujours dans cette ville, je vous fais arrêter. Et si vous ne quittez pas cette pièce dans les trente prochaines secondes, je vous mets aux arrêts pour parjure. Maintenant, sortez. »

Appleby franchit le seuil de la porte sans jeter un regard à Lindo ni à moi.

« Monsieur Lindo, vous pouvez reprendre votre bien, dit le juge.

— Elle est libre, dit Lindo.

— Vous avez fait tout ce trajet pour affranchir votre esclave ?

— C'est une façon de faire la paix avec mon passé.

— Libérez cette femme, dit le juge au geôlier, et laissez-la partir. »

Avec un grand sourire, le geôlier me libéra de mes chaînes. Il me toucha l'épaule, puis quitta la pièce derrière le juge de paix et le greffier.

Lindo m'observait avec un respect mêlé de honte. « Mina, puis-je te dire un mot ? »

Je n'étais pas prête à accueillir les regrets de Lindo ni à le remercier de me redonner ce qui m'avait toujours appartenu. Je pouvais voir qu'il faisait partie d'une meilleure classe de gens que Robinson Appleby. Mais il était contaminé par le monde dans lequel il vivait et dont il avait abondamment profité. Je ne voulais pas le haïr, mais je ne pouvais pas non plus lui pardonner.

Soudainement, une nouvelle crainte surgit en moi et emporta mes pensées comme une lave déferlante. Et si le bébé qui grandissait en moi avait compris la méchanceté et les magouilles de ces hommes ?

« Mina, répéta Lindo, puis-je…

— Non, dis-je. Je ne peux pas. »

Je pris le bras de Sam Fraunces et sortis précipitamment de la salle.

AUCUN AUTRE NAVIRE ne quitta New York avant le dernier jour de l'occupation britannique. Le 30 novembre 1783, on m'emmena en canot sur le *George III*. Après avoir été inscrite au *Registre des Noirs* par des hommes qui ne me connaissaient pas, on m'autorisa à quitter les Treize Colonies. Je savais que ces dernières s'appelleraient désormais les États-Unis. Mais je refusai de prononcer ce nom. Il n'y avait rien d'uni dans ce pays qui proclamait l'égalité de tous les hommes tout en gardant mon peuple enchaîné.

J'avais perdu mes effets personnels en prison, et il n'y aurait aucun mari pour m'accueillir à Port Roseway. J'avais espéré partir pour Annapolis Royal, destination du bateau qui avait emmené Chekura, mais il n'y avait plus de navire en partance pour cette ville et je n'avais pas le choix. J'avais mes jambes, qui fonctionnaient encore très bien, et mes mains, qui pouvaient encore aider à mettre des bébés au monde. J'avais ce petit qui poussait en moi. Je me demandais qui m'aiderait à accoucher, à l'aube claire et lumineuse de son premier jour en Nouvelle-Écosse.

J'espérais que ce soit Chekura.

DISPARUS AVEC MA DERNIÈRE RESPIRATION

[Birchtown, 1783]

QUAND LE BATEAU ENTRA DANS LE PORT, au creux d'une baie de neuf milles, je sentis la neige caresser mon visage et une pellicule de glace se former sur ma lèvre supérieure. J'aperçus les rochers de granite échoués sur le rivage, les pins géants, les forêts denses. Dans cette ville toute nouvelle déambulaient des centaines de personnes. On m'avait dit que nous avions mis le cap sur Port Roseway, mais sur le quai un écriteau indiquait SHELBURNE.

J'avais payé une lourde rançon pour prendre le dernier bateau emportant les loyalistes de New York : mon mari était parti avant moi, tout comme les autres Noirs libres autorisés à suivre les Britanniques. Six autres Noirs avaient été expulsés du *George III*, tous esclaves ou engagés, et c'étaient leurs propriétaires qui les avaient rattrapés.

Était-ce réellement la terre promise ? Je descendis sur le quai et marchai dans la ville, à la recherche de Chekura. Peut-être avait-il appris le nom du port où les derniers bateaux en provenance de New York devaient accoster. Peut-être était-il venu pour poser sa main sur mon ventre et accueillir l'enfant que nous avions conçu. Mais je ne discernais aucun visage familier. La plupart des gens étaient des Blancs, et ils passaient près de moi comme si je n'existais pas.

Une femme blanche portant un bonnet et un long manteau venait vers moi dans Water Street. « Est-ce Port Roseway ici ? » demandai-je. Elle passa son chemin sans même me regarder. La Nouvelle-Écosse était plus froide que Charles Town et plus froide que New York.

Je renonçai alors à chercher Chekura et me mis en quête d'un toit pour dormir et de nourriture pour subvenir aux besoins de la petite personne qui se développait en moi.

À l'intérieur de la Merchant's Coffee House, je demandai de l'information sur les logements et les possibilités de travail. Un gaillard m'empoigna le bras et me poussa vers la porte. « On sert pas les nègres. »

— Je ne vous demande pas de me servir. Tout ce que je veux…

— Va-t'en. La place pour les gens de ta race, c'est Birchtown. »

De retour dans Water Street, je regardai à gauche et à droite en me demandant où je pourrais obtenir de l'aide. Je n'avais pas eu à me préoccuper de trouver un endroit où dormir ni de quoi manger quand on m'avait emmenée à Santa Helena, à Charles Town ni même à New York. Ici, j'étais sans ressource et ne connaissais personne. Mais j'avais choisi la liberté, avec toutes ses vicissitudes, et rien au monde ne m'y aurait fait renoncer.

Un objet pas plus lourd qu'un moustique du printemps me frappa le derrière de la tête. Mais la neige de décembre tourbillonnait dans le vent, il faisait donc trop froid pour qu'il y ait des insectes. Je me retournai et fus de nouveau atteinte à deux reprises, cette fois au visage. J'attrapai l'objet qui m'avait heurté la joue et le pris dans ma main. C'était une arachide. Puis, j'entendis des rires. Deux hommes blancs vêtus des habits rouges en haillons de l'armée britannique se passaient une bouteille. Quand je jetai un regard dans leur direction, ils cessèrent de me tirer des arachides, mais ils crachèrent, l'un après l'autre.

À deux portes plus loin, je passai sous l'enseigne du *Shelburne Crier* et ouvris la porte. Un homme blanc de petite taille disposait des lettres sur une réglette de métal. « B'jour, dit-il, sans lever les yeux de son travail.

— Et bonjour à vous », dis-je.

Il leva les yeux immédiatement et esquissa un sourire. « Je crois avoir détecté l'accent d'une région beaucoup plus chaude qu'ici. »

Il me vint alors à l'esprit que personne au monde ne parlait avec des inflexions exactement pareilles aux miennes, parce que personne n'avait vécu avec les mêmes gens que moi, dans des villages et villes de deux continents. J'aimais mon accent, quel qu'il soit, et je voulais le conserver.

« Sommes-nous à Port Roseway ? demandai-je.

— Vous êtes à Shelburne. Vous venez de débarquer ? »

Le fait que je sois une Noire et une inconnue ne semblait pas le déranger.

« Oui, mais je croyais que nous devions arriver à Port Roseway.

— C'est bien ça. La ville a récemment changé de nom ; elle s'appelle maintenant Shelburne.

— Ces lettres, dis-je en montrant la réglette, elles sont à l'envers. On dirait qu'un enfant a essayé de les écrire, mais qu'il s'est trompé.

— Vous avez un œil de lynx, mais les lettres sont placées dans le bon sens : quand elles passeront dans la machine, les mots sortiront bien droits. Sauf s'il y a des fautes.

— Je peux détecter les fautes. Avez-vous besoin d'aide ? »

Il sourit. « J'accepte toutes les offres d'aide, mais je ne peux pas vous payer. Où diable avez-vous appris à lire ?

— C'est une longue histoire.

— J'ai tout mon temps. Certains vous feront grise mine à Shelburne, mais je crois qu'il faut traiter chaque personne selon ses mérites. Puis-je vous offrir du thé ? »

Une bourrasque de vent glacial secoua la porte.

« Je vous remercie, mais je ne peux pas rester longtemps. Je cherche un logement et je dois me trouver du travail. »

Il s'appelait Théo McArdle, et je bus son thé sucré avec gratitude. Il me proposa de corriger ses épreuves en échange de biscuits, de thé, de journaux gratuits et de toute information qui pourrait m'être profitable. En prenant ce premier thé, même avant d'avoir accompli le moindre travail pour McArdle, j'appris un détail des plus utiles : les Noirs libres vivaient pour la plupart à Birchtown, à trois milles le long de la baie, et je pourrais obtenir d'autres renseignements au Bureau d'enregistrement des terres. Je remerciai Théo McArdle pour le thé et lui promis de revenir.

La seule personne qui se trouvait dans le Bureau d'enregistrement des terres était un vieil homme noir assis sur un tabouret près d'une affiche où l'on pouvait lire : « Sorti pour le thé ». La variole avait laissé des cicatrices sur ses joues, et les montures de ses lunettes ne portaient pas de verres. Il avait un œil laiteux, mais l'autre était vif. Dans sa main crevassée, épaisse et trois fois plus large que la mienne, il tenait une canne blanche en bois de bouleau noueux. De sa canne, il me tapota le pied. « On ne dit pas bonjour à un vieil homme usé ?

— Vous n'êtes pas si vieux. »

Ses lèvres esquissèrent un sourire. « C'est profondément chrétien de ta part. Dis une autre phrase ou deux, pour que l'aveugle et boiteux que je suis puisse entendre ta voix de nouveau.

— Est-ce ici qu'on distribue des terres ?

— Ça dépend.

— De quoi ? »

Il se pencha et prit ma main dans la sienne, une paume sèche et craquelée. Jamais je n'avais vu une paume de cette dimension. « Ça dépend d'un tas de choses. Tu arrives de New York ?

— Oui.

— Et tu es de couleur africaine ?

— Oui, je suis très colorée, dis-je avec un sourire.

L'homme éclata de rire. « J'aime les femmes qui ont le sens de l'humour.

— J'ai une petite personne dont il faut que je m'occupe. Mon humour sera meilleur quand nous aurons trouvé un endroit chaud pour dormir.

— Je n'ai entendu personne entrer avec toi.

— Le petit grandit dans mon ventre.

— Alléluia, Sœur. Ne gaspille pas ta matinée. Tu n'as pas de temps à perdre. L'homme que tu cherches n'est pas ici, et il ne t'aiderait pas de toute façon. Mais tu as de la chance, Sœur, parce que je suis Moïse Wilkinson. Il y en a qui m'appellent le Prédicateur, mais la plupart m'appellent Papa Moïse. As-tu été touchée par la grâce ?

— Ça dépend.

— De quoi ? dit-il en souriant.

— Savez-vous où je pourrais loger ?

— Bien sûr que je le sais. Tu t'adresses à la bonne personne.

— Alors j'ai été touchée par la grâce, Papa Moïse. »

Je bavardais avec le prédicateur quand un jeune gaillard arriva. « Me v'là, Papa Moïse », dit-il en le prenant dans ses bras comme un bébé.

— Attrape mon tabouret, me cria Papa Moïse. »

Je pris le tabouret et suivis les deux hommes. Le jeune déposa Papa Moïse sur une charrette à deux roues. « Tu peux venir avec nous, mais il faudra que tu marches », me dit Papa Moïse.

Le jeune homme s'arrima au devant de la charrette et commença à tirer Papa Moïse. Je marchai aux côtés du prédicateur qui tressautait sur la route cahoteuse. « Allons-nous à Birchtown ? demandai-je.

— Tu en as entendu parler, n'est-ce pas ? dit Papa Moïse. C'est à trois milles dans cette direction, dans le croupion du port.

Chemin faisant, il expliqua que les esclaves et les domestiques engagés demeuraient en ville avec les loyalistes blancs à qui ils appartenaient. « Mais si vous êtes de couleur et libres, dit-il, vous habitez Birchtown. » La Nouvelle-Écosse avait plus de terres que Dieu ne pouvait imaginer, dit Papa Moïse, mais bien peu de lopins étaient attribués à des Noirs.

« Mais les Britanniques ont promis de nous donner des terres.

— Installe-toi confortablement au bout de la file d'attente. Il y a mille personnes de couleur avant toi. Et, avant elles, quelques milliers de Blancs. On appelle cette place la Nouvelle-Écosse, mais ceux qui vivent à Birchtown lui ont trouvé un autre nom.

— Ils l'appellent comment ?

— Nouvelle-Misère. »

Je pensai à Chekura qui m'avait recommandé d'être réaliste au sujet de la terre promise. Je me demandai où il était en ce moment et s'il avait un toit et de quoi manger.

« Il faudra aller à la chasse pour toi, dit Papa Moïse.

— À la chasse ?

— Il te faut de la fourrure. Heureusement qu'il y a des chevreuils, des orignaux et des ours, jeune dame, parce que le bureau des loyalistes ne va pas sauver ton âme ni te réchauffer le dos. »

Pendant que nous avancions, Papa Moïse m'expliqua que les gens de Birchtown étaient divisés en communautés, chacune présidée par un chef qui distribuait les rations allouées par les Britanniques et les lots, quand ils étaient accordés. Papa Moïse dirigeait l'église méthodiste, qui formait justement une communauté. « As-tu ouvert tes bras à Jésus ? me demanda-t-il.

— Mes bras, ils ont été bien occupés, et Jésus ne s'est pas pointé.

— Le bon côté des bras, c'est que tu n'as qu'à les ouvrir. J'ai perdu la vue et ma capacité de marcher il y a quatre ans.

— La variole ?

— Exactement. Mais j'ai toujours mon cœur et mes bras, et Jésus n'en demande pas plus. Ce garçon-là, ici ? Celui qui me tire ? Je m'occupe de son âme, et lui, avec d'autres, me conduit ici et là. Jésus nous dit de nous entraider. »

Deux perches saillaient du devant de la charrette. Le jeune homme se tenait entre les deux et tirait, une main sur chacune. Il avait environ seize ans, mais il était déjà grand et musclé. À peine forçait-il. « Bonjour », lui dis-je.

Il me répondit par un grand sourire, comme s'il avait attendu la permission de le faire. « B'jour, Ma'me. Bienvenue en Nouvelle-Écosse.

— Merci. C'est généreux de ta part de tirer le prédicateur.

— Papa Moïse et moi, on s'tire l'un l'autre.

— Nous sommes tous des voyageurs, dis-je.

— Amen », répondit Papa Moïse.

Je regardai le garçon de nouveau, et me dis combien j'aurais aimé que mon propre fils soit vivant et fort, plus grand que moi, combien j'aurais aimé le voir aider une autre personne. Je me demandais de quoi Mamadou aurait eu l'air s'il était resté avec moi. S'il avait survécu, il aurait eu un peu plus de vingt ans.

« Comment t'appelles-tu, Fils ?

— Jason Wood. Et toi, on t'appelle comment, Ma'me ?

— Aminata.

— Ah ! Ça sonne comme un de ces grands mots de la Bible.

— Aminata, répétai-je. Mais tu peux m'appeler Mina. »

Tout doucement, Papa Moïse me toucha le creux des reins du bout de sa canne.

« Pour une fille sans Jésus, tu parles comme un prédicateur. Tes paroles résonnent comme si elles avaient été prononcées il y a cinq cents ans, comme si tu lisais des inscriptions sur un mur sacré. Une voix comme la tienne pourrait être utile dans mon église. Elle a du rythme et de la cadence, Mina. Comme le dirait notre Jason, "un p'tit son drôle sort de ta bouche". Nous avons du temps, parle-moi donc de toi et dis-moi d'où tu viens. »

En vivant parmi des étrangers dans les Treize Colonies, j'avais soigneusement verrouillé mon cœur et mon âme. Mais Papa Moïse avait une voix compréhensive et bienveillante qui s'était insérée comme une clé dans la serrure de mes silences. Je sentais qu'il n'allait pas me juger, et le fait qu'il était aveugle m'avait peut-être poussée à me confier à lui. Pour la première fois depuis que j'avais quitté mon amie Georgia, je parlai à un étranger de mon père et de ma mère et des choses qu'ils m'avaient apprises à Bayo. J'expliquai comment on m'avait forcée à marcher jusqu'à la côte et comment j'avais traversé la mer. Papa Moïse ponctuait mon récit d'un amen occasionnel ou énonçait d'une voix douce : « Dieu nous a envoyés dans une longue migration et il a veillé à notre survie. » Je lui racontai qu'on m'avait emmenée en Caroline du Sud et ce que j'y avais fait, et comment j'avais perdu mon fils, Mamadou. Je ne voulais pas que Papa Moïse s'attende à ce que je donne quelque chose qui n'était pas en moi. Je précisai donc que mon âme n'était pas chrétienne ; je connaissais cependant quelque peu le Coran et la Torah et j'avais lu et relu des pages de la Bible.

« Nous sommes tous des voyageurs, comme tu le dis si bien, et tu es l'une des plus voyageuses, dit Papa Moïse.

— Amen, lança Jason.

— Même les plus voyageurs ont besoin d'un toit, sinon de quelqu'un pour les héberger, dit Papa Moïse. Ma femme et moi vivons simplement, mais nous serions honorés de t'accueillir jusqu'à ce qu'on trouve d'autres arrangements.

— Merci, Papa Moïse. »

Sa canne se posa délicatement sur mon épaule. « Je ne te demande pas d'ouvrir tes bras à Jésus. Disons simplement que ton âme est un projet en développement.

— Avec tout ce que vous faites pour moi, vous pouvez dire de mon âme ce que vous voulez.

— Ce qu'on dit de ton âme n'a pas d'importance, conclut Papa Moïse en souriant. Ce qui compte, c'est quelle direction elle prend et qui elle fait grandir. »

Après quelques minutes de silence, nous longeâmes un long corridor de conifères. À ma droite, la forêt semblait épaisse, impénétrable. À ma gauche, elle était plus clairsemée et, par les trouées, je pouvais apercevoir les eaux glaciales et grises de la baie de neuf milles.

Nous avions parcouru une bonne distance quand je demandai à Papa Moïse « Combien de temps faut-il pour se rendre à Annapolis Royal à pied ?

— On ne t'a même pas habillée pour l'hiver et tu parles de partir.

— Mon mari est là-bas.

— Quand l'hiver sera fini, nous t'aiderons à le trouver.

— Je ne peux pas y aller avant ?

— Ça ne se fait pas à pied, jeune fille.

— J'irai aussi loin qu'il le faut pour retrouver mon mari.

— Ça ne se fait pas à pied. Pas en hiver, bien sûr, et pas avec un bébé. Vous y laisseriez votre vie tous les deux. Pour aller à Annapolis Royal, tu dois prendre le bateau. Et si tu es comme nous, tu n'as pas l'argent qu'il faut pour prendre le bateau. Pour le moment, vous devez rester en vie, toi et ton bébé. Ton mari va prendre soin de lui-même jusqu'à ce que vous vous rejoigniez. »

J'essayai de savoir si le *Joseph* avait atteint Annapolis Royal, mais il s'impatienta. « Je ne sais rien au sujet des bateaux qui arrivent ailleurs en Nouvelle-Écosse et en repartent, dit-il. J'en ai plein les bras à m'occuper de mon propre troupeau. »

À NOTRE ARRIVÉE À BIRCHTOWN, une mince couche de neige recouvrait le sol et des nuées de flocons tourbillonnaient dans le vent froid. Environ un millier de Noirs vivaient à cet endroit. Certains habitaient des cabanes, mais d'autres avaient creusé dans le sol des fosses profondes qu'ils avaient recouvertes de rondins et de branches de conifères. Ils se blottissaient les uns contre les autres pour survivre à l'hiver.

Papa Moïse et sa femme, Évangéline, demeuraient dans une masure d'une pièce séparée au milieu par un rideau. Ils dormaient à l'arrière. Le devant était réservé aux consultations privées des paroissiens avec Papa Moïse. C'était là aussi qu'on installa ma chambre temporaire.

Théo McArdle m'engagea pour rédiger des annonces à l'intention des importateurs de soie, de tabac, de mélasse, de fruits, de farine, de canard et de rhum. Il me donnait de la nourriture à partager avec mes hôtes de Birchtown, mais ce qui m'intéressait le plus, c'était de lire le *Shelburne Crier.* Je fouillais les pages à la recherche de nouvelles sur d'autres endroits, dans l'espoir de trouver de l'information sur Annapolis Royal ou sur les Noirs qui y avaient élu domicile. Je ne vis aucun renseignement sur des Noirs affranchis. Tout ce que je pus lire au sujet des gens de mon peuple portait sur des esclaves en fuite. Par exemple, dans un vieux numéro du *Nova Scotia Packet and General Advertiser*, que Théo vendait aussi dans son atelier, je tombai sur l'annonce suivante :

> RÉCOMPENSE DE CINQ DOLLARS
>
> Le samedi 22... s'est enfuie du Soussigné, une NÉGRESSE du nom de DINAH, d'environ vingt-cinq ans. Lors de sa disparition, elle portait un jupon de toile bleu et blanc, une robe courte pourpre et blanche de calicot et un vieux manteau bleu. Quiconque attrapera et gardera ladite Négresse pour la remettre à son propriétaire recevra la récompense ci-haut mentionnée, ainsi qu'un dédommagement raisonnable. Robert Sadler, Shelburne, Mowat Street, 24 juillet 1783. Il est formellement interdit aux constructeurs de navires et autres d'emmener ou d'héberger ladite Négresse, sous peine de représailles.

À MON RETOUR À BIRCHTOWN, on m'apprit que Dinah avait effectivement été capturée et retournée à son propriétaire, qui l'avait fouettée. Je compris que si vous étiez venu en Nouvelle-Écosse libre, vous restiez libre, mais que cela n'empêchait pas les propriétaires d'esclaves américains de venir en bateau jusqu'ici pour tenter de récupérer leur bien. Cependant, si vous étiez venu en Nouvelle-Écosse en tant qu'esclave, vous étiez privé de liberté autant que vos frères et vos sœurs des États-Unis.

Pendant mon premier mois à Birchtown, j'aidai deux femmes à accoucher et fus engagée par un groupe britannique appelé la Société pour la propagation de l'Évangile dans les régions étrangères. On me payait trois shillings par semaine pour enseigner la lecture aux habitants de Birchtown. Je dispensais mes leçons dans l'église méthodiste, blottie avec mes élèves autour d'un poêle. Je travaillais autant que je le pouvais pour m'acheter des vêtements chauds et une peau d'ours comme couverture. Je n'avais pas grand-chose. J'avais moins à manger et jouissais de moins de confort qu'en tout autre moment de ma vie. Mais j'étais en Nouvelle-Écosse et j'étais libre.

Quand Papa Moïse n'en avait pas besoin pour son propre transport, nous partagions la charrette qui avait été utilisée pour l'emmener de Shelburne à Birchtown. Avec mes économies, je réussis à remplir la charrette de trois chargements de vieux bois de charpente, de clous, de troncs d'arbres et de morceaux de toile à voile. Avec l'aide de Jason et de trois autres jeunes hommes à qui j'enseignais, je me construisis une cabane. Il fallut enfoncer des pieux dans le sol, y fixer des poutres transversales, remplir les interstices de mousse et d'éclats de bois, entourer le tout de toile pour couper le vent et installer à l'intérieur un poêle rond et pansu. Ma cabane pouvait tout juste abriter un lit, une chaise, une table, le poêle et moi. Le poêle soulevait la convoitise. Je comptais parmi les rares personnes à Birchtown qui en possédaient un, et c'était seulement parce que Théo McArdle connaissait un loyaliste blanc qui, ayant reçu récemment une cargaison de marchandises de l'Angleterre, n'avait plus besoin du sien.

Pendant que Papa Moïse s'occupait de nos âmes, Évangéline, son épouse, s'occupait de nos estomacs. Une fois installée dans ma cabane, j'allai la voir pour obtenir des provisions fournies par les Britanniques. Évangéline était une femme aux formes généreuses munie d'une hachette à la ceinture. Quiconque aurait ne fût-ce que rêvé de cambrioler son hangar à provisions se serait attiré ses foudres. Elle inventoriait son stock chaque jour et nota les produits qu'elle me donnait. Une scie. Un marteau. Un sac de clous. Une livre de haricots secs, une languette de porc salé, un sac de riz ou de pommes de terre.

J'hésitais. « Je ne prendrai pas le porc salé. Puis-je avoir autre chose ? »

Elle me donna du poisson salé en remplacement. Je lui demandai s'il valait mieux prendre des pommes de terre ou du riz. « Prends le riz. Ça se conserve mieux et c'est plus facile à allonger. Le riz, tu peux toujours y ajouter quelque chose. Mélanges-y un peu de poivre. Trouve-toi de la verdure et ajoutes-en au riz. Coupe des morceaux de poulet ou une oreille de cochon en dés et mêle-les avec ton riz. Les gens d'ici cueillent des pommes amères dans les arbres ou en ramassent sur le sol et les font cuire. Si tu prends soin de l'apprêter avec des condiments, le riz va te donner pleine satisfaction. Les pommes de terre, c'est toujours la même chose, jour après jour. Prends le riz, j'te l'dis, et veille sur lui comme si c'était ton bébé. Enveloppe-le bien et abrite-le contre la pluie. »

Femme pieuse, Évangéline croyait que les Noirs étaient responsables des problèmes qu'ils s'attiraient. Elle assistait à tous les sermons de son mari et exigeait une punition exemplaire pour toute personne de couleur prise à boire et à danser, violant ainsi l'interdiction officielle des « fêtes de Noirs » à Shelburne.

Une fois par mois, la cour des sessions de Shelburne condamnait les habitants de Birchtown à toute une série de punitions, souvent la flagellation, pour avoir dansé dans une « fête de Noirs », ou encore pour ivresse ou errance. Un Noir qui avait volé une miche de pain et asséné un coup de poing au boulanger qui avait essayé de l'arrêter fut condamné à recevoir vingt coups de fouet à chacune des trois intersections le long de Wall Street. Aux postes de flagellation installés aux coins des rues William, Charlotte et Edward, des foules se formaient pour manifester et lancer des arachides à l'accusé pendant qu'il était fouetté pour ses fautes, commises ou non. Une femme fut pendue à la potence au bas de

Charlotte Street pour avoir volé de l'argenterie chez un homme blanc qui l'avait prise comme apprentie. Une fois rattrapés, les esclaves fugitifs étaient amenés devant le tribunal et toujours retournés à leurs propriétaires, même si nous, à Birchtown, étions passés maîtres dans l'art de cacher les fuyards et de les intégrer parmi nous comme si nous formions une grande famille.

Les premiers mois de notre arrivée, nous ne possédions rien. Pas un sou ne circulait entre nous. J'aidai un homme à écrire une lettre à sa femme restée à Boston, et il me donna un coup de main pour réparer l'une des pattes de mon poêle, envahie par la rouille. J'aidai à l'accouchement des jumeaux d'une jeune fille de dix-huit ans de Géorgie qui, je m'en souvenais, avait été inscrite au *Registre des Noirs* à New York. En retour, son mari abattit quatre arbres dans la forêt et les scia en tronçons pour agrandir et consolider ma cabane. Les gens de Shelburne me payaient quand je travaillais pour eux, et j'avais besoin de cet argent pour acheter d'autres produits en ville. Par contre, les résidents de Birchtown étaient si démunis que certains d'entre eux troquaient leurs propres vêtements contre de la nourriture. La mère de Jason – celui qui avait tiré Papa Moïse dans la charrette jusqu'à Birchtown – avait dû tuer son chien après être restée deux jours sans manger. Une femme qui s'était vantée à moi d'être venue en Nouvelle-Écosse de son propre chef avait eu faim et froid à tel point qu'elle s'était fait engager en inscrivant un X sur des documents. Elle avait ainsi renoncé à sa liberté pendant deux ans pour être nourrie et logée et, au terme de son contrat, recevoir une somme de cinq livres.

Je tenais le bébé qui poussait dans mon ventre au courant de mes tribulations. « Mon enfant, jamais je ne nous ferai engager, toi et moi, pour survivre. Je gagne tout juste assez pour assurer notre subsistance. La première chose que tu apprendras de moi, c'est d'où vient ta maman et à quel peuple tu appartiens. La deuxième chose que je t'enseignerai, ce sera à lire et à écrire. Penses-tu pouvoir y arriver à peu près au moment où tu commenceras à marcher? »

Chaque fois que j'entendais dire que quelqu'un d'Annapolis Royal se trouvait à Shelburne, je lui demandais s'il avait entendu parler du *Joseph,* ou s'il avait rencontré Chekura. Personne ne pouvait me renseigner. Je remis des lettres à quelques personnes qui prenaient le bateau pour cette ville et leur demandai de les faire lire dans des tavernes fréquentées par des loyalistes noirs. Mais cela ne donna aucun résultat. Annapolis Royal était trop éloignée pour s'y rendre à pied, je n'avais pas assez d'argent pour payer mon passage sur un bateau et j'étais occupée à essayer de rester en vie et en bonne santé pour l'enfant que je portais. Peu importait l'endroit où Chekura se trouvait, je savais qu'il aurait voulu que je prenne soin du bébé en premier lieu.

POUR SE RENDRE DE BIRCHTOWN à Shelburne, il fallait marcher longtemps, péniblement, sur une route boueuse. Le trajet prenait deux bonnes heures si vous étiez frais et dispos. Nous n'avions ni chevaux ni chariots, rien que nos semelles calleuses pour y aller et en revenir. À Birchtown, outre les cases, les tentes et les trous dans le sol, nous avions de la musique et des rires dans nos églises. Nous buvions du rhum et du rye quand nous pouvions nous en procurer. Il était dangereux de boire dans les tavernes de Shelburne, mais aucun Blanc ne s'opposait à une fête à Birchtown. D'ailleurs, les Blancs mettaient rarement les pieds dans notre communauté.

La nuit, à Birchtown, de nombreux hommes et femmes rôdaient de lit en lit. Malgré les gloussements d'Évangéline Wilkinson, qui récriminait contre le péché de fornication, des couples se formaient, se séparaient, changeaient de partenaires et se reformaient. En me promenant au hasard des ruelles boueuses de Birchtown, j'entendais des gémissements graves et des plaintes aiguës venant des cabanes la nuit, et des chapelles pendant le jour. En chaire, Papa Moïse demandait parfois à ses fidèles – toujours en vain – de se conduire avec plus de réserve pendant le jour et d'offrir à Jésus plus de *nuits silencieuses.*

Pendant le premier hiver que je passai en Nouvelle-Écosse, la maladie frappa Birchtown. Quand la terre était trop gelée pour creuser des fosses, on déposait les morts directement dans les marais. Les survivants s'emparaient des vêtements des défunts et priaient pour que leur tour vienne pendant les mois chauds, quand la terre malléable permettrait de les enterrer décemment.

J'aidai à mettre au monde quatre autres bébés, mais deux d'entre eux moururent moins d'un mois après leur naissance. Je me demandais comment un bébé pouvait survivre par un tel froid, et je m'estimais chanceuse que l'arrivée du mien soit prévue au printemps. Les gens de Birchtown n'avaient ni argent ni biens pour me rétribuer, mais ils me donnaient parfois un ragoût de lièvre et de pommes de terre, car il restait toujours quelques boisseaux de ce légume, et les jeunes garçons piégeaient des lièvres à la fourrure couleur de neige.

À Shelburne, pour avoir aidé à l'accouchement d'une Blanche qui avait qualifié de charlatan le médecin de la ville dont le tarif était fixé à deux livres, je reçus deux miches de pain, vingt pommes, un sac de riz et un vieux toboggan. Je plaçai la nourriture sur le toboggan que je traînai jusqu'à Birchtown. Jason le renforça et y attacha une corde plus solide, ce qui lui permit de tirer Papa Moïse de manière plus efficace dans la neige épaisse.

Deux fois par semaine, j'assistais aux offices de Papa Moïse. Appuyé sur sa chaire de façon à se tenir debout sans aide, il tempêtait et se lamentait jusqu'à s'enrouer la voix. Parfois, ses yeux se révulsaient, et il s'affaissait dans les bras de deux diacres placés derrière lui. Dans les bancs, les fidèles sautaient, gesticulaient et perdaient connaissance. Pour ma part, je ne connus jamais cette forme de « renaissance ». Pendant que les autres étaient en proie à l'extase, j'imaginais mon père lisant le Coran et me demandais ce qu'il aurait pensé de ces accès de ferveur. Ces pensées m'amenaient à ma mère, et tandis que les habitants de Birchtown tombaient dans les bras les uns des autres et appelaient Jésus en chantant, je m'asseyais sur le banc et laissais ma tristesse s'exprimer librement. Quand on entonnait « Louez le Seigneur » et « Alléluia, Sœur », je puisais à même ma réserve de larmes, certaine que personne ne viendrait me mettre dans l'embarras par sa sollicitude. Nombre de fois cet hiver-là, je m'effondrai à genoux et appelai mes parents, mon fils et mon mari, pleurant leur absence comme s'ils venaient de disparaître avec ma dernière respiration. Les bras autour de mon ventre, me balançant d'avant en arrière, je priais pour être gratifiée d'un enfant en bonne santé.

En ce jour de printemps où mon travail commença, la plupart des gens de Birchtown étaient partis accueillir un bateau sur le quai de Shelburne. Chaque homme et chaque femme, au dos et aux bras solides, pouvaient gagner deux shillings pour transporter des caisses et des cartons toute la journée.

Je ne voulais pas accoucher toute seule. Et si quelque chose allait mal ? Si j'avais besoin d'aide ? Lorsque j'étais enfant à Bayo, les gens disaient que le mauvais sort frappait l'enfant mis au monde par sa mère seule.

Je frappai à la porte du prédicateur, mais personne ne répondit. J'ouvris et entendis le grincement des gonds rouillés. « Papa Moïse ! Évangéline ! »

Évangéline, qui habillait et rasait son mari chaque matin, n'était pas dans la pièce avant. À l'arrière, Papa Moïse ronflait. « Papa Moïse ! Évangéline ! »

J'écartai le rideau. Le prédicateur était étendu sur son lit, par-dessus les couvertures, vêtu de pied en cap. Il était seul. Une tasse de thé tiédissait sur sa table de chevet. Je conclus qu'Évangéline avait fait la toilette de son mari et préparé du thé avant de partir travailler à Shelburne pour la journée. « Papa Moïse ! »

Il se leva en sursaut. « Qui est là ?

— C'est Mina.

— Est-ce le soir ?

— Non, c'est le matin.

— Que fais-tu dans ma chambre, femme ?

— Le temps est venu, Papa Moïse. »

Il ne semblait pas m'entendre ni comprendre. « Où est ma femme ?

— On dirait qu'elle vous a habillé et qu'elle a préparé votre thé, Papa Moïse.

— Oui, oui, c'est vrai. Elle passe la journée à Shelburne. Où sont mes lunettes ? »

Je sortis les lunettes de leur étui et les lui donnai dans la main. Il les ajusta sur son nez. « Répète-moi pourquoi tu es venue ?

— Je suis prête à avoir mon bébé. »

À l'église, l'homme était si vif, si animé, que les fidèles ne pouvaient pas tenir en place lorsqu'il tapait sur le rebord de la chaire et parlait de Moïse conduisant les Hébreux vers la liberté. *Ils ont été choisis pour s'établir en Palestine et nous aussi, nous sommes le peuple choisi. Nous aussi, mes frères et mes sœurs, nous avons été choisis pour devenir libres, ici même à Birchtown, en Nouvelle-Écosse.* Mais sans sa femme pour prendre soin de lui, l'homme qui, en chaire, faisait sauter et crier tant de fidèles semblait vulnérable chez lui.

« S'il y a un bébé qui s'en vient, nous avons des choses à faire. »

Papa Moïse s'assit et glissa ses jambes hors du lit. « Va chercher des garçons pour me lever. »

Je retournai quelques minutes plus tard avec quatre garçons restés à Birchtown pour s'occuper de leurs frères et sœurs plus jeunes. Ils portèrent Papa Moïse jusqu'à la charrette communautaire et l'emmenèrent à ma cabane. Ils l'installèrent ensuite à l'intérieur, sur le tabouret que j'avais apporté. « Je ne sais pas si je peux faire cela toute seule, lui dis-je quand nous nous retrouvâmes seuls.

— Que ton cœur ne se trouble ni ne s'effraie. »

J'éclatai de rire. « Vous n'allez tout de même pas me parler pendant tout l'accouchement comme si nous étions à l'église, n'est-ce pas ? »

Papa Moïse s'étira les jambes et tapota sur le mur avec sa canne. « Je suppose que non. Ne t'en fais pas, fille. Tu es solide comme un arbre de dix pieds de haut.

— Je serais plus rassurée si les femmes revenaient bientôt de Shelburne.

— Il y a une question que je veux te poser depuis longtemps.

— Eh bien, allez-y, posez-la. »

Papa Moïse tourna son visage vers moi, comme s'il me voyait réellement. « Étais-tu mariée quand ce bébé a germé dans ton ventre ?

— Bien sûr que je l'étais. Mon mari s'appelle Chekura. Comme je vous l'ai dit, je devais prendre le bateau avec lui à destination d'Annapolis Royal, mais on m'en a expulsée tandis que lui a dû rester. Je ne sais pas où il est. Je ne sais même pas s'il s'est rendu à Annapolis Royal. Mais j'ai pensé qu'il se pointerait aujourd'hui.

— Aujourd'hui ?

— Oui, c'est ce que j'espérais.

— S'il devait venir, il serait déjà là. Crois-moi, je connais les hommes.

— Il va venir. Je le sens.

— Pourquoi en es-tu si sûre ?

— Il faut bien croire en quelque chose.

— Amen, dit Papa Moïse.

— À mon tour de vous poser une question.

— Je t'écoute.

— Si vous êtes complètement aveugle, pourquoi portez-vous des lunettes ?

— J'aime la façon dont elles reposent sur mon nez et puis elles me donnent une certaine dignité.

— Mais les verres sont partis.

— Ils sont tombés après que j'ai eu la variole. Je n'ai pas jugé bon de les remplacer.

— À quoi ça ressemble, à l'intérieur de vos yeux ?

— Ça ne ressemble à rien du tout. Je ne vois rien. Ni lumière. Ni obscurité. C'est comme si je n'avais pas d'yeux du tout, mais je me souviens de ce que les choses avaient l'air. »

Nous restâmes silencieux pendant quelques instants. Puis, je fis chauffer de l'eau sur le poêle dans une vieille marmite en fer.

« Quand cette eau sera chaude, dit Papa Moïse, peux-tu y mettre un peu de piquant ?

— J'ai du citron, du rhum et du sucre.

— Ici, à Birchtown, on appelle ça la limonade de prédicateur.

— Pourquoi ?

— Une fois, le shérif a arrêté un de nos hommes à une fête à Shelburne et lui a demandé ce qu'il buvait.

Et notre homme a répondu : 'Rien d'autre que de la limonade de prédicateur'. »

Papa Moïse et moi bûmes notre boisson chaude et passâmes des heures à causer pendant que mes contractions s'intensifiaient. Finalement, quand je sentis mon corps prêt, je poussai, poussai et poussai encore, mais je ne pouvais pas toucher la tête du bébé avec ma main. Je ne savais même pas à quel stade j'en étais rendue, et je commençai à craindre que l'enfant soit coincé en moi, suffoquant et nous tuant tous les deux.

Je pris une autre gorgée de limonade et, soudain, une violente secousse ébranla mon corps.

Pendant que le révérend me tenait la main, je m'arc-boutai et hurlai encore une fois. Assise, bien adossée, jambes grandes ouvertes, je poussai de toutes mes forces. Je sentis la tête du bébé sortir de mon ventre et, à la contraction suivante, le reste du corps suivit.

Baissant la tête, je pris dans mes mains la nouvelle personne qui arrivait parmi nous et me recouchai avec elle posée à plat sur ma poitrine.

« Juste ciel, bonne dame, dis-moi ce que tu as apporté en ce monde. »

Mais en ce moment précis, je ne pensais guère à Papa Moïse, ni au sexe de mon enfant. Je sentis son cœur battre et caressai doucement son dos. J'étendis sur nous deux la couverture que j'avais placée près du lit. Le petit cœur martelait tout contre le mien.

MES ENFANTS, DES MEMBRES FANTÔMES

J'APPELAI MA FILLE MAY, d'après le mois de sa naissance. Quand elle piquait ses petites crises – peut-être mettais-je trop de temps à l'approcher de mon sein ou, quand elle se mit à grandir, à piler des pommes de terre et des légumes –, je l'appelais Miss May Première, d'après le jour de sa naissance. Je ne savais pas quoi penser du tempérament de ma fille. Il me semblait parfois qu'elle portait dans son âme tous les maux de la terre, attendant de recevoir des excuses. Avant même d'avoir atteint un an, elle hurlait et me martelait le dos pour descendre et explorer le monde à son gré. Elle adorait se trouver dans les bras des autres femmes de Birchtown, surtout Mme Alverna Witherspoon, loyaliste blanche qui vint à notre secours peu après la naissance de May. Mais quand May en avait assez des mères substituts et voulait revenir dans mes bras, elle pouvait faire un boucan de tous les diables si l'on ne réagissait pas assez vite.

Où que j'aille – pour enseigner, travailler à l'atelier d'imprimerie ou aider à des accouchements –, je la gardais emmaillotée sur mon dos dans une belle écharpe indigo. Je lui parlais de tout, même avant qu'elle comprenne quoi que ce soit. J'avais le sentiment que le son de ma voix pouvait pallier tout ce qui lui manquait : un père et les traditions de mon village natal. J'allai même jusqu'à lui expliquer que j'avais acheté le morceau de tissu qui me servait à la garder tout contre moi au magasin *Everything in the World*, à Shelburne, et que les Noirs n'avaient accès qu'à quelques boutiques de la ville. « Il faut que tu saches où tu peux aller en toute sécurité et où tu ne peux pas aller », lui confiai-je.

Alverna Witherspoon était venue à l'atelier de Théo McArdle à maintes reprises avant que nous fassions connaissance. Son mari gérait une entreprise de produits de la baleine, et Mme Witherspoon apportait ses annonces deux fois par mois. C'était toujours McArdle qui s'occupait d'elle pendant que je restais à l'arrière de l'atelier pour rectifier les *p* et les *q* mal placés ainsi que les autres fautes d'orthographe dans les casses de lettres à l'envers prêtes pour l'impression. Or, un jour, je travaillais seule dans l'atelier quand Mme Witherspoon entra.

« M. McArdle est-il ici ?

— Il est sorti faire une course, Madame Witherspoon.

— Comment sais-tu mon nom ?

— Vous venez chaque semaine.

— Je t'ai vue ici avec ton bébé, mais je ne connais malheureusement pas vos noms.

— Eh bien, cette petite qui essaie de sortir les lettres de la casse, c'est May. Et je m'appelle Mina.

— J'ai donné ce matin une annonce à Théo.

— Oui, pour l'huile de baleine. J'étais justement en train de la composer.

— Je ne lui ai pas donné le bon prix. Pour un tonneau d'huile, ce n'est pas deux livres six shillings, c'est trois livres six shillings.

— Je vais le corriger.

— Peux-tu le faire avant l'impression ?

— Oui, tout de suite. »

Je retirai quelques caractères du composteur, donnai une lettre à May – elle adorait passer ses doigts sur les cannelures – et les remplaçai. « C'est fait.

— Déjà ? dit Mme Witherspoon. Puis-je voir ?

— C'est plutôt compliqué. Les lettres sont inversées dans un grand plateau, et je dois me dépêcher pour tout finir avant l'impression. Si vous le voulez bien, je vous le montrerai une autre fois. »

Un grand sourire éclaira son visage. « Non, c'est parfait. Salue M. McArdle pour moi. Tu as belle allure. Tu as vraiment l'air d'une apprentie typographe dans cette magnifique robe africaine avec une gamine sage à tes côtés par-dessus le marché.

— J'étais apprentie l'an dernier. Théo ne me considère plus comme une apprentie et me laisse composer à sa place les lundis, sans supervision.

— Dis à M. McArdle que je suis passée et qu'on s'est merveilleusement bien occupé de moi. »

May m'échappa soudain, courut vers Mme Witherspoon et lui mit dans la main la lettre *M* à l'envers qu'elle avait pris dans mon composteur. « D'habitude, elle est plus timide avec les étrangers, dis-je.

— Merci, chérie », dit Mme Witherspoon à May.

Elle me fit un clin d'œil et, d'un geste rapide, me remit la lettre dans la main.

« Non ! » cria May en me tirant la main. Finalement, quand je me laissai fléchir, elle m'ouvrit les doigts, reprit le *M* et le redonna à Mme Witherspoon. Celle-ci envoya un baiser à May, attendit qu'elle lui tourne le dos, posa la lettre sur le comptoir et sortit de l'atelier.

Le lundi suivant, Mme Witherspoon revint et demanda : « Combien de jours par semaine travailles-tu pour M. McArdle ?

— Les lundis et mardis.

— Aimerais-tu travailler pour moi du mercredi au samedi ? »

Mme Witherspoon et son mari m'engagèrent dès le lendemain. Je répondais à tous leurs besoins : entretenir leur grande maison dans Charlotte Street, repasser, apporter de l'eau et du bois, allumer le feu, nettoyer le foyer, acheter des aliments et faire d'autres courses en ville. Je préparais même les repas. Ils me donnaient un shilling par jour pour travailler de l'aube au crépuscule. Je préférais l'imprimerie de McArdle au travail physique qu'exigeait la tenue de la maison des Witherspoon, mais l'emploi présentait certains avantages. Je pouvais emmener May, la laisser se promener et explorer la maison pourvu qu'elle reste sage. Les Witherspoon n'avaient pas d'enfants, mais ils recevaient souvent et les invités laissaient des restes. May et moi avions la permission de les manger ou de les apporter à Birchtown. Mme Witherspoon me montrait tout article qu'elle avait l'intention de jeter – vieilles chaises, tables, seaux et corde. Si je n'en avais pas besoin, quelqu'un d'autre à Birchtown saurait en faire bon usage.

Les bonnes relations que j'avais nouées avec les Witherspoon éveillaient l'envie des gens de Birchtown. Beaucoup de Noirs s'étaient engagés auprès des loyalistes de Shelburne pour des périodes de trois ans. Cela valait mieux que de mourir de faim ou de froid, mais à peine. Un loyaliste blanc avait toutes les raisons du monde de pousser à bout un Noir engagé avant la fin du contrat. Plusieurs des engagés qui se blessaient ou qui tombaient malades étaient congédiés, n'étant plus utiles, et leur salaire était retenu.

« Ne t'approche pas trop des Blancs, me disait parfois Papa Moïse. Ce sont des amis des beaux jours. »

Beaux jours ou mauvais jours, le salaire que je gagnais chez McArdle et chez les Witherspoon nous aida, ma fille et moi, à survivre et souvent à en soutenir d'autres, entre autres Papa Moïse. Je pratiquais toujours des accouchements à Birchtown, mais personne n'avait été en mesure de me payer depuis bien longtemps.

May aimait m'accompagner quand je travaillais à Shelburne. À trois ans, elle recevait des biscuits et du lait chaque semaine de Mme Witherspoon, qui s'asseyait avec ma fille quand celle-ci mangeait et jouait. Un jour, Mme Witherspoon écrivit les lettres M-A-Y sur une feuille de papier. « Sais-tu ce que... ?

— May, dit mon enfant.

— Comment le sais-tu ?

— C'est mon nom. M-A-Y. May. Maman me l'a dit.

— Et ça ? dit Mme Witherspoon, en écrivant encore quelque chose.

— Maman.

— Et ça ?

— Papa. Il lui manque des doigts et il m'aime. »

Mme Witherspoon me jeta un coup d'œil. Elle savait qu'avec l'aide de McArdle, j'avais depuis longtemps fait paraître des annonces dans les journaux d'Annapolis Royal, pour demander de l'information sur Chekura. Je n'avais rien obtenu. Mme Witherspoon savait aussi que, lorsque May avait eu un an, j'avais eu suffisamment d'argent pour l'emmener à Annapolis Royal pendant l'été. Mais nous avions pris le bateau suivant pour revenir à Shelburne : j'avais été incapable de trouver un seul Noir qui aurait entendu parler de Chekura ou du *Joseph* qui serait arrivé à l'automne de 1783. Je n'avais aucune idée de ce qu'était devenu mon mari, ni de l'endroit où il se trouvait, mais je croyais toujours que s'il était vivant, un jour il me trouverait. Je m'étais assurée que chaque Noir de Birchtown et chaque Blanc ami sache que j'attendais Chekura, pour que quiconque le rencontrerait ou entendrait parler de lui puisse nous aider à nous retrouver.

Quelques semaines après le troisième anniversaire de May, un jour que je lui parlais de son père et de notre pays, elle dit :

« Ne t'en fais pas, Maman, nous y retournerons un jour. »

Je lui demandai comment nous allions nous y prendre. « Nous allons partir pour une longue promenade en emportant des tas de nourriture au cas où nous aurions faim et quand nous allons arriver à la fin de la forêt, nous allons trouver l'Afrique. »

Peu après cette conversation, ma fille contracta une fièvre et de la diarrhée, maux qui couraient dans Birchtown. Je dus manquer deux journées de travail chez McArdle, mais je ne pouvais me permettre de m'absenter davantage chez les Witherspoon. Je décidai de prendre May avec moi, pensant que Mme Witherspoon pourrait me laisser l'enrouler dans une vieille couverture pour qu'elle dorme pendant mon service. J'installai May sur mes épaules, mais elle était trop faible pour se pencher et placer ses mains sur mon front pour garder son équilibre. Pendant tout le trajet jusqu'à Shelburne, je dus garder les bras levés pour tenir ses mains. À notre arrivée, j'avais les bras épuisés et ma fille avait le front brûlant.

« Dieu du ciel ! dit Mme Witherspoon, qu'est-il arrivé à notre jolie May ? Bonjour, May. Regarde-moi. Par ici, ma chérie. Regarde par ici. »

May pouvait à peine garder les yeux ouverts et, quand j'essayai de la poser par terre, elle fut incapable de se tenir debout sans aide.

« Devrais-je appeler un médecin ?

— Non », répondis-je un peu abruptement.

Puis, j'essayai de modérer mes paroles, car j'avais besoin de son aide et ne voulais pas l'offenser. « Excusez-moi, mais je n'ai pas confiance aux médecins. May a simplement besoin d'un peu de repos pendant que je travaille. »

Dans une chambre libre du rez-de-chaussée, à proximité de l'endroit où je m'affairais, nous avions installé May dans un lit, l'avions couverte et lui faisions boire de l'eau toutes les heures. À la fin de la journée, Mme Witherspoon proposa de nous héberger pour la nuit. J'étais profondément reconnaissante, et plus encore après les trois jours qu'il fallut pour faire baisser la fièvre, combattre la diarrhée et voir May recommencer à manger. Mme Witherspoon insista pour que nous restions une quatrième nuit, pour donner à May toutes les chances de se rétablir avant le retour à Birchtown. À la quatrième journée, May était tout à fait guérie et jouait avec M. Witherspoon en lui tirant la barbe. Je surveillais leurs jeux pleins de tendresse en souhaitant que ma fille puisse voir son père. Chekura, j'en étais sûre, aurait eu les mêmes attentions pour elle. J'adorais chaque parcelle de ma fille et chaque battement de son cœur, mais je n'étais pas une mère gaie. Mes réserves de joie étaient minces. Je la nourrissais, l'habillais, lui appris à lire avant son troisième anniversaire et l'amenais partout où j'allais, mais j'étais trop occupée et trop fatiguée pour jouer avec elle.

La maladie de May nous rapprocha toutes les deux des Witherspoon. Ils nous offrirent des couvertures usagées à ramener à Birchtown et me laissèrent même emporter une vieille base de lit en bois pour que May et moi n'ayons pas à dormir près du sol. Chaque fois que je venais travailler, May était désormais accueillie à la porte par Mme Witherspoon, qui amusait souvent May pendant que je travaillais. M. Witherspoon me fournit de l'huile de baleine pour m'éclairer jusqu'à l'été de 1787, quand son entreprise ferma par manque de clients. Le jour de la fermeture du commerce, Mme Witherspoon et lui insistèrent pour que nous dînions ensemble et passions la nuit chez eux. Je leur parlai des longs mois d'attente avant de pouvoir quitter New York, et ils me racontèrent comment ils avaient perdu leur terre et leur belle maison quand ils durent abandonner Boston et venir en bateau jusqu'à Shelburne pendant la guerre d'Indépendance.

« Pourquoi tant d'entreprises ferment-elles ? demandai-je à M. Witherspoon.

— Ils ont construit ce port trop vite. Tout le monde était convaincu qu'il deviendrait un nouveau New York. Mais les emplois n'ont jamais suivi. Les gens n'ont pas d'argent, et les entreprises ne peuvent vendre leurs produits. Cette ville va s'effondrer presque aussi vite qu'elle a été érigée. »

Une canicule peu commune s'abattit sur Shelburne et Birchtown au mois de juillet. Les moustiques étaient plus voraces que tous ceux que j'avais connus en Caroline du Sud, et des ours se pointaient à la lisière de la ville pour manger des baies et farfouiller dans nos détritus. Peu de Noirs avaient reçu des terres, et les Britanniques avaient réduit l'approvisionnement en nourriture. Les hommes chassaient chevreuils et orignaux en vue de saler le plus de viande possible en prévision de l'hiver. La plupart des hommes et des femmes de Birchtown en bonne santé se rendaient chaque jour à Shelburne pour y chercher du travail, mais les emplois devenaient de plus en plus rares. Le commerce de produits de la baleine de M. Witherspoon n'était qu'un exemple de fermeture parmi beaucoup d'autres. Les salaires dégringolaient, en particulier ceux des Noirs. Avec neuf pence par jour, les portefaix noirs qui transportaient des caisses sur les quais gagnaient moins du tiers du salaire des Blancs. Les entreprises qui embauchaient préféraient souvent engager des Noirs qu'ils payaient peu, ce qui occasionna des rassemblements de plus en plus nombreux d'ouvriers blancs en colère dans les tavernes. La plupart étaient des soldats démobilisés qui, comme les Noirs, étaient venus à Shelburne après avoir servi les Britanniques dans la guerre d'Indépendance des colonies. Par leurs vêtements en lambeaux et leurs traits tirés, je constatais que les Blancs affrontaient des difficultés eux aussi, et je savais que, pour les Noirs, c'étaient les gens les plus dangereux.

Un soir de la fin de juillet, après ma journée de travail à la maison des Witherspoon, May et moi marchions entre Charlotte Street et Water Street. Habituellement, je prenais May par la main, et elle marchait jusqu'à ce qu'elle soit trop fatiguée ; je la hissais ensuite sur ma hanche pour l'emmener jusqu'à Birchtown. « Jusqu'où veux-tu marcher, ce soir ? lui demandai-je.

— Jusqu'à la première bière.

— Jusqu'à la première enseigne de bière ? Ce n'est pas assez loin. Si tu te rendais jusqu'au bout de Water Street ?

— Non, maman. Trop de messieurs. Prends-moi, maman. Tout de suite. »

Je pris ma fille dans mes bras et regardai vers le bas de la rue. Près de l'enseigne *Milligan's ale*, un groupe d'hommes blancs maltraitaient un ouvrier noir grimpé dans une échelle.

« Qu'est-ce que tu fais là-haut, garçon ? cria l'un des hommes.

— J'arrange le toit », dit l'ouvrier, en prenant un marteau accroché à son ceinturon.

Je dissimulai May entre deux magasins et épiai la scène au coin de l'édifice. Je vis les hommes secouer l'échelle du menuisier pour le faire tomber. Celui-ci s'agrippa à la gouttière. Les hommes retirèrent l'échelle, le laissant s'agiter dans le vide.

Un homme vêtu d'une blouse blanche sortit de la taverne. « Hé! Remettez cette échelle en place! Ce garçon travaille pour moi et il a un boulot à faire. »

Deux des hommes repoussèrent le tavernier à l'intérieur. Les autres s'acharnèrent sur l'ouvrier jusqu'à ce qu'il tombe par terre. Puis, ils fondirent sur lui, le rouèrent de coups, le traînèrent jusqu'au quai et le jetèrent à l'eau.

Le menuisier luttait pour se sortir de l'eau froide, mais les hommes l'y repoussaient sans cesse. Ils lui crièrent qu'ils le tueraient s'il revenait à terre une autre fois. Quand il y réussit, se traînant péniblement dans ses vêtements mouillés, les hommes le battirent jusqu'à ce qu'il ne bouge plus. Ils le rejetèrent à l'eau et, cette fois, le menuisier ne remonta plus.

« Maman, qu'est-ce qu'ils font ?

— Ils font du mal à quelqu'un. »

Je voulais rentrer au plus vite à Birchtown. Mais, à ma droite, la foule en colère grossissait à l'extérieur de la taverne, et un autre attroupement se formait à ma gauche, dans Water Street. Je pressai May contre le mur de l'édifice.

« On va brûler leurs cabanes, cria un homme.

— Mettons le feu à Birchtown, dit un autre.

— Le temps est venu de donner une leçon à ces négros, dit un homme. On va commencer par ce gros salopard là-bas. »

De nombreux hommes buvaient de la bière, d'autres étaient armés de mousquets. Les deux groupes d'hommes blancs fusionnèrent en s'éloignant de May et de moi, traversèrent Water Street et se dirigèrent vers un Noir bien connu à Birchtown. Ben Henson, gaillard trapu, se trouvait à son poste habituel au bord de Water Street, sciant du bois au tarif d'un penny le pied. Ben avait les bras les plus robustes de Birchtown, mais je souhaitai qu'il fuie en courant avant d'être attrapé. Je ne voulais pas qu'il ait à prouver sa force. Je ne voulais pas qu'il se mette en danger. Mais les hommes avançaient, et Ben continuait de travailler à son énorme bûche.

« Pourquoi tu traînes pas ces bûches à Négroville ? » cria un des chefs de file. Ben gardait les yeux sur sa scie. L'homme s'approcha de lui, mousquet pointé vers la taille de Ben. Celui-ci continua de travailler jusqu'à ce que l'homme soit à sa portée. En un éclair, il attrapa le mousquet, saisit l'homme et le projeta au sol. Deux autres hommes se jetèrent sur lui, mais Ben les repoussa comme si c'étaient des chats. Pendant qu'il esquivait le couteau d'un quatrième assaillant, un autre l'attaqua par-derrière, leva son mousquet et le visa à la tête. Le grand Ben Henson s'affaissa comme un sac de marteaux. La vue du sang qui coulait sur les épaules de Ben me donna la nausée. Les hommes se détournèrent de Ben et m'aperçurent.

Je pris May dans mes bras, revins sur mes pas dans Charlotte Street, gravis la colline et frappai à grands coups à la porte des Witherspoon. « Qui va là? cria Mme Witherspoon.

— Mina et May. »

Elle ouvrit la porte, nous fit entrer à la hâte et verrouilla la porte derrière nous. « Je surveillais par la fenêtre. J'avais peur qu'ils ne s'en prennent à vous aussi.

— Ce sont des tueurs, dis-je.

— Ils sont devenus fous. »

Elle conduisit ma fille à la cuisine pour la distraire avec des biscuits au gingembre et à la mélasse. Par la fenêtre, je jetai un coup d'œil en direction du port. Ben Henson était étendu près de son trépied de sciage fracassé. À cette distance, on aurait dit qu'il faisait une sieste. Il n'y avait aucun autre Noir dans la rue. La meute d'hommes blancs s'était déplacée.

« J'ai vu deux hommes se faire tuer, dis-je à voix basse, quand Mme Witherspoon me tendit un verre de rhum.

— Prends ça, dit-elle. Et reste avec nous jusqu'à ce que cette folie s'arrête. »

Mme Witherspoon nous nourrit et nous hébergea pendant les trois jours suivants. Son mari apporta d'autres nouvelles : les hommes blancs poursuivaient leur saccage. Des bandes de rôdeurs en chômage avaient tué au moins quatre Noirs et en avaient battu beaucoup d'autres. On parlait de viols. Quand les Blancs avaient envahi Birchtown, ils avaient été repoussés, mais ils étaient revenus en plus grand nombre pour démolir des maisons et mettre le feu à d'autres, s'attaquant à tous ceux qui résistaient.

Au cours des jours où nous restâmes chez les Witherspoon, je vaquai à mes occupations habituelles pendant que May s'amusait. Tous les soirs, je me mettais au lit avec ma fille et essayais de calmer mon angoisse en suivant le rythme de sa respiration. Comment allais-je m'en tirer si notre case était détruite ? Et si tout Birchtown avait brûlé ? Et si Papa Moïse et les autres avaient besoin de moi ?

Chaque soir, je demandais des nouvelles à M. Witherspoon. Il me dit que les émeutes avaient cessé quatre jours après avoir été déclenchées. Il n'y avait plus de bandes de rôdeurs dans les rues ni cas de violence à Birchtown. Je voulais m'assurer de pouvoir ramener May à Birchtown en toute sécurité et croyais que je ferais mieux d'y aller toute seule d'abord.

Je m'arrangeai pour laisser May aux soins des Witherspoon pendant deux jours. Entre-temps, j'avais l'intention de vérifier si ma maison était encore debout, de la réparer au besoin, d'aider Papa Moïse et mes autres amis, puis de rentrer le plus tôt possible à Shelburne pour reprendre ma fille.

Très tôt le matin, je me glissai dans Charlotte Street, puis empruntai Water Street. Aucun Noir ne travaillait en ville. Dans le port, un bateau était amarré, mais seuls des débardeurs blancs s'activaient sur les quais. Certains s'arrêtèrent de travailler, déposèrent leur charge de bois et me dévisagèrent, mais personne ne s'approcha de moi ni ne prononça un mot. Je sortis de la ville sans incident. En général, je croisais quatre ou cinq personnes pendant le trajet de Shelburne à Birchtown, mais ce jour-là, je ne vis qu'un Noir, pendu à un arbre sur le côté de la route. Il portait une paire de hauts-de-chausses, mais pas de chemise ni de chaussures. Je frissonnai, mais ne pus m'empêcher de m'arrêter pour voir s'il s'agissait de quelqu'un que je connaissais. Je fis pivoter ses pieds et examinai son visage ensanglanté. L'homme avait été si sauvagement battu qu'il était méconnaissable.

Papa Moïse avait fait ériger sa chapelle méthodiste à l'extrémité est de la ville ; aucun visiteur arrivant de Shelburne ne pouvait la manquer. Après avoir contourné la baie et traversé le pont enjambant un ruisseau, j'aperçus les ruines calcinées de la chapelle. Il n'en restait plus rien. Trois vieilles femmes priaient près des ruines, et une autre faisait la cuisine sur un feu non loin d'elles. En entrant dans la ville, je vis de nombreuses cabanes incendiées ou détruites. Les jardins avaient été piétinés, et les gens erraient en guenilles, le dos voûté. Je trouvai Papa Moïse assis sur sa charrette près du cimetière. Il avait perdu ses lunettes et sa joue portait des marques de coups. Je lui pris la main.

« Je suis content de voir que tu es vivante, Sœur. Tout le monde se demandait où tu étais. »

Je tirai Papa Moïse jusqu'à sa cabane. La porte n'était plus là, un mur avait été défoncé et le toit semblait sur le point de s'effondrer. « Étiez-vous ici quand ils se sont attaqués à votre maison ? lui demandai-je.

— J'étais assis sur le seuil, je les attendais. Je les ai entendus boire et rire et j'ai tourné la tête dans leur direction pendant qu'ils s'avançaient. Je leur ai dit : 'Si le Seigneur veut m'avoir, le Seigneur viendra me chercher. Alors, allez-y et tirez sur un vieil aveugle, si vous avez le meurtre dans le sang'. Quelqu'un m'a frappé avec une crosse de fusil. Un autre m'a donné un coup de pied dans les côtes. 'Je ne peux pas vous voir, leur dis-je, mais je vous connais. Je reconnais chacune de vos voix, et quand je serai devant votre Créateur, je vais Lui parler de votre carnage. Tuez-moi si vous êtes si braves.' Mais ils ne l'ont pas fait. Des poltrons, du premier jusqu'au dernier. L'un d'entre eux m'a crié : 'Hé ! l'aveugle, dis à tes gens de se tenir loin de Shelburne. Restez à votre place et il n'y aura plus de problèmes.' »

Dans ma case, on avait arraché la porte de ses gonds et jeté toutes mes affaires au sol. Je pensai aux hommes qui avaient encerclé Ben Henson et frissonnai en les imaginant en train de saccager ma maison. À l'extérieur de ma cabane, Papa Moïse et moi organisâmes une réunion avec un groupe de ses fidèles. Nous décidâmes de réparer en premier lieu les maisons les moins endommagées. Ceux dont la cabane nécessitait une reconstruction majeure ou complète trouvèrent refuge dans d'autres.

Je passai à Birchtown cette journée-là, la nuit suivante et une grande partie de la matinée du lendemain à travailler avec un groupe de dix personnes pour réparer deux autres cabanes et la mienne. J'aidai à installer Papa Moïse sur un lit d'appoint dans ma pièce avant, puis, à midi, repartis pour Shelburne après avoir promis de revenir avant la nuit avec ma fille.

Je repassai près de la chapelle réduite en cendres, traversai le pont et m'engageai sur le sentier menant à la ville. C'était un long trajet pour une femme seule. Sur ma gauche, le vent fouettait les branches des arbres et, sur ma droite, dans la baie, des moutons d'écume s'élevaient et se brisaient sans cesse. Devant moi, dans un tournant, j'entendis des hommes parler fort. Je courus me cacher dans la forêt et avançai doucement jusqu'à ce que je voie cinq hommes munis de couteaux, de fusils, de corde et de flacons d'alcool se diriger vers Birchtown. Pas question de rebrousser chemin, ils m'auraient aperçue. Par contre, il était aussi dangereux de poursuivre ma route, car ils auraient entendu le bruit de mes pas dans les bois. Je grimpai donc très haut dans un pin, en empoignant une branche résineuse après l'autre. Je m'assis, parfaitement immobile. Mon cœur battait la chamade. Heureusement, ma respiration saccadée était couverte par les cris et les rires des hommes.

Ils parlaient de « démolir les cabanes de Négroville», quand Jason déboucha dans la courbe du sentier et se trouva encerclé.

« Où c'est qu'tu vas, garçon ? dit l'un des hommes blancs.

— J'vas à Shelburne.

— Ta place, c'est Birchtown.

— Ma maman est à Shelburne. J'vas la chercher.

— Qu'est-ce qu'elle fait à Shelburne, ta maman ?

— Elle lave du linge.

— Elle prend le travail d'une Blanche, c'est ça ?

— Elle fait juste laver du linge. »

Un autre homme frappa Jason à la tête avec la crosse d'un fusil.

« Tu viens de gâcher mon plaisir, dit le premier homme.

— Quel plaisir ?

— J'voulais m'amuser un peu avec lui. Lui donner une leçon. Le tuer tranquillement. Et toi tu viens d'le frapper et de gaspiller mon plaisir.

— On va l'attacher pour s'amuser plus tard. »

Les hommes traînèrent Jason sur le côté du sentier, le ligotèrent à un arbre à proximité de celui où je me trouvais et continuèrent leur chemin jusqu'à Birchtown.

J'attendis quelques minutes pour m'assurer que personne d'autre ne venait. Jason revint à lui peu à peu et se mit à gémir. Je descendis de l'arbre, courus vers lui et me hâtai de défaire les nœuds qui liaient ses poignets à l'arbre. « Ça va ?

— Oui. J'suis chanceux de vous trouver ici.

— Tu vas voir ta maman ?

— Maman est morte dans les émeutes. Elle est tombée comme ça, d'un coup, sans que personne ne la batte. »

Quand il se releva, je le pris dans mes bras. « C'est une nouvelle épouvantable. Y a-t-il quelqu'un d'autre à la maison ?

— Non, y avait que maman et moi.

— Pourquoi vas-tu à Shelburne ?

— J'ai besoin de manger, de travailler, d'une place pour dormir. Ma maman est morte et notre cabane est trop démolie pour que j'puisse y rester.

— Ces hommes vont te tuer si tu retournes à Birchtown. Viens avec moi pour voir ce que tu peux trouver en ville. »

Nous nous mîmes en route en direction de Shelburne.

« Depuis le temps que vous êtes à Birchtown, vous avez jamais dit que vous aviez écrit mon nom dans le *Registre des Noirs.*

— Juste ciel ! Je t'ai inscrit, toi aussi ? Désolée, Jason. J'ai travaillé sur tant de bateaux et inscrit tant de noms que j'en ai oublié quelques-uns.

— Sur le bateau, j'suis resté toute une journée dans la file d'attente. Toutes les personnes de couleur connaissaient le p'tit bout d'femme africaine qui parlait vite et qui inscrivait les noms de la moitié des Noirs de Manhattan. Vous pouviez pas nous connaître tous, mais nous, nous vous aimions tous.

— C'est vrai ?

— Parce que vous preniez soin de nous.

— Et tu dis que j'ai écrit ton nom dans le *Registre des Noirs* ?

— Oui, Ma'me.

— Qu'est-ce que j'ai écrit ?

— J'sais pas, Ma'me. J'savais pas lire dans c'temps-là et j'sais pas plus lire aujourd'hui.

— Pourquoi n'es-tu pas venu à mes leçons de lecture ?

— C'est que j'ai déjà dix-neuf ans. Il est trop tard maintenant.

— Il n'est jamais trop tard. »

En arrivant à Shelburne, je remarquai que le bateau avait levé l'ancre. Jason partit chercher un homme qui l'avait engagé auparavant, et je remontai Charlotte Street.

Je cognai à la porte des Witherspoon. Rien. Je cognai une seconde fois. Je testai la porte. Verrouillée. Je collai mon nez d'une fenêtre à l'autre, me rendis au hangar à bois, au puits, à la porte arrière. Aucun signe d'activité à l'intérieur. Je frappai de nouveau à la porte principale, jusqu'à ce que la voisine ouvre la sienne et me demande pourquoi je faisais tout ce tapage.

« Je veux ma fille, mais il n'y a personne à la maison, criai-je.

— Veux-tu bien te calmer ! dit la femme à voix basse. Tu trouves pas qu'y a eu assez de problèmes ces derniers temps ?

— Les Witherspoon ont ma fille, mais il n'y a personne à la maison. Savez-vous où ils sont ?

— Bonté divine, femme, arrête ton vacarme. »

J'essayai de me contenir. Si je contrôlais ma respiration, peut-être la femme me dirait-elle ce qu'elle savait. « Où est ma fille ? dis-je en sanglotant. Elle a trois ans. Pas plus haute que ça. Elle s'appelle May.

— C'te p'tite mignonne est à toi ? »

Je traversai la rue et approchai mon visage à quelques pouces de celui de la femme. En proie à la terreur et à la colère, je voulais à la fois l'étrangler et me mettre à genoux pour la supplier de m'aider.

« Où est May ? »

La femme recula d'un pas et s'éclaircit la voix :

« Les Witherspoon ont pris le bateau. Toi et ta fille, ça m'regarde pas. »

Elle me ferma la porte au nez. J'entendis glisser le verrou. Je retraversai la rue, trouvai un caillou et le lançai pour ouvrir les volets d'une fenêtre de la maison des Witherspoon. Je me glissai à l'intérieur. Les pièces étaient vides. Tables, commodes, lits, tout avait disparu.

« May ! » criai-je encore et encore.

Personne ne répondit.

Jambes flageolantes, je retournai dans Water Street. De nombreux manœuvres blancs travaillaient sur les quais. Je m'approchai d'eux. « Je cherche ma fille. Trois ans. Elle s'appelle May. Avez-vous vu une petite fille noire ? Peut-être avec des Blancs ? »

L'un des ouvriers cracha à mes pieds. Les autres continuèrent de travailler.

« Je vous en prie. Je veux juste retrouver ma fille. Quelqu'un peut-il me dire s'il a vu une petite fille noire ? »

Personne ne voulait me parler. Je marchai au hasard sur le quai et me dirigeai vers un jeune homme travaillant avec du cordage. « S'il vous plaît. Je cherche ma fille. Une petite fille de trois ans.

— Je n'ai vu aucune petite fille noire, dit-il.

— Avez-vous vu les Witherspoon ? Un homme et une femme qui habitaient dans Charlotte Street ?

— Je ne connais aucune de ces familles riches. Mais il y en a qui sont parties en bateau ce matin. Trois ou quatre familles. C'est tout ce que je sais. »

Je quittai le quai en courant et entrai en coup de vent dans l'atelier de Théo McArdle. Théo leva les yeux de sa presse. « Mina !

— Où est ma fille ?

— Quelqu'un vous a-t-il vue entrer ? Vous n'êtes pas en sécurité, ici.

— Je n'arrive pas à trouver ma fille. Les Witherspoon sont partis.

— Si quelqu'un pense que je vous paie, ils... »

Je saisis un de ses journaux et le lançai dans sa direction. J'attrapai un paquet de papiers, ouvrit la porte et les jetai dans la rue. « Qu'est-il arrivé à ma fille ? »

McArdle se précipita pour verrouiller la porte et abaisser le rideau. Il m'offrit une chaise et me fit signe de m'asseoir. Il se tenait dos à la porte. « Les Witherspoon se préparaient à quitter Shelburne depuis un certain temps, dit-il. Je pensais que vous étiez au courant. Aussitôt que les émeutes ont cessé, ils ont décidé de partir.

— Mais où est ma fille ?

— Quand les troubles se sont calmés, ils ont engagé vingt porteurs pour transporter leurs affaires au port. Tout s'est réglé en quelques heures.

— Les porteurs étaient-ils des Blancs ou des Noirs ? » demandai-je.

Au moins les Noirs seraient capables de me renseigner sur May.

« Des Blancs.

— May était-elle avec les Witherspoon ? »

Incapable de parler, il hocha la tête lentement.

« Dites-le-moi, à la fin ! hurlai-je. Dites-le-moi avec des mots. Ma fille est-elle montée sur ce bateau ? »

Il se tourna et regarda le plancher. « Oui.

— Où sont-ils allés ? » dis-je à mi-voix.

Il ne m'avait pas entendue. Je répétai ma question.

« À Boston.

— Et vous ne les avez pas empêchés ?

— J'ai essayé.

— Que s'est-il passé ? Dites-le-moi !

— J'ai quitté l'atelier et les ai suivis jusqu'aux quais.

— Ma fille pleurait-elle ?

— Non.

— Mme Witherspoon lui parlait-elle ?

— Oui, elle lui disait que vous reviendriez bientôt. J'ai essayé de parler à M. Witherspoon.

— Qu'est-ce que vous lui avez dit ?

— Je lui ai demandé s'il ne valait pas mieux qu'ils me laissent l'enfant. Jusqu'à ce que vous veniez la chercher. Des gardes surveillaient les quais, à cause de toutes les émeutes. M. Witherspoon leur a dit que je troublais l'ordre public. Je me suis donc retiré, Mina. Je n'aurais pas dû le faire, j'aurais dû me plaindre avec plus d'énergie. Mais j'ai quitté les quais quand les gardes sont venus vers moi, et les Witherspoon sont partis avec votre fille.

— Y avait-il des Noirs près des quais ? Quelqu'un à qui je pourrais parler ?

— Non.

— Où était ma fille tout ce temps-là ?

— Dans les bras de Mme Witherspoon.

— Elle ne pleurait pas et n'était pas bouleversée ?

— Non. Elle avait dans les mains un petit boulier et s'amusait à déplacer les boules. »

J'avais épuisé mes questions, et Théo McArdle n'avait plus rien à dire.

« Je n'ai presque rien mangé ces derniers jours, dis-je, et j'ai des amis à Birchtown qui n'ont plus d'endroit où rester. Donnez-moi quelque chose à manger et je vous laisserai en paix.

— Je n'ai pas grand-chose.

— Donnez-moi quelque chose à manger, Monsieur McArdle. Vous les avez laissés emmener ma fille, et j'ai faim. »

De son arrière-boutique, McArdle m'apporta un sac de riz de deux livres, un jambon, un sac de pois et une miche de pain. Je pris les victuailles et partis.

Jason m'attendait à l'entrée de la ville. Il revenait le ventre vide et une entaille lui balafrait le visage. Il n'avait pas trouvé de travail en ville ni d'endroit où rester. Il n'avait vu personne d'autre que des soldats démobilisés, le doigt sur la gâchette, les poings serrés, prêts à frapper. Jason me demanda où était ma fille. Je ne pus répondre. Il ne me reposa pas la question.

Nous pataugeâmes dans la boue pour rentrer à Birchtown. Les bois étaient d'un calme inquiétant et aucun maraudeur n'était en vue.

«J'ai perdu ma fille, finis-je par murmurer. Mon dernier enfant.

— Faut jamais dire le dernier, dit Jason. Dites pas ça, Ma'me Di.

— C'était mon dernier enfant, Jason. Je le dis parce que c'est vrai. Ne compte pas sur moi pour t'aider à rester en vie quand nous serons à Birchtown. Parce que, vois-tu, moi, j'ai envie de mourir.»

Jason fit glisser de mon épaule les sacs de pois et de riz et s'en chargea. Je ne pensai même pas à protester, et je ne sais pas comment s'écoulèrent les trente minutes suivantes. Elles durent disparaître dans un brouillard de désespoir. À notre arrivée à Birchtown, nous vîmes que d'autres maisons avaient été détruites, mais au moins les pillards blancs s'étaient éclipsés. Assis sur un tronc d'arbre devant chez moi, Papa Moïse m'attendait. Jason aida le vieil homme à se lever, et nous retournâmes dans ma cabane. Par miracle, elle était toujours debout. Elle était plus solide que moi.

Au cours des quelques semaines qui suivirent, je vivais dans une telle détresse que je pouvais à peine parler. Je tolérais la présence de Jason et de Papa Moïse que j'hébergeais dans ma cabane jusqu'à ce que les leurs soient reconstruites, mais je ne pouvais penser à enseigner aux enfants de Birchtown, ni à pratiquer des accouchements, ni à travailler pour Théo McArdle. Je ne voulais rien faire. Je craignais que, si je laissais mes sentiments s'exprimer, une telle douleur surgisse de l'intérieur que je serais capable d'exploser et de tuer quelqu'un. Je n'avais pas l'argent qu'il fallait pour me rendre à Boston. Quand je finis par m'informer auprès de Théo McArdle ou d'autres Blancs en ville sur le moyen d'y aller, ils insistèrent sur le fait qu'on pourrait m'arrêter, peut-être même me remettre en esclavage, si je me montrais dans cette ville sans argent ni personne pour répondre de moi.

« Nous ne savons pas s'ils sont restés à Boston, dit McArdle. Ils peuvent être allés à Philadelphie, New York ou Savannah. Ils ont pu partir pour la Jamaïque, la Barbade, Saint-Domingue ou l'Angleterre. »

Avec l'aide de McArdle, je publiai des annonces dans les journaux de Boston, Philadelphie et New York, pour offrir une petite récompense en échange de toute information sur les allées et venues des Witherspoon, anciennement de Shelburne, Nouvelle-Écosse. En ville, j'interrogeai tous les Blancs qui acceptaient de me parler, mais aucun ne put me fournir de renseignements sur ce qu'étaient devenus les Witherspoon. J'écrivis même à Sam Fraunces, aux soins du président George Washington, Mount Vernon, Virginie. Six mois plus tard, je reçus une réponse amicale, mais Sam avait été incapable de trouver quoi que ce soit, lui non plus.

Mes enfants étaient comme des membres fantômes, perdus mais toujours attachés à moi, disparus mais toujours douloureux. Je cessai de faire la cuisine, de travailler et de manger. Pour la première fois de ma vie, je perdis l'envie de lire. Je cessai même de penser à Chekura. Peut-être Papa Moïse avait-il raison. Si Chekura avait eu l'intention de revenir, il l'aurait fait depuis longtemps.

Papa Moïse me demanda si j'étais prête à accueillir Jésus dans mon cœur. Je lui répondis que j'avais eu la foi quand j'étais petite, que j'avais dû y renoncer et que je n'avais pas soif d'un autre Dieu dans ma vie. Il me prit les mains et se tourna vers moi comme s'il pouvait voir au fond de mes yeux. « Mais tu es bonne, Mina. Tant de monde t'aime. »

C'était peut-être vrai, mais je ne voyais ni ne sentais plus rien. Tout ce que je savais, c'était que les personnes que j'avais aimées le plus au monde m'avaient été enlevées.

Je recommençai à assister aux offices de Papa Moïse. Ils n'avaient pas beaucoup changé. Les gens étaient gentils, m'apportaient de la nourriture, s'asseyaient avec moi quand ils se rendaient compte que, seule, je ne mangerais rien, m'apportaient du bois, des branches et des clous quand ils le pouvaient, pour m'aider à réparer ma bicoque. Jason et Papa Moïse venaient me voir tous les jours. Quand ils aménagèrent une salle de classe pour moi, je recommençai à enseigner et, même si le cœur n'y était pas, j'essayais de faire semblant d'aimer les enfants à qui j'apprenais à lire.

Théo McArdle finit par me convaincre de revenir travailler pour lui, et je m'efforçai de m'intéresser à ce que j'écrivais. Quand j'étais seule, je lisais tous les livres que McArdle pouvait me procurer. Il dénicha une carte de l'Afrique, mais on n'y voyait que des dessins de montagnes, de lions, d'éléphants et de singes.

Environ un an après la disparition de May, je reçus une petite lampe et un gallon d'huile de baleine pour avoir aidé une femme blanche à accoucher à Shelburne. C'était la première fois que je pratiquais un accouchement après avoir perdu mon enfant. La douleur occasionnée par mes pertes ne s'atténua vraiment jamais. Mes membres avaient été amputés, et ils me manqueraient à tout jamais. Mais je tenais le coup. Je ne sais comment, mais je tenais le coup.

DES ÉLÉPHANTS À DÉFAUT DE VILLES

Au cours des quatre années suivantes, je ne pus trouver aucune information sur May. Je croyais qu'elle était vivante, mais je n'avais aucune idée de l'endroit où elle ou les Witherspoon étaient partis, ni sur celui où Chekura se trouvait. L'âge d'or de Shelburne était terminé, et nombre de loyalistes avaient dû fermer leur entreprise et retourner aux États-Unis. Cependant, les Noirs de Birchtown restaient, et je restais avec eux.

À l'approche de ce que je supposais être ma quarante-cinquième année, je n'avais aucune objection à voir des fils argentés envahir petit à petit ma chevelure. Porter les lunettes aux verres teintés de bleu dont j'avais désormais besoin pour lire les journaux et les livres ne m'embarrassait pas non plus. Théo McArdle m'avait aidée à commander ces lunettes en Angleterre, après m'avoir expliqué qu'elles étaient munies de deux branches et fabriquées de façon à ne pas presser sur le nez ni sur les tempes. Elles me coûtèrent deux mois d'économies, mais que pouvais-je faire d'autre avec l'argent mis de côté ? Je n'avais ni mari, ni enfants, ni maison autre que ma cabane de Birchtown que je consolidais chaque été en prévision de l'hiver. À deux reprises, on m'avait offert de visiter d'autres églises en Nouvelle-Écosse avec Papa Moïse et des membres de la communauté, mais j'avais refusé chaque fois. Je vivais de l'espoir que ma fille et mon mari reviennent et je ne voulais pas être absente ce jour-là.

Au printemps de 1790, les méthodistes s'entassèrent dans la chapelle de Papa Moïse pour écouter un visiteur d'Annapolis Royal. C'était un homme de petite taille et trapu, qui paraissait un peu plus vieux que moi. Il parlait sur un ton si monotone que certains paroissiens s'endormirent. Comme il semblait avoir un message important à livrer, je me glissai dans le premier banc pour mieux l'entendre.

« Je m'appelle Thomas Peters. Il y a quatorze ans, j'ai fui mon propriétaire en Caroline du Nord. Pendant la guerre, j'ai servi les Britanniques dans les Black Pioneers, et quiconque ne me croirait pas peut venir consulter mes papiers régimentaires. Je suis comme vous tous : arrivé en Nouvelle-Écosse il y a sept ans, j'attends toujours la terre qu'on m'a promise. Or, je suis fatigué d'attendre et je voudrais faire bouger les choses. »

Thomas Peters recueillait des fonds pour partir en Angleterre. Là-bas, il espérait informer les membres du Parlement britannique de la situation des loyalistes noirs sans terres et de la persistance de l'esclavage en Nouvelle-Écosse. Nul d'entre nous n'imaginait que l'opération aurait du succès, mais nous apportâmes notre contribution selon nos moyens. J'admirais la détermination de Peters et lui donnai dix shillings. Après la rencontre, je l'aidai à rédiger la conclusion du document qu'il appelait son mémoire. « Les pauvres esclaves sans amis ne sont pas plus protégés par les lois de la colonie [...] que le bétail ou les bêtes sauvages [...] et [...] la cruauté et la brutalité oppressantes de leur asservissement sont particulièrement choquantes, irritantes et odieuses [...] pour les personnes de couleur libres qui ne peuvent concevoir que l'intention du gouvernement britannique est réellement de favoriser l'injustice ou de tolérer l'esclavage en Nouvelle-Écosse. »

« Je veux vous assurer d'une chose, me dit Thomas Peters en me remerciant. Je vais en Angleterre et, pendant mon séjour là-bas, pas un seul jour je n'oublierai la situation de notre peuple. »

L'audace et l'ambition de Peters me firent prendre conscience que ma propre volonté s'était grandement affaiblie. Il fut un temps où je n'aurais voulu rien d'autre que me rendre en Angleterre et, de là, trouver un moyen de retourner en Afrique. Or, je n'avais plus envie de voyager. Je calfeutrais de mousse les interstices de mes murs de rondins pour protéger ma cabane du vent et ramassais du bois dans la forêt pour chauffer mon poêle la nuit. Il me restait peu de choses à part cette cabane, et je m'efforçais chaque jour de la garder propre et sèche pour Chekura et May. S'ils revenaient, je voulais que le confort d'un foyer les incite à rester pour toujours. J'essayais de me distraire en travaillant, mais le souvenir de Chekura et de May assombrissait mes jours.

À Birchtown, on oublia vite Thomas Peters. L'année suivante, il revint pourtant à notre église pour nous annoncer qu'il était allé en Angleterre et avait rencontré des Blancs prêts à nous envoyer en Afrique. La chose semblait ridicule. Comme Peters n'avait aucun détail pour étayer son récit, personne ne le crut. Avant de repartir, cependant, il promit que nous recevrions bientôt plus d'information.

Quelques jours plus tard, en lisant la *Royal Gazette*, je tombai sur une note publiée par le président et les douze administrateurs de la Sierra Leone Company, de Londres, en Angleterre : COLONIE LIBRE SUR LA CÔTE DE L'AFRIQUE.

L'annonce indiquait que la Sierra Leone Company était prête à recevoir, dans sa colonie d'Afrique, des Noirs libres capables de démontrer leurs qualités, « en particulier leur honnêteté, leur sobriété et leur vaillance ». On y lisait que tout « Noir libre » en mesure de produire une telle preuve écrite recevrait, en Sierra Leone, vingt acres de terre pour lui, dix pour sa femme et cinq pour chaque enfant. Les Noirs et les Blancs auraient les mêmes droits et devoirs civils, militaires, individuels et commerciaux, et il serait contraire à la loi, selon la Sierra Leone Company, de maintenir quiconque en esclavage ou d'acheter et de vendre des esclaves.

À peine avais-je commencé à lire le texte à quelques habitants de Birchtown que d'autres me demandèrent de le répéter. Je le lus dans la chapelle méthodiste de Papa Moïse. Je le lus dans l'église baptiste. Je le lus partout où des gens voulaient l'entendre. Je lus le document à voix haute suffisamment de fois pour le mémoriser. Pourtant, je ne pouvais pas comprendre qui serait autorisé à partir pour l'Afrique, comment on s'y rendrait, combien le voyage coûterait, qui était derrière ce plan et pourquoi on l'offrait. Tout le monde voulait savoir où se trouvait la Sierra Leone, mais je l'ignorais.

Nous eûmes tôt fait de découvrir qu'il était dangereux de discuter de ce projet en public. À Shelburne, trois hommes attaquèrent un tonnelier noir qui était entré dans un café avec en main un exemplaire de la *Gazette*. À Birchtown, certains craignaient que tout ce débat sur le départ pour l'Afrique ne donne rien d'autre qu'un prétexte aux Blancs pour fomenter d'autres émeutes contre les Noirs.

Quelques jours plus tard, un Anglais du nom de John Clarkson arriva à cheval à Birchtown, vêtu de son uniforme de lieutenant de la marine royale. C'était un homme d'allure jeune. J'avais environ quarante-six ans à cette époque, et il avait l'air d'avoir la moitié de mon âge. Jeune, mais sérieux. Il avait un visage enfantin, un petit nez, les lèvres pincées. Il était rasé de près, mais des favoris broussailleux bouffaient le long de ses joues. Il demanda la permission de s'adresser à la communauté de Papa Moïse. Des centaines de personnes s'entassèrent dans la chapelle et autant se rassemblèrent à l'extérieur des portes. On décida donc de faire sortir tout le monde. John Clarkson se tenait debout, dos à l'océan, rebroussant les cheveux qui lui tombaient sur les yeux. Nous nous regroupâmes autour de lui en formant un fer à cheval géant, face à la baie.

John Clarkson parlait d'une voix aiguë mais sonore. Immobiles et silencieux, nous ne voulions rater aucune parole. « Révérend Moïse, Mesdames et Messieurs, je m'appelle John Clarkson et je suis lieutenant de la marine britannique. Je ne suis pas venu ici, toutefois, en mission militaire. Je suis venu à titre de civil, pour offrir à ceux d'entre vous qui seraient intéressés et admissibles un passage pour la Sierra Leone, en Afrique. »

Les gens accueillirent ces propos avec des applaudissements si nourris que le lieutenant Clarkson dut attendre que la clameur s'apaise. J'étais frappée par sa pâleur. Une veine bleue courait près de sa tempe. Il avait cependant un regard vif, qui semblait étudier tous les gens rassemblés devant lui pendant qu'il attendait le retour au calme. Ses yeux tombèrent sur moi, sans doute attirés par le foulard orange enroulé autour de ma tête. John Clarkson était blond ; il avait le front dégarni et perdait ses cheveux par endroits. Il essuya les gouttes de sueur qui perlaient à ses sourcils et se couvrit le visage de ses mains, comme un homme en proie au manque de sommeil en raison d'un surcroît de travail.

Une fois la foule redevenue silencieuse, Clarkson précisa qu'il était né à Wisbech, petit port à environ quatre-vingt-dix milles de Londres. Son entourage et lui croyaient que le commerce des esclaves entachait la religion chrétienne. Il déclara avoir été mis au courant du fait que les Noirs ayant servi les Britanniques pendant la guerre contre les colonies rebelles s'étaient vu refuser des terres et des possibilités de développement en Nouvelle-Écosse et au Nouveau-Brunswick.

« Je suis ici pour vous dire aujourd'hui que les autorités en Angleterre m'ont donné le pouvoir d'offrir aux Noirs loyaux un passage vers une nouvelle vie en Afrique. » Clarkson poursuivit en énumérant les nombreuses promesses annoncées à ceux qui souhaiteraient fonder une nouvelle colonie britannique en Sierra Leone. Il les appelait les aventuriers.

« Les aventuriers auraient la liberté de gouverner leurs propres affaires. Ils jouiraient d'une égalité politique et raciale. Ils recevraient des semences, des outils pour cultiver le sol et une terre à eux.

— Nous n'avons même pas de terre à nous ici, cria quelqu'un.

— Je ne peux pas changer vos conditions en Nouvelle-Écosse, dit Clarkson, mais la Sierra Leone Company accordera un passage gratuit vers la colonie et une terre à tous ceux qui s'y rendront.

— Où se trouve cet endroit que vous appelez la Sierra Leone ? » s'enquit Papa Moïse.

Clarkson demanda s'il devait dessiner une carte. Tout le monde dit oui. « Vous comprendrez, dit-il avec un sourire, que j'ai raté tous mes cours d'art à l'école.

— Nous aussi », répliqua Papa Moïse, ce qui déclencha le rire général.

Clarkson tira une plume et du papier de sa sacoche et, d'un geste rapide, esquissa les contours de l'Afrique. Il la dessina en forme d'ovale allongé dont le coin inférieur gauche aurait été sectionné. Au nord d'un endroit où le continent faisait saillie vers l'ouest, il marqua d'un gros point un endroit qu'il appela la Sierra Leone. À l'ouest, expliqua-t-il, s'étendait l'océan Atlantique. Au nord-ouest se déployait une région qu'il désigna comme étant le pays wolof. Au sud-est, il pointa les côtes des Graines, de l'Ivoire, de l'Or et des Esclaves. Quand il eut terminé, il fit circuler le papier parmi la foule.

« J'ai raté mes cours d'art, mais j'ai dû apprendre à lire des cartes dans la marine. » La voix chaude de

Clarkson me plaisait, et j'aimais l'entendre dire que beaucoup d'entre nous pourraient lui apprendre plus de choses que lui pouvait nous enseigner au sujet de l'Afrique.

« Dessinez-nous un lion, cria quelqu'un.

— Ça pourrait ressembler à un éléphant », dit-il.

Quand les rires cessèrent, Clarkson redevint sérieux. Il affirma que les aventuriers à destination de la Sierra Leone devraient s'abstenir de toute conduite malhonnête, désagréable, non chrétienne et immorale. Retournant à ses notes, il lut : « Le crime, l'ivrognerie, la violence, le vol, la licence, l'adultère, la fornication, la débauche, la danse et autres manifestations d'émotions effrénées seront strictement interdits. »

Quelques grognements s'élevèrent dans l'assistance. Un homme qui se tenait près de moi marmonna : « Sacrebleu, bonhomme, on ferait tout ce chemin pour retourner chez nous et on pourrait pas fêter ça en dansant ? » Quelques personnes pouffèrent de rire, mais Clarkson passa outre et poursuivit son discours.

Les criminels et les gens de réputation douteuse ne seraient pas autorisés à entreprendre le voyage. Une femme célibataire ne pourrait pas voyager seule, à moins qu'un homme accepte de certifier son honnêteté et promette d'assurer sa subsistance.

Clarkson demanda un assistant pour rédiger le procès-verbal de la rencontre. Plusieurs crièrent mon nom. « Et qui est ce dénommé Mina ? » demanda Clarkson.

Je fis un pas en avant, et il me demanda à moi aussi : « Pouvez-vous me montrer M. Mina ?

— Je m'appelle Aminata Diallo. »

Il se gratta un favori, l'air perplexe.

« On m'appelle Mina, c'est plus court, dis-je. Vous vouliez quelqu'un pour prendre des notes et je peux vous aider.

— Vous pouvez faire cela ? » demanda Clarkson en baissant la main.

Un sourire illumina son visage, un sourire comme je n'en avais pas vu depuis des années. C'était un sourire qui disait *Faire votre connaissance représente pour moi un bonheur indescriptible.* Il signifiait *Je pense que vous et moi pourrions devenir amis.* À ma grande surprise, j'éprouvais les mêmes sentiments. L'homme me plut dès cet instant.

On me donna de quoi écrire et un tabouret pour m'asseoir, et je consignai les délibérations pendant le reste de la réunion.

Clarkson voulait connaître les noms des chefs de la communauté, pour être en mesure d'obtenir et de transmettre rapidement des renseignements au cours des semaines suivantes. On lui donna le nom de trois pasteurs. Il demanda si quelqu'un s'opposait au projet. Un résident de Birchtown, Stephen Blucke, fit valoir que les Noirs devraient tirer le maximum de ce qu'ils avaient en Nouvelle-Écosse. Pourquoi risquer de tout perdre dans un voyage périlleux à destination d'un pays inconnu ?

Nullement indisposé par la remarque, Clarkson incita simplement Blucke, ainsi que les autres propriétaires qui éprouvaient le sentiment de bien s'en tirer, à rester en Nouvelle-Écosse. Clarkson possédait assez d'assurance pour laisser les gens exprimer leur opinion, et sa réponse me plut.

Clarkson prit la peine de répondre à chaque question. À mesure qu'il parlait, il gagnait mon respect. Non, précisa-t-il, les navires ne seraient pas des vaisseaux d'esclaves. Il leva le doigt pour insister sur un point. « Les trafiquants d'esclaves de nombreux pays se livrent encore au commerce des êtres humains sur la côte de l'Afrique. Certains d'entre eux pratiquent leur infâme négoce en Sierra Leone, mais il ne sera pas question d'esclavage dans la colonie que nous voulons créer. »

La Sierra Leone Company était dirigée par des hommes passionnés toute leur vie par l'abolition de l'esclavage, fit-il remarquer. Les bateaux seront équipés des commodités modernes et remplis de vivres en quantité suffisante pour que chaque homme, femme et enfant puisse traverser l'océan dans des conditions décentes.

Clarkson espérait que les aventuriers partiraient dans moins de deux mois et ajouta que la traversée entre Halifax et la Sierra Leone prendrait environ neuf semaines.

Animée d'un double sentiment de devoir et de patriotisme, la Sierra Leone Company, poursuivit-il, ne reculerait devant aucune dépense pour nous emmener hors de la Nouvelle-Écosse. Sentiment de devoir, parce que les Noirs avaient le droit de vivre sans être esclaves ni opprimés, et que le meilleur moyen de les aider à commencer une nouvelle vie serait de les renvoyer en Afrique, où ils pourraient civiliser les indigènes en leur montrant à lire, à écrire et à se familiariser avec la religion chrétienne. Sentiment de patriotisme, car nous, les colons noirs de la Sierra Leone, aiderions la Grande-Bretagne à établir des opérations commerciales sur la côte de l'Afrique. L'Empire ne dépendrait plus de l'esclavage pour s'enrichir. Le sol était si fertile, dit Clarkson, que nos fermes regorgeraient de figues, d'oranges, de café et de canne à sucre. Nous satisferions facilement à nos besoins et permettrions à l'Empire britannique de mettre sur le marché les ressources abondantes de l'Afrique.

Il y avait bien le petit problème de ceux qui nous avaient précédés, dit Clarkson. Des Noirs de Londres s'étaient installés en Sierra Leone il y a cinq ans, mais leur colonie n'avait pas réussi à prospérer. Cependant, nous pourrions développer et améliorer leur ancienne ville.

Je me pris à croire que les promesses de Clarkson étaient réalisables, mais je sentais que je ne pouvais partir avec lui. Si je retournais en Afrique, jamais je ne reverrais ma fille ni mon mari. Ainsi, pendant que Clarkson poursuivait son exposé, mon attention se relâcha et je perdis quelques questions et réponses que j'étais censée noter. Le rêve de ma vie était enfin à ma portée, et pourtant il ne me semblait pas approprié de saisir l'occasion.

Après la réunion, le lieutenant hissa Papa Moïse sur sa charrette et les deux hommes se rendirent à ma cabane. Nous mangeâmes des pommes, du pain beurré et du fromage que Théo McArdle m'avait donnés pour l'occasion, et nous bûmes une infusion de menthe, gingembre et miel de ma propre confection. « Pardi ! s'exclama Clarkson, ça vous nettoie les nasaux, cette potion ! »

Il jeta un coup d'œil au poêle installé pour faire la cuisine et chauffer ma masure, promena son regard sur les ustensiles suspendus au mur et se pencha pour examiner les livres rangés sur les étagères. « Ils ont l'air d'avoir été lus et relus. »

Je lui dis que j'avais lu chaque livre de nombreuses fois.

« La lecture n'est-elle pas une fabuleuse façon de s'évader du monde ? » demanda-t-il.

J'éclatai de rire, surprise de son franc-parler.

« Ne me dites pas que vous avez lu *Les Voyages de Gulliver.*

— Plusieurs fois.

— Le terme 'Lilliputiens' n'est-il pas génial ? Où diable Swift est-il allé chercher ce mot ?

— Ils sont peut-être petits, mais ils causent bien des ravages.

— Un peu comme les Anglais. »

Papa Moïse et moi éclatâmes de rire, et je servis à Clarkson une autre boisson chaude. « Aimeriez-vous devenir mon assistante ? me demanda Clarkson. J'ai besoin de quelqu'un pour prendre des notes, communiquer avec les Noirs et m'aider à organiser le voyage.

— Je vais vous aider, mais je ne peux partir avec vous.

— Je peux peut-être faire quelque chose si vous êtes engagée ou endettée.

— Je suis libre et je n'ai aucune dette. Mais j'attends mon mari et ma fille et je ne peux pas partir sans eux. »

Clarkson me demanda ce que je voulais dire. Il m'écouta attentivement en tapotant ses doigts les uns contre les autres pendant que je lui parlais de Chekura et de May.

« Je ne sais pas quoi vous dire au sujet de votre fille. Étant donné que les Witherspoon sont riches, ils peuvent l'avoir emmenée dans bien des villes ou pays. Mais venons-en à votre mari. Vous dites que son bateau s'appelait le *Joseph* ?

— Oui.

— Et qu'il se dirigeait vers Annapolis Royal ?

— Oui.

— Et qu'il a quitté New York le 10 novembre 1783 ?

— C'est exact.

— Je devrais être capable de fouiller dans les archives navales. Quand je retournerai à Halifax, je verrai ce que je peux faire. »

J'acceptai de travailler pour Clarkson moyennant trois shillings par jour, logée et nourrie. Il m'avait dit qu'il aurait besoin de moi nuit et jour jusqu'au départ pour l'Afrique. Il réserverait une chambre pour moi à l'auberge Water's Edge à Shelburne et, après quelques jours de travail, nous nous embarquerions pour Halifax pour boucler le tout.

« Puis-je avoir encore une goutte de ce thé ? Vraiment délicieux ! » Je me disais qu'un jour peut-être, je lui raconterais comment je buvais du thé à la menthe avec mon père à Bayo. Mais, pour le moment, je voulais en savoir plus sur les dirigeants de la Sierra Leone Company.

Clarkson dit que cette société comptait parmi ses membres quelques chefs de file abolitionnistes à Londres, entre autres son frère, Thomas Clarkson. Ils souhaitaient fonder une colonie durable en Afrique, où les Noirs émancipés pourraient vivre du fruit de leur travail et dans la dignité, et d'où la Grande-Bretagne pourrait établir un commerce rentable avec le reste du monde, un commerce, précisa-t-il, qui ne reposerait pas sur les horreurs de l'esclavage.

QUAND IL NE DORMAIT PAS, John Clarkson consacrait chaque minute de son temps aux détails de l'inscription. « Des civilités nécessaires », c'est ainsi qu'il qualifia la visite de courtoisie que nous rendîmes au maire de Shelburne, sachant bien qu'il s'opposait à l'aventure. Le maire prédit que les Noirs périraient pendant le voyage, ou succomberaient aux maladies tropicales, ou encore se livreraient au cannibalisme envers les Européens naïfs qui les emmèneraient en Guinée.

John Clarkson se heurta à toutes les objections imaginables au cours des cinq journées d'inscription des résidents de Birchtown. Pour ma part, j'entendis tous les termes possibles pour nommer les gens de ma patrie. Certains nous appelaient les Éthiopiens, les « foncés », la « race de sable ». Ils désignaient notre pays la Sierra Leone, le Serra Lyoa, la Nigritie, le Négroland, la Guinée, le continent noir. Ils nous traitaient d'ingrats, nous qui voulions quitter la Nouvelle-Écosse. Comme les esclaves, les travailleurs engagés et les endettés n'étaient pas autorisés à s'embarquer avec Clarkson, certaines personnes accusèrent les Noirs d'être criblés de dettes ou engagés chez eux. Mon travail consistait à m'assurer que chaque résident de Birchtown qui souhaitait partir vienne s'inscrire à l'auberge Water's Edge, et à démentir les fausses allégations, preuves à l'appui.

Même si nous devions travailler dans la précipitation, Clarkson prenait toujours le temps de me demander si j'avais besoin de quelque chose : nourriture, boisson, encre ou plumes. Quand j'étais fatiguée, il me disait qu'il l'était lui aussi. Lorsque nous avions quelques minutes de tranquillité pour manger, après de longues heures de travail, Clarkson me divertissait en imitant certaines personnes que nous avions rencontrées pendant la journée. Il pouvait simuler l'accent de chacune. Il était cependant tout à fait sérieux dans l'accomplissement de sa mission, et j'appréciais la reconnaissance qu'il manifestait devant les efforts que je déployais pour l'aider.

Les nuits étaient toutefois difficiles pour Clarkson. Je me demandais comment il avait survécu aux batailles navales en restant sain d'esprit. La moindre insulte ou provocation le mettait en colère pour le reste de la journée et de la nuit, et soit l'empêchait de dormir, soit le plongeait dans d'affreux cauchemars. Les murs de l'auberge Water's Edge étaient minces comme du papier et, chaque nuit, ses cris me réveillaient : « *Non,* hurlait-il, *j'ai dit laissez-la partir tout de suite.* » Après le premier épisode, je compris qu'il s'agissait simplement d'angoisses nocturnes. Comme j'avais eu, moi aussi, ma part de cauchemars, je me gardais de le juger.

Le matin, en prenant son thé, il tapotait la table, me demandait de lui rappeler d'écrire à sa fiancée dans la soirée, puis s'affairait à régler les problèmes des Noirs à qui on interdisait de partir pour l'Afrique. Quand un propriétaire de taverne alléguait qu'un

Noir lui devait encore cinq livres pour de la bière et du poisson, Clarkson remboursait lui-même la dette et prévenait l'aventurier de ne plus mettre les pieds dans aucune taverne pendant le reste de son séjour en Nouvelle-Écosse. Clarkson portait ses soucis sur son visage, et parfois fondait en larmes pendant que nous discutions d'un travail à terminer. Mais ni ses larmes le jour, ni ses crises la nuit ne l'empêchaient de travailler pendant de longues heures. J'admirais sa persévérance à combattre ses démons et, dans mon for intérieur, je me fis la promesse de le soutenir du mieux que je le pouvais.

Une fois terminé le processus d'inscription à Shelburne, Clarkson informa les six cents aventuriers acceptés pour la traversée vers l'Afrique qu'il enverrait des bateaux pour les emmener à Halifax. Après avoir rappelé à Papa Moïse et à Théo McArdle de garder l'œil ouvert au cas où Chekura ou May se pointeraient, je m'embarquai avec Clarkson.

Pendant le voyage de deux jours à destination de Halifax, je disposais d'une cabine pour moi seule. J'éprouvais un étrange sentiment de soulagement à l'idée de quitter l'endroit où j'avais vécu pendant huit ans. J'avais eu le temps de réfléchir pendant mes longues nuits de solitude, et j'étais frappée par le fait que les hommes blancs honnêtes avaient peu de chance de garder leur équilibre mental dans ce monde. Tout homme blanc qui souhaitait aider les Noirs « à se tenir debout », comme Clarkson se plaisait à dire, tombait dans l'impopularité parmi ses pairs. J'espérais que Clarkson conserve ses facultés assez longtemps pour nous emmener en toute sécurité jusqu'en Afrique. Ses crises de colère et emportements me préoccupaient. Il prenait la cause des Noirs trop à cœur. Cette attitude ne semblait pas naturelle.

Halifax était une ville encore toute jeune à mon arrivée en novembre 1791. Comparativement à Shelburne, elle manquait d'attrait et ne s'était pas développée selon un plan aussi rigoureux. Elle était dépourvue de la gamme d'entrepôts et d'édifices publics que les Noirs de Birchtown avaient construits à Shelburne. Par contre, c'était un endroit plus paisible et beaucoup moins dangereux pour les Noirs.

Je m'installai dans une chambre à l'auberge King, située parmi des édifices en bois délabrés le long d'une rue achalandée longeant la rive. Je n'avais que quelques minutes de loisir chaque jour et j'aimais commencer la matinée dans la solitude en prenant mon petit déjeuner dans ma chambre et en lisant les journaux. Chaque matin, à sept heures, Henry Millstone, gérant de la taverne de l'hôtel, m'apportait la *Royal Gazette* et une chaudrée de poisson. Il aimait toujours faire une pause et bavarder.

« Le lieutenant Clarkson m'a dit que vous êtes la femme noire la plus instruite qu'il ait jamais rencontrée, dit M. Millstone. Est-ce vrai ? »

Je découvrais quelque chose de fascinant chez les Blancs. On aurait dit qu'ils voulaient soit chanter mes louanges, soit m'expulser de la ville. Parfois, il m'était difficile de faire la distinction entre les deux types de personnes.

« Il y a des Noirs instruits, Monsieur Millstone, et, avec le temps, il y en aura beaucoup plus en Nouvelle-Écosse, car on ne les empêche pas de lire.

— Je n'aurais aucune objection à apprendre à lire avec eux, dit-il en riant. Et vous, partez-vous avec les autres pour la Guinée ?

— Pour l'Afrique.

— Oui, c'est ce que je voulais dire.

— Pour le moment, je me contente d'aider le lieutenant.

— C'est un endroit dangereux, l'Afrique. »

Je déposai ma cuillère à soupe et le regardai droit dans les yeux. « Tout comme la Nouvelle-Écosse. »

Quelques jours après mon arrivée à Halifax, trois Noirs martelèrent la porte de ma chambre à grands coups de poing vers dix heures du soir. Ils venaient de passer quinze jours à marcher à travers la forêt depuis Saint John. Un agent de cette ville avait refusé de les inscrire pour le voyage et de les autoriser à prendre un bateau pour Halifax. Ils n'avaient donc eu d'autre choix que de s'y rendre par voie terrestre, dans l'espoir d'arriver avant le départ des bateaux. Clarkson accepta d'admettre ces hommes.

En l'espace d'une semaine, une centaine d'autres Noirs, transis et affamés, arrivèrent à pied à Halifax. Je vis des hommes sans manteau, des femmes portant de simples couvertures en lambeaux sur leurs épaules et des enfants nus. Vers la mi-décembre, des bateaux en provenance de Shelburne et d'Annapolis Royal avaient emmené d'autres passagers à Halifax. Le nombre total d'aventuriers noirs s'élevait à plus de mille.

Clarkson logea les gens dans les entrepôts alignés au bord de l'eau, leur fournit des couvertures pour les tenir au chaud la nuit et engagea des douzaines de femmes pour faire la cuisine chaque soir. Il travaillait toute la journée et jusqu'au milieu de la nuit, achetant des vêtements pour les démunis et procurant des soins médicaux aux malades au cours des longues heures qu'il passait sur les quais. Pendant que je diffusais l'information sur les effets que les Néo-Écossais avaient le droit d'emporter en Sierra Leone – pas plus d'un chien pour six familles, des volailles mais pas de cochons, une malle de vêtements mais pas de tables ni de chaises –, Clarkson surveillait l'approvisionnement des navires. Il parlait tous les jours de la santé des voyageurs noirs et, pour chaque bateau, ordonna de faire bouillir du goudron, de nettoyer les ponts au vinaigre et de réaménager les dortoirs pour que les plafonds fassent au moins cinq pieds de haut. Il afficha même un menu pour assurer les émigrants qu'ils seraient convenablement nourris. Au petit déjeuner et au dîner, on nous servirait de la semoule de maïs avec de la mélasse ou de la cassonade. Au déjeuner, nous aurions du poisson salé certains jours, du porc ou du bœuf les autres jours, accompagnés de navets, de pois et de pommes de terre.

Clarkson fit abattre près de deux cents dindes, les fit apprêter et rôtir pour célébrer la fête de Noël, et veilla à ce que chaque homme et chaque femme reçoive son verre de bière ou de vin. Pendant le repas, il m'amena avec lui pour s'adresser aux aventuriers en passant d'entrepôt en entrepôt. Il se recueillit avec chaque groupe et répéta ses « Règlements à observer par les Noirs libres en partance pour la Sierra Leone ». En général, il traitait les gens individuellement avec respect, mais il avait tendance à considérer ses auditeurs comme des enfants. Je tressaillis quand il incita les voyageurs rassemblés à rester modérés dans leurs dévotions, à ménager leurs paroles pour éviter les débordements et à ne pas se lier d'amitié avec les marins. Pourtant, aucun Noir ne s'opposa à ses directives. Ils vénéraient l'homme qui les emmenait en Afrique.

À Noël, le gouverneur et sa femme nous invitèrent à dîner, Clarkson et moi. Comme nous entrions dans leur majestueuse demeure, Clarkson me murmura à l'oreille que la construction de cette résidence avait coûté vingt mille livres et que, pour cette somme, on aurait pu faire travailler mille ouvriers noirs pendant une année. Nous nous joignîmes à seize autres invités dans la salle à manger. Nous avions à peine entamé le repas que Mme Wentworth, dotée d'une voix sonore et fumant le cigare, amena la conversation sur le sujet de la migration. « Je vous dirais, lieutenant, que c'est tout un périple que vous mijotez.

— Il a une grande signification pour les Noirs, dit Clarkson.

— Pensez-vous honnêtement que leur vie sera meilleure sous les tropiques ? » demanda-t-elle.

Fatiguée de les laisser discuter comme si je n'étais pas là, j'ajoutai un commentaire : « Nous avons attendu huit ans qu'on nous donne des terres, et la plupart d'entre nous n'ont encore rien reçu.

— Chaque Néo-Écossais peut vous raconter une histoire de retard dans l'attribution de sa concession, dit-elle. Les Noirs ne sont pas les seuls à réclamer des terres.

— Il n'est pas seulement question de terres, dis-je. Il est question de liberté. Les Noirs veulent vivre leur propre vie. Ici, nous croupissons dans la misère.

— Vous prenez tout de même nos provisions et nos dons quand ça vous convient, dit-elle. Pour moi, ça ne ressemble pas à de la misère... »

Le gouverneur Wentworth l'interrompit : « À propos de liberté, puis-je proposer un toast à Sa Majesté le roi ? »

Après qu'on eut servi les fruits et le fromage, le majordome vint offrir aux invités une visite de la maison. Clarkson et moi suivîmes un petit groupe dans des escaliers sans fin, dans des chambres aux murs garnis de portraits, mais seule la salle des cartes attira mon attention. Le majordome mentionna qu'il y avait des cartes pour chaque endroit imaginable du monde. Quand les visiteurs quittèrent la salle, Clarkson et moi y restâmes. Je feuilletai une liasse de cartes pendant que Clarkson se lamentait d'avoir perdu son temps avec ce dîner.

« Il est peu probable que vous auriez pu accomplir beaucoup de travail en ce jour de Noël », dis-je.

Clarkson dit qu'il devait finir d'approvisionner les navires et chercher un autre chirurgien pour la traversée. Il avait demandé à Wentworth s'il pouvait compter sur l'un des chirurgiens royaux de Halifax pour la mission en Sierra Leone, mais le gouverneur avait refusé. Clarkson faillit s'étouffer de colère en décrivant la situation. Selon lui, un chirurgien pour une flottille de quinze navires, c'était nettement insuffisant. Et si les bateaux étaient séparés pendant le voyage ? À quoi cela servirait-il d'avoir un chirurgien sur un vaisseau si quelqu'un était en train de mourir sur un autre ?

« Il est évident, dit Clarkson, qu'il ne veut pas que mon projet réussisse. Il préférerait que les Noirs libres restent ici pour prouver qu'ils sont heureux en Nouvelle-Écosse et que leurs plaintes de mauvais traitement sont sans fondement. »

Clarkson respirait difficilement et se mit à agiter les mains dans tous les sens. Je m'assis avec lui pendant un moment et réussis à le calmer en l'incitant à prendre des respirations régulières et en accordant ma respiration à la sienne. Une fois apaisé, il retourna avec les autres invités pour prendre un verre, et je pus consulter les cartes à ma guise.

Quelqu'un s'était donné la peine de les classer en catégories : Amérique du Nord britannique, Nouvelle-Écosse, Treize Colonies, Angleterre, Jamaïque et Barbade, Guinée.

Du carton intitulé GUINÉE, je tirai la première carte et l'étendis sur une table où brûlaient deux bougies. Elle présentait les illustrations typiques d'hommes africains à moitié nus et de femmes africaines nues, en général avec des babouins et des éléphants à proximité.

Regardant à nouveau dans le même carton, je tirai une feuille de papier portant une écriture ornée :

« Copie de l'*Art poétique, en forme de rhapsodie*, par Jonathan Swift, 1733 ». Puis, je tombai sur les lignes suivantes :

> Sur les cartes d'Afrique, les géographes
> Remplissent les blancs avec des images de sauvages ;
> Et sur les collines inhabitables,
> Ils placent des éléphants à défaut de villes.

Des éléphants à défaut de villes. Je trouvai réconfortant de savoir que, près de soixante ans auparavant, avant même ma naissance, Swift avait exprimé exactement le sentiment que j'éprouvais alors. Ce n'étaient pas des cartes de l'Afrique. Dans les cartouches ornementés d'éléphants et de femmes aux seins énormes, dressés comme pour esquisser un improbable salut, chaque coup de pinceau trahissait l'ignorance des cartographes sur mon pays.

Je sortis la carte suivante, puis une autre, et une autre encore, mais c'étaient de vieilles cartes ne renfermant aucun détail que je n'avais déjà découvert. Elles montraient la côte des Graines, la côte de l'Or, la côte des Esclaves, et quelques ports importants, tels Bonny et Elmina. Je me souviendrais toujours de ce dernier, dont le nom résonnait comme le mien. Enfin, je tombai sur la carte de l'Afrique la plus récente parmi toutes celles que j'avais vues. Datée de 1789, elle avait été imprimée à Londres. Je revis les ports négriers, tels que Ouidah et Elmina. Mais beaucoup plus loin, au nord-ouest, je remarquai un autre port de traite : l'île de Bence. Je me rappelais que William King, le trafiquant d'esclaves en Caroline du Sud, m'avait dit que j'avais été déportée à partir de l'île de Bence. Je ne pouvais pas dire si cette île appartenait à un pays particulier, mais les mots « Sierra Leone » figuraient légèrement au sud-est. J'étudiai la carte plus attentivement. Même si j'y trouvais les obligatoires femmes africaines nues avec des enfants arrimés sur leur dos, des singes et des éléphants – notamment dans le « Sara ou Désert de Barbarie » –, j'aperçus également les noms de quelques villes à l'intérieur des terres. Cette carte présentait les ports côtiers – la plupart, me semblait-il – mais aussi quelques villages. De mon enfance, je me souvenais de la promesse de mon père de m'emmener un jour à Ségou. Il avait dit que la ville se trouvait à environ quatre jours de marche de notre village. Voilà que je voyais ce nom à quelques pouces au nord de l'île de Bence. Je me demandais ce que quatre pouces signifiaient en distance réelle, quand John Clarkson revint dans la pièce.

« Pouvons-nous nous asseoir un peu ? J'ai quelque chose à vous dire. » Je m'assis en face de lui, pensant qu'il voulait me reparler de tout le travail qui restait à accomplir.

« Vous m'avez demandé de trouver de l'information sur le bateau de votre mari, le *Joseph*, parti de New York après que vous en avez été expulsée.

— C'est exact. »

Je plaçai mes mains l'une contre l'autre, mes doigts formant une sorte de clocher. Le menton dans la courbure de mes pouces, je me pressai le nez de mes deux index.

Clarkson s'éclaircit la voix. « Le bateau a sombré. »

Je restai immobile.

« J'ai vérifié auprès des autorités maritimes britanniques, reprit-il après avoir toussé. Ils ont un bureau ici, dans cette rue. Manifestes, comptes rendus, journaux de bord, ils conservent tout cela. »

Je ne pouvais ni bouger ni parler.

« Le *Joseph* a sombré, répéta-t-il. Des vents violents l'ont fait dévier de sa trajectoire. Il a été déporté si loin qu'il s'est presque rendu aux Bermudes. Puis, un terrible orage l'a fait couler. Il n'y a eu aucun survivant. Le capitaine, l'équipage, les loyalistes blancs et noirs, tous ont péri. Je suis vraiment désolé. Vous m'aviez demandé de trouver les renseignements.

— Quand avez-vous appris cette nouvelle ?

— Aujourd'hui. »

John Clarkson s'avança pour poser la main sur mon épaule, mais j'eus un mouvement de recul et sortis de la résidence du gouverneur en courant. Je ne voulais pas qu'on me voie ni qu'on me touche. Tout ce que je voulais, c'était être seule avec cette nouvelle. *Chekura.* Mon mari. Après un si long voyage. Disparu, sur le navire que j'aurais dû prendre.

Je me demandai comment le bateau avait fait naufrage. Peut-être avait-il été frappé par la foudre ou avait-il chaviré dans la mer déchaînée. Mon mari était-il mort rapidement ou avait-il eu le temps de penser à moi quand les flots avaient avalé son corps ? Je me consolai en imaginant qu'il avait probablement aidé quelqu'un d'autre. Un enfant, peut-être. Tant d'Africains avaient disparu en mer et tant d'autres encore étaient morts en se rendant aux vaisseaux négriers ou après en être débarqués. Et maintenant... lui.

J'avais échappé à la mort tant de fois et pourtant, j'étais sur le point d'entreprendre une autre traversée. La première avait été involontaire. Celle-ci, je l'aurais choisie. Chekura était mort. Mamadou était mort. May avait disparu depuis cinq ans. Si elle était encore en vie, elle ne se souvenait probablement pas de moi, et il était presque certain qu'elle ne reviendrait pas. Ils me manquaient tous les trois si atrocement qu'il me semblait avoir perdu la moitié de mon corps.

Je passai la matinée dans ma chambre à l'auberge King, à déverser ma douleur dans un oreiller. Puis, je retournai aider John Clarkson. J'allais prendre ce qui me restait de corps et d'esprit pour me joindre à l'exode vers l'Afrique. Il n'y avait plus rien pour moi en Nouvelle-

Écosse. Pourtant, à la pensée que May pourrait arriver à Shelburne et me chercher, une angoisse m'oppressait. J'essayai de me calmer en prenant un livre, en caressant sa couverture et en l'ouvrant au hasard sur un passage que je lus et relus jusqu'à pouvoir le réciter. Quel que soit le livre ou l'extrait, l'action de lire à voix haute m'amenait à la vérité toute simple que j'avais niée pendant des années à Birchtown : je ne reverrais jamais May, et il fallait aller de l'avant.

NOUS AVIONS FORMÉ DES FILES ordonnées et tranquilles sur les quais du port de Halifax. Blottis les uns contre les autres sous le vent et la pluie, en attendant notre tour d'embarquer dans des canots pour nous rendre aux navires, nous parlions à voix basse. Le mauvais temps dura cinq jours. Dans une proportion d'un sur trois, les hommes et les femmes étaient nés en Afrique, comme moi. En comptant les enfants, nous étions mille deux cents. J'embarquai sur le *Lucretia* avec John Clarkson, le chirurgien du bateau, toutes les femmes enceintes et les aventuriers malades. Le 15 janvier 1792, nos quinze navires levèrent l'ancre et mirent le cap sur la Sierra Leone.

LIVRE QUATRE

TOUBAB À FACE NOIRE

[Freetown, 1792]

SUR MON BATEAU, LE *LUCRETIA*, sept des cent cinquante passagers succombèrent pendant la traversée. Lors d'une tempête, même John Clarkson faillit mourir, étouffé par ses propres vomissures, mais il s'en tira. Il resta alité durant la majeure partie du voyage, mais se joignit à nous quand le bateau entra dans la baie Saint-George, le 9 mars 1792. Je scrutai les montagnes verdoyantes. Je me rappelai le dos et la tête du lion que j'avais vus, enfant. La Sierra Leone – la montagne du Lion – se profilait si abruptement sur la péninsule que j'aurais voulu tendre le bras et la toucher.

J'avais appris qu'environ trente-six ans plus tôt, j'étais partie de l'île de Bence sur un vaisseau négrier. J'avais trouvé l'île sur une carte, et Clarkson m'avait dit qu'elle appartenait à la Sierra Leone. Mais jusqu'à ce que le rivage et la montagne en forme de lion apparaissent, j'avais douté de la possibilité de revenir à l'endroit de mon départ. Cette perspective me semblait au-delà de toute espérance.

Les Néo-Écossais s'étreignirent sur le pont du *Lucretia* et s'exclamèrent en louant Jésus et John Clarkson.

« S'il vous plaît, ça suffit ! dit Clarkson, souriant mais embarrassé.

— Parlez-nous encore de cette terre où vous nous avez emmenés, cria une femme.

— Je suis comme la plupart d'entre vous, je le crains, dit Clarkson en jetant un regard vers la côte. Je n'ai jamais mis les pieds en Afrique. »

Je le regardai fixement et remarquai que d'autres réagissaient de même. Il ne m'était jamais venu à l'esprit que l'instigateur de notre exode de la Nouvelle-Écosse n'ait jamais vu mon pays.

Pour rompre le silence, l'un des officiers de Clarkson bascula un tonneau et remplit des verres de rhum pour les passagers. Je ne voulais pas boire et n'avais guère l'esprit à la fête. Je préférais rester seule, accoudée au bastingage. Mains crispées sur la rampe de bois, je sentais la brise humide caresser mon visage et me demandais quel destin m'attendait. J'aurais dû déborder de joie, mais j'éprouvais plutôt un sentiment de découragement. Les vagues s'écrasaient sur le rivage de l'Afrique, mais ma vraie patrie était encore loin. Si jamais je réussissais à m'y rendre, je savais que la première question qu'on me poserait serait : *Où sont ton mari et tes enfants ?* Je devrais avouer qu'au pays des toubabs, je n'avais sauvé que ma propre personne.

La traversée avait duré presque deux mois, mais notre attente n'était pas terminée. Les quinze bateaux de notre flottille en provenance de Halifax avaient jeté l'ancre et restèrent immobiles durant trois jours sous le soleil brûlant de l'Afrique, tandis que Clarkson faisait des allers et retours en canot entre nos bateaux et une poignée d'autres navires au mouillage dans le port. Je pouvais voir que ces derniers arboraient également le drapeau de la Sierra Leone Company : deux mains jointes, une blanche et une noire.

Je me sentis soulagée de voir qu'il s'agissait de bateaux amis, mais Thomas Peters pestait contre eux devant moi et devant d'autres passagers qui voulaient bien l'écouter. Il adorait nous rappeler que c'était grâce à lui que cette migration s'était concrétisée, lui qui s'était rendu à Londres deux ans auparavant pour se plaindre que les loyalistes noirs n'avaient toujours pas reçu de terres en Nouvelle-Écosse.

Mais Peters disait maintenant quelque chose de nouveau : « Qu'est-ce que tous ces bateaux de Londres font ici ? Cet endroit était censé devenir notre colonie. Notre nouvelle vie. Et nous devions prendre toutes les décisions. Mais qu'est-ce que nous faisons? Nous patientons pendant que le lieutenant Clarkson discute de notre sort avec d'autres hommes blancs. »

Clarkson avait engagé un groupe d'Africains pour l'emmener en canot dans la baie Saint-George. Nous étions tous sur le pont, admirant les muscles luisants des rameurs et leurs gestes gracieux, quand Peters eut enfin la chance de poser ses questions à Clarkson.

« Qui sont ces hommes ? demanda Peters.

— Ce sont des Temnés, et ils appartiennent au roi Jimmy, dit Clarkson.

— Qui c'est, ce roi ?

— Le chef local.

— Et ces hommes, que font-ils normalement? poursuivit Peters.

— Ce sont des rameurs. Ils transportent des marchandises et des gens.

— Quelle sorte de gens ? Des esclaves ? »

Clarkson rougit. Peters leva la main. « Loin de moi l'intention de vous manquer de respect. Seulement, répondez-nous : est-ce que ces hommes emmènent des esclaves dans leurs canots ? »

Clarkson toussa et prit un instant pour préparer sa réponse. Pendant qu'il réfléchissait, nous nous rassemblâmes lentement autour de lui. « Thomas, dis-je à Peters, peut-être pourrions-nous nous reculer un peu pour lui permettre de respirer ?

— Merci, Mina, dit Clarkson. Je vous ai déjà dit qu'il y avait des opérations négrières en Sierra Leone.

— Sur le seuil de notre porte ? dit Peters.

— Presque, dit Clarkson. Sur l'île de Bence, à dix-huit milles d'ici, dans la baie.

— Mais Monsieur Clarkson, dis-je, comment pouvez-vous nous amener à proximité d'une ruche de trafiquants d'esclaves ? »

De nombreuses têtes se tournèrent pour nous observer, car tout le monde savait que Clarkson et moi nous entendions bien.

« Nous n'avions pas vingt choix, répondit Clarkson. C'est ici que notre compagnie a installé un poste. C'est ici que nous avons négocié avec les autorités locales. Ici, au moins, les commerçants d'esclaves ne mènent pas d'activités. »

J'entendis quelques jurons. J'étais heureuse que nous soyons arrivés assez près de l'île de Bence pour que je puisse apercevoir la côte et être certaine que c'était le lieu d'où j'étais partie. Mais je souhaitais maintenant que nous nous en éloignions sur-le-champ de deux cents milles dans un sens ou dans l'autre. Clarkson sembla deviner mes pensées.

« Partout où des Européens se sont installés sur la côte de Guinée, vous trouverez des postes de traite des esclaves. Aucun endroit n'est plus sûr que celui-ci. Notre mission est spéciale, et notre colonie sera différente. Nous assurerons notre subsistance par l'agriculture, l'industrie et le commerce, et trouverons notre propre façon de servir l'Empire britannique.

— Nous n'avons pas quitté nos foyers en Nouvelle-Écosse pour servir les Britanniques, fit remarquer Peters. Nous sommes venus en Afrique pour être libres.

— Et vous le serez, dit Clarkson. Je vous ai donné ma parole. Est-ce parfaitement clair ? Aucun de vous ne sera vendu comme esclave. »

Peters se tut. Il avait exprimé mes propres préoccupations, mais je me raisonnai, me disant que l'île de Bence était passablement éloignée. Et si je pouvais être libre d'aller où bon me semblait, je pourrais choisir de ne jamais m'y rendre.

« Quand allons-nous débarquer ? demandai-je.

— Demain », dit Clarkson.

Nous passâmes le reste de cette journée et toute la matinée du lendemain à contempler à distance la terre luxuriante. Nous nous trouvions tous au bastingage de notre bateau quand nous vîmes arriver un nouveau navire. Clarkson l'observa avec sa lunette d'approche et poussa un grognement. « Qu'est-ce que c'est ? » demandai-je.

Il me tendit la lunette, que j'allongeai et ajustai à ma vue. Je repérai des Noirs nus sur le pont. Puis, l'odeur pestilentielle envahit le *Lucretia*. Elle s'accentuait à mesure que le bateau approchait. Certains Néo-Écossais descendirent à leur cabine, mais je restai clouée sur place, sans pouvoir détourner les yeux.

Clarkson passa par sa cabine et revint sur le pont vêtu de son uniforme de lieutenant de la marine. Sur l'autre navire, on s'était également préparé à la rencontre : les captifs avaient été envoyés à fond de cale. La vraie nature du bateau ne pouvait toutefois être dissimulée, car les émanations infectes nous étouffaient et nous donnaient des haut-le-cœur. Je savais exactement comment les prisonniers étaient enchaînés dans le ventre du navire, et je pouvais imaginer les plaies suppurantes qui couvraient leurs jambes, les gémissements que laissaient échapper leurs lèvres. Un homme blanc fut emmené en canot du bateau jusqu'au nôtre, et on le fit monter à bord.

Clarkson échangea avec l'homme des poignées de mains, des plaisanteries et des objets. Il lui donna trois tonneaux de viande séchée, et le négrier remit à Clarkson des barils d'eau fraîche et des oranges. Ils se serrèrent la main. On aurait dit des amis. Plus tard, pendant qu'on ramenait l'homme à son bateau, Clarkson vit que je le regardais fixement.

« Il vaut mieux rester cordial avec l'ennemi, dit-il.

— Pourquoi avez-vous laissé partir ce vaisseau ? lui demanda Peters.

— Monsieur Peters, je n'ai aucun pouvoir là-dessus.

— Vous approuvez le commerce des êtres humains.

— J'ai reçu de l'eau et des oranges, choses dont vous et vos confrères aventuriers avez terriblement besoin. Pensez-vous que j'ai pris ces denrées pour ma propre consommation ?

— Pourquoi n'avez-vous pas arrêté ce bateau ?

— Monsieur Peters, ce bateau n'est pas un navire de guerre. Voyez-vous des canons ou des soldats armés de mousquets ? Je m'oppose formellement à la traite des esclaves, mais il faut savoir choisir ses batailles. Nous sommes venus ici pour fonder une colonie libre, et non pas pour partir en guerre contre les marchands d'esclaves. »

Avant même d'avoir mis pied à terre, je comprenais que rien ne serait simple. J'admirais Peters de s'opposer au commerce des esclaves. Mais, pour le moment, je sentais que Clarkson avait raison. J'avais appris que, dans certains cas, il était impossible de se battre et que la meilleure chose à faire était d'attendre et d'apprendre. Nous devions d'abord débarquer de nos bateaux, construire des abris et trouver de la nourriture.

Ce soir-là, pendant que, du *Lucretia*, j'observais la terre, des nuages sombres s'amoncelèrent au-dessus de la montagne. Le ciel se couvrit et les étoiles disparurent. Des éclairs zébrèrent les nuages, illuminant les bateaux amarrés dans le port et déchaînant des roulements de tonnerre dans toute la baie. Les grottes dans la montagne répercutaient le fracas vers nous, et l'écho résonnait encore et encore comme un canon dans la nuit. Nombre de passagers étaient terrifiés, mais moi, même après toutes ces années, je n'avais pas oublié les orages de mon enfance et je savais qu'ils passeraient.

Au troisième jour d'attente sous un soleil de plomb, il devint clair que la Sierra Leone Company ne disposait d'aucun plan pour nous faire descendre des bateaux. Avec un seul canot par bateau, il aurait fallu une éternité pour emmener au rivage mille passagers et leurs effets personnels. Pendant que je me tenais sur le pont avec les autres, avec l'impression que le *Lucretia* était moins un vaisseau libérateur qu'une prison en mer, je vis s'approcher une grande embarcation de seize rameurs transportant un Noir assis confortablement dans un fauteuil anglais d'apparat. Derrière lui prenait place un barreur et, devant lui, un tambour battait la cadence. Nous entendîmes les battements rythmés ricocher sur les eaux du port avant même de discerner les visages des rameurs. Le roi Jimmy venait rendre hommage à John Clarkson, qui ordonna à ses marins de tirer vingt coups de feu pour saluer l'hôte et nous dit de nous adresser à celui-ci en utilisant l'expression « Votre Excellence ».

« Jamais de la vie », grommela Peters.

Thomas Peters se tenait bien droit aux côtés de John Clarkson au sommet de la passerelle, mais le monarque l'ignora, ouvrant les bras pour étreindre Clarkson. Il salua les marins blancs en anglais et leur serra la main, mais refusa d'abord de nous regarder. Il donna à Clarkson quinze ananas et une défense d'éléphant en échange de rhum non dilué.

Le roi me jeta un coup d'œil et demanda à Clarkson : « Ta maîtresse ?

— Je suis assez vieille pour être sa mère », rétorquai-je.

Le roi Jimmy pouffa de rire, désigna les Néo-Écossais rassemblés sur le pont et dit : « Le roi John Clarkson a de nombreux serviteurs. »

Thomas Peters prit la parole : « Nous sommes des Néo-Écossais et nous venons en égaux. »

Le chef temné fit mine de n'avoir rien entendu. Se tournant de nouveau vers Clarkson, il me pointa du doigt et dit : « C'est celle dont tu m'as parlé ? L'Africaine qui a lu plus de livres que les Anglais ? »

John Clarkson fronça les sourcils. Je pouvais voir qu'il ne voulait pas que le roi Jimmy se moque de moi.

Après m'avoir examinée de haut en bas, le roi Jimmy lança un torrent de mots africains dans ma direction. Je n'avais aucune idée de ce qu'il disait. Il éclata de rire et disparut dans la cabine de Clarkson pour boire du rhum. Plus tard, il me tira sa révérence avant de partir. « Un jour, tu viens à mon village. Tu t'appelles comment ?

— Aminata.

— Un jour, tu es reine Aminata, épouse du roi Jimmy.

— Merci, je suis déjà mariée.

— Ton mari, où ? »

Comme je mettais du temps à répondre, le roi Jimmy se mit à rire de nouveau. « Si lui de l'autre côté, dit-il en montrant la mer en direction de l'ouest, toi libre maintenant. »

Cela dit, il enjamba la rambarde du bateau, descendit l'échelle et monta dans le canot, qui repartit aussitôt.

Il me sembla absurde que ma première conversation d'adulte avec un Africain de mon propre pays se déroule en anglais. Cet être grandiloquent, qui s'exprimait dans une langue de toubab approximative, me paraissait plus ridicule que menaçant.

Quelques heures après, le roi Jimmy envoya trente canots pour venir chercher les Néo-Écossais. En s'avançant dans notre direction selon une cadence régulière, ils ressemblaient à une armée de rameurs. J'étais contente qu'ils viennent à notre rescousse, mais consciente du fait qu'il aurait été facile pour eux de nous déclarer la guerre. Quand arriva mon tour d'embarquer dans un canot, j'essayai de parler au jeune rameur placé le plus près de moi. Mais il regardait devant lui, le visage sans expression, et ne daigna même pas tourner la tête vers moi. Il exécutait son travail et rien d'autre : avec ses camarades, il nous conduisait calmement et promptement jusqu'au rivage. Ainsi, les hommes qui emmenaient des esclaves à l'île de Bence étaient les mêmes qui nous emportaient sur les eaux de la baie Saint-George jusqu'à la côte de la Sierra Leone.

JOHN CLARKSON SE TENAIT sous un abri de vieilles voiles de bateau en compagnie de douze représentants de la Sierra Leone Company, et nous étions tous rassemblés autour de lui. Tout en restant sur place, je levai et abaissai les pieds à plusieurs reprises pour sentir le sol sous mes talons. J'enlevai mes chaussures pour laisser le sable de ma patrie glisser entre mes orteils. Je ne voulais plus jamais mettre le pied sur un bateau et je pensais qu'il ne me restait plus qu'un seul voyage à accomplir, un long voyage à l'intérieur des terres.

« Mesdames et Messieurs, dit Clarkson, nous appellerons notre nouvelle colonie Freetown. J'avais reçu l'ordre de vous emmener ici, puis de retourner à Londres, mais les directeurs de la compagnie m'ont envoyé une note pour me demander de demeurer avec vous pendant quelque temps. »

La plupart des Néo-Écossais firent retentir leurs applaudissements, et je me joignis à eux. J'avais confiance en Clarkson plus qu'en tout autre Blanc, et j'étais certaine qu'il allait faire de son mieux pour nous aider dans cette nouvelle vie.

Clarkson présenta les hommes qui se tenaient derrière lui, puis expliqua que la compagnie les avait envoyés de Londres pour administrer la colonie de Freetown.

« Ne pouvons-nous pas gérer nos propres affaires ? demanda Peters.

— Un jour ou l'autre, bien sûr, répondit Clarkson. Mais la compagnie a investi une fortune pour vous emmener ici et a l'intention de gouverner la colonie pour s'assurer de son succès. »

Peters poussa un grognement. « Nous n'avons pas fait tout ce trajet pour suivre encore les règlements des hommes blancs. »

Papa Moïse était assis sur la charrette qui avait traversé l'océan avec lui. « Monsieur Peters, dit-il, donnez au lieutenant la chance de s'expliquer.

— Merci, dit Clarkson. Chacun d'entre vous devra travailler de son mieux. Je dois vous avertir que les tire-au-flanc ne recevront ni nourriture, ni eau, ni matériaux de construction, ni autre chose de la compagnie. »

Clarkson nous donna comme instruction d'installer nos abris temporaires loin de l'eau, car les terrains riverains seraient réservés aux quais, magasins, entrepôts, ainsi qu'aux résidences et bureaux de la compagnie.

Peters et quelques hommes proches de lui crièrent qu'ils n'étaient pas venus à Freetown pour construire des maisons destinées aux Anglais. Papa Moïse reprit la parole. « Mes frères et mes sœurs, ce n'est pas le moment de discuter. Vous qui avez des yeux, vous qui avez des yeux pour voir, dites-moi ceci : y a-t-il cinq cents maisons déjà construites pour abriter nos os fatigués ? Disposons-nous d'un temple pour pratiquer nos dévotions ? Sommes-nous organisés pour trouver de la nourriture, chasser le gibier et faire le partage entre nous jusqu'à ce que nous soyons tous autosuffisants ? »

Personne ne souffla mot.

Au cours des semaines suivantes, il nous fallut abattre arbres et buissons, fendre du bois pour faire du feu, vider les quinze bateaux de leurs fournitures, canot par canot, tailler de la toile à voile et bâtir des maisons rudimentaires en terre séchée et au toit de chaume.

Nous dépendions de la compagnie pour tout. Avions-nous besoin d'un marteau ? D'un bout de toile à voile comme tissu ? De porc salé ? De mélasse ? De pain ? Tout venait de la compagnie, qui possédait les ressources, la nourriture, les matériaux pour construire des abris convenables. On aurait dit qu'elle nous possédait nous-mêmes. Quand nous étions courbatus après avoir travaillé pendant des heures sous le soleil brûlant, ou trempés après avoir été surpris par des orages soudains, Papa Moïse nous rappelait qu'il y avait un temps pour se battre, mais que, pour le moment, il fallait survivre.

Nous avions de la nourriture pour un certain temps. La compagnie avait fait venir d'Angleterre des cargaisons de fournitures, et il en restait beaucoup sur le bateau qui nous avait conduits ici depuis Halifax. Cependant, le fromage avait suri, le beurre avait ranci et la mélasse avait coulé des tonneaux pourris et s'était répandue sur le plancher de notre entrepôt.

Papa Moïse ne pouvait pas accomplir beaucoup de travail, mais il assistait à nos réunions et formulait des suggestions. Nous nous divisâmes en équipes de travail chargées de chercher de l'eau potable, de chasser, de préparer les repas ou d'ériger des constructions temporaires. Nous bâtîmes également une maison pour les malades. Les gens ne cessaient d'attraper des fièvres et, au cours de nos deux premières semaines à Freetown, dix Néo-Écossais et trois hommes de la compagnie en moururent. Pendant un certain temps, une personne succombait chaque jour ou tous les deux jours. Le matin, il n'était pas rare d'entendre quelqu'un demander « Combien de morts, la nuit dernière ? »

Clarkson nous avait avertis à plusieurs reprises de ne pas quitter Freetown. Hors des limites de la ville, nous avait-il dit, la compagnie ne pourrait pas assurer notre protection contre les trafiquants d'esclaves ou les Africains potentiellement hostiles. Nombre de Néo-Écossais semblaient satisfaits de construire leur maison et de travailler pour la compagnie, mais, pour ma part, être confinée à l'intérieur de la ville, c'était la même chose que d'être prisonnière sur une île au large du littoral : je n'étais pas encore libre de retrouver ma patrie. La construction d'églises, de maisons, d'entrepôts et de routes nous gardait fort occupés. Mais il me semblait que tous ces travaux avec scies et marteaux étaient destinés surtout à élever des barrières entre les Néo-Écossais et le peuple temné qui habitait la région côtière de la Sierra Leone. Nous n'étions plus en Nouvelle-Écosse, mais nous en transplantions ici une bonne partie. J'avais le sentiment que la colonie que nous fondions était un mélange des deux univers. Si Freetown ne m'offrait pas ce que j'étais venue chercher en Afrique, il fallait tout de même que je me consacre à sa mise sur pied et que je soutienne les rêves de mes amis néo-écossais. Pour l'instant, mes rêves à moi seraient mis en veilleuse.

J'échappai aux maladies et fièvres qui emportèrent tant de vies et me rendis utile en soignant les malades, en aidant aux accouchements et en travaillant parfois pour Clarkson. La nuit, je dormais dans un endroit imprégné d'humidité et, toute la journée, je traînais ma fatigue. Mes os me faisaient souffrir et réclamaient un lit de plumes moelleux. Les voix courroucées des Néo-Écossais blancs me revenaient parfois à l'esprit : « *Vous n'avez pas idée comme vous êtes bien ici.* » Il est vrai que la vie était difficile dans les premiers jours à

Freetown : nos abris, nos églises, notre alimentation et nos vêtements étaient aussi pauvres, voire plus pauvres, qu'à Birchtown. Les Néo-Écossais maugréaient contre la mauvaise qualité des fournitures et notre dépendance absolue envers les Britanniques, et ils avaient désigné des sentinelles pour prévenir les attaques possibles des trafiquants d'esclaves. Pourtant, les colons éprouvaient un optimisme tranquille au sujet de la nouvelle existence qu'ils se construisaient, et leur sécurité leur paraissait moins menacée à Freetown qu'elle l'avait été en Nouvelle-Écosse ou à New York. Personnellement, j'en étais arrivée à la conclusion qu'aucun endroit au monde n'était tout à fait sûr pour un Africain et que, pour un grand nombre d'entre nous, la survie dépendait d'une perpétuelle migration. Comme j'étais finalement revenue dans mon pays, je n'avais pas l'intention de le quitter. Mais je ne savais pas combien de temps je serais capable de vivre à proximité d'un poste de traite négrière.

Même si j'avais vécu parmi les Néo-Écossais pendant dix ans à Birchtown, je ne me sentais plus entièrement à l'aise au milieu d'eux. Je cherchais à connaître les Temnés, même si de nombreux Néo-Écossais les qualifiaient de « barbares » et soutenaient qu'on ne devrait pas leur permettre de commercer à l'intérieur de notre colonie. D'autres semblaient vouloir reporter sur les Africains tout le mépris dont ils avaient été l'objet en Amérique du Nord. J'appris de John Clarkson que deux d'entre eux avaient été tellement dégoûtés d'être obligés de vivre sous le régime de la Sierra Leone Company qu'ils s'étaient enfuis pour travailler avec les trafiquants d'esclaves de l'île de Bence.

En Caroline du Sud, j'étais une Africaine. En Nouvelle-Écosse, j'étais devenue une loyaliste, ou une Noire, ou les deux. Et maintenant, enfin de retour en Afrique, on me considérait comme une Néo-Écossaise et, à certains égards, c'est ainsi que je me percevais, moi aussi. Je me sentais assurément plus Néo-Écossaise qu'Africaine quand les femmes temnées se rassemblaient autour de moi, portant en équilibre sur leur tête d'énormes plateaux remplis de grains, de volailles ficelées et de fruits. Elles savaient que j'étais venue avec Clarkson et les marins blancs. Par leur façon de me serrer les mains et les bras, je voyais qu'elles me jugeaient aussi étrangère que les Britanniques.

Quand j'essayais de leur parler en peul et en bambara, elles se mettaient à rire, n'ayant aucune idée de ce que je disais. J'avais hâte d'apprendre leur langue suffisamment bien pour leur dire que j'étais née en Afrique moi aussi. Je savais que les Temnés ne me comptaient pas parmi les leurs et qu'ils ne le feraient jamais. Je me sentais tout de même liée à eux en quelque sorte, et le moyen le plus simple et le plus naturel de nourrir ce sentiment de parenté était d'apprendre leur langue. Chaque jour, je mémorisais de nouveaux mots temnés et les utilisais constamment dans la conversation. Je commençai par apprendre les mots pour désigner les oranges, l'eau, la volaille, le sel et le riz qu'ils me donnaient, et ceux qui signifiaient couteaux, casseroles, perles, tissu et rhum, articles que les Néo-Écossais me confiaient pour en faire le troc.

J'appris à compter jusqu'à cent, et comment saluer une personne le matin, le midi et le soir. J'appris à demander *Comment vont vos enfants ? Comment va le travail ? La maison est-elle solide ?* et à répondre *Tout va bien* ainsi que *Merci beaucoup.* J'avais besoin de connaître ces mots. Il serait impossible de voyager à l'intérieur des terres sans parler aux habitants.

Apprendre de nouveaux mots et de nouvelles expressions chaque jour ne m'empêchait pas de me demander qui j'étais exactement et ce que j'étais devenue, après plus de trente années passées dans les colonies. Sans mes parents, mon mari, mes enfants ou toute autre personne avec qui j'aurais pu parler les langues de mon enfance, quelle part de moi était encore africaine ? Si je ne trouvais pas le moyen de retourner à Bayo, je ne me sentirais jamais tout à fait revenue chez moi.

En moins d'un mois, nous avions dégagé le terrain pour délimiter le site de la ville, érigé des tentes ou des cabanes pour tous les Néo-Écossais, bâti quelques édifices clés pour la compagnie et terminé la construction d'une église rudimentaire, qui devint notre centre communautaire. Pendant quelque temps, nous utilisions l'église en alternance : les baptistes l'occupaient les premiers le dimanche matin, les méthodistes à midi, les huntingdoniens plus tard dans l'après-midi.

En moins de deux mois, nous avions tracé quatre rues parallèles et trois rues perpendiculaires au fleuve.

Les Néo-Écossais, par leur représentant Thomas Peters, demandèrent à plusieurs reprises qu'on leur octroie des terres à cultiver. Mais l'arpenteur mourut, incapable – comme tant d'autres, Blancs ou Noirs – de supporter ce nouveau climat. La compagnie prit prétexte de cette malchance pour exhorter les Néo-Écossais à se consacrer entièrement à consolider la ville et à mettre en place des structures pour la compagnie.

Thomas Peters tenta en vain de rallier les Néo-Écossais contre la compagnie. Je l'admirais de déployer tant d'efforts. Les Britanniques avaient fait de fausses promesses aux loyalistes qui s'étaient battus à leurs côtés pendant la guerre révolutionnaire puis s'étaient installés en Nouvelle-Écosse, et ils avaient encore menti au sujet des privilèges dont nous allions bénéficier en

Sierra Leone. Ils n'essayaient pas de faire de nous des esclaves, mais ne nous libéraient pas non plus. Ils ne nous attribuaient pas les lopins de terre promis ni ne nous accordaient d'autres moyens pour assurer notre autosuffisance à Freetown. Nous dépendions d'eux pour notre travail, notre subsistance et même pour les matériaux et outils nécessaires à la construction de nos habitations. De plus, ils fixaient nos règles de vie.

« Ils nous ont trahis en Nouvelle-Écosse et encore ici sur la terre de nos ancêtres, dit Peters à un groupe rassemblé dans l'église de Papa Moïse.

— Donnons-leur le temps, tempéra Papa Moïse. Nous ne sommes pas encore libres, mais nous allons dans la bonne direction. »

Je partageais la déception de Peters de se trouver encore une fois sous la férule britannique, mais la colère ne consumait pas mon cœur. Je croyais que Papa Moïse avait raison : la liberté viendrait à nous, un jour à la fois. Mais j'avais également d'autres choses en tête. Pour moi, Freetown n'était qu'une étape.

Avant de quitter Halifax, je m'étais imaginé que la colonie mise sur pied à Freetown se mêlerait aux agglomérations africaines et que je ne verrais des Européens que rarement. Il s'avéra que les Temnés venaient chaque jour commercer avec nous, mais ne nous invitaient pas dans leurs villages. De plus, des navires commerciaux, ravitailleurs et militaires desservaient les côtes de l'Afrique en un flux constant, amenant chaque semaine des marins à Freetown. Ces derniers y faisaient escale pour se procurer des provisions, traiter des affaires ou simplement se reposer, boire et manger. Notre nouvelle colonie en Sierra Leone devint ainsi un mélange étonnant de Néo-Écossais, d'Africains, de fonctionnaires britanniques et de marins en congé.

De même, les capitaines et les équipages des vaisseaux négriers interrompaient régulièrement leur trafic d'esclaves à l'île de Bence pour venir boire et chercher des femmes à Freetown. Au début, je craignais que ces trafiquants en visite n'essaient de reprendre en esclavage les Néo-Écossais de Freetown et je m'en ouvris à Clarkson.

« Nous avons intérêt à les laisser s'amuser plutôt que de leur interdire la ville et d'encourir leur colère, dit-il.

— La situation est désagréable pour les Néo-Écossais et me rend mal à l'aise, moi aussi.

— Que faudrait-il faire ? Demander à chaque marin en visite à quel bateau il appartient ?

— Ils font le commerce des esclaves.

— Pas ici, à Freetown.

— Comment pouvez-vous en être sûr ?

— Ils peuvent se procurer des esclaves à volonté à l'île de Bence, dit Clarkson. Essayer de capturer des gens ici serait compliqué. Cela soulèverait des problèmes, et ils n'en veulent pas. Tout ce qu'ils souhaitent, c'est boire et faire la fête. L'île de Bence est leur lieu de travail. Ici, ils viennent s'amuser.

PENDANT UN CERTAIN TEMPS, je vécus avec une femme appelée Debra Stockman, qui était enceinte au départ de Halifax et dont le mari avait péri pendant le voyage. J'aidai Debra à accoucher plusieurs mois après notre arrivée, et lui enseignai à arrimer la petite fille sur son dos à la manière africaine. Je lui appris à sentir les jambes et le dos du bébé se raidir pour qu'elle le fasse descendre, lui enlève ses langes et le laisse faire ses besoins.

Debra lança bientôt sa propre entreprise : une boutique de curiosités pour les marins. Avec mon aide comme interprète, elle achetait des marchands temnés des sculptures, des masques, des couteaux rituels, des colliers et des bracelets en ivoire ainsi que des statuettes en bois représentant des éléphants. Elle revendait ce butin à profit aux marins désireux de ramener des bibelots en Angleterre. Les articles qui se vendaient le mieux étaient les petites sculptures en bois de cam. La couleur brun rougeâtre de ce bois plaisait aux marins. Debra polissait à l'huile de palme les sculptures d'éléphants, de crocodiles et de singes miniatures. Mais les marins ne pouvaient résister aux statuettes de jeunes femmes aux seins nus. Ils payaient rarement en argent, mais rétribuaient Debra en rhum, marmites, petits chaudrons, barres de fer ou vêtements venant d'Angleterre. À son tour, Debra était toujours capable d'écouler ces articles auprès des Temnés en échange de nourriture, de bois de chauffage ou de services de construction. Ces derniers apprenaient rapidement l'art de construire des maisons de bois, souvent hautes, qui plaisaient tant aux colons. Comme résultat, Debra et sa fille, Caroline, eurent tôt fait de s'installer dans leur propre maison et d'y vivre confortablement.

Pour notre approvisionnement, outre les produits échangés avec les Temnés et les marins en visite, nous dépendions du *Sierra Leone Packet*, navire de la compagnie qui faisait la navette entre Freetown et l'Angleterre.

Un jour, plusieurs centaines d'entre nous se rassemblèrent sur le quai pour assister au déchargement d'une cargaison. Nous attendions des boîtes de marteaux et de clous, mais les caisses renfermaient plutôt trois cents arrosoirs en argile. « Qu'est-ce que c'est que ça ? demanda Papa Moïse quand je lui en mis un dans les mains.

— Un récipient en argile, dis-je.

— Pardon ?

— Un récipient pour arroser. Nous venons d'en recevoir trois cents. Pas de marteaux, cependant, et pas de clous non plus.

— Fille, tu vas écrire une lettre à ces Blancs pour leur dire que nous n'avons pas de jardins, pas encore du moins, et qu'avec toute cette pluie, nous n'avons pas besoin d'arrosoirs. »

Je n'écrivis jamais à la compagnie, mais plutôt à Sam Fraunces et à Théo McArdle. Clarkson m'avait expliqué que les lettres ne seraient envoyées en Amérique qu'après être passées par l'Angleterre. Il me plaisait d'imaginer mes mots traversant les mers, et j'espérais qu'un jour mon tour viendrait de recevoir une lettre.

LA COMPAGNIE M'ENGAGEA pour enseigner à lire et à écrire aux enfants et aux adultes, et Clarkson – qui prétendait que l'écriture lui donnait des maux de tête – me confia la tâche de l'aider à préparer les rapports destinés aux directeurs à Londres. En qualité de secrétaire occasionnelle, on m'emmenait souvent en canot à son bateau pour travailler avec lui dans une cabine spacieuse transformée en bureau.

« Vous ne préférez pas vivre sur le continent ? lui demandai-je un jour.

— Je suis de la marine et ici, sur l'eau, c'est plus calme. J'ai le temps de réfléchir, et les gens ne peuvent pas venir frapper à ma porte et m'interrompre pendant que j'ai l'esprit concentré.

— Si la compagnie vous a demandé d'être le surintendant de la colonie, pourquoi laissez-vous les autres directeurs se charger de presque tout le travail ?

— Je suis content de le leur laisser. De plus, mes bonnes relations avec les Néo-Écossais pourraient être compromises si je devais veiller à l'application de tous les règlements de la compagnie.

— Ce ne sont pas les règlements auxquels vous vous attendiez ? »

Clarkson leva bien haut les paumes. « On ne peut pas tout prévoir », fit-il pour toute réponse.

Quand j'eus terminé mes travaux d'écriture, Clarkson m'invita à prendre le thé avec lui.

« Vous devez vous sentir seul, sans votre fiancée. »

En faisant craquer ses jointures, il reconnut que sa fiancée lui manquait.

Il m'invita à lire certains journaux qu'il avait reçus de Londres et se mit à lire un livre. Pour la première fois de ma vie, je me sentais liée à une autre personne par le simple fait que nous étions assis dans la même pièce et lisions tous les deux. J'avais l'impression de partager un moment agréable avec lui, même si nous ne parlions pas beaucoup. À vrai dire, j'étais sensible au fait qu'il ne posait pas de questions sur mes propres états d'âme. Revenir en Afrique ne pouvait pas me ramener tous ceux que j'avais perdus, mais en Sierra Leone, je souffrais moins de la perte de ma fille, peut-être parce que j'avais cessé de la voir dans chaque enfant qui croisait mon chemin. Si May vivait toujours, elle n'était certainement pas en Afrique.

Au cours des premiers mois, la seule façon de survivre pour la plupart des colons était de travailler pour la compagnie en contrepartie d'un salaire et de nourriture. Même si cette dernière avait promis que nos provisions seraient gratuites pendant les premiers mois, on coupa nos rations de moitié après un mois. Bien vite, si nous voulions de la nourriture, il fallait en demander à l'entrepôt de la compagnie en échange de travail. Or, un travailleur qualifié avait beau gagner deux shillings par jour, il devait payer quatre shillings par semaine pour se procurer des provisions. Mais il n'y avait jamais de travail chaque jour pour chaque personne de la colonie. La compagnie exaspéra les Néo-Écossais en réclamant des prix exorbitants pour le poisson salé, le bœuf, la volaille et en diluant l'alcool avec de l'eau. En vérité, l'alcool et la religion se côtoyaient dans notre colonie.

Dans les premiers mois après notre arrivée, six confessions avaient établi leurs propres lieux de rassemblement, d'abord dans des tentes, puis dans des cases, et enfin dans des chapelles de bois. Jusque tard dans la nuit, les temples vibraient de chants et de prières. On pouvait entendre aussi le battement des tambours de la ville du roi Jimmy située à environ un mille, ainsi que les marins en visite titubant, chantant et trébuchant dans les rues, ou encore des disputes et discussions entre colons, par exemple, qui avait tué le canard de qui ou qui avait l'œil sur la femme de qui. On pouvait entendre des hommes se battant entre eux, des hommes battant des femmes et, oui, des femmes battant des hommes. Au milieu de ce chahut résonnaient les amen et les alléluias des fidèles. Les habitants de Freetown ne dormaient pas ou avaient appris à dormir dans le vacarme.

Un Néo-Écossais du nom de Cummings Shackspear avait apporté de Halifax des provisions, notamment sept barils de rhum. Jamais je n'avais su comment il avait réussi à accumuler tout ce rhum avant l'embarquement, ni sous quels prétextes il l'avait fait charger à bord du bateau, mais toujours est-il qu'il avait fait sceller les barils par les meilleurs tonneliers de Halifax et qu'il avait toujours en sa possession cette énorme quantité de boisson quand il ouvrit une taverne à deux pâtés de maisons du bord de l'eau. En sortant de l'église, trempés de sueur et épuisés, certains paroissiens se rendaient directement à la buvette. Ils étaient moins nombreux à faire le chemin inverse.

Cummings – pas plus raisonnable que la compagnie – diluait son rhum et le vendait au verre.

Il réunit suffisamment d'argent pour maintenir son approvisionnement et renonça aux vivres de la compagnie. Celle-ci tenta de lui imposer des tarifs excessifs et n'aimait pas lui vendre quoi que ce soit de toute façon, mais il y avait suffisamment de bateaux qui passaient – navires de commerce, vaisseaux négriers, frégates britanniques – pour que Cummings puisse acheter quelques barils de rhum en échange d'articles qu'il obtenait des Temnés : ivoire, bois de cam ou grandes quantités d'ananas, barriques d'eau fraîche, chèvres, volailles. Il se construisit un bâtiment derrière sa taverne pour entreposer ses marchandises et engagea un Temné pour le garder la nuit. Sa taverne devint connue sous le nom de *Shackspear's Book.* Les marins connaissaient la réputation de l'endroit et s'y rendaient à peine débarqués de leurs yoles.

Les affaires de Cummings prospérèrent à tel point qu'en peu de temps, il ne dépendit plus du bon vouloir de la compagnie et se tint à l'écart des disputes entre celle-ci et les colons. Ceux qui pouvaient se permettre pareil luxe étaient toutefois rares.

Je n'avais pas le génie des affaires, et les services que j'offrais – leçons de lecture et d'écriture le soir dans la pièce arrière de ma maison, soins aux malades qui avaient besoin de moi, en particulier parce que les médecins de la compagnie étaient soit ivres, soit mourants – ne m'apportaient que peu de rémunération, mais ils m'empêchaient de dépendre totalement des Britanniques pour ma subsistance. Le matin, je continuais d'enseigner à l'école de la compagnie.

Le roi Jimmy et ses sujets ne vivaient qu'à environ un mille de distance et, avant même qu'il ne s'écoule une année après mon arrivée à Freetown, j'avais compris que le monarque exerçait des pressions auprès de John Clarkson afin que celui-ci lui verse des droits pour utiliser les terres des Temnés. Personne ne nous avait dit que les hommes du roi Jimmy avaient envahi et saccagé la précédente colonie de Noirs en provenance d'Angleterre et qu'ils n'acceptaient pas les conditions selon lesquelles les Britanniques prétendaient avoir acheté la terre africaine, mais nous avions graduellement commencé à entrevoir la vérité. Le moyen de pression favori du roi était de faire circuler, la nuit, des dizaines de canots remplis de guerriers qui hurlaient, beuglaient et battaient tambour le long de nos côtes. Ces raids flanquaient une peur bleue aux Néo-Écossais, qui implorèrent Clarkson de leur procurer plus de fusils. J'aimais le bruit des tambours. J'aimais la façon dont les chants des guerriers résonnaient dans toute la baie Saint-George et vibraient jusque dans mon propre corps. Je me sentais plus près de chez moi. *Pars trouver ton village,* semblaient-ils me dire, *va voir les tiens.*

Nichée sur les pentes qui séparaient les rivages sablonneux des montagnes, notre nouvelle communauté de Freetown était exactement le lieu où la plupart des Néo-Écossais souhaitaient demeurer. C'était le seul endroit qu'ils croyaient sûr, le seul endroit où ils croyaient pouvoir prospérer. Pour moi, cependant, Freetown n'était qu'un pont. À mesure que je menais des affaires avec les Temnés et que j'apprenais leur langue, je ne rêvais que de retourner dans mon premier foyer. Et je planifiais mon voyage à l'intérieur des terres pour atteindre mon village natal, périple qui, je le savais, durerait trois révolutions de la lune.

UNE JEUNE FEMME TEMNÉE appelée Fatima commerçait avec moi plusieurs fois par semaine, mais chaque fois, elle négociait jusqu'à obtenir le prix qui lui semblait acceptable. Elle insistait toujours pour prendre trois verges de tissu contre vingt-cinq oranges, mais à la fin de chaque négociation, elle acceptait une seule verge.

Avant de conclure l'affaire, il fallait passer par un labyrinthe de discussions. Plus je maîtrisais la langue temnée, plus longues étaient les digressions avant que je puisse obtenir les oranges contre le tissu. Un jour, au hasard d'une conversation, Fatima me posa une dizaine de questions sur mon mari, mes enfants et sur la façon dont je les avais perdus. Après y avoir répondu avec sincérité, je demandai à Fatima la seule chose que je voulais savoir. « Tu as de bonnes jambes, n'est-ce pas ? demandai-je.

— Oui, grâce à Dieu.

— Et tu peux marcher sur de grandes distances, n'est-ce pas ?

— Oui, grâce à Dieu.

— Alors, dis-moi comment je peux trouver mon chemin à l'intérieur des terres pour aller jusqu'au fleuve Joliba. »

Fatima commença à ramasser ses oranges et à les empiler sur son plateau. « C'est un secret.

— Pourquoi ? »

Elle hissa le plateau sur sa tête. « Nous ne devons pas vous laisser pénétrer dans nos terres.

— Moi ?

— Tous les toubabs qui débarquent des bateaux.

— Tu m'appelles une toubab ? Tu n'as donc pas écouté mon histoire au sujet de mon mari et de mes enfants ? Je suis née ici, sur cette terre.

— C'est une histoire, une très belle histoire. Et je vais t'en raconter une autre, si tu veux. Mais ce n'est pas ce que tu me demandes pour le moment. Tu me poses des questions sur mon pays.

— Je te pose des questions sur *mon* pays. Le pays où je suis née.

— Tu as la peau de la couleur de quelqu'un qui est né dans ce pays, mais tu es venue avec les toubabs. Tu es une toubab à face noire.

— Je suis née dans le village de Bayo, mon père était Mamadou Diallo, le joaillier, et ma mère, Sira Coulibali, la sage-femme. J'y serais encore si je n'avais pas été capturée. »

Fatima se détourna. « Une verge pour les oranges, s'il te plaît. Finies les histoires. »

Après cette conversation, j'éprouvai pendant des jours un sentiment de solitude qui me rappela mon arrivée dans les colonies. Sur le continent où j'étais née, je me sentais aussi perdue que de l'autre côté de l'océan. Après mûre réflexion, je décidai que la rebuffade de Fatima importait peu. Je savais qui j'étais et d'où je venais. Que la femme temnée n'accepte pas mon histoire ne changeait rien à ma vie. L'incident signifiait simplement que je devrais m'adresser ailleurs pour obtenir de l'information. Je repensai aux vers de Jonathan Swift :

> Sur les cartes d'Afrique, les géographes
> Remplissent les blancs avec des images de sauvages ;
> Et sur les collines inhabitables,
> Ils placent des éléphants à défaut de villes.

C'était vrai que les cartographes plaçaient des éléphants à défaut de villes. Mais je comprenais désormais les difficultés qu'ils avaient dû affronter pour pénétrer à l'intérieur de l'Afrique.

LORSQU'IL PLEUVAIT À FREETOWN, il tombait des cordes. Les cieux déversaient des torrents d'eau, comme si on avait vidé des barriques. Nous avions bâti nos maisons sur pilotis pour éviter les coulées de boue. Nous avions appris à suspendre au plafond les précieuses denrées sèches. Le toit devint l'un des éléments les plus importants de nos habitations. Nous avions emprunté aux Temnés les techniques pour couvrir celles-ci de chaume, puis, quand le bois avait été disponible, nous l'avions utilisé pour construire les toits que nous enduisions ensuite de goudron. Nous faisions la cuisine devant nos humbles masures, et nous apprîmes à partager, à travailler à tour de rôle, à ériger de petits abris au-dessus des postes de cuisson et à engager des cuisiniers temnés. La première saison des pluies commença en mai et dura jusqu'en septembre. Pendant cette période, si vos fèves ou votre manioc n'étaient pas solidement enracinés, ils ne supportaient pas le vent et l'eau. À la fin de cette première saison des pluies, quand le soleil reparut, les vaisseaux négriers se manifestèrent plus fréquemment dans le fleuve Sierra Leone, et le poste de traite de l'île de Bence reprit ses activités de plus belle.

Un jour du mois d'octobre, pendant que Debra et moi faisions mijoter un poulet au gombo, j'entendis des bruits de pas, des grognements, des gémissements sourds et des halètements. La clameur ressemblait à celle d'un village entier en marche et me ramena immédiatement au dernier jour de mon enfance à Bayo. En me retournant, je vis trente personnes enchaînées par le cou, presque ou entièrement nues, avançant à la file indienne en direction du fleuve. Elles étaient conduites par de grands hommes à la peau foncée, vêtus de robes amples, coiffés de toques ajustées et munis de bâtons et de fouets. Chaque femme de la caravane portait sur la tête un gros morceau de sel ou un sac de cuir bombé, probablement rempli de riz ou de millet. Les hommes transportaient des ballots. L'un d'entre eux, aux yeux hagards et à la bouche ouverte, était chargé d'un faisceau de lances. S'il avait eu le cou libre, peut-être aurait-il pu se servir de ces armes. Mais je savais qu'il était probablement enchaîné depuis des semaines et qu'il avait le cou écorché et couvert de cloques.

Je laissai tomber ma cuillère dans le ragoût et courut jusqu'à King Street avant que le convoi ne l'atteigne. Je les regardai s'approcher, captifs de tous âges et de toutes tailles, et me demandai comment faire pour les libérer. Une fillette me jeta un regard suppliant. Ce n'était pas encore une femme, mais elle était sur le point de le devenir. Comme elle passait devant moi, je pus voir deux lignes verticales de couleur bleue gravées sur ses pommettes. En me regardant droit dans les yeux, elle prononça quelques mots. Sa voix basse et rauque évoquait celle d'une vieille femme. Je vis l'éclat de ses dents, et même si je ne connaissais pas sa langue, je savais ce qu'elle voulait : de l'eau, de la nourriture et, par-dessus tout, de l'aide pour retourner dans sa famille. Elle avait le cou coincé dans un anneau de bois auquel étaient fixées des chaînes reliées aux jougs des hommes placés devant et derrière elle. Elle semblait n'appartenir à personne d'autre qu'à ses ravisseurs. Je pris la main de la fillette quand elle traversa la route. Sa peau était sèche et craquelée ; j'aurais aimé lui donner de l'eau, mais je n'avais sur moi rien d'autre que mes vêtements. Elle marmonna quelques mots, comme une prière. Peut-être disait-elle *manger, boire, aider.* Ou peut-être aussi, *sauvez-moi, je vous en prie.* Je touchai son joug, mais il était solidement fixé.

« Tiens bon, fillette », lui dis-je d'une voix aussi douce que possible, car je voulais qu'elle entende le son de la voix d'une mère. D'un seul mouvement, je retirai le foulard rouge qui recouvrait mes cheveux et l'attachai rapidement autour du poignet de la fillette. J'étais sur le point de lui adresser d'autres paroles de réconfort, mais un gardien arriva derrière moi et me poussa sur le côté, comme si je n'avais été rien d'autre qu'une chèvre sur son chemin. Il se tint à côté de la fillette qui avançait péniblement et, à partir de ce moment-là, les gardiens se rapprochèrent de leurs captifs. La fillette s'éloignait déjà de cinq, dix, quinze pas, et je ne pouvais plus retourner auprès d'elle.

Je regardai autour de moi pour chercher de l'aide et vis de nombreux Néo-Écossais en train de se rassembler dans le port. Un Néo-Écossais tira Papa Moïse dans sa charrette pour qu'il puisse affronter les chefs de caravane, mais ces derniers passèrent à côté de lui. Thomas Peters apparut en courant derrière moi et m'agrippa le bras pour rattraper la caravane qui se dirigeait vers le rivage. « Où est Clarkson quand nous avons besoin de lui ? dit Peters.

— Il est parti voir le roi Jimmy pour affaires », répondis-je.

Debra conduisit sur les quais l'adjoint de Clarkson, un homme de la compagnie appelé Neil Park. Nous nous arrêtâmes tous à cet endroit : les trente captifs, les six ravisseurs, une foule croissante de Néo-Écossais et un certain nombre d'hommes armés de la compagnie. À notre grande consternation, nous vîmes six grands canots remplis de rameurs temnés prêts à partir.

Papa Moïse, sur sa charrette, avait du mal à atteindre le bord de l'eau. Pendant qu'il essayait de se frayer un chemin, la voix chargée de colère de Peters retentit : « Libérez ces gens immédiatement ! cria-t-il à un grand Africain à la robe flottante qui se tenait à la tête du convoi.

Le chef de caravane ignora Peters et commença à négocier avec le barreur en charge des canots. Piqué au vif, Peters s'avança pour l'empoigner. Trois autres gardiens se saisirent de lui, et l'un d'entre eux lui appliqua un couteau sur la gorge. La fille aux lignes bleues sur les joues regarda Peters, puis se tourna vers moi et vers les dizaines de Néo-Écossais rassemblés derrière moi. Je l'imaginais en train de penser que nous pourrions la sauver si nous le voulions vraiment.

Neil Park s'immisça dans la dispute, flanqué de son traducteur temné. Les gardiens d'esclaves ne parlaient pas temné, eux non plus, et communiquaient par le truchement de leur propre interprète. « Reculez pour que personne ne soit blessé », nous dit Park.

Personne ne bougea.

« Park est le roi de notre peuple », dit l'interprète. Le chef de la caravane d'esclaves se tourna vers Park, sourit, fit une petite révérence et tira de sa robe un petit sac de noix de cola. Il en fit présent à Park, qui le prit sans grande conviction.

Park continua de discuter et convainquit les gardiens de relâcher Peters. Il ordonna à Peters de se retirer, mais ce dernier refusa. Les gardiens sortirent les couteaux de nouveau. Peters recula de quelques pieds.

« Ça ne vous regarde pas, dit un interprète à Park. Les chefs de la caravane ont payé un droit de passage sur ce territoire. Le roi Jimmy lui-même les a autorisés à passer.

— L'esclavage est interdit à Freetown », dit Park.

On dit à Park que ce territoire appartenait aux Temnés, que l'homme blanc le partageait mais ne le possédait pas, et que d'autres hommes blancs les attendaient à l'île de Bence.

Park baissa les bras et se tourna vers nous. « Nous devons les laisser passer et exposer le problème au roi Jimmy.

— Nous ne les laisserons pas emmener ces captifs », dit Peters.

Park fit signe à ses hommes de la compagnie Sierra Leone. Cinq officiers levèrent leurs fusils. « J'ai donné un ordre, dit Park, et je vais le faire exécuter.

— Nous ne partirons pas et eux non plus, dit Peters.

— Reculez, dit Park. Vous ne pouvez pas sauver ces esclaves. Si vous causez des ennuis, vous pourriez déclencher une guerre avec les Temnés.

— Ils n'oseraient pas, dit Peters.

— Ils l'ont déjà fait », dit Park.

Je me rappelais avoir entendu dire que les Temnés avaient saccagé la première colonie de Noirs en provenance de Londres.

Le chef de la caravane détacha le premier captif – un jeune garçon d'environ quinze ans qui avait l'air d'avoir aussi peur des Néo-Écossais que de ses ravisseurs – et le guida pour le faire monter dans un canot. Peters s'élança, saisit le garçon et tenta de le ramener sur la terre ferme. Les hommes de la compagnie préparèrent leurs mousquets. Park leva la main pour les empêcher de tirer. Deux autres trafiquants agrippèrent Peters, qui les repoussa et empoigna le captif de nouveau. Au moment où je crus que Peters allait prendre le dessus, libérer le garçon et déclencher un assaut massif de la part des Néo-Écossais, l'un des trafiquants tira un sabre de son étui et le plongea dans la poitrine de Peters. Celui-ci poussa un grognement, vacilla et s'affaissa. Du sang écumeux dégoulinait de sa bouche. Les Néo-Écossais commencèrent à se presser au bord de l'eau, mais Park et ses hommes tirèrent une salve au-dessus de nos têtes. « Dernier avertissement ! », hurla Park.

Un colon pointa son mousquet en direction des trafiquants africains. Les hommes de Park tirèrent une grêle de coups et le colon s'écroula. Personne d'autre ne s'avança, mais je courus vers Peters, étendu au bord de l'eau, à quelques pieds des captifs qu'on embarquait dans les canots. Je m'agenouillai près de lui et mis la main sur son épaule. Ses yeux bruns s'écarquillèrent, comme pour absorber toute la vie qu'il était sur le point de perdre.

Je gardai la main sur lui. « Tu es un homme bon, Thomas, et un bon chef. »

Peters semblait à peine capable de comprendre ce qu'il lui arrivait. Il leva légèrement la main et je la saisis. Puis il cessa de respirer, ses doigts se relâchèrent et la lumière quitta ses yeux. Je continuai de lui parler. Je voulais que son esprit entende ce que j'avais à lui dire. « Tu nous as conduits à la liberté, Thomas Peters. Tu nous as conduits en Afrique. »

Je pris tout à coup conscience des hurlements et des ordres. Scott Wilson, le Néo-Écossais qui avait levé son mousquet contre les Temnés, gisait, mort, à quelques verges seulement. Les autres étaient maintenus en retrait à la pointe du fusil par les hommes de Park. Ce dernier exhortait les trafiquants à faire embarquer les captifs dans les canots et à s'éloigner du rivage avant que les choses ne s'aggravent. Les embarcations partirent en direction de l'île de Bence. Les trafiquants d'esclaves ne se retournèrent pas, mais la fillette, oui.

Je lui fis signe de la main, pour qu'elle sache qu'il y avait encore quelqu'un au monde qui lui souhaitait du bien. Elle me renvoya mon salut, mon foulard rouge enroulé autour de son poignet.

AVEC L'AIDE GÉNÉREUSE DES SAINTS

La perte de Peters et de Wilson jeta notre communauté dans le désespoir. Nous discutâmes de la façon d'honorer leur mémoire, et on me demanda de composer l'épitaphe à graver sur la pierre tombale de Peters : *Thomas Peters, chef des colons néo-écossais. Combattant de la liberté, il a enfin conquis la sienne.*

Quand Papa Moïse commença à planifier une « assemblée familiale » à laquelle seuls les Néo-Écossais seraient invités, Clarkson se plaignit à moi que nous étions en train de creuser un fossé entre les Anglais et nous. « Mais la compagnie interdit bien aux Néo-Écossais d'assister à ses réunions, rétorquai-je.

— Diriger une compagnie, c'est une chose ; diriger une communauté, c'est tout à fait autre chose », dit Clarkson.

Nous nous mîmes d'accord pour être en désaccord sur ce point. Mais, à la demande de Clarkson, je demandai à Papa Moïse si les Néo-Écossais pourraient d'abord se réunir en séance privée, puis inviter les autorités de la compagnie à se joindre à eux. Papa Moïse accepta.

Pendant la rencontre dans l'église, ceux qui prirent la parole condamnèrent l'un après l'autre la compagnie qui s'était rangée du côté des trafiquants d'esclaves à Freetown. Certains appelèrent à la révolte armée, insistant sur le fait que quelques dizaines d'hommes de la compagnie ne feraient pas le poids devant la rébellion d'un millier de colons. Je ne voulais pas que la compagnie ferme les yeux sur d'autres passages des marchands d'esclaves à Freetown, mais je ne croyais pas que la violence améliorerait notre condition. Toutes les fois que j'avais vu des hommes s'insurger, ils avaient perdu la partie et des innocents étaient morts.

Papa Moïse réussit à conclure la réunion privée en évitant un engagement général à la révolte armée. Lorsqu'on ouvrit les portes de l'église aux dirigeants de la compagnie, Clarkson se joignit à nous, ainsi qu'Alexander Falconbridge, autre gouverneur de la colonie de Freetown. Falconbridge resta à l'arrière de la salle pour observer tranquillement la séance, tandis que Clarkson monta en chaire.

Je bouillais d'impatience en entendant Clarkson répéter que « des circonstances terribles, tragiques, ont entraîné la mort de deux Néo-Écossais respectés », mais je fus soulagée quand il promit que la compagnie paierait leurs funérailles et offrirait un soutien aux veuves.

Quand Papa Moïse souleva la question de faire passer des esclaves par Freetown, Clarkson ne put que répéter ce qu'il nous avait dit auparavant : « Nous ne tolérerons pas l'esclavage à Freetown. Sur ce point, les directeurs de la compagnie à Londres sont unanimes. »

Les paroles de Clarkson eurent pour effet de nous rendre tous plus vulnérables. Je me demandais jusqu'à quel point la compagnie protesterait si des trafiquants d'esclaves attaquaient Freetown et essayaient de nous emmener à l'île de Bence. Même si vingt hommes de la compagnie levaient leurs mousquets, ils ne seraient pas en mesure de résister aux assauts des Temnés.

À la sortie de l'église, Alexander Falconbridge vint s'adresser à moi. « J'ai entendu parler de vous, Mina, dit-il en tendant la main.

— Bonjour, Docteur Falconbridge. »

Je savais que Falconbridge avait travaillé comme médecin sur un vaisseau négrier, puis avait changé d'avis et dénoncé publiquement le trafic d'esclaves. C'était un homme grand, aux larges épaules et au ventre proéminent, à tel point qu'il avait du mal à respirer. De ses sourcils en broussaille, des poils se hérissaient dans tous les sens. Il avait les pupilles dilatées et exhalait une odeur de rhum, mais je percevais de la bonté dans son regard. « Je suis désolé pour la perte que vous avez subie, dit Falconbridge. Peters et Wilson étaient des hommes honnêtes qui voulaient le bien de leurs concitoyens.

— Sans Peters, nous ne serions pas ici. »

Nous marchions dans la rue, et Falconbridge se tenait à mes côtés.

Je m'arrêtai pour ne pas l'obliger à me suivre jusque chez moi.

« John Clarkson le respectait, même si les deux hommes se disputaient parfois », dit-il. Je hochai la tête. « John Clarkson a aussi beaucoup d'admiration pour vous.

— Il est trop bon, lui aussi.

— C'est le dernier toubab décent », dit Falconbridge, étouffant un petit rire.

Je savais que Falconbridge se trouvait en Sierra Leone bien avant Clarkson et avant que nous, les colons, ne nous installions ici.

« Le lieutenant Clarkson m'a dit que vous aviez participé à la traite des esclaves, mais que vous l'aviez ensuite dénoncée.

— C'est exact. J'aurais pu être le médecin du navire qui vous a emmenée en Amérique.

— Il n'y avait qu'un médecin à bord de ce bateau, et je l'ai vu mourir.

— Les médecins font ce qu'ils peuvent pour les esclaves. Ils sont meilleurs que les autres d'un cran. »

Il se tut pendant quelques instants. Quand il reprit la parole, sa voix était à peine audible. « Ça ne change rien. Ils participent. Ils perpétuent le crime. Je l'ai fait moi-même. Mais c'est fini. »

Je le crus, car ses paroles correspondaient à ce que Clarkson m'avait confié.

« Vous devez également savoir que je suis marié, et que ma femme est à bord du bateau en ce moment. »

Cela aussi, je le savais.

« Vous pouvez donc deviner que mes intentions sont honorables. Venez avez moi sur le *King George* ce soir pour que nous puissions poursuivre cette conversation. »

FALCONBRIDGE DISPOSAIT DE PLUSIEURS CABINES à bord du *King George*. Ce soir-là, il demanda à son cuisinier temné de préparer un ragoût de poulet. Il m'offrit un verre de rhum. « J'en prendrai un petit, dis-je.

— Un petit pour vous, et un pas si petit pour moi », dit-il en souriant.

Il s'assit en poussant un soupir, prit une gorgée de rhum et soupira de nouveau. « La vie est courte, et nous devons savourer les plaisirs quand ils passent. »

Je hochai la tête.

« Comme je ne m'attends pas à sortir d'ici vivant, je serais bien fou de me priver du plaisir de boire. »

Nous parlâmes des différents endroits où avaient vécu les Néo-Écossais avant d'arriver en Sierra Leone : Afrique, Géorgie, Caroline du Sud, Virginie, New York, Nouvelle-Écosse et Nouveau-Brunswick.

« Les Anglais sont nés pour naviguer, dit Falconbridge, mais peu d'entre eux connaissent tous les lieux que les Néo-Écossais ont habités.

— Nous sommes tous des voyageurs », dis-je.

Au milieu de notre conversation, le repas arriva. Le dîner terminé, Falconbridge remit sa serviette sur la table, repoussa son fauteuil et soupira de nouveau. « Me détestez-vous ? demanda-t-il.

— Devrais-je vous détester ?

— N'avez-vous pas envie de haïr tous les hommes blancs sans distinction ? Vous auriez mille fois raison. »

Je pris la carafe et me versai de l'eau. « Si je passais mon temps à haïr, mes émotions seraient épuisées depuis longtemps et je ne serais plus qu'une coquille de cauri vide. »

Falconbridge se gratta le coude. Il transpirait abondamment. Je me demandais où les hommes blancs se lavaient quand ils vivaient sur un bateau bondé et trop vétuste pour prendre la mer. Au moins, à Freetown, nous, les Néo-Écossais, prenions des bains. Nous avions installé des bains publics distincts pour les hommes et pour les femmes, et il aurait été difficile de trouver un colon qui ne se lavait pas au moins une fois par semaine. Ceux d'entre nous qui étaient nés en Afrique le faisaient plus souvent, voire chaque jour. Parfois, au milieu de la nuit, quand j'avais du mal à dormir, je traînais un seau d'eau jusque dans les bois. Je trouvais un coin tranquille sous les arbres, à la belle étoile, et je contemplais la même constellation en forme de gourde que j'avais admirée enfant. Dans l'air frais de la nuit, j'adorais m'asperger la peau d'eau tiède et je me demandais parfois s'il était resté des survivants à Bayo la nuit où j'avais été capturée.

La voix de Falconbridge me tira de ma rêverie. « Vous auriez raison de me haïr. Croyez-vous en la rédemption ? »

Parfois, les Blancs me sidéraient par leur franc-parler.

« Je ne sais pas, répondis-je. Je suis née au nord-est d'ici, à trois révolutions de la lune. Dans mon village, nous observions plusieurs croyances. Mon père était musulman et avait étudié le Coran. D'autres habitants soutenaient que les animaux et parfois les plantes possédaient une âme. Nous croyions à l'entraide pendant les moissons. Nous travaillions ensemble. Mangions ensemble. Pilions du millet ensemble. Nous étions convaincus que nous nous retrouverions après notre mort, que nous retournerions aux ancêtres qui nous avaient donné le jour. Mais personne ne parlait de rédemption.

— La rédemption a été inventée par le pécheur. J'ai péché, mais j'ai aussi changé. Mon travail consistait à descendre dans les cales et à examiner les hommes pour déterminer s'ils respiraient ou non. J'ai assisté à des abus monstrueux. Mon âme est morte sur ces vaisseaux négriers.

— Je sais ce qui se passait dans les cales de ces navires. »

Falconbridge appliqua ses doigts contre ses tempes. « Savez-vous que je ne pouvais lever le petit doigt pour aider ces pauvres malheureux ? Si j'appliquais un pansement, ils l'enlevaient. Si je traitais une blessure, elle s'infectait et devenait purulente. Et puis, de toute façon, ils finissaient par mourir. La seule bonne chose que j'ai accomplie, c'est de me battre avec le capitaine pour obtenir de l'eau plus propre, une meilleure nourriture et un nettoyage plus fréquent des quartiers des esclaves. »

Falconbridge et moi étions tous deux des survivants de la traversée de l'océan, mais il semblait que sa souffrance n'avait fait que grandir depuis son séjour sur le bateau.

« Je peux comprendre votre malaise, dis-je, aussi doucement que je le pouvais. Vous ne voulez pas m'en dire plus sur votre vie à cette époque ?

— Tout cela est derrière moi. J'ai même écrit à ce sujet.

— C'est vrai ?

— Je ne suis pas un écrivain. Clarkson m'a dit que vous savez écrire. »

Je fis signe que oui.

« Vous êtes certainement plus instruite que moi, et je vous admire. Oui, j'ai décrit mon travail de médecin sur des vaisseaux négriers, avec l'aide généreuse des saints, là-bas, en Angleterre.

— Des saints ?

— Des gens comme votre John Clarkson. Ils forment toute une troupe à Londres. Toutes les fois qu'ils peuvent saisir un auditoire qui ne s'y attend pas dans une église, ils font résonner haut et fort les tambours de la vertu.

— C'est vrai ?

— Ils essaient d'abolir le commerce des esclaves. Connaissez-vous le sens du mot « abolir » ?

— Finir. Arrêter. Se débarrasser de quelque chose. Éradiquer. Est-ce correct ?

— Êtes-vous sûre de ne pas être née en Angleterre ? »

J'esquissai un sourire. « Ai-je l'air d'une Anglaise ?

— Vous seriez surprise de voir les drôles de moineaux qui sont nés dans mon pays.

— On m'a traitée de bien des noms, mais jamais de moineau ! »

Falconbridge éclata de rire et prit une gorgée de rhum. « J'ai entendu dire que vous vouliez retourner dans votre village. »

Je fis signe que oui et attendis qu'il continue.

« Je pourrais vous aider, mais cela suppose de retourner à l'île de Bence.

— Pourquoi ?

— Les seuls hommes qui connaissent l'intérieur des terres sont les trafiquants d'esclaves qui aboutissent à l'île de Bence. Ceux qui travaillent à la forteresse sont des types décents. »

Je regardai fixement Falconbridge.

« Ce que je veux dire, dit-il, c'est que si vous les

rencontrez en personne – disons, si je vous accompagne pour vous présenter – je peux garantir qu'ils vous traiteront avec courtoisie. Ils vous serreront la main, vous donneront à boire, plaisanteront un peu, échangeront de la nourriture contre du rhum, ou l'inverse, vous feront lire un journal de Londres. »

Je poussai un soupir. Je ne pouvais me faire à l'idée de revenir de mon plein gré au poste de traite de l'île de Bence.

« C'est vrai qu'ils font le travail du diable, dit Falconbridge. Mais l'un d'entre eux pourrait me mettre en contact avec quelqu'un qui pourrait vous conduire à l'intérieur des terres. Vous pourriez ainsi réaliser votre rêve. »

Après une année de commerce avec les Temnés, j'avais été incapable d'obtenir le moindre détail sur la façon de me rendre à Bayo. C'était maintenant un homme blanc qui m'ouvrait la porte.

« Je vais y réfléchir », dis-je.

La femme de Falconbridge, Anna Maria, entra dans la cantine. « Dieu du ciel, je ne m'attendais pas à vous voir !

— Je me préparais justement à partir, dis-je.

— Mon mari est un homme compliqué, n'est-ce pas, chéri ?

— Je suis un raté compliqué. »

Cela dit, il me glissa le document qu'il avait préparé à l'intention des Anglais qui avaient essayé en vain d'abolir la traite des esclaves. Le document comptait environ quarante pages. J'examinai la couverture. *Compte rendu du commerce des esclaves sur la côte de l'Afrique, par Alexander Falconbridge. Ancien chirurgien affecté à la traite en Afrique. Londres, 1788.*

« Que veut dire 'ancien', exactement ? demandai-je.

— Cela veut dire que je suis parti quand je ne pouvais plus encaisser ce boulot.

— Il vous apprécie, dit Anna Maria.

— Ne commence pas, dit Falconbridge.

— Lorsqu'il sort son précieux petit document, c'est qu'il vous apprécie et qu'il veut que vous l'appréciiez en retour. »

Elle pointa du doigt un passage et me demanda de le lire. Je pris le document, l'approchai à six pouces de mes yeux et déclarai avoir besoin de deux ou trois bougies allumées. Ils se plièrent à mes désirs. Je sortis mes lunettes aux verres teintés de bleu et les ajustai sur mon nez. Je savais qu'en Nouvelle-Écosse, certains Blancs utilisaient des lunettes en privé, mais jamais s'ils risquaient d'être vus. Mais j'étais trop vieille pour me préoccuper du fait qu'Anna Maria et son mari puissent me trouver peu séduisante. De toute façon, il m'était impossible de lire sans lunettes.

Je lus à voix haute : « 'Il arrive fréquemment que les Noirs, quand ils sont achetés par des Européens, deviennent fous à lier ; et plusieurs d'entre eux meurent dans cet état, surtout les femmes.' »

Je posai le livre et leur dit que, d'après mon expérience, les hommes devenaient fous plus facilement que les femmes. Les hommes, qui veulent désespérément changer leur condition, peuvent devenir fous devant leur propre impuissance. Mais le devoir de la femme étant d'aider les autres, elles trouvent toujours des façons modestes d'aider, même dans les situations désespérées.

Anna Maria ouvrit le document à une autre page et me le tendit de nouveau. Je repris ma lecture. « 'L'alimentation des Noirs à bord était principalement composée de fèves bouillies jusqu'à la consistance d'une pâte, d'ignames bouillies et de riz, et parfois, d'une petite quantité de bœuf ou de porc...' »

Je fermai le livre. Il me semblait que c'était hier que j'avais mangé ce genre d'aliments pour rester en vie sur un bateau qui sentait la mort. Les captifs étaient accroupis autour des seaux de pâtée, prêts à tout pour mettre la main sur les biscuits et les arachides que j'avais subtilisés dans la cabine du médecin.

Anna Maria me serra le coude. « Je vois que cette lecture vous est pénible. Nous continuerons une autre fois, si vous le permettez. Mais je voudrais vous connaître mieux. Voulez-vous venir prendre le thé demain ? »

Anna Maria Falconbridge et moi commençâmes à nous fréquenter. Selon elle, il y avait peu de gens intéressants à qui parler parmi les membres de la compagnie. Elle m'invitait parfois à bord pour siroter un verre de rhum avec elle et fut la seule personne de la compagnie à venir chez moi.

Un jour, elle se plaignit des hommes de la compagnie qui ne cessaient de faire profiter le roi Jimmy de leurs largesses.

« En Afrique, offrir des présents, même modestes, est un signe de respect, dis-je.

— Une bouteille de rhum, peut-être. Mais un baril entier ? »

Je ne répondis rien. Elle me regarda de la tête aux pieds. « Étant donné votre capacité de lire et d'écrire, et votre expérience, vous devriez rédiger vos mémoires. Certains ont tiré d'énormes avantages personnels de tels récits. Avez-vous entendu parler d'Olaudah Equiano ? C'est un Africain, un ancien esclave, tout comme vous. Il a raconté sa vie dans un livre qui l'a rendu célèbre. Je ne sais pas si son histoire est entièrement véridique. Peu importe. Son livre s'est vendu partout en Angleterre. Bien des Anglais blancs sont plus pauvres que lui.

— Je n'ai pas lu son récit », dis-je.

Anna Maria dit qu'elle avait apporté une modeste bibliothèque personnelle. « Je n'ai personne avec qui la partager, Mina. La plupart des hommes de la compagnie ne connaissent pas plus la lecture et la littérature que des ânes ne connaissent l'astronomie. Je serais ravie de vous prêter mon exemplaire. »

À l'extérieur, des menuisiers temnés installaient un nouveau toit sur la maison de Debra, ma voisine et amie. Je vis Anna Maria jeter un regard sur leurs poitrines luisantes de sueur. « Je préfère les voir construire des maisons plutôt que de transporter des esclaves en canots », dit-elle en laissant échapper un petit rire.

« Je suis en faveur du sentiment d'humanité et de tout ce qui en découle, poursuivit-elle, mais beaucoup de gens plus intelligents que moi soutiennent que le commerce des esclaves sauve les Africains de la barbarie. Saviez-vous cela ?

— Les Anglais ne disent cela que pour justifier leur méchanceté.

— Mais vous ? Informée. Intelligente. Instruite.

— Le fait que je sache lire justifierait le vol des hommes et des femmes d'Afrique ?

— Le vol ? Les marchands d'esclaves de l'île de Bence paient cher leurs acquisitions.

— C'est tout de même un vol.

— Mina, le vol a commencé ici, sur ce continent, avec les Africains qui se capturaient et se pillaient les uns les autres.

— Pour qui pensez-vous qu'ils se capturent les uns les autres ?

— Les Africains se livraient au commerce des esclaves longtemps avant que les premiers esclaves soient envoyés aux États-Unis.

— Dans mon village, nous avions un dicton : 'Prends garde à l'homme rusé qui fait passer le mensonge pour une vérité'.

— Je peux imaginer ce que les hommes d'affaires de Liverpool répondraient à ce proverbe.

— Liverpool ?

— C'est là que de nombreux marchands d'esclaves mènent leurs affaires en Angleterre. Ils demanderaient si vous auriez été capable de discuter avec moi ou si vous auriez lu des centaines de livres, si vous n'aviez pas été esclave. La condition d'esclave n'a-t-elle pas été salutaire pour vous ? N'êtes-vous pas chrétienne ?

— Pas vraiment, répondis-je, contente de changer de sujet. Je vais à l'église pour être avec les miens, mais je ne peux pas dire que je suis chrétienne. »

Anna Maria se replia dans un silence embarrassé. Je m'attendais à ce qu'elle porte aux nues l'influence civilisatrice de l'anglicanisme, mais elle se pencha en avant, me toucha la main et dit : « Je ne crois pas qu'il y ait un seul homme de la compagnie ici, ni un seul officier de l'île de Bence, qui n'ait pas sa maîtresse africaine. Ou deux. Ou plus.

— Je l'avais remarqué », dis-je.

Appuyée contre mon épaule, elle précisa, dans une voix à peine audible : « Évidemment, pour les femmes de la compagnie, cela n'a jamais fonctionné de cette façon. Vous n'avez pas idée comme les choses sont compliquées.

— Quand il s'agit de comprendre les autres, dis-je, nous ne nous fatiguons pas trop les méninges. »

Anna Maria poussa un soupir et me toucha le bras. Il me semblait que j'allais souvent être en désaccord avec elle, mais j'aimais sa façon de parler si ouvertement et de chercher à connaître mon opinion.

Avant qu'elle poursuive la conversation, un messager de la compagnie vint l'informer qu'un rameur était prêt à la ramener au *King George*. En sortant, elle jeta un dernier coup d'œil aux couvreurs temnés à l'œuvre chez ma voisine.

G POUR GRANT, O POUR OSWALD

PENDANT UNE AUTRE ANNÉE, je tentai en vain de trouver un Temné disposé à discuter d'un voyage possible à l'intérieur des terres. Je finis par accepter l'offre d'Alexander Falconbridge de m'amener à l'île de Bence. Durant tout ce temps, je rêvais de Bayo, et mes souvenirs étaient plus vifs que lors de ma traversée à bord du vaisseau négrier ou de mon arrivée dans les colonies. J'étais prête à tout donner pour retrouver mon foyer.

Pour entreprendre ce voyage, je revêtis mes plus beaux habits : chapeau jaune orné d'une plume de paon, robe de style anglais plutôt que ma robe africaine, chaussures rouges à boucles d'argent étincelantes. Cet ensemble m'aidait à me sentir aussi loin que possible de la fillette émaciée et nue, emprisonnée et marquée au fer dans l'enclos des esclaves à l'île de Bence, quelque quarante années auparavant.

On m'avait dit que la meilleure période pour partir était tout juste après la saison des pluies, quand les commerçants de l'intérieur des terres commençaient à apporter leurs marchandises au marché. Falconbridge s'entendit avec une équipe de rameurs temnés pour nous emmener à l'île.

Le voyage en canot de dix-huit milles en amont dura toute la matinée. Sur un miroir d'eau, les rameurs nous transportèrent, avec des gestes réguliers et précis, jusqu'à l'endroit que je n'aurais jamais voulu revoir. Nous ne parlions guère. Sous le soleil de plomb, pendant que les rameurs s'activaient à contre-courant, Falconbridge ne prononça qu'une seule phrase : « Parfois, un pacte avec le diable vaut mieux que pas de pacte du tout. »

Quand la forteresse blanche apparut au sommet de la colline, je remarquai la petitesse de l'île – quelques centaines de verges de long, tout au plus – et sa forme ovale. Un homme à favoris, au ventre proéminent, vêtu de blanc de pied en cap, nous accueillit sur le quai. Dans sa main gauche, il tenait deux cannes en bois solides et bien polies, d'environ quatre pieds de long, dont l'extrémité inférieure était plus épaisse. Elles ressemblaient à des bâtons pour frapper des gens, mais l'homme les maniait comme s'il s'agissait de jouets. La même main renfermait une sphère de bois, un peu plus petite que mon poing.

De sa main libre, il serra la main de Falconbridge. Je pris soin de tendre la mienne. J'avais enfilé les gants qu'Anna Maria m'avait prêtés.

« William Armstrong », dit-il.

Malgré sa poignée de main ferme, il n'avait pas l'air de quelqu'un capable de plaquer une tige de métal incandescent sur ma poitrine.

« Armstrong est l'adjoint du commandant de la forteresse, me dit Falconbridge.

— Aminata Diallo », dis-je.

Prononcer mon nom officiel me donna de l'assurance.

« Armstrong, mon vieux, dit Falconbridge, voici donc la femme au sujet de laquelle je t'ai envoyé un message. Brillante. Africaine, Américaine et Néo-Écossaise. Elle traîne dans son sillage tout un cocktail de voyages, pas tous volontaires. Et tu peux me croire, elle est plus instruite que neuf Anglais sur dix. »

J'avais imaginé que Falconbridge verrait ce voyage à l'île de Bence comme une corvée. De le voir aussi à l'aise en compagnie d'Armstrong me rendit perplexe.

Armstrong souriait. « J'aime les femmes un peu énigmatiques. J'ai demandé à mes hommes de nous préparer à manger. Vous avez faim ? C'est un long trajet pour remonter le fleuve, n'est-ce pas ? »

Falconbridge offrit à Armstrong une bouteille de rhum de la Barbade. « Bon garçon, dit Armstrong en lui tapotant le dos. Une partie de golf, quelques minutes seulement, avant de passer à table ?

— Pourquoi pas ? dit Falconbridge.

— Vous venez voir ça ? » me demanda Armstrong.

Je n'avais pas l'impression d'avoir le choix et, pour le moment, je voulais rester proche de Falconbridge.

Nous gravîmes les nombreuses marches qui menaient à la forteresse. Six canons étaient braqués en direction de la mer. Le Union Jack battait au vent. Des sentinelles montaient la garde sur les quais, sur le toit et à la porte, surveillant les étrangers et les bateaux qui se pointaient à l'horizon.

Derrière la forteresse, à tour de rôle, des hommes frappaient de leur bâton une petite balle de bois entre deux trous. Chaque fois que la balle tombait dans un trou, l'un d'eux la repêchait et la frappait en direction de l'autre trou. Les Anglais avaient d'étranges façons de s'amuser. Je repensais à ma traversée sur le navire d'esclaves et au plaisir que prenait le médecin à soigner son perroquet. Heureusement pour moi, Armstrong et Falconbridge se fatiguèrent vite de leur jeu. Ils confièrent leurs bâtons à un petit garçon temné vêtu d'une casquette, d'une chemise et de hauts-de-chausses, et nous pénétrâmes dans la forteresse.

Par ses dimensions et son ornementation, la forteresse de l'île de Bence n'avait rien à envier à la résidence du gouverneur à Halifax. Un escalier de marbre menait à une salle à manger. Au centre, une table de bois de cam teinté de rouge était entourée de splendides fauteuils taillés dans le même matériau, et des portraits du roi George III et de la reine Charlotte s'étalaient sur les murs. Je m'arrêtai un instant devant ce dernier tableau. Je ne comprenais pas pourquoi on disait qu'elle était noire : sa carnation était pâle et ses traits, ceux d'une Blanche. Je me détournai du portrait. Dans toute la pièce, des bougies brûlaient dans d'élégants chandeliers d'argent posés sur des tables. De grandes fenêtres à volets perçaient deux murs opposés. D'un côté, elles étaient ouvertes et donnaient sur le fleuve Sierra Leone. De l'autre, les volets clos m'empêchaient de voir l'arrière de l'édifice.

Armstrong proposa à Falconbridge un peu de xérès. « Boit-elle ? demanda-t-il.

— Demande-le-lui, dit Falconbridge. Elle est capable de dire ce qu'elle veut. »

Armstrong se tourna vers moi : « Prendriez-vous un verre ? »

Pendant que je préparais ma réponse, les deux hommes cognèrent leurs verres. Quelque chose dans ce bruit me rappela le cliquetis des chaînes. J'eus un moment de panique. Ici, à l'île de Bence, ces deux hommes pouvaient faire ce qu'ils voulaient de moi. Avais-je été folle de venir jusqu'ici ? Si, pour une raison ou une autre, ils se retournaient contre moi, en l'espace de quelques jours, ou même quelques heures, je pourrais me retrouver enchaînée sur un vaisseau négrier.

« Vous vous sentez bien ? me demanda Armstrong.

— Oui, merci. Et je prendrais bien un verre, s'il vous plaît. »

Armstrong fit signe à un Temné en livrée de majordome anglais, qui m'apporta un verre de xérès. Prendre le verre par la tige me procura une sorte de soulagement. Je respirai profondément et en bus une petite gorgée.

Au goût, la boisson me semblait un mélange de mélasse et d'urine. Je fis de mon mieux pour ne pas grimacer et tins le verre bien solidement. Je dus fournir un effort prodigieux pour rester calme.

J'étais assise à côté de Falconbridge, face à Armstrong. Des domestiques africains nous apportèrent du pain, du fromage, des fruits, du vin, de l'eau et des assiettes fumantes de manioc, de poisson et de porc. Les mets étaient frais et sentaient bon, mais j'y touchai à peine. J'avais perdu l'appétit. Je voulais régler mes affaires et quitter l'île le plus tôt possible. Or, Armstrong et Falconbridge s'éternisaient avec leurs boissons.

« Voulez-vous jeter un coup d'œil à ceci ? » Armstrong nous montra une pièce de monnaie en argent. C'était un dollar espagnol, qu'on appelait aussi une pièce de huit réaux.

Je la reconnaissais très bien, car j'en avais vu pendant les années où je travaillais pour Solomon Lindo à Charles Town. Cette pièce était toutefois quelque peu différente. Le dos de la pièce montrait la tête du roi Charles III d'Espagne, mais une image miniature du roi George III était imprimée sur son cou.

Je regardai Armstrong et décidai de lui parler pour reprendre un peu d'aplomb. S'il entendait ma voix et voyait mon esprit fonctionner, il lui serait difficile de me considérer comme une esclave potentielle. « Je connais cette pièce de huit réaux, finis-je par dire. Mais que fait donc le roi George sur le cou du roi Charles ?

— L'un de mes hommes l'a apportée de Londres, dit Armstrong. Comme ils manquent de pièces d'argent là-bas, ils utilisent la monnaie espagnole.

— Mais ils lui donnent un petit côté anglais », ajouta Falconbridge.

Armstrong dit qu'il avait entendu une stupide épigramme à ce sujet. Falconbridge demanda de l'entendre et Armstrong récita : *« La Banque, pour écouler sa monnaie, a imprimé la tête d'un fou sur le cou d'un âne. »*

Falconbridge éclata de rire, puis dit : « Penses-tu vraiment que c'est un fou ? Pouvait-il laisser les colonies américaines déclarer leur indépendance et se retirer tout simplement, sans faire la guerre ?

— Il s'est battu trop longtemps, dit Armstrong. Oui, il est fou. As-tu entendu parler de ce qu'il a fait à son fils ?

— Je le sais, je le sais, dit Falconbridge en secouant la tête. Au cours d'une de ses crises de folie, il a essayé d'écraser la tête du prince contre un mur. On dit qu'il avait de l'écume au coin des lèvres, comme un cheval de course.

— Je n'ai rien à ajouter, dit Armstrong. La tête d'un fou sur le cou d'un âne. »

Pendant que les hommes fumaient et discutaient pour savoir si le roi était vraiment pris de démence, je les priai de m'excuser et me levai pour regarder une fois de plus les portraits du roi et de la reine. Je caressai les chandeliers, pris place dans un fauteuil confortable et lus un article sur Mozart dans un journal anglais, puis m'approchai des fenêtres aux volets fermés qui donnaient sur l'arrière de l'édifice. Les hommes étaient toujours occupés à boire, à fumer et à rire. Je touchai les volets, constatai qu'ils n'étaient pas verrouillés et les ouvris avec précaution. En contemplant le ciel bleu, j'entendis des gémissements. Je baissai les yeux. Derrière la forteresse de pierre, à l'intérieur d'un enclos, je vis quarante hommes nus. Ils étaient assis, accroupis ou debout. Ils saignaient et toussaient. Chacun était enchaîné à un autre par la cheville. Pendant un instant, j'oubliai que des années s'étaient écoulées depuis que j'avais quitté Bayo et essayai de voir si je pouvais reconnaître un visage parmi ces hommes. Je secouai la tête pour dissiper cette idée folle, sans toutefois pouvoir détourner les yeux des captifs.

Un Temné vêtu convenablement, un gourdin attaché à la hanche, apporta un chaudron de gruau clair et versa le contenu dans une auge. Certains prisonniers s'avancèrent vers le bassin en clopinant et durent s'agenouiller dans la boue et se pencher pour aspirer bruyamment le brouet. Ces hommes étaient séparés par un mur de pierre d'environ sept pieds de haut d'un groupe d'une dizaine de femmes non enchaînées mais prisonnières elles aussi. Deux hommes étaient étendus, immobiles, dans la boue, et les autres devaient les contourner. De l'autre côté du mur, une femme se trouvait dans la même position. Je me haïssais de ne pouvoir rien faire pour aider ces malheureux à s'échapper de leurs enclos sordides. J'essayais de me dire qu'il m'était impossible de les libérer, mais en vérité, je me sentais complice et coupable par le simple fait de les voir. Sacrifier ma vie pour que cesse le rapt d'êtres humains me paraissait la seule action moralement acceptable. Mais comment exactement pouvais-je sacrifier ma vie et, au bout du compte, qu'est-ce qui cesserait ?

Des doigts me touchèrent l'épaule. Je me retournai et vis Falconbridge. « Ne vous tourmentez pas. Nous savons tous les deux ce qui se passe ici. »

Armstrong arriva par-derrière et ferma doucement les volets. « Je suis désolé. Je ne voulais pas que vous voyiez cela. »

J'étais devenue muette.

« Falconbridge m'a dit que vous étiez amatrice de livres et de cartes, dit Armstrong. Si nous allions dans mon bureau ? » Il me conduisit dans une pièce garnie d'étagères remplies de livres.

« Prendriez-vous du thé ? Dois-je appeler un domestique ? » Avant que je réponde, il agita une clochette.

Un Temné apparut, évitant délibérément de croiser mon regard. Il écouta les ordres d'Armstrong et revint quelques minutes plus tard avec un plateau. Je ne voulais rien boire, ni prendre une bouchée de nourriture, ni rester une minute de plus dans le château, mais j'étais coincée. Je pris le thé en m'efforçant de faire tenir la soucoupe sur mes genoux.

« Falconbridge m'a parlé un peu de vous. J'espère que vous n'y voyez pas d'objection, dit Armstrong.

— Pas du tout.

— Vous sentez-vous mieux à présent ?

— Oui, merci. »

Mais mes mains tremblaient et la tasse claquait contre la soucoupe. « C'est-à-dire, non. Mais ça va aller.

— Est-ce le fait de voir les esclaves ? »

Je le regardai fixement.

« Falconbridge m'a dit que vous aviez été capturée toute petite dans un village éloigné, à l'intérieur des terres.

— C'est exact.

— Difficile à croire, en vérité. Vous étiez là-bas, vous avez traversé l'océan et vous voilà revenue au point de départ... Vous comprendrez que c'est un parcours inhabituel. »

Je le laissai à ses pensées.

« Falconbridge dit que vous voulez retourner dans votre village.

— Oui.

— Puis-je vous parler franchement ? »

Je fis signe que oui.

Armstrong prit une gorgée de thé, puis posa sa tasse à motifs chinois sur la table d'appoint bien polie. « Ça ne vous avancera à rien.

— La question n'est pas de savoir si cela va m'avancer à quelque chose. La question est que je veux retourner chez moi.

— Vous allez être revendue comme esclave.

— Comment le savez-vous ?

— Les hommes sont méchants. »

Je ne pouvais rester assise plus longtemps. Je me levai, m'approchai de la bibliothèque et pris un livre intitulé *Journal of a Slave Trader (John Newton), 1750-1754*. Je le replaçai sur l'étagère et me tournai vers Armstrong. « Je suis née sur ce continent, mais pas ici. Je suis née au nord-est, à une grande distance à pied. J'ai traversé l'océan pour revenir chez moi. Pensez-vous m'arrêter en me disant que c'est dangereux ?

— Comment savez-vous que vous êtes partie d'ici ?

— Un propriétaire d'esclaves me l'a dit, en Caroline du Sud. Et puis, je me rappelle cette forteresse.

— Que vous rappelez-vous, au juste ?

— Pendant les orages nocturnes, après l'éclair, le tonnerre résonnait dans les grottes des montagnes.

— Il y a des orages tout le long de la côte, dit Armstrong.

— Je me souviens de ce château et des enclos où étaient enfermés les esclaves. Je me souviens même de ce jeu ridicule auquel vous vous adonnez avec des bâtons et une balle.

— Vous vous souvenez du golf ? »

Je fis signe que oui.

« Quand vous êtes partie de Bence, où êtes-vous allée ?

— À Charles Town.

— Où exactement êtes-vous arrivée à Charles Town ?

— À l'île Sullivan. Nous y sommes restés une semaine ou deux en quarantaine.

— Vous vous rappelez tous les détails.

— Une femme connaît sa propre vie par cœur.

— Et vous dites que ça s'est passé il y a quarante ans ?

— Je suis arrivée à Charles Town en 1757, et j'avais environ douze ans.

— Et maintenant, vous voulez retourner chez vous ?

— J'ai toujours voulu le faire, dès la première minute où j'ai été capturée.

— Mais pourquoi donc, pour l'amour du ciel ?

— Avant de mourir, ne voulez-vous pas revoir l'Angleterre ?

— Quand je prendrai le bateau, j'arriverai en Angleterre. Mais si vous voyagez à l'intérieur des terres, vous ne trouverez pas votre village. Ou bien vous ne le trouverez pas, ou vous le trouverez en ruines. Des milliers d'esclaves ont été capturés à l'intérieur des terres. Des communautés entières ont été saccagées. Je doute que votre village soit encore intact. Croyez-moi.

— Je ne peux pas vous croire. Il faut que je le voie de mes propres yeux.

— Les marchands d'esclaves sont des hommes cruels.

— Ce sont les seuls qui connaissent l'intérieur du continent. »

Armstrong poussa un soupir, prit une autre gorgée de thé et me dit qu'il espérait que je n'aie pas d'objection à passer la nuit sur place. J'écarquillai les yeux.

« Il n'y a pas de marchands d'esclaves ici aujourd'hui, mais je les attends demain. » Armstrong précisa qu'il veillerait à ce que je sois installée confortablement.

Il jeta un coup d'œil à sa montre attachée à une chaînette et se leva. Il semblait vouloir partir. Mais une question me brûlait les lèvres : « Pourquoi faites-vous ça ?

— Quoi ? »

Je fis un geste en direction des fenêtres, des étagères et des livres.

« Ça. Tout ça. »

Armstrong toussota et se croisa les bras. Il répondit d'une voix plus douce, moins cassante. « C'est tout ce que je connais. J'adore l'Afrique. Je souhaiterais que les choses aillent autrement, mais si nous n'étions pas ici, les Français s'empareraient de cette forteresse en un clin d'œil. Et tout le monde le fait. Les Britanniques. Les Français. Les Hollandais. Les Américains. Même ces foutus Africains sont impliqués dans la traite depuis une éternité.

— Ça ne veut pas dire que c'est une bonne chose.

— Si nous ne prenions pas les esclaves, d'autres Africains les tueraient. Ils les massacreraient. Au moins, nous fournissons un marché et nous les gardons en vie.

— Si vous cessiez de le faire, le marché déclinerait.

— Comme vous n'êtes jamais allée en Angleterre, permettez-moi de vous dire quelque chose. Quatre-vingt-dix-neuf Anglais sur cent prennent leur thé avec du sucre. Notre thé, nos gâteaux, nos tartes et nos bonbons sont des denrées de première nécessité. Le sucre est essentiel, et nous ne voulons pas en manquer.

— Mais vous n'avez pas besoin des esclaves pour produire du sucre.

— Dans les Antilles, seuls les Noirs travaillent dans les champs de canne à sucre. Seuls les Noirs sont capables de résister à ce travail ardu.

— Vous pourriez faire quelque chose avec cette forteresse.

— Faire quoi ? Ce qu'a fait votre cher John Clarkson à Freetown ? »

Je fis signe que oui. Armstrong donna un coup de poing sur la table. « La colonie de Freetown a-t-elle produit un seul article d'exportation ? Où est la canne à sucre ? Où est le café ? Exportez-vous des cargaisons de défenses d'éléphant ou de bois de cam ? Vous ne cultivez même pas de blé ni de riz. Vous n'avez pas de terres en culture. Vous n'êtes même pas autosuffisants. »

Je n'étais pas préparée à cette attaque. Mes pensées tourbillonnaient à la recherche d'une réplique.

« La bienveillance n'est pas rentable, dit Armstrong. Pas un sou de profit. La colonie de Freetown, c'est un jeu d'enfant financé par les poches bien remplies d'abolitionnistes prospères qui ne connaissent rien à l'Afrique. »

Je ne savais quoi lui dire. Il avait raison : la colonie n'avait produit aucun bien exportable. Mais ce problème ne justifiait pas le commerce des esclaves.

« Regardez, dit Armstrong. L'expérience a-t-elle été si terrible pour vous ? Vous voilà devant moi, en parfaite santé, vêtue convenablement, le ventre plein, un toit sur votre tête et des abolitionnistes qui veillent à votre bien-être à Freetown. Sur notre planète, la plupart des gens ne s'en tirent pas à si bon compte. »

Je restai sans voix. Je ne savais par où commencer. Je me sentais épuisée. Soudain, je voulus ce lit qu'on m'avait offert, un endroit pour m'isoler et réfléchir aux arguments d'Armstrong.

« Je vous informe qu'ici, nous nourrissons les esclaves, poursuivit Armstrong. Il n'est pas dans notre intérêt d'affamer les gens qui nous rapportent un profit. Et j'en ai assez d'entendre les abolitionnistes clamer que nous marquons au fer nos captifs. Pendant toutes les années que j'ai vécues ici, je n'ai jamais rien vu de tel. Ce n'est rien d'autre que de la propagande pour rallier les dames de la société à leur cause. »

J'hésitais. Peu importait qu'il fût le commandant en second de la forteresse des esclaves. Peu importait si je ne pouvais quitter l'île de Bence sans sa permission.

« Voulez-vous vous tourner un instant ?

— Je vous demande pardon ?

— Retournez-vous. J'en ai pour un instant. »

Il obéit. Je détachai une agrafe, défis trois boutons et abaissai un pan de ma robe pour montrer la cicatrice que je portais au-dessus de mon sein.

« Vous pouvez vous retourner. »

Il poussa un cri.

« Voilà un souvenir de l'île de Bence », dis-je.

William Armstrong s'approcha de moi et scruta ma chair dénudée. Un murmure s'échappa de ses lèvres : « Savez-vous ce que c'est ?

— C'est la marque qu'on a imprimée sur moi, justement dans votre propre enclos, là derrière, quand j'avais onze ans. »

Le visage d'Armstrong s'empourpra. Il recula d'un pas. « Deux lettres, dit-il tranquillement. Savez-vous ce qu'elles représentent ?

— C'est un *G* et un *O*. Je n'ai jamais su ce qu'elles voulaient dire.

— Grant, Oswald, dit-il sur un ton monocorde et impassible.

— Quoi ?

— La compagnie qui dirige l'île de Bence. *Alexander Grant, Richard Oswald.* Richard Oswald était un Écossais. C'est lui qui dirigeait la compagnie. Ses associés... »

William Armstrong se rassit dans son fauteuil et se passa la main sur le front. Je le laissai pendant un moment et me retournai pour reboutonner ma robe. Puis, je fis trois pas vers lui, en le regardant droit dans les yeux : « Vous n'avez aucune idée des épreuves que j'ai traversées. Chaque moment de veille est un cauchemar pour les captifs que vous détenez en ce moment, de l'autre côté de ces murs de pierre. Vous n'avez aucune idée de ce qu'ils endurent, vous ne savez pas s'ils vont survivre sur les bateaux, vous ne pouvez vous imaginer les milliers d'humiliations et d'horreurs qui les attendent à destination.

— Il vaut mieux ne pas penser à certaines choses.

— Allez dire cela à vos prisonniers. »

Armstrong se leva de son fauteuil et dit qu'il veillerait à ce que je ne manque de rien. Le lendemain, il allait me présenter aux trafiquants d'esclaves.

LE LENDEMAIN MATIN, un brouillard épais flottait sur les eaux. Après avoir pris du café et du pain seule dans ma chambre, je suivis Armstrong à l'extérieur de l'édifice. Nous passâmes devant la cuisine et les chaumières où dormaient les travailleurs africains pour arriver à un bâtiment de deux étages. À l'intérieur, je trouvai trois pièces remplies d'articles importés : coquilles de cauris des îles Maldives, barres de fer de l'Angleterre, savons parfumés des Pays-Bas, rhum. Il y avait aussi des pistolets, des carabines et des munitions. D'énormes rouleaux de tissus de toutes les couleurs s'entassaient ; Armstrong précisa qu'ils avaient été achetés de l'East India Company à Londres. Je remarquai aussi des couteaux, des sabres, des marmites en fer, ainsi que des foulards, des pantalons et des robes.

À mesure que le soleil se levait, des trafiquants d'esclaves africains arrivaient sous le toit à palabres, serraient la main d'Armstrong et inspectaient les échantillons d'articles qu'ils pourraient accepter en échange des esclaves. Je vis des Peuls en robes blanches et bonnets blancs, des hommes temnés vêtus de leurs costumes traditionnels et des commerçants malinkés de l'intérieur des terres. J'entendis du temné, de l'arabe, du peul, du malinké et de l'anglais, et toute une série d'autres langues que je ne connaissais pas.

Armstrong et le Peul en chef, qui s'appelait Alassane, commencèrent à négocier. Alassane s'adressait en temné à un assistant qui traduisait ses paroles en anglais pour Armstrong. Alassane voulait vingt barres de fer, un baril de rhum, un rouleau de tissu, six carabines, deux boîtes de munitions, deux marmites en fer et deux sabres pour chaque homme adulte en bonne santé. Armstrong lui offrit la moitié de tout ce butin. Ils finirent par se mettre d'accord sur un prix – environ à mi-chemin entre les deux positions de départ – et convinrent qu'une femme en bonne santé vaudrait la moitié du prix d'un homme, et un enfant en bonne santé, le quart. Pendant que les hommes se lançaient dans d'interminables discussions sur les valeurs relatives de l'ivoire, du bois de cam, du rhum et des fusils, je cessai d'écouter les détails et me demandai contre quels articles j'avais un jour été échangée. Selon ce que je venais d'entendre, j'aurais valu environ cinq barres de fer, un quart de baril de rhum, une ou deux carabines, et des fractions de quelques autres marchandises. Quand j'avais été capturée sur le sentier à l'extérieur de Bayo, les hommes qui s'étaient emparés de moi avaient assurément estimé ma valeur. Peut-être que, pour eux, je valais quelques lapins et une chèvre. En Caroline du Sud, la première fois que j'avais été vendue comme esclave au rebut, ma valeur ne se chiffrait qu'à une livre ou deux, tout au plus. Je supposais que, dans un certain sens, j'avais eu de la chance d'avoir été vendue, autrement on aurait bien pu me tuer. La dernière fois que j'avais été vendue en Caroline du Sud, Solomon Lindo avait estimé ma valeur à soixante livres. Qui fallait-il blâmer pour toute cette infamie ? Qui avait commencé ? À Bayo, les gens de mon village risquaient-ils encore d'être évalués et capturés ? Gardaient-ils toujours des *wolossos* – des esclaves de deuxième génération – comme ils le faisaient quand j'étais enfant ? Il me semblait que le commerce des êtres humains continuerait aussi longtemps que certaines personnes seraient libres d'en traiter d'autres comme leur propriété.

William Armstrong m'appelait. Un grand nombre de curieux me regardaient. Peut-être avait-il déjà crié mon nom plusieurs fois. Il me dit qu'il était temps de venir parler à Alassane.

J'avais entendu ce dernier converser avec ses assistants en peul, la langue de mon père, mais je ne voulais pas qu'il sache que je parlais cette langue. Je m'adressai donc à lui en temné. Je lui dis que je voulais me rendre loin à l'intérieur des terres, à un village appelé Bayo, à environ trois révolutions de la lune à pied en direction du nord-est, près de Ségou, sur le fleuve Joliba.

Le grand Peul fronça les sourcils et dit : « Je ne négocie pas avec des femmes.

— Un baril de rhum, dis-je, si tu me conduis là-bas.

— Mille barils de rhum.

— Un baril de rhum, répétai-je, sans une seule goutte d'eau dedans.

— Tu négocies comme un homme. Nous nous reverrons, un jour.

— Quand ?

— La prochaine fois que je reviens.

— Ce sera quand ? »

Alassane sourit. « Je reviens quand je reviens. Je suis connu ici. Je suis Alassane, le grand commerçant peul. »

Le grand commerçant peul ne m'inspirait guère confiance. Mais il était mon seul espoir.

TROIS SEMAINES S'ÉCOULÈRENT avant que je réussisse à parler à John Clarkson. Il était parti négocier des concessions de terres avec le roi Jimmy, et à son retour à Freetown, il me rendit visite. Je lui offris une boisson chaude. Il dit qu'il avait toujours aimé venir dans ma maison, depuis le jour où je lui avais servi un thé à la menthe et au gingembre à Birchtown.

« Il n'y a rien comme une visite chez vous, Mina, pour me faire oublier les hommes de la compagnie. »

Nous nous assîmes pour prendre notre thé. « Je retourne en Angleterre dans une quinzaine de jours », dit Clarkson.

Je faillis laisser tomber ma tasse dans la soucoupe. « Les Néo-Écossais seront consternés, dis-je. Vous êtes le seul homme de la compagnie en qui ils ont confiance.

— Il est temps pour moi de rentrer. Je ne veux pas faire attendre plus longtemps ma fiancée. »

Cela, je pouvais le comprendre. Moi aussi, j'aurais traversé des océans pour retrouver mon mari ou je lui aurais demandé de venir me trouver.

« J'ai une proposition à vous faire, dit Clarkson. Venez en Angleterre avec moi. Je peux organiser votre voyage. »

Quand j'étais esclave en Caroline du Sud, j'avais espéré de nombreuses fois voguer vers l'Angleterre, mais seulement comme moyen de me rendre en Afrique.

« Quitter la colonie ? demandai-je.

— Oui.

— Pour combien de temps ?

— Pour toujours. Ou aussi longtemps que vous le souhaiterez.

— Et pourquoi diable voudrais-je quitter l'Afrique, maintenant que je suis revenue chez moi ?

— Nous avons besoin de vous, Mina. Le mouvement abolitionniste a besoin de vous. Nous avons besoin de votre histoire et nous avons besoin de votre voix. »

Il me semblait inconcevable que des gens aient besoin de moi dans un endroit que je n'avais jamais vu. Je lui demandai ce qu'il voulait dire.

« Mon frère Thomas et un groupe d'hommes qui pensent comme lui – des anglicans et des quakers – sont venus récemment tout près de convaincre le Parlement d'interdire cette pratique barbare.

— Falconbridge m'a dit que certains hommes avaient essayé d'abolir l'esclavage.

— Pas l'esclavage. La traite des esclaves. Il y a une grande différence. Par la traite, j'entends l'achat d'esclaves sur la côte de l'Afrique, leur transport par bateau de l'autre côté de l'océan et leur vente aux Américains. Ce n'est pas le mieux que nous puissions faire, mais c'est une première étape. L'esclavage existera toujours, bien sûr, mais plus jamais on n'emportera des hommes, des femmes et des enfants sur des vaisseaux négriers. »

— Comment pourrais-je aider votre cause en Angleterre ?

— J'ai dit que les abolitionnistes étaient venus tout près, Mina, mais ils n'ont pas réussi. Il leur manquait toujours quelque chose. Or, vous avez survécu à l'esclavage et vous pouvez raconter aux Britanniques les épreuves que vous avez traversées. Votre voix pourrait émouvoir des milliers de personnes. Et quand viendrait le temps pour le Parlement de délibérer sur la question, votre voix pourrait faire pencher le vote. »

J'étais touchée de voir que Clarkson avait pensé à moi, mais il était difficile d'imaginer que je puisse influencer l'opinion publique en Angleterre. Je pouvais compter sur les doigts d'une main le nombre de Blancs que j'avais influencés jusqu'à maintenant dans ma vie.

« Lieutenant Clarkson.

— Vous pouvez m'appeler John. »

Aucun homme blanc ne m'avait invitée à m'adresser à lui de cette façon. Et d'après mon expérience, les hommes blancs utilisaient des titres tels que « Monsieur » ou « Capitaine » même en s'adressant les uns aux autres. « Monsieur Clarkson. » Il sourit :

« John. Vous devez comprendre que j'ai mes propres projets. Dernièrement, je suis allée à l'île de Bence avec M. Falconbridge.

— Vous avez fait cela ? Pour quelle raison, juste ciel ?

— Pour trouver un Africain qui m'emmènerait à l'intérieur du continent.

— Un trafiquant ? Un trafiquant d'esclaves ? demanda Clarkson en se levant d'un bond. Vous n'êtes pas sérieuse ! »

John Clarkson haussa la voix. « Ce sont des hommes à la solde des trafiquants d'esclaves qui ont tué Thomas

Peters. Et ce sont des voyous du même acabit qui vous ont enlevée à votre famille. Vous êtes folle d'envisager un tel voyage et vous devez vous rappeler à qui vous avez affaire.

— C'est exactement ce qu'Armstrong m'a dit.

— William Armstrong est la crème des marchands d'esclaves. S'il a dit que c'était dangereux, je le croirais si j'étais vous.

— Je ne gouverne pas ma vie selon le danger. Autrement, je ne me serais pas enfuie de l'homme qui me possédait à New York. Je ne me serais pas rendue au mois de décembre en Nouvelle-Écosse, un endroit où je n'avais ni amis, ni terre, ni toit, ni travail. Et je n'aurais jamais fait partie de votre mission à Freetown. »

Clarkson se rassit, souriant et secouant la tête.

« Le danger vous a-t-il empêché de vous engager dans la marine britannique ? lui demandai-je. Le danger vous empêcherait-il de faire tout en votre pouvoir pour retourner vers les personnes que vous aimez ? »

Clarkson se frotta les paumes et me regarda droit dans les yeux.

« Eh bien, Mina, vous connaissez vos intérêts. Vous vous connaissez mieux que quiconque. Vous m'avez aidé énormément. C'est pourquoi si je peux vous être utile, j'aimerais faire quelque chose pour vous. »

Je lui dis que j'avais offert au trafiquant d'esclaves un baril de rhum, mais qu'il allait sans doute exiger davantage. Clarkson déclara qu'il utiliserait quelque argent discrétionnaire pour acheter, pour moi et pour moi seule, trois barils de rhum. Ce serait son cadeau. Je l'avais servi longtemps et bien, dit-il, et si ce rhum me permettait de réaliser ce périple jusqu'à mon village, il était d'accord.

« Assurez-vous de tenir à votre offre d'un baril aussi longtemps que possible. Parce qu'il finira par augmenter la mise. Les Africains sont des commerçants chevronnés.

— Lieutenant Clarkson, vous oubliez que vous parlez à une Africaine. »

Il sourit et me serra la main. « Je vous souhaite toute la chance possible. Si jamais vous revenez de votre mission, peut-être penserez-vous à venir en Angleterre.

— Si je rentre chez moi, j'espère y rester. »

S'IL PLAÎT À DIEU

Au mois de septembre de l'année 1800, un mois environ après que les tornades et les ouragans de la saison des pluies eurent cessé, je me préparai au long voyage à l'intérieur des terres. Je m'étais munie d'une solide gourde en panse de bouc, assez grande pour contenir deux pintes d'eau, insérée dans un sac en cuir d'antilope, juste un peu plus grand, que je portais en bandoulière. Ainsi, chaque fois que je trouverais de l'eau fraîche, je pourrais remplir ma gourde. Dans un autre sac en cuir, j'avais apporté une natte, une paire de sandales de cuir confortables, des vêtements de rechange et dix foulards de soie aux couleurs vives importés d'Inde, que j'avais achetés au magasin de la compagnie. Je m'attendais à devoir me départir de l'un ou l'autre de temps en temps, pour obtenir une faveur. Je m'étais procuré une pochette d'écorce de quinquina prête à infuser au cas où j'attraperais la fièvre, ainsi que des feuilles de la plante que les Temnés appellent *tooma* qui, une fois pilées, bouillies et mélangées à du jus de lime, sont utilisées pour traiter la gonorrhée. Cette mixture pourrait augmenter ma valeur aux yeux de tout homme malade qui viendrait à voyager avec moi pendant un certain temps. Je n'étais pas sûre que des pièces de monnaie puissent valoir quelque chose à l'intérieur de l'Afrique, mais j'apportais tout de même cinq guinées d'or, me disant que si jamais il fallait payer et que la guinée était acceptée, au moins ce n'était pas lourd à porter. Je dispersai ces guinées parmi mes vêtements, pour éviter qu'on entende les pièces s'entrechoquer pendant la marche.

J'avais espéré partir pour l'intérieur du continent quelques mois après ma première visite à l'île de Bence, mais mon attente dura six longues années. Au cours de cette période, la colonie fut bombardée une fois par des navires de guerre français et elle avait accueilli une autre vague de Noirs – des centaines de marrons de la Jamaïque en provenance de Halifax –, juste à temps pour les utiliser afin de mater la rébellion armée des Néo-Écossais mécontents, toujours dépourvus de terres et peu consultés dans les affaires de la colonie. Malgré tout, Freetown subsistait et attirait un nombre croissant d'Africains – Temnés ou autres – qui s'étaient établis en périphérie, avaient obtenu du travail en ville et fini par s'installer en son centre. Les Néo-Écossais ne furent jamais capturés pour être revendus comme esclaves et, au fil des ans, quelques captifs qui avaient réussi à s'évader des caravanes ou des canots trouvèrent refuge parmi nous.

Alassane, le marchand peul, ne se pointait à l'île de Bence qu'une fois par an ou tous les deux ans, et je dus négocier avec lui pendant des années avant qu'il n'accepte – moyennant trois barils de rhum – de m'emmener à Ségou, ville sur le fleuve Joliba située à seulement quelques jours de marche de Bayo.

Le gouverneur de la compagnie mit à ma disposition une petite chaloupe dans laquelle prit place un groupe d'amis. Au cours de la traversée de la baie et du trajet en amont vers l'île, Debra, sa fille Caroline, Papa Moïse ainsi qu'Anna Maria et Alexander Falconbridge m'accompagnèrent pour me dire au revoir.

« Si je vous offrais un journal britannique et un nouveau livre chaque semaine, me demanda Anna Maria pendant le trajet en chaloupe, réussirais-je à vous persuader d'abandonner votre projet ?

— Non, lui dis-je en souriant.

— Quoi que vous trouviez, vous ne devez pas vous attendre à découvrir une civilisation du niveau de celle de l'Angleterre.

— Si c'était l'Angleterre que je cherchais, je serais partie avec John Clarkson. Je cherche les miens. Je cherche mon foyer. »

Debra m'embrassa, tout comme Caroline, qui avait alors sept ans et me rappelait tous les jours les enfants que j'avais perdus. Je me demandais si May était toujours en vie, et j'essayais d'imaginer son sourire. J'aurais renoncé à ce voyage, j'aurais même donné ma vie pour la prendre dans mes bras, pour voir son visage. Mais c'était impossible, et tout ce qui me restait maintenant, c'était un village à retrouver.

Papa Moïse me serra dans ses bras avant que je ne quitte la chaloupe. « Mes jours sont comptés dans ce monde, Mina. Je te souhaite un beau retour parmi les tiens. Bientôt, ce sera mon tour de rentrer chez moi. Mais je crois que mon voyage sera moins mouvementé que le tien.

— Ne m'oubliez pas dans vos prières », dis-je.

Comme j'allais mettre pied à terre, Caroline, représentante de tous mes amis, m'offrit un chapeau de paille écrue orné d'une plume de paon bleue qui s'élevait tout droit vers le ciel. Nous avons éclaté de rire, car tout le monde connaissait mon faible pour les chapeaux et les foulards. « C'est pour que ta dignité reste intacte pendant ce voyage », dit Debra.

Caroline me demanda de me pencher pour qu'elle puisse me murmurer quelque chose à l'oreille. « À l'intérieur du chapeau, vers l'arrière, maman et moi avons cousu cinq guinées d'or. Au cas où tu en aies besoin. »

Je débarquai et saluai mes amis jusqu'à ce que je les perde de vue. J'étais certaine de ne plus jamais les revoir, et je consacrai un moment à me remémorer tous ceux que j'avais laissés derrière moi pendant mes migrations, forcées ou choisies. Puis, j'entrepris de monter la pente de l'île des esclaves d'où on m'avait expédiée en bateau quarante-trois ans auparavant.

Alassane arriva avec dix canots et cinquante esclaves. Il fit descendre les captifs, négocia avec Armstrong et prit le thé avec lui. Puis, il lui serra la main et se leva. « Nous partons, me dit-il en temné.

— Et je retourne chez moi, s'il plaît à Dieu, dis-je.

— *Alhamdidilay*, dit-il. S'il plaît à Dieu.

Mon cœur se serra, et je souhaitai avoir vingt ans de moins.

Alassane me fit signe de prendre place dans le canot de tête. Les rameurs nous emmenèrent en amont, et nous passâmes devant deux entrepôts d'esclaves, avant-postes de l'île de Bence. Au total, quatre-vingts rameurs manœuvraient les dix canots, dirigés chacun par un barreur. Le groupe comptait également un tambourinaire, ainsi qu'un guide, conseiller d'Alassane. Avant la nuit tombée, on vida les canots de leurs cargaisons de rhum, de fusils, de munitions, de barres de fer, d'étoffes de coton et de soie indienne. Avec le rhum que j'avais apporté, les hommes d'Alassane payèrent notre passage à un chef local qui nous accueillit sur le rivage. Alassane et lui négocièrent au sujet du rhum et parurent satisfaits de leur entente. Le rhum qu'Alassane avait obtenu de l'île de Bence venait en contenants plus petits : c'étaient des tonneaux à fond plat qu'on pouvait transporter en équilibre sur la tête. Vingt rameurs se transformèrent en porteurs de rhum, après s'être coiffés chacun d'une épaisse natte tressée propre à recevoir le tonneau. Les fusils, munitions, étoffes de soie et autres articles avaient été ficelés ensemble ou enveloppés dans de larges feuilles pour être transportés sur la tête de vingt autres rameurs.

Alassane était un homme grand et mince, à l'air sérieux. Son âge, tout comme le mien je suppose, était difficile à deviner. S'il avait été jeune, de l'âge d'un petit-fils que j'aurais pu avoir, disons environ vingt ans, j'aurais mis en doute son honnêteté. Mais il était plus vieux, peut-être dans la quarantaine. J'espérais qu'il ait suffisamment d'expérience de la vie pour honorer ses promesses.

Alassane portait une chemise ample qui descendait plus bas que la taille, un bonnet de tissu mince bien ajusté et des culottes bouffantes en soie indienne blanche. Il chaussait des sandales quand il se préparait à négocier avec des gens ou à rencontrer des dignitaires, mais autrement, il marchait pieds nus. La peau de ses pieds, qui avait pris une couleur orangée, était poussiéreuse, crevassée par endroits et aussi coriace que du cuir.

Il mena la caravane vers le nord-est à travers des collines boisées. Il avait placé en tête de piste une équipe d'éclaireurs et de chasseurs pour mettre en échec serpents, léopards et autres fauves. Alassane s'entourait de cinq hommes – trois devant, deux derrière –, eux aussi armés. Outre un couteau dans un fourreau accroché à la taille et un sac de cuir renfermant un Coran à l'épaule, Alassane ne transportait rien d'autre. Il m'indiqua de marcher derrière les deux hommes armés qui le suivaient. J'étais donc la dernière personne dans le groupe de tête de voyageurs, devant les quatre-vingts porteurs. Ces derniers étaient également armés de couteaux et de sabres, et certains, de fusils.

Le premier jour, Alassane ne m'offrit aucune occasion de lui parler. Il s'adressait de temps en temps aux hommes qui marchaient près de lui et, à un moment donné, je l'entendis parler de moi, en peul, à l'un d'entre eux.

« Elle veut retourner dans son village, dit-il à son assistant. Elle dit qu'il est situé près de Ségou. » Une partie de la conversation m'échappa, mais je compris le reste.

« Stupide ? dit Alassane. Non. Elle est intelligente. Elle compte, raisonne et discute comme un homme. Fais attention. Elle parle temné, anglais et bambara. »

Je n'avais pas dit à Alassane que je parlais peul, et je n'en avais pas l'intention.

Deux heures avant la tombée de la nuit, le convoi s'écarta du sentier battu par lequel nous gravissions cette région montagneuse, et on dressa un camp circulaire. Un groupe de six hommes – trois munis de fouets et de gaules, trois armés de coutelas – battirent l'herbe pour faire fuir les serpents. Ils poussèrent un hurlement de plaisir quand un long serpent sortit des buissons, se lovant et sifflant pendant quelques secondes avant qu'un homme ne lui tranche la tête de son coutelas. Huit hommes fouillèrent les alentours pour trouver du bois, revinrent avec des brassées et, quelques minutes plus tard, des feux pétillaient.

À la sortie de la forêt, des villageois apportèrent une chèvre à Alassane. Ce dernier l'inspecta avant qu'on la couche par terre pour ensuite lui sectionner la jugulaire, la saigner à mort, l'écorcher et la dépecer. Jamais je n'avais vu des hommes préparer aussi vite des animaux pour la consommation : les hommes d'Alassane étaient des bouchers et des cuisiniers chevronnés. Les villageois offrirent aussi des mangues, des oranges, de la farine de millet, des oignons, de la maniguette et des marmites en fer. Celles-ci furent suspendues d'une façon fort ingénieuse à des grilles de fer en forme de tables aux pattes solides installées au-dessus du feu. Le ragoût mijota pendant une heure dans chacune des marmites. Je vis l'un des assistants d'Alassane surveiller le versement d'environ le tiers d'un tonneau de rhum dans une grande calebasse présentée par le chef du village. Je supposai qu'il payait ainsi la nourriture et le droit de passage.

Avant le repas, environ la moitié des hommes, dont Alassane et son groupe de meneurs, s'agenouillèrent sur le sol pour prier, tournés vers l'est. De nombreux porteurs ne priaient pas, mais restaient silencieux pendant les dévotions. La dernière fois que j'avais vu des Peuls prier en groupe, c'était dans mon village de Bayo, et cela me rendait malade de penser que des hommes qui partageaient la religion de mon père s'enrichissaient par le commerce des esclaves. Je me demandai comment quelqu'un qui se considérait comme un bon musulman pouvait traiter d'autres êtres humains de cette façon, puis je me dis que cette même question pouvait aussi concerner les chrétiens ou les juifs.

N'ayant rien de mieux à faire pendant qu'Alassane et ses hommes priaient, je grimpai dans un arbre, m'assis sur une branche, ouvris le seul livre que j'avais apporté – le récit d'Olaudah Equiano sur sa vie – et lus pendant quelque temps. Peu avant le repas, Alassane s'approcha de l'arbre, et j'en descendis pour venir à sa rencontre. « Va là-bas », dit-il.

Ses hommes avaient érigé une petite tente de toile en forme de pyramide. Ils avaient étendu une natte à l'intérieur et une autre derrière pour que j'y prenne mon repas. « Tu mangeras ici et dormiras là. Chaque soir, c'est ça que tu feras. »

Je n'aimais guère la façon dont Alassane dictait ses ordres. Je me demandais si les hommes allaient me parler sur ce ton à Bayo et si tout le temps que j'avais vécu en femme autonome n'allait pas me rendre inapte à la vie de villageoise.

Je mangeai seule ce soir-là, ainsi que les dix soirs suivants, une fois le camp dressé. Les hommes se réunissaient par groupes de dix autour de leurs marmites, et on m'apportait une généreuse portion de nourriture. C'était mon seul repas de la journée. Je recevais toutefois ma part quand des enfants et des femmes des villages nous apportaient sur leur tête des plateaux d'oranges et d'ananas. Nous traversions une forêt dense, et j'étais contente de me trouver derrière les dix premiers hommes du convoi, car tous les serpents et les rongeurs avaient déjà été écartés de la piste. Nous gravissions un sentier en direction des montagnes, et même si nous croisions de nombreux groupes sur notre chemin, Alassane et ses hommes s'arrêtaient rarement pour leur parler.

La première fois que nous rencontrâmes une caravane d'esclaves, je comptai quarante-huit captifs. Les hommes étaient attachés par le cou, et des fers entravaient leurs pieds. Les femmes et les enfants marchaient librement, mais portaient de la nourriture et des morceaux de sel sur leur tête. Les hommes transportaient de l'ivoire, du bois de cam, des sculptures en ébène, des outres d'eau. Rares étaient les captifs qui ne traînaient pas une lourde charge sur les bras ou la tête. Certains prisonniers cheminaient les yeux baissés et sans expression ; d'autres regardaient sans cesse d'un côté ou de l'autre, dans l'espoir de trouver quelque moyen de s'échapper. Je ne pouvais détacher les yeux de ces malheureux, ni m'empêcher de penser aux femmes, maris, enfants et parents qu'ils avaient perdus, pour toujours, dans ce périple vers la mer. Ils étaient terrifiés, et je savais que cette tension intérieure pouvait exploser en épisodes d'hystérie, de mutisme et, dans certains cas, de démence, quand on les entasserait sur les vaisseaux négriers comme des poissons dans une barrique, qu'on leur ferait traverser les mers et qu'on les vendrait aux enchères s'ils avaient survécu. Quand j'étais enfant, je croyais qu'aucun adulte honnête ne laisserait passer une caravane d'esclaves sans réagir. Or, voilà que j'étais silencieuse et incapable d'agir. Je n'avais aucune parole de réconfort à offrir aux hommes, femmes et enfants que je croisais pendant leur trajet en direction de la côte, et nos épaules se frôlaient sur les sentiers étroits sans que je puisse faire quoi que ce soit.

Je n'osais dire un mot en peul aux ravisseurs ou aux captifs. Je ne voulais pas qu'Alassane sache que je comprenais cette langue. Ce dernier maintenait un pas déterminé et rapide. Mes jambes me faisaient mal et j'avais quelques coupures aux pieds, mais au cours des dix premiers jours, je tins le coup assez bien, même quand nous gravissions des collines.

Pendant ces longues journées de marche, j'avais le temps de laisser mon esprit vagabonder, et je me pris à me demander ce que je ferais une fois rentrée dans mon village. J'avais passé plus de quarante ans à penser à Bayo, mais pas à ce que je ferais une fois arrivée là-bas. Je me demandais aussi qui m'accueillerait et si quelqu'un se souviendrait de mon nom ou de mes parents. Peut-être les gens de Bayo me rendraient-ils hommage pour être revenue parmi eux leur parler de ma vie chez les toubabs. Je serais assurément la première personne à rentrer au bercail avec une telle histoire. Je me rendis compte que je n'étais plus préoccupée par les choses que je voulais faire, mais plutôt par l'endroit où je voulais être. Au fond, tout ce que je désirais, c'était de retourner au lieu qui m'avait vue naître.

À l'occasion, pendant la journée, nous nous arrêtions pour que les porteurs puissent se reposer et boire de l'eau, et que les musulmans puissent prier. Un jour, après la pause et les prières, Alassane me fit signe de marcher près de lui pendant que nous continuions notre trajet en direction nord-est. « Tu pries Allah ? demanda-t-il.

— Non », répondis-je.

Je ne voulais pas qu'il sache que j'avais été musulmane, parce que je craignais qu'il ne me juge, et peut-être me punisse, pour avoir renié ma foi. Dans mon for intérieur, je n'avais pas l'impression d'avoir véritablement renoncé aux croyances de mon père. J'avais simplement pris l'habitude de les garder tranquillement enfouies au fond de mon âme.

« Tu ne pries pas du tout ? demanda-t-il.

— J'ai mes propres prières.

— Tu pries qui ? »

Je voulais réaffirmer ma relation aux Anglais de l'île de Bence. « Je prie le Dieu que j'ai découvert parmi les toubabs.

— Tu as marché avec les hommes depuis douze jours. Tu n'es pas fatiguée ?

— Parfois, je sens mes jambes lourdes. Mais je veux rentrer chez moi.

— Chez toi. À Ségou, près du fleuve.

— À Bayo, précisai-je, près de Ségou, au bord du fleuve.

— Bayo, c'est un gros village ?

— Il y avait vingt familles quand j'y vivais.

— Et tu dis que c'était chez toi, l'endroit où tu as déjà vécu ?

— Oui.

— Alors comment se fait-il que tu ne saches pas où c'est ? »

Je ne voulais pas lui dire que j'avais été capturée. Je ne répondis pas.

« Ce n'est pas bien pour une vieille femme de marcher si loin. Où est ton mari ? Où sont tes enfants ? Où sont tes petits-enfants ? »

Pour lui, il était bien sûr inconcevable que je n'aie pas de famille. « Ils m'attendent à Bayo. »

Il se mit à rire, ce qui m'inquiéta. De toute évidence, il ne me croyait pas. « Retourne à ta place. »

Je repris ma position derrière les hommes de son arrière-garde, devant les porteurs. J'aurais souhaité qu'il y ait une autre femme dans le convoi, tout comme j'avais souhaité jadis qu'il y ait des enfants pendant ma longue marche vers le littoral.

Après quinze jours de voyage en direction du nord, je commençai à me sentir courbatue et à frissonner. Comme je luttais pour tenir le coup, je pensai apercevoir mon père à l'avant de la piste, les bras grands ouverts pour m'accueillir. Je crus voir Fomba dépecer des lapins et des chèvres pour tous les villageois de Bayo. Je savais qu'ils n'étaient pas là, mais ces visions persistaient.

Le seizième jour, je pouvais à peine mettre un pied devant l'autre. Nous avions escaladé une montagne et étions redescendus sur l'autre versant. Nous traversions désormais des forêts moins denses, avec plus d'herbe et plus d'éclaircies. L'endroit ressemblait au pays d'où je venais, mais je me rappelais qu'étant enfant, j'avais marché sans fin à travers ces terres avant d'atteindre les montagnes. Deux heures après le départ du matin, je m'effondrai. J'entendis des cris. Des gens se rassemblèrent autour de moi. Quelqu'un me porta sous un arbre et tenta de me faire boire de l'eau. Je faillis m'étouffer. Puis, on m'installa sous une tente. Pendant que j'étais étendue, je pus reconnaître la voix furieuse d'Alassane dans le feu d'une discussion passionnée. Je donnai à un homme de l'écorce de quinquina pour qu'il l'infuse.

Le lendemain, j'étais de nouveau sur pied, mais c'était comme si la moitié de mes forces avaient quitté mes jambes. Je me réjouissais de n'avoir à porter aucune charge sur la tête. Alassane me surveillait pour déceler des signes de faiblesse, mais mes jambes reprirent leur capacité à mesure que mon estomac et mes intestins se calmaient. Je me souvenais de la confusion que créaient les personnes âgées incapables de suivre la caravane dans laquelle j'avais marché, enfant. À l'époque, je me disais qu'ils s'éviteraient un tas de problèmes en allongeant simplement le pas. Mais, marchant maintenant avec une fraction de ma vigueur d'autrefois, je me rappelai avec admiration tous les gens vulnérables – femmes enceintes, femmes et hommes âgés – qui avaient survécu au trajet interminable vers la mer. La plupart des gens que j'avais connus dans les colonies – toutes les personnes, sans exception, qui n'avaient pas été capturées en Afrique – s'imaginaient que les captifs avaient été transportés jusqu'à la côte. Une fois de plus me revinrent à l'esprit les hommes qui avaient dessiné des éléphants et des lions sur les cartes de l'Afrique. Ils n'avaient aucune idée de qui nous étions, ni de notre façon de vivre, ni surtout de la force qu'il nous avait fallu déployer pour nous rendre jusqu'aux colonies.

Au vingt et unième jour du voyage, je demandai à Alassane si nous étions encore loin de Ségou. « C'est très loin », furent les seuls mots qu'il prononça.

Après dix autres jours de marche, je me réveillai en pleine nuit au bruit des hommes qui discutaient et se chamaillaient. Alassane et ses conseillers étaient assis autour d'un feu près de ma tente. Je restai parfaitement immobile.

« Elle dort, dit un homme en temné.

— Parle en peul, c'est plus prudent, dit Alassane.

— Elle a été aussi stupide qu'une mule pour entreprendre ce voyage avec nous et elle nous ralentit, se plaignit un homme.

— Elle n'est pas stupide, mais c'est une femme. Taistoi maintenant. » C'était la voix d'Alassane.

Puis, je l'entendis préciser que, dans deux jours, nous serions à Kassam, un village où l'on vendait des esclaves. Une route au sud de ce village menait à la côte, à l'est de l'île de Bence. « Quand nous arriverons là-bas, poursuivit Alassane, je vais vendre la femme.

— Tu vas la vendre combien ?

— Ça n'a pas d'importance. On verra. Cinq rouleaux d'étoffe, peut-être. Elle est vieille, mais elle parle plusieurs langues. Les toubabs de Bence disent qu'elle est très habile pour pratiquer des accouchements. Il faut la vendre maintenant, pendant qu'elle est en bonne santé. Bientôt, il fera chaud, elle tombera malade et personne ne voudra l'acheter. »

Pendant quelques instants, je n'en crus pas mes oreilles. Alassane allait sûrement honorer les promesses qu'il m'avait faites. Il n'allait sûrement pas oublier d'avoir accepté mes trois barils de rhum.

Les hommes éclatèrent de rire, et j'entendis Alassane les imiter. C'était quasi inconcevable. Un frisson d'angoisse m'envahit. Je ne pourrais pas continuer de vivre si, après toutes ces années où j'avais aspiré à être libre et à retourner chez moi, je me retrouvais avec un joug autour du cou et des fers aux chevilles, comme à l'époque où j'avais été capturée, encore enfant.

Je mis la main sur ma bouche pour me calmer avec la chaleur de ma respiration, mais aussi pour étouffer un cri qui aurait pu s'échapper de mes lèvres.

Les voleurs d'hommes envisageaient donc de me vendre. À ce moment précis, je sus que je ne reverrais jamais mon village et je commençai à planifier mon évasion.

Toute la journée du lendemain, pendant que nous marchions toujours en direction du nord-est, je suçai un morceau de sel et bus aussi fréquemment que je le pouvais. J'essayais de graver dans ma mémoire chaque ensemble d'habitations qui se trouvait sur notre chemin, chaque village que je voyais au loin. J'examinais et écoutais du mieux que je le pouvais chaque groupe de personnes que nous rencontrions sur le sentier, et nous en croisions constamment : villageois, chasseurs, marchands d'esclaves avec leurs caravanes. Je vérifiais si je pouvais comprendre leur langue ou déterminer s'ils étaient amicaux ou s'ils vivaient dans la région.

Des tremblements parcoururent mes os de nouveau. La fièvre reprenait. Pendant une pause pour boire, je me glissai dans les bois et sentis la moitié de mon corps se liquéfier quand je m'accroupis et vidai mes intestins. Je me concentrai malgré tout sur ce que j'avais à faire, m'efforçai de ne montrer aucun signe de malaise et priai, priai encore pour que la fin de l'après-midi arrive. Comme toujours, deux heures avant le coucher du soleil, le convoi d'Alassane s'arrêta pour dresser le camp, et je mangeai, car je ne savais pas quand j'allais revoir de la nourriture. Les aliments que je ne pus avaler, je les enterrai dans un trou que je creusai derrière ma tente, pour que personne ne puisse rapporter à Alassane que je n'avais pas terminé mon repas.

Dès la nuit tombée, pendant que les hommes dormaient, je ramassai mes effets personnels – l'outre d'eau, que j'avais remplie avant le crépuscule, l'écorce séchée contre la fièvre, mon sac de cuir rempli de foulards et de pièces de monnaie – et me glissai directement dans les bois derrière ma tente.

Je marchai sur une distance de quelques milles vers le sud-ouest, en prenant en sens inverse le sentier que nous avions emprunté ce jour-là. Arrivée au ruisseau que j'avais vu dans l'après-midi, j'avançai pieds nus dans l'eau, contournant les pierres, aussi longtemps que je pus le supporter. Je suivais désormais la direction nord-ouest, car les hommes pouvaient essayer de me surprendre en revenant sur leurs pas et en prenant la direction sud-ouest. Ils chercheraient mes traces et fouilleraient la forêt à proximité du sentier. Ils seraient plus habiles pour me dépister que moi pour me cacher. Je ne pourrais pas les battre au jeu qu'ils connaissaient mieux que moi. Je n'avais d'autre choix que de semer mes poursuivants.

Je marchai le plus loin possible pendant la nuit, m'arrêtant fréquemment pour vider mes intestins. Chaque fois, je buvais de l'eau, suçais un morceau de sel, puis continuais. Enfin, à la pointe du jour, j'arrivai à une grotte et pénétrai loin à l'intérieur, sachant que là, à tout instant, je risquais d'affronter une bête plutôt qu'un être humain. Je dormis toute la journée. À mon réveil, le soir tombait, et je repris ma route. Pendant trois nuits, je m'efforçai d'avancer, me cachant durant la journée, jusqu'à ce que la maladie et le manque de nourriture épuisent mes forces. Je m'étais aussi coupé le pied sur une branche pointue, et une rougeur auréolait la blessure, même si je la baignais aussi souvent que possible dans l'eau des rivières.

À la fin d'un après-midi, j'aperçus un berger qui gardait ses chèvres sur une colline. Sans bouger, il me regarda grimper avec difficulté dans sa direction. À mi-chemin, je glissai et tombai. Je sombrai aussi inéluctablement que le soleil sombre à l'horizon. Impossible de me relever. L'homme s'approcha de moi prudemment, en battant l'herbe devant lui. J'essayai de lui parler en bambara. Il dit quelque chose que je ne pus comprendre. Je tentai de me relever, mais il me fit signe de ne pas bouger et m'apporta une outre d'eau. J'en bus goulûment et vomis. Je lui posai une question en temné. Pas de réponse. J'essayai le peul, et il comprit mes paroles : « Aidez-moi. Cachez-moi. Emmenez-moi à vos femmes, s'il vous plaît. »

Il était jeune et maigre, mais assez robuste pour me porter facilement. Il m'emmena à l'ombre d'un arbre, me confia son outre d'eau et me dit d'attendre. Il revint avec trois hommes, quatre femmes et une civière de branchages et de cordes. L'objet ressemblait à un brancard destiné au transport des guerriers blessés. Ils m'y installèrent pendant que les femmes s'affairaient et me posaient des questions – qui j'étais et d'où je venais –, et m'emmenèrent ainsi sur un trajet qui me parut durer des heures. Chaque fois que nous heurtions un trou, mes os tressaillaient de douleur. La fièvre s'était insinuée dans tout mon corps : mon cou, mon dos, mes genoux et mes chevilles. Nous arrivâmes à un village aux maisons de terre séchée couvertes de chaume. À mon grand soulagement, il était petit ; aucun trafiquant d'esclaves ne passerait par là. On me transporta à l'intérieur d'une maison. Je dormis et bus de l'eau pendant des jours avant d'être capable de me lever.

Comme je reprenais conscience, je remarquai une petite silhouette qui entrait dans ma chambre et en sortait. Je clignai des yeux. Une mule me dévisageait. Puis, une voix aiguë d'enfant la réprimanda, et une fillette munie d'une baguette de bois entra et frappa l'animal, qui sortit de la pièce. La fillette m'apporta de l'eau. Elle devait avoir environ huit ans.

« Comment t'appelles-tu ? demandai-je en peul.

— Aminata, répondit-elle.

— Je m'appelle aussi Aminata », dis-je en pointant ma poitrine et en répétant mon nom.

Son visage s'illumina, et elle esquissa un sourire radieux. « Aminata », dit-elle, en pointant tour à tour sa poitrine et la mienne et en répétant le prénom.

« Manger, dis-je.

— Plus tard », dit-elle.

Elle m'examina pendant un moment, puis me demanda : « Es-tu une toubab ?

— Est-ce que j'ai l'air d'une toubab ? demandai-je.

— Je n'en ai jamais vu.

— La peau des toubabs est rose et blanche, à peu près de la couleur d'une calebasse pâle.

— Les toubabs mangent les gens comme nous mangeons les chèvres.

— Pas ceux que je connais.

— Tu en as vu ?

— J'ai vécu parmi eux. Dans leur pays.

— Mensonge », dit-elle en ricanant et en sortant de la hutte sur un pas de danse.

Je me rendormis, bus de nouveau, suçai un morceau de sel et avalai une mangue. En léchant le noyau filandreux, ne sachant pas quand j'allais remanger, je découvris quelle mission il me restait à accomplir. J'avais réussi à échapper à Alassane et à ses hommes et, dorénavant, j'allais faire tout mon possible pour que personne d'autre ne tombe entre leurs mains ou aux mains d'autres trafiquants d'esclaves.

La plus grande partie de ma vie s'était écoulée depuis la dernière fois que j'avais vu Bayo, et je n'étais même pas sûre de le reconnaître. Le village serait-il toujours entouré d'une muraille de terre séchée ? Le chef aurait-il toujours quatre petites maisons rondes, une pour chacune de ses épouses ? Entendrais-je piler le millet et les noix de cola en entrant dans le village ? Peut-être n'y aurait-il plus de village du tout, ou peut-être aurait-il survécu et serait-il devenu dix fois plus gros qu'à mon départ. Si Bayo existait toujours, je n'étais même pas certaine que quelqu'un me reconnaîtrait.

Dès le jour de ma capture, les souvenirs de mon premier foyer m'avaient empêchée de nourrir le sentiment d'une nouvelle appartenance, quel que soit le lieu où j'ai vécu. Si j'avais été capable de garder mon mari et de vivre pendant des années avec lui et nos enfants, peut-être aurais-je appris à me sentir chez moi dans un nouvel endroit. Mais ma famille ne s'était jamais installée dans un nid. En fait, nous n'avions jamais construit de nid. Après avoir entendu les paroles d'Alassane, je ne ressentis plus le désir de revoir Bayo, mais seulement la détermination de rester libre. Et voilà qu'en attendant de recouvrer mes forces dans une hutte appartenant à des gens qui m'étaient totalement inconnus, je renonçais à mon grand rêve. Jamais je ne reviendrais dans mon village.

Falconbridge avait qualifié mon marché avec les trafiquants d'esclaves de « pacte avec le diable ». Il avait raison, mais il avait tort de dire qu'un pacte avec le diable vaut mieux que pas de pacte du tout. J'avais remis ma vie entre les mains d'un homme qui vendait des êtres humains de la même façon qu'il vendait des chèvres. Il était prêt à me vendre comme il avait acheté et vendu tant d'autres personnes. Et je l'avais aidé dans ce travail. Je m'étais offerte à lui et je l'avais payé pour ce privilège. Qui sait combien de personnes mes trois barils de rhum pourraient acheter ? Je préférerais avaler un poison plutôt que de vivre vingt années de plus en tant que propriété d'un autre homme, qu'il soit Africain ou toubab. Je pouvais vivre sans Bayo. Mais pour conserver ma liberté, j'étais prête à mourir.

QUELQUES JOURS APRÈS que j'eus recommencé à manger, les villageois m'amenèrent à leur lieu de réunion et me présentèrent au chef d'un autre village.

« Est-il vrai que tu as traversé l'océan dans un bateau de toubabs et que tu as vécu parmi eux ? »

L'homme semblait le porte-parole de l'assemblée.

« Oui, répondis-je.

— Peux-tu le prouver ?

— Comment pourrais-je faire une telle chose ?

— Fais-nous entendre comment tu parles la langue des toubabs. »

Je pris le livre d'Olaudah Equiano et en lus un passage :

> Cette partie de l'Afrique, connue sous le nom de Guinée, où le commerce d'esclaves continue, s'étend le long de la côte sur plus de 3400 milles anglais, du Sénégal en Angola, et compte une variété de royaumes. Le plus

> important de ces royaumes est celui du Bénin. [...] C'est dans l'une des provinces [de ce royaume] que je suis né en 1745. La distance qui sépare cette province [...] de la côte maritime doit être très importante puisque je n'avais jamais entendu parler d'hommes blancs ou d'Européens ni de la mer.

Un murmure se répandit dans la foule. Les gens se rapprochèrent de moi. Le chef leva la main : « Dis-nous maintenant ce que cela veut dire. »

Je leur dis qu'Equiano était un Africain, qu'il avait été capturé et emmené au pays des toubabs, qu'il avait survécu, reconquis sa liberté et écrit un livre sur sa vie.

« Est-il rentré dans son pays pour tuer les gens qui l'avaient capturé et vendu ? demanda un homme.

— Non.

— Quelle sorte d'homme est-ce donc ?

— Un homme qui a connu une vie difficile, traversé l'océan plusieurs fois et voyagé dans plusieurs pays, un homme qui n'avait pas le temps de tuer ses ennemis, parce qu'ils étaient trop loin. Un homme trop occupé à survivre pour rentrer dans son pays et se venger. »

Le chef marmonnait, et je savais que c'était un signe de satisfaction. Derrière lui, les enfants se bousculaient pour essayer de se rapprocher de moi.

On me demanda où étaient mon mari et mes enfants. Puisque de dire à Alassane qu'ils étaient à Bayo ne m'avait pas porté chance, je décidai cette fois-ci de dire la vérité. Je racontai que les toubabs m'avaient enlevé mes enfants et que mon mari avait péri en mer. « Cette mer, elle ressemble à quoi exactement ? demanda le chef.

— À un fleuve interminable.

— Comment s'appelaient ton mari et tes enfants ?

— Chekura, Mamadou et May.

— Et comment s'appelaient tes parents dans ce village que tu appelles Bayo ?

— Mamadou Diallo le joaillier et Sira Coulibali la sage-femme. »

Les gens se mirent à rire et à crier en entendant ces noms. Au début, j'étais interloquée, puis je me rendis compte qu'ils exprimaient leur joie devant ces noms qui leur étaient familiers.

Le chef avait beaucoup d'autres questions à poser. Quand j'avais dit que les toubabs n'étaient pas tous des diables, qu'est-ce que je voulais dire ? Comment pouvait-on voir de la bonté chez certains d'entre eux ?

Je répondis par une question. « Ne connais-tu pas le cœur humain ? »

Après une soirée de conversation, j'étais épuisée. Mais je restai pour parler à un ancien du village, nommé Youssouf. Je lui dis que je voulais me rendre sur la côte.

« Non, tu dois rester ici. Tu ferais une bonne femme pour moi.

— Mais je suis déjà vieille.

— Tu es brave et sage, et tu m'attirerais un grand respect.

— Combien de femmes as-tu ? lui demandai-je.

— Quatre.

— Je ne peux pas être la cinquième. Je peux seulement être la première, et la seule.

— La seule ? Quel homme honnête, fort, a une seule femme ?

— Mon père n'avait qu'une femme. Mon mari aussi. Certains toubabs également.

— Les toubabs, dit-il en crachant, ce sont des animaux. Ils volent nos hommes, nos femmes et nos enfants, les emportent, les mangent ou les font crever à travailler.

— Ils les font crever à travailler, c'est vrai, ils les battent et ne leur donnent pas à manger, mais je ne les ai jamais vus en manger un.

— Reste ici, avec nous. Nous en serions très honorés.

Tous les villageois des environs viendraient ici pour écouter tes histoires. »

Youssouf et les villageois m'avaient sauvé la vie. Sans eux, jamais je n'aurais pu échapper aux trafiquants d'esclaves. Mais comme j'avais un autre endroit où aller et d'autres projets à réaliser, je décidai de leur donner le meilleur de moi-même pendant le temps de ma convalescence. Après, je partirais.

« Je vais rester pendant une lune, si tu veux me nourrir et assurer ma sécurité contre les trafiquants d'esclaves. Je te récompenserai en travaillant pour l'honneur de ton village. Mais je ne peux pas t'épouser, car j'ai un homme qui m'attend et je dois aller le retrouver.

— Un autre homme t'attend ? Pourquoi ne l'as-tu pas dit plus tôt ?

— Je te le dis maintenant. »

Je ne m'étendis pas sur le sujet. Il n'était pas nécessaire d'expliquer que l'homme en question n'était pas un Africain, que c'était un toubab et qu'il n'était pas mon mari, mais un abolitionniste. Je pensai à la phrase que Georgia, ma protectrice et amie, m'avait dite de nombreuses années auparavant, à l'île Santa Helena : « Les hommes n'ont pas besoin de tout savoir, et parfois il vaut mieux qu'ils ne sachent rien du tout. »

« Quel honneur peux-tu m'apporter sans devenir ma femme ? demanda Youssouf.

— Prends soin de moi pour que je puisse retrouver mes forces et, chaque soir, pendant une révolution de la lune, je raconterai des histoires sur tous les endroits où j'ai vécu et sur tout ce que j'ai vu dans le pays des toubabs. Je te raconterai ces histoires à toi et à tous les visiteurs que tu inviteras dans ton village. »

Pendant une révolution de la lune, je relatai donc mes récits chaque soir aux gens venus d'autres villages pour m'entendre, parfois après avoir marché de longues heures. Ils apportaient en cadeau de la nourriture et des noix de cola et repartaient contents avec des sujets sur lesquels réfléchir et discuter.

Je m'adressais à des auditeurs prêts à m'écouter et à me poser des questions jusque tard dans la nuit. On me demanda de parler aux hommes seuls. On me demanda de parler aux femmes et aux enfants. Parfois, j'entretenais les personnes rassemblées pendant que les tambours battaient, que les gens dansaient et que les musiciens jouaient du balafon et de la guitare en chantant.

Je racontai l'histoire de ma jeunesse, le récit de mon voyage à pied jusqu'à l'île de Bence et comment j'avais aidé à des accouchements pendant le trajet. Toujours, pour chaque histoire, on me demandait de donner des noms.

« Comment s'appelait la femme qui a eu son bébé et a continué de marcher avec le bébé arrimé sur le dos jusqu'au bateau ? demanda une femme.

— Elle s'appelait Sanou et était très gentille.

— Et comment s'appelait son enfant ?

— Aminata.

— Mais c'est ton nom à toi.

— C'est bien ça.

— Lui a-t-elle donné ce nom en ton honneur ? »

Je souris, et la femme sourit, et quatre personnes me demandèrent de poursuivre mon récit. Je racontai l'histoire de la traversée, la mutinerie, les conditions à bord des navires et l'arrivée à l'île Sullivan. Je décrivis la culture et la récolte de l'indigo, ainsi que la vente des Noirs comme esclaves aux États-Unis sans égard à leur lieu de naissance. Je leur dis que les toubabs préféraient les pièces d'argent aux poulets et au rhum. Les sujets les plus populaires étaient les descriptions des maisons de Blancs riches et de leurs femmes, la façon dont les femmes se comportaient, accouchaient et faisaient la cuisine. Ils rirent aux larmes quand ils entendirent qu'aucun homme blanc riche ne pouvait se passer d'un cuisinier africain. Et ils se roulèrent par terre quand je parlai du médecin à bord du bateau qui gardait un oiseau comme animal de compagnie, lui donnait de la bonne nourriture et lui enseignait la langue des toubabs. Je parlai des guerres entre hommes blancs aux États-Unis, de notre trahison en Nouvelle-Écosse et, finalement, de notre voyage en Sierra Leone et de mon rêve illusoire de retourner dans mon village.

Je n'avais pas réussi à retourner à Bayo, mais, pendant un mois, dans un petit village d'étrangers, je devins la conteuse – la *djéli* – que j'avais toujours espéré être un jour.

Je finis par recouvrer mon énergie. Je me rendais avec les femmes travailler dans les champs de millet et broyais le grain avec un pilon. Je m'asseyais avec d'autres femmes pendant qu'elles extrayaient l'indigo des plantes et le brassaient dans de grandes cuves, comme je l'avais fait à l'île Santa Helena. Elles teignaient leurs vêtements en tons de bleu et de violet. Quand le temps vint pour moi de partir, on m'offrit quelques morceaux d'étoffe, et je m'habillai comme elles. Je demandai comment retourner à la côte et découvris qu'il n'était pas difficile de trouver un guide. Puis, je fis une dernière découverte.

Il était presque impossible de pénétrer en Afrique, mais il était facile d'en sortir.

GRANDE *DJÉLI* DE L'ACADÉMIE

[Londres, 1802]

Le ciel s'est peu à peu obscurci au fur et à mesure que nous approchions des côtes de l'Angleterre. Des vents violents agitaient les flots et ballottaient les passagers. J'avais perdu l'appétit et n'avais rien mangé depuis des jours. J'éprouvais une singulière absence de courage, peut-être parce que je manquais de détermination pour aller ailleurs. En fait, je me sentais vieille, fatiguée.

J'aurais pu rester à Freetown, même si certains Néo-Écossais avaient pris les armes contre la compagnie pour obtenir des terres et le droit de s'autogouverner. Là-bas, au moins, il faisait chaud, et des amis s'étaient offerts pour prendre soin de moi. Au lieu de tout cela, pour aider les abolitionnistes, j'ai traversé l'océan une dernière fois. Pendant les années que j'avais vécues en Amérique, j'avais souvent voulu me rendre à Londres, que je considérais alors comme une simple étape pour aller en Afrique. L'inverse ne me serait jamais venu à l'esprit. Avec moi, à bord du *Sierra Leone Packet*, voyageait un zoologiste, Hector Smithers, qui apportait des boîtes d'insectes, de reptiles et d'animaux conservés dans du rhum, ainsi que diverses espèces vivantes : un serpent dans une cage, deux rats, une boîte pleine de sable et de termites, une antilope, un sanglier et un bébé léopard.

J'ai pris le lit pendant les dernières semaines du voyage, mais la traversée a été bien pire pour les créatures encagées de Smithers. Au bout du compte, toutes sauf les termites ont rencontré leur Créateur sur l'océan Atlantique. Smithers a mobilisé cinq marins, car il fallait éviscérer en toute hâte les animaux et les immerger dans des barriques de rhum géantes. Pendant que le zoologiste faisait des pieds et des mains pour sauver ce qu'il pouvait en vue d'une exposition à Londres, je me suis prise à espérer que, mon heure venue, on me descende tout doucement en terre. Comme tombe, ni les profondeurs marines ni le rhum ne me conviennent.

J'AVAIS OUBLIÉ qu'il y avait des Blancs pauvres. Les longues années passées en Sierra Leone en sont la cause. Les Blancs de Freetown étaient des hommes de la compagnie et leurs femmes ; ils vivaient dans les meilleures maisons, gagnaient les meilleurs salaires, se procuraient les meilleures provisions. Mais l'Angleterre. Oh, l'Angleterre. J'ai vu un infirme, clopinant à l'aide de deux bâtons grossiers en guise de béquilles, tendant la main pour obtenir quelques sous. À tous les coins de rue, j'ai vu des aveugles mendier et des boiteuses entourées de leurs enfants au nez morveux. Il m'a semblé que la moitié des Anglais avaient au moins une dent pourrie, noircie ou affligée d'un abcès. J'ai vu des gens, mal vêtus pour ce climat, trembler de froid, tousser, éternuer, crachoter, lutter pour éloigner la mort. Des hommes en haillons devaient s'écarter d'un bond – parfois pour aboutir dans un caniveau d'immondices – afin d'éviter les attelages qui fonçaient sur eux. Cris, revendications et contre-accusations fusaient à mes oreilles. L'air était imprégné d'une odeur âcre de bois brûlé, de légumes en décomposition et de restes de viande jonchant le devant des boutiques. Partout, des vendeurs proposaient journaux, tabac, pipes, thé, tabac à priser, vin et pains de sucre dur.

À Gravesend, John Clarkson et son frère Thomas sont venus m'accueillir. Je n'avais pas vu John depuis huit ans. Les deux frères m'ont serré la main chaleureusement, fait monter dans une voiture tirée par un cheval et emmenée à Londres comme par enchantement. Pendant le trajet, on m'a offert du rhum, du pain, un peu de fromage, et nous nous sommes arrêtés dans un café pour prendre une boisson chaude et lire les journaux. La pièce était noyée dans une épaisse fumée de tabac qui me piquait les yeux. Nous avons bu du café sucré avec du miel, car les propriétaires de ce café boycottent le sucre pour soutenir le mouvement abolitionniste. J'ai siroté cette boisson entourée d'hommes qui fumaient, lisaient et buvaient du café et du thé. Ils parlaient d'abondance, mais en toute tranquillité, et me jetaient des coups d'œil par-dessus leurs journaux. Un vieil homme chauve semblait incapable de s'empêcher de m'examiner, à tel point que j'ai fini par me lever pour lui demander si je pouvais lui emprunter son journal étant donné qu'il ne le lisait pas. « Quoi ? »

J'ai répété ma demande. L'homme s'est esclaffé : « T'es capab' de lire, toi ? J'te paie un café de ma poche et à chacun des m'sieurs qui t'ont amenée, si tu m'lis quèque chose de c'journal. »

J'ai pris le journal. En Sierra Leone, j'étais habituée à lire des journaux datant de trois à six mois, mais celui-ci portait la date du jour : 4 octobre 1802. J'ai tourné les pages et suis tombée sur un article du plus grand intérêt.

« Nouvelles audiences sur l'esclavage » en était le titre. J'ai lu à haute voix : « William Wilberforce exige que le Parlement forme une autre commission d'enquête pour examiner les allégations de mauvais traitements dans le commerce des esclaves. »

On m'a conduite dans les bureaux de la Commission pour l'abolition de la traite des esclaves, au 18, Old Jewry Street, dans un quartier où des garçons vendent des journaux à la criée, où des hommes invitent les passants à entrer dans leur café et où des vendeurs se tiennent sur le seuil de leurs boutiques minuscules, prêts à couper un morceau d'agneau ou un bloc de sucre. Chevaux et voitures allaient et venaient dans un claquement constant. L'endroit était plus bruyant et plus animé que Shelburne ou New York et, après presque dix ans passés à Freetown, j'avais l'impression que tous mes sens étaient agressés. On m'a amenée dans un petit édifice étroit et fait entrer dans une pièce chauffée par un poêle et éclairée par des bougies. Douze hommes m'attendaient, tous empressés de me serrer la main et de me souhaiter la bienvenue en Angleterre.

Comme ils étaient contents que John Clarkson ait enfin réussi dans ses tentatives de me faire venir, ont-ils dit. John Clarkson n'a pas pris la parole ; il a écouté les hommes plus âgés s'exprimer. J'étais habituée à le voir occuper le premier plan en Nouvelle-Écosse et à Freetown. Ici, en Angleterre, Clarkson restait dans l'ombre de son frère et des autres abolitionnistes.

Un homme grand m'a serré la main comme s'il actionnait une pompe. Après s'être présenté comme étant Stanley Hastings, il a énuméré tous les merveilleux projets auxquels je serais associée.

« Avec délicatesse et le soin le plus minutieux, a-t-il dit, nous allons vous interroger et rédiger un court récit de votre vie, en mentionnant les mauvais traitements que vous avez subis dans la traite des esclaves. »

Je me suis éclairci la gorge : « Vous allez écrire un récit de ma vie ?

— C'est si important qu'il se peut que je me charge moi-même de cette tâche », a dit Hastings.

Il a fait craquer ses jointures, une à une, puis s'est

affairé à bourrer sa pipe. « Nous devons préparer un récit le plus précis possible. La moindre inexactitude ou erreur de détail pourrait être fatale à notre cause. »

En proie à la suspicion, j'ai écouté Hastings préciser son plan d'écrire l'histoire de ma vie. Il avait beau posséder l'énergie d'un cheval de trait, ce rustre n'avait pas le droit de labourer le sol de mon jardin secret.

Douze hommes blancs attentifs se sont croisé les doigts et m'ont dévisagée, mais leurs visages ont commencé à valser devant mes yeux. La fièvre me reprenait. Bouffées de chaleur et frissons parcouraient mon corps comme des vagues sur l'océan. Les abolitionnistes gardaient le poêle allumé, mais leur salle de réunion était glaciale et peu accueillante, si éloignée de la chaleur de mon pays. En l'absence d'un mari, d'un fils ou d'une fille, je rêvais d'être enveloppée par le bienveillant soleil d'Afrique. Il n'y avait de chaleur nulle part, il n'y avait que mes dents qui claquaient et cette douleur familière au creux de mes os.

J'ai levé un doigt, parce que c'était tout ce que je pouvais lever. Je ne voulais que trois choses : une couverture, un verre d'eau et que le récit de ma vie soit écrit par personne d'autre que moi. Mais j'étais incapable de demander une seule d'entre elles. Soudain, des hommes à grosses bajoues, à favoris et aux yeux pleins de sollicitude se sont penchés sur moi.

« Vous sentez-vous bien ? » a demandé Hastings.

J'ai fermé les yeux et entendu la voix de John Clarkson. « Bien sûr que non. Je vous l'avais dit que cette réunion était prématurée, et je crains qu'il me faille maintenant insister. Elle est mon invitée, j'en ai la responsabilité, et elle ne se présentera plus devant cette commission avant d'avoir eu la possibilité de se rétablir chez moi. »

On m'a portée pour descendre l'escalier du 18, Old Jewry Street, puis on m'a hissée dans une voiture pour m'amener à la maison de Clarkson située dans la même rue. Un majordome noir nous a reçus à la porte. Il m'a rattrapée quand mes genoux ont flanché et m'a conduite dans une chambre où on m'a donné un bouillon chaud et du thé, puis mise au lit avec une couverture. Lorsque la fièvre a amené ma moelle osseuse au point d'ébullition, une domestique noire appelée Betty Ann m'a donné un bain et a appliqué des compresses sur mon front.

Après quelque temps, j'ai été capable de marcher seule, de vider mon pot de chambre et de prendre mon premier repas avec John Clarkson et sa femme, Susannah. Nous nous sommes ensuite assis tous les trois pour prendre le thé dans une pièce mal chauffée, nos cuisses et nos jambes enroulées dans des couvertures. À l'extérieur, il avait neigé un peu et le temps était humide, froid et venteux. Malgré le vilain climat britannique, j'ai décidé de me secouer et de sortir pour rester en vie un peu plus longtemps.

En dépit d'une existence ponctuée de pertes, la solitude que je ressens à Londres n'a rien d'équivalent à celle que j'ai éprouvée auparavant. Je suis trop faible pour écrire, me lever, explorer les rues de Londres ou rencontrer les membres de la commission. Puis, l'hiver a fini par céder la place au printemps, et le froid a quitté le temps humide. J'ai pu recommencer à bouger et à reprendre confiance en la vie.

Dans l'interminable grisaille de Londres, les couleurs et les parfums de mon pays me manquent. Je trouve le pain et la viande peu intéressants et insipides, et je me demande comment il se fait que des gens qui naviguent sur les océans et gouvernent le monde font si peu de cas de la nourriture et de la cuisine.

Les Londoniens ne mangent presque pas de fruits. Les bananes, les limes, les oranges et les ananas de la Sierra Leone me font cruellement défaut. J'ai particulièrement envie de la maniguette, et me voilà en train d'écrire à Debra, la priant de m'envoyer une cargaison d'épices.

Je ne vois presque pas de Noirs, hormis le majordome et la domestique des Clarkson avec lesquels j'entretiens à l'occasion de brèves conversations. Ni l'un ni l'autre ne prolongent le dialogue pour aborder d'autres sujets que le temps ou ma santé. J'aurais voulu demander au majordome, homme courtaud à la tête rasée qui répond au nom de Dante, comment je pourrais entrer en contact avec les Noirs de Londres, mais il m'évitait. Quand j'eus retrouvé la force de passer plus de temps hors du lit et de déambuler dans la maison, je suis partie à sa recherche et l'ai trouvé dans la cuisine des Clarkson.

« Puis-je vous parler ? ai-je demandé.

— Pardonnez-moi, Madame, mais j'allais justement sortir.

— Mina. Vous pouvez m'appeler Mina. »

Il s'est éclairci la gorge et a jeté un coup d'œil vers la porte.

« Pourquoi m'évitez-vous ? lui ai-je demandé.

— Je ne veux pas vous offenser, Madame.

— Mais vous ne vous arrêtez jamais pour répondre à mes questions.

— Ce sont les ordres, c'est tout.

— Les ordres ?

— M. Clarkson dit que je ne dois pas vous parler.

— Mais enfin, pourquoi ?

— Vous devez vous rétablir et préparer votre rapport pour la commission sans interférence.

— Quelle interférence ? »

Dante a retiré son chapeau, y a frotté une tache et l'a remis sur sa tête. « Je vais être en retard, Madame.

— Quelle interférence ? » ai-je répété.

Dante a regardé de nouveau en direction de la porte. Nous étions seuls dans la cuisine. Il parlait à voix si basse que j'entendais à peine ses paroles : « De la part des Noirs de Londres.

— Comment quelqu'un pourrait-il interférer dans mon récit si je l'écris moi-même ?

— C'est également mon avis, Madame. Mais ils veulent que votre récit soit authentique, 'directement de l'Afrique', comme le dit M. Clarkson. Les membres de la commission ne veulent pas que les Londoniens disent que ce sont les Noirs de Londres qui ont fabriqué votre histoire.

— Dante, je ne veux pas vous causer de problèmes, mais s'il vous plaît, dites-moi simplement ceci : sommes-nous nombreux ici ? »

Il a poussé un profond soupir et esquissé un large sourire. « Des milliers.

— En Sierra Leone, j'ai lu un livre écrit par un Africain qui vivait à Londres.

— Olaudah Equiano, a dit Dante.

— Vous en avez entendu parler vous aussi ? »

Dante a souri. « Nous savons tous qui est Equiano. Si l'un d'entre nous réussit parmi les Anglais, son nom est sur les lèvres de tous les Noirs de Londres.

— Pensez-vous que je pourrais faire sa connaissance ?

— Il est mort il y a quelques années. »

La nouvelle m'a découragée. J'aurais aimé parler à Equiano. J'avais l'impression de le connaître après avoir lu son livre et j'aurais voulu lui demander comment il en était venu à écrire le récit de sa vie.

DURANT LA MÊME SEMAINE, je me suis présentée devant la commission des abolitionnistes. Stanley Hastings a commencé par un long préambule pour dire combien il était ravi de voir que j'avais recouvré la santé.

« Bien dit ! » se sont écriés les membres.

Je les ai informés que je préférais mourir dans les rues de Londres plutôt que de me faire dire qui je devais voir et qui je ne devais pas voir, ou encore de me faire dire où je devais aller et ce que je devais faire. Ils ont dû craindre que mon cœur ne s'arrête, car les douze abolitionnistes se sont levés d'un bond.

« Je me sens bien maintenant, vous pouvez vous asseoir. »

Après un moment d'hésitation, ils ont repris leur place.

« J'ai pris une décision, ai-je dit.

— Continuez, s'il vous plaît, dit Hastings.

— J'ai décidé d'écrire le récit de ma vie.

— À la bonne heure ! a dit Hastings. Mais vous aurez besoin de nos instructions pour nous assurer que...

— Sans instructions, merci beaucoup. Ma vie. Mes mots. Ma plume. Je suis capable d'écrire. »

Un homme svelte, élégamment vêtu, s'est levé et s'est présenté comme étant William Wilberforce, député. Il a demandé s'il pouvait clarifier la question.

« Je vous en prie, ai-je dit.

— Votre capacité d'écrire n'est pas en cause. La question est plutôt de s'assurer de l'authenticité de votre récit.

— C'est précisément la raison pour laquelle personne d'autre que moi ne l'écrira.

— Il doit relater votre enfance, ajouta Thomas Clarkson, et votre périple jusqu'à la mer. Il doit expliquer votre condition d'esclave sur le bateau et la période que vous avez passée en Caroline du Sud. Il doit... »

John Clarkson a posé la main sur l'épaule de son frère. « Elle sait ce qu'elle doit raconter. »

J'ai dit que je commencerais incessamment, pourvu que personne n'interfère avec mon droit de parler à qui je voulais, y compris le majordome de John Clarkson.

« Mina, soyez assurée que je n'avais pas l'intention de vous empêcher de faire la connaissance de Dante », a dit John Clarkson.

Wilberforce s'est penché vers moi. « C'est à moi qu'il faut faire des reproches. Mais essayez de comprendre. Il ne faut pas qu'il y ait la moindre suspicion que votre histoire a été influencée par les Noirs de Londres. Cette ingérence ferait un grand tort à notre cause, car ces derniers ne sont pas bien vus ici.

— Si je rédige mon récit, il sera complet. Mais ce seront mes paroles et seulement les miennes, et elles ne seront teintées ni par vous, ni par les Noirs de Londres.

— Si nous fonctionnons de cette façon, dit Hastings, promettez-vous de partager votre récit avec nous, de nous laisser le présenter comme preuve aux audiences parlementaires et de ne pas en parler publiquement avant que tout ne soit terminé ? »

J'ai fait signe que oui.

« Parfait, dit Wilberforce. Magnifique. Il nous faut aller de l'avant. Combien de temps vous faudra-t-il ?

— Nous verrons.

— Laissez-nous simplement nous occuper des journaux, d'accord ?

— Que voulez-vous dire ?

— Ce sera votre histoire, du premier au dernier mot, mais pour l'amour du ciel, laissez-nous décider comment et quand la nouvelle sortira. »

Je ne voyais aucune raison de m'y opposer.

LE LENDEMAIN, DANTE M'A DIT que son salaire avait été augmenté.

« Qu'est-ce que vous avez fait à ces abolitionnistes ? a-t-il demandé en souriant.

— Sorcellerie africaine », ai-je répondu, en souriant moi aussi.

Ce soir-là, son travail terminé, Dante m'a amenée à l'arrière de la maison, dans les quartiers des domestiques. J'ai été accueillie par Betty Ann, qui m'avait soignée pendant ma maladie, et j'ai découvert que Dante et elle formaient un couple. Betty Ann est une jeune femme née en Jamaïque qui a été emmenée à Londres comme esclave domestique chez un riche planteur et qui s'est affranchie en s'enfuyant. « Ils n'ont pas essayé de vous rattraper ? ai-je demandé.

— Ils n'ont pas osé. Les tribunaux ne le leur auraient pas permis. Par les temps qui courent, dès qu'un Noir de Londres quitte la maison de son maître, il est libre. »

Je savais que c'était une grande ville et que le monde était encore plus vaste, mais je n'ai pu m'empêcher de leur demander s'ils avaient entendu parler d'une famille blanche aisée du nom de Witherspoon. Le nom ne leur disait rien. Je me suis sentie un peu stupide, et j'ai pris la résolution de ne pas épuiser mes réserves d'énergie limitées en rêvant de l'impossible. Londres compte un million de personnes. Si ma fille est en vie, elle peut se trouver dans un nombre infini de villages et de villes des deux côtés de l'océan Atlantique.

Dante et Betty Ann m'ont offert de m'amener dans un quartier de Londres où vivent d'autres Noirs, mais j'ai peu de force à consacrer à des excursions et j'ai choisi de rassembler celles qui me restent pour écrire le rapport destiné à la commission parlementaire.

Repas, plumes, encre et papier fournis, les jambes bien au chaud sous une couverture, installée à une table confortable éclairée de bougies, j'ai commencé à rédiger mes mémoires. Une fois lancée, je ne pouvais plus m'arrêter. Mon enfance a surgi sur les premières pages, puis ma vie de jeune femme et, enfin, mes expériences de sage-femme et la naissance de mes enfants. J'écrivais sans relâche, sans entrevoir la fin.

Les abolitionnistes se sont impatientés. « Il est merveilleux que vous ayez tant de choses à raconter, Miss Di, a déclaré Thomas Clarkson au cours d'une autre réunion avec le groupe. Mais votre récit ne servira à rien si la commission parlementaire n'en voit pas la couleur.

— Il a raison, dit Wilberforce. Les marchands d'esclaves ont fait d'excellentes présentations devant la commission. Tous les journaux rapportent leurs arguments en faveur de la poursuite de la traite. »

Les hommes se sont agités dans leurs fauteuils. J'avais lu ces articles. Les partisans alléguaient que l'esclavage était une institution humanitaire qui sauvait les Africains de la barbarie de leurs contrées. Ceux-ci, tout simplement, s'entretueraient dans des guerres tribales s'ils n'étaient pas libérés dans les Amériques, où ils jouissent de l'influence civilisatrice du christianisme. Les articles indiquaient que les traversées se déroulaient dans de bonnes conditions et en toute sécurité, et que les Africains ne succombaient pas au voyage en plus grand nombre que les marins anglais sur les mêmes vaisseaux.

Mais Hastings a parlé calmement, pour apaiser l'atmosphère : « Messieurs, Miss Di racontera son histoire et quand elle prendra la parole, toute l'Angleterre écoutera. »

Wilberforce a réussi à retarder ma prestation devant la commission parlementaire. Pendant ce temps, il a exhorté la presse à interpréter avec prudence les témoignages des esclavagistes. Bientôt, a-t-il dit, il fournirait des preuves pour réfuter ces témoignages. De plus, il m'a convaincue de lui donner une cinquantaine de pages de mon récit pour son usage personnel.

LE MATIN OÙ JE DEVAIS m'exprimer devant la commission parlementaire, la une du *Times* a présenté aux lecteurs

Hector Smithers, le zoologiste qui a monté une exposition d'animaux d'Afrique, morts mais bien conservés : rongeurs, chauves-souris, papillons, termites, léopards et crocodiles. L'ouverture de l'exposition a attiré tant de monde que les autorités ont été obligées de fermer les portes pour éviter l'encombrement. Le *Times* qualifiait l'exposition de « présentation spectaculaire de la barbarie effrayante, luxuriante, colorée du règne animal dans l'Afrique obscure » et indiquait que l'entrée coûtait six pence. Un entrefilet notait que la commission parlementaire recevrait sous peu le récit d'une femme « fraîchement débarquée d'Afrique » qui a survécu à l'esclavage.

En compagnie de Hastings, j'attendais à l'extérieur de la salle où siégeait la commission parlementaire. Je ne savais nullement à quoi m'attendre ni comment je serais accueillie. Mon cœur battait la chamade. J'essayais de me calmer en pensant à mon père, à ses gestes pleins d'assurance, même quand il préparait du thé ou fabriquait des bijoux. J'imaginais sa voix, profonde et mélodieuse, sa voix qui, au-delà des mers, venait me réconforter : *Sois simplement toi-même, et parle de la vie que tu as vécue.*

La porte s'est ouverte et on m'a convoquée. Le long des murs de la pièce rectangulaire, dix fauteuils avaient été réservés aux journalistes, et une trentaine d'autres, aux visiteurs. Pas un fauteuil de libre. J'étais assise, seule, d'un côté de la longue table, face aux dix membres de la commission, dont William Wilberforce. Celui-ci a souri et a exposé la procédure officielle que je connaissais déjà : il me poserait des questions et j'allais y répondre.

Wilberforce m'a demandé de décliner mon nom, ma date et mon lieu de naissance. Je me suis exécutée.

« Pouvez-vous donner à la commission un aperçu de ce que vous avez vécu dans votre enfance, Miss Di ? »

Il a demandé comment, à l'âge de onze ans, j'avais été capturée et forcée de marcher pendant trois mois jusqu'à la côte. J'ai fourni le plus de détails possible. J'ai expliqué que les hommes étaient enchaînés par le cou dans les caravanes d'esclaves. J'ai dit que, sur le bateau, les morts, les mourants et les rebelles étaient jetés par-dessus bord, en pâture aux requins. Des murmures se sont élevés dans la salle quand j'ai dit à la commission que les marins prenaient leurs libertés avec les femmes africaines à bord, et que même moi, encore enfant, j'avais été obligée de partager le lit du médecin du bateau.

« Et que pensez-vous des témoignages antérieurs selon lesquels les hommes et les femmes ne sont pas marqués au fer dans les entrepôts d'esclaves sur la côte de l'Afrique ? a demandé Wilberforce.

— Ils sont faux.

— Comment le savez-vous ?

— J'ai été enfermée dans l'un de ces entrepôts, et j'ai été marquée au fer.

— Dans quel entrepôt et quand ?

— C'était autour de 1756, et j'ai été marquée au fer à l'île de Bence, au large des côtes de la Sierra Leone. »

Une rumeur parcourut la salle. Wilberforce m'a demandé de répéter ces détails pour le procès-verbal, ce que j'ai fait.

« Comment savez-vous le nom de cette île ? Vous ne parliez sans doute pas anglais à l'époque ?

— J'y suis retournée il y a quelques années, avec l'aide d'un fonctionnaire de la Sierra Leone Company.

— Si ce n'est pas indiscret, pouvez-vous dire à la commission comment vous avez été marquée au fer ?

— On a appliqué un fer rouge sur ma peau. »

Une femme a quitté la salle d'audience.

« Dois-je montrer cette marque ? ai-je demandé, suivant les instructions des abolitionnistes.

— Où se trouve la cicatrice ? demanda Wilberforce.

— Au-dessus de mon sein droit, Monsieur. »

L'auditoire écoutait, souffle coupé. J'entendais les plumes égratigner le papier.

« Dois-je la montrer, Monsieur ?

— Ce ne sera pas nécessaire, car elle est sous serment », a dit le greffier.

J'ai décrit comment j'avais été vendue à Charles Town, et comment mon fils m'avait été enlevé. J'ai mentionné la naissance de May en 1784, et son enlèvement à Shelburne, en Nouvelle-Écosse.

Mon témoignage a duré deux heures. Lorsqu'on m'a demandé si j'avais préparé un document que la commission pourrait consulter à sa guise, j'ai déposé un exemplaire de mes mémoires.

La séance terminée, les abolitionnistes m'ont conduite dans une salle privée où l'on m'a priée de montrer ma cicatrice aux journalistes. Dix hommes se sont approchés de moi, l'un après l'autre, pour examiner la preuve imprimée sur ma peau. Ils voulaient me poser des questions, mais Wilberforce a décrété que ma journée avait été suffisamment remplie et leur a suggéré de consulter les notes qu'ils avaient prises pendant mon témoignage.

Après être montée dans une voiture avec Wilberforce et Hastings, j'ai tout à coup senti le poids de la fatigue. Quelques années seulement auparavant, quand j'avais raconté mes histoires soir après soir dans un village perdu à l'intérieur de la Sierra Leone, j'avais perçu de l'admiration de la part des auditeurs. Avec leurs rires et leurs exclamations, avec les boissons et la nourriture qu'ils m'avaient exhortée à ingurgiter, ils m'avaient donné l'impression que j'étais entourée d'une famille. Ici, c'est bien différent : quand je me suis adressée à la commission, à part les grognements occasionnels et le grattement des plumes, j'avais l'impression de parler à un mur. Je n'avais aucune idée de ce que les parlementaires pensaient de moi ou de mes paroles, car ils se tenaient aussi immobiles que des hiboux et ne formulaient rien d'autre que des questions.

Le lendemain, John Clarkson m'a apporté le *Times*, la *Morning Chronicle*, la *Gazette*, le *Morning Post* et la *Lloyd's List*. Chaque journal rapportait ma présentation en commençant par la cicatrice. Au cours des semaines suivantes, les journaux ont continué de publier de nouveaux comptes rendus sur mon témoignage devant la commission. Tous les jours, des gens demandaient à me parler. Une fois les journalistes rassasiés, j'ai commencé à recevoir des demandes pour parler dans des écoles et devant des sociétés littéraires et historiques. J'ai acquiescé à un certain nombre de ces requêtes et j'ai découvert que les membres de ces groupes avaient beaucoup plus de choses à me dire que les parlementaires.

Un soir, John Clarkson a frappé à la porte de ma chambre. « Une lettre pour vous, dit-il. Permettez-moi de vous dire qu'en ce qui a trait à la reconnaissance du public, vous avez éclipsé tous les membres de la commission sur l'abolition, à la seule exception peut-être de William Wilberforce. »

Il a souri en me tendant l'enveloppe et m'a demandé s'il pouvait me regarder l'ouvrir. « Oui, Lieutenant. »

— John », a-t-il précisé.

J'ai hoché la tête et examiné l'enveloppe. Elle portait le sceau du roi George III. À l'intérieur se trouvait un carton d'invitation à prendre le thé.

« Incroyable, ne cessait de répéter Clarkson. Le roi n'a jamais reçu Olaudah Equiano. Jamais aucun d'entre nous n'espérait autant ! »

Quand les abolitionnistes ont répandu la nouvelle que le roi et la reine s'apprêtaient à recevoir une

Africaine pour la première fois, les journaux ont repris une nouvelle ronde d'articles. Dans le *Morning Post*, le caricaturiste James Gillray m'a dessinée en train de retirer un cube de sucre des doigts du roi George III. Dans la caricature, le roi est si émacié qu'il ressemble à un squelette, tandis que je suis obèse. La phrase *Je vais prendre ça* apparaît dans une bulle vis-à-vis de mes lèvres.

En tant que seul parlementaire membre de la commission abolitionniste, William Wilberforce a été désigné pour m'escorter au thé avec le roi. Une file de gens s'étirait à l'extérieur des bureaux de la commission dans l'espoir de me voir. Depuis des semaines, ils faisaient la queue tous les jours. On aurait dit que la moitié de Londres voulait me parler. J'ai reconnu Hector Smithers et l'ai salué, mais je ne pouvais m'arrêter. Puis, j'ai scruté la foule de nouveau.

J'ai remarqué un visage à la peau noire dans une mer de personnes blanches. Il appartenait à une belle jeune femme africaine d'environ dix-huit ans. Parmi tous ces gens, elle affichait un air de dignité empreint d'élégance. Nos yeux se sont croisés, et je me suis demandé si je l'avais vue auparavant. Ses lèvres bougeaient, mais le brouhaha de la foule couvrait ses paroles. « Qui êtes-vous ? » lui ai-je crié, mais elle ne pouvait pas me comprendre, elle non plus.

Folle que j'étais ! Après toutes ces années, je me surprenais encore parfois à scruter les visages dans des foules, espérant l'impossible.

J'avais perdu de nombreux êtres chers au cours de ma vie, et aucun d'entre eux ne m'était revenu. Malgré tout, je n'ai pu m'empêcher de me demander pourquoi cette jeune femme était venue attendre avec les autres sous la pluie, pour m'apercevoir seulement pendant un bref instant. Mais j'ai dû me chasser cette idée de l'esprit, car on m'a installée dans une voiture pour m'emmener à toute allure au palais de Buckingham.

Je m'attendais à un entretien privé avec le couple royal, mais quand on nous a conduits, Wilberforce et moi, dans un salon de la dimension d'une maison, j'ai vu une douzaine de serviteurs, et autant d'hommes et de femmes en perruques et en toges. Des parlementaires à perruques se sont approchés de moi l'un après l'autre pour me serrer la main et me demander s'il était vrai que j'étais « fraîchement débarquée d'Afrique ». Pour éviter les entrevues, Wilberforce m'a pris le bras et m'a guidée vers une table où une servante offrait des biscuits et du thé. « Notez l'absence de sucre, par respect pour vous », a murmuré Wilberforce.

Il avait raison. Sur la table se trouvaient trois pots de miel. À l'aide d'une cuillère, la servante a versé l'épais liquide dans ma tasse. Il me semblait étrange de me faire servir par une Blanche, et je m'efforçais d'empêcher ma tasse de tinter contre la soucoupe.

Un homme s'est présenté comme assistant de la famille royale et m'a demandé de signer le livre d'or. Sous son regard attentif, j'ai écrit : *Pour une femme qui a parcouru le chemin qui mène de la liberté à l'esclavage et vice versa, cette rencontre avec le roi et la reine est un véritable honneur, et je nourris l'espoir que la liberté prévaudra pour tous.*

L'assistant m'a dévisagée bouche bée, comme s'il venait de voir un zèbre en train de lire un livre.

Wilberforce a reçu le signal qu'il attendait. Il a donc prié l'assistant de nous excuser, a posé ma tasse de thé sur la table et m'a fait traverser quelques portes pour m'amener dans une autre salle.

Le roi et la reine étaient installés dans de grands fauteuils rouges. Leurs vêtements amples se déployaient jusqu'au sol, mais j'ai cru voir que le fauteuil du roi était fait de bois de cam. Je me suis demandé s'il savait que son accoudoir avait été taillé dans un bois de couleur rouge provenant de mon pays.

« Ne vous pressez pas et gardez confiance, a dit Wilberforce à voix basse. Faites une révérence, mais ne tendez pas la main. »

Nous nous sommes approchés d'abord de la reine Charlotte Sophie. C'était elle que je souhaitais voir surtout, car je voulais vérifier si elle était vraiment fille d'Afrique. Les portraits d'elle que j'avais vus la représentaient avec des traits délicats reflétant un calme imperturbable. Or, j'avais devant moi une femme au nez large et aux lèvres pulpeuses, dont le teint était d'une coloration beaucoup plus riche que sur les tableaux.

La reine Charlotte m'a tendu une main gantée que j'ai serrée.

« Bienvenue, Aminata. Bienvenue en Angleterre.

— Votre Altesse », ai-je dit.

J'ai été touchée qu'elle ait pris la peine d'apprendre mon vrai nom, et je crois qu'elle a été la seule Blanche à l'utiliser dès la première salutation. Peut-être n'était-elle pas une Blanche, après tout. J'ai décidé sur-le-champ que, puisque la reine d'Angleterre pouvait prononcer mon nom, le reste du pays pouvait le faire aussi.

« Je suis honorée, car j'ai entendu parler de vous depuis tant d'années, ai-je dit.

— C'est une déclaration étonnante, étant donné l'envergure de vos voyages. »

La reine a esquissé un bref sourire, et j'ai pu lire dans ses yeux le désir de mettre fin à la conversation. « J'ai fait préparer à votre intention un petit cadeau de ma bibliothèque.

— Merci, ai-je dit.

J'aurais voulu dire à la reine d'Angleterre combien je souhaitais que son pays devienne un chef de file pour faire cesser le trafic d'hommes, de femmes et d'enfants. Mais un assistant m'a pris le bras d'un geste à la fois doux et ferme pour m'éloigner de quelques pas, afin de permettre à la reine de s'entretenir avec Wilberforce.

Je me tenais dès lors devant le roi George III. J'ai fait une révérence. Il a incliné la tête. Suivant les instructions, j'ai attendu que le roi d'Angleterre tende la main ou m'adresse la parole, mais il n'a pas bougé.

Il a hoché la tête plusieurs fois et ouvert la bouche pour parler, puis il a tourné légèrement la tête et a écarquillé les yeux. Il ne semblait pas savoir ce qu'il avait l'intention de dire, ni qui j'étais, ni où nous étions.

J'ai examiné calmement le visage rond au teint rougeâtre et les yeux vitreux de l'homme qui dirigeait le plus grand pays esclavagiste du monde et j'ai compris qu'il n'y aurait aucune conversation entre nous. On m'a fait quitter la salle, mais je n'étais pas offensée. D'après ce que je savais, le roi avait pu se trouver en proie à une crise imminente. J'avais lu quelque chose à ce sujet. Des années auparavant, la Banque d'Angleterre avait émis une pièce de monnaie pour célébrer le retour du roi à la santé. Je me suis demandé quelles questions les gens de mon pays me poseraient s'ils savaient que j'avais rencontré le *toubabu faama,* le grand chef de l'Angleterre. Jamais, au grand jamais, ils ne croiraient que le roi souffrait d'une maladie mentale et qu'il avait choisi une reine d'origine africaine.

En quittant le palais de Buckingham, le même assistant qui m'avait fait signer le livre d'or m'a remis un livre à couverture de cuir. La reine d'Angleterre m'avait donné l'*Art poétique, en forme de rhapsodie* de Jonathan Swift.

La comparution au Parlement et la visite au palais de Buckingham m'avaient épuisée de nouveau. Je souhaitais retourner au calme, à la solitude et à la littérature, mon plus grand réconfort. Je relisais le livre de Swift quand John Clarkson a frappé doucement à ma porte. « Il y a quelqu'un ici qui voudrait vous voir.

— Mais je ne suis pas habillée de façon convenable pour recevoir qui que ce soit, ai-je dit.

— Je ne pense pas que la dame se préoccupe de votre tenue. Elle déclare attendre de vous voir depuis longtemps. »

J'ai vu une femme d'origine africaine – une jeune fille, en fait – entrer dans ma chambre. Des joues lisses comme l'ébène. Son visage ne portait pas de lunes ni de scarifications, mais elle ressemblait à quelqu'un de mon village de Bayo.

« Je suis désolée, ai-je dit, le cerveau en ébullition. Je vous ai vue aujourd'hui sous la pluie. Je n'ai pas pu m'arrêter pour vous saluer.

— La pluie ne me dérangeait pas. Quelques heures à attendre en file, ce n'était rien. Maman, j'attends depuis des années. »

Elle s'est avancée et s'est élancée dans mes bras avec une telle vigueur qu'elle a failli me jeter par terre. C'était l'étreinte pour laquelle j'avais prié pendant quinze ans. Nous nous sommes balancées sur nos talons, serrées l'une contre l'autre. J'étais sans voix, et je l'ai pressée contre moi jusqu'à ce que mes muscles n'en puissent plus. Nous nous sommes éloignées l'une de l'autre juste assez pour nous regarder les yeux dans les yeux, les mains toujours scellées.

MAY ET MOI SOMMES RESTÉES ENSEMBLE pendant deux jours complets. Nous avons dormi dans le même lit, mangé à la même table et marché main dans la main le long de la Tamise. La seule vue de ma fille me donnait envie de continuer à vivre. Toutes les heures, ses lèvres me caressaient les joues. Je voulais vivre encore et encore pour la voir, m'imprégner de sa beauté et aimer ma propre chair et mon propre sang juste un peu plus longtemps.

Je n'ai pas eu besoin de lui raconter ce qui m'était arrivé, car elle avait lu les articles sur moi dans les journaux. Au fil des heures et des jours, j'ai appris ce qu'elle avait vécu.

Les Witherspoon n'avaient jamais changé son nom de May, ni ne lui avaient caché qu'elle avait été « adoptée » – comme ils le disaient – à Shelburne, en Nouvelle-Écosse. Ils déclaraient toutefois qu'ils l'avaient sauvée après qu'elle eut été abandonnée par une femme d'origine africaine.

Or, May était assez vieille pour se souvenir de notre vie ensemble et, dès le départ, elle avait remis en question cette histoire. Les Witherspoon l'avaient emmenée de Shelburne à Boston, puis ils s'étaient très vite embarqués pour l'Angleterre. Ils l'avaient gâtée au début, mais étaient devenus impatients puis furieux quand elle avait refusé de cesser de demander où j'étais partie. « J'avais une volonté de fer, dit-elle, et ils n'aimaient pas les crises au cours desquelles je hurlais pour qu'on me redonne ma mère. »

Les Witherspoon avaient gardé May comme domestique. La nuit, ils l'enfermaient dans sa chambre. Il lui était interdit de se promener seule dans Londres. Elle avait appris à lire et à écrire, à servir à table et à accomplir quotidiennement des tâches domestiques. On ne l'avait jamais qualifiée d'esclave, mais elle n'avait jamais été payée.

À l'âge de onze ans, elle demanda de sortir toute seule, mais ils refusèrent. Une nuit, elle se glissa par la fenêtre de sa chambre, sauta dans la rue et courut jusqu'à ce qu'un pasteur noir la prenne dans ses bras et lui demande pourquoi elle fuyait pieds nus. Le pasteur lui permit de rester avec lui et sa femme jusqu'à ce qu'il trouve une famille d'accueil dans sa communauté. Dans cette famille, la mère faisait des ménages et le père vendait des journaux. Avec leurs deux enfants, ils se serrèrent pour accueillir ma fille. May travailla avec la femme pendant trois ans jusqu'à ce qu'elle trouve un emploi d'enseignante dans une école pour les Noirs défavorisés de Londres.

« Tu as appris à lire et à écrire », ai-je dit.

May a dit qu'elle se rappelait m'avoir vue tracer des mots pour qu'elle s'exerce à les reproduire. « Je savais combien tu aimais les mots, Maman, et je voulais les aimer moi aussi.

— Qu'est-il arrivé aux Witherspoon ? » ai-je demandé.

Ils étaient venus chercher May. Mais la famille d'accueil avait demandé l'aide d'un abolitionniste du nom de Granville Sharp, qui adressa des « paroles terribles » aux Witherspoon et leur rappela qu'ils n'avaient pas le droit de détenir une personne noire qui s'était affranchie elle-même de leur dépendance. Il dit qu'il allait les humilier devant les tribunaux s'ils persistaient. Les Witherspoon partirent ensuite pour Montréal et y lancèrent une entreprise d'expédition, tandis que May resta à Londres.

Le lendemain, May m'a amenée à l'école où elle enseignait. Les journalistes nous ont suivies jusque-là et nous ont surveillées pendant la journée que nous avons passée avec trente enfants d'origine africaine qui apprenaient à lire et à écrire. L'enseignement était offert dans des conditions rudimentaires, mais May m'a confié qu'elles étaient bien meilleures que dans d'autres écoles. De nombreux enfants blancs ne fréquentaient même pas l'école. Quand les journaux ont parlé de ma visite, on m'a demandé chaque semaine de prendre la parole dans une école, une bibliothèque ou une église. Je me suis adressée à des Noirs, mais aussi à des Blancs. J'ai raconté ma vie à tous ceux qui voulaient m'écouter. Plus les gens seraient au courant de l'esclavage, plus ils seraient nombreux à faire pression pour l'abolir.

QUAND LES FRISSONS sont revenus me tourmenter, personne à Londres n'avait d'écorce du Pérou. La fièvre a failli m'emporter, mais May s'est occupée de moi pendant des mois. De la soupe et du pain, de la soupe et du pain, et encore de la soupe et du pain, puis du riz et de la viande de mouton, quand j'ai pu supporter un peu de nourriture. Je ressemblais de plus en plus à un squelette. Mais j'avais retrouvé le goût de vivre et, une fois de plus, je me suis accrochée à la vie.

Nous nous sommes installées, May et moi, dans un logement payé par les abolitionnistes. Ils ont loué à notre intention deux pièces agréables au prix de quinze livres par année, et ont engagé un cuisinier.

En 1805, John Clarkson est venu nous rendre visite dans notre nouvelle demeure et m'a apporté une nouvelle carte de l'Afrique. Il nous a informées que la cause abolitionniste ne cessait de progresser, et que la commission débordait de gratitude envers moi pour le travail accompli. « Avez-vous tout ce qu'il vous faut ? » a-t-il demandé.

J'ai demandé à May de nous laisser seuls pendant quelques instants. « Vous n'aurez pas à me nourrir pendant bien longtemps, ai-je dit à Clarkson, mais je vous demande de prendre soin de ma fille. » Je lui ai fait promettre que les abolitionnistes soutiendraient May jusqu'à ce qu'elle atteigne l'âge de vingt-cinq ans et qu'ils veilleraient à ce qu'elle reçoive toute formation supplémentaire qu'elle souhaiterait.

« C'est une jeune femme aux capacités énormes, et nous ferons de notre mieux pour lui donner une assise solide au début de sa vie, a dit Clarkson.

— Bien.

— J'espère que ce sera mon dernier combat avec vous, car vous êtes une négociatrice féroce.

— J'ai ça dans le sang, ai-je dit en souriant.

Quand j'ai demandé aux abolitionnistes d'accorder des subsides à l'école de May, ils ont accepté. Quand nous avons mis sur pied un service de repas à l'église une fois par semaine à l'intention des Noirs nécessiteux, ils ont fourni de la nourriture. Par contre, quand ils se sont préparés à présenter un projet de loi au Parlement, ils n'envisageaient que l'abolition du commerce des esclaves.

« Un pas à la fois, m'a dit Clarkson.

— Allez-y avec deux pas à la fois, ai-je dit. Si les enfants le font, vous en êtes capables, vous aussi. »

L'école de May s'est agrandie pour accueillir quarante, puis cinquante élèves. Elle a si bien réussi et reçu tant de matériel et de dons de la part des abolitionnistes que quelques élèves blancs ont commencé à la fréquenter. May l'a renommée Académie Aminata, et on m'a appelée grande *djéli* de l'école. Les élèves savaient tous que ce mot signifiait « conteur » et ils attendaient avec impatience mes contes du vendredi matin. Je commençais toujours de la même façon. Après avoir déployé une carte du monde, je mettais un doigt sur le point que j'avais dessiné pour représenter le village de Bayo, et un autre doigt sur Londres.

« Je suis née ici, et nous sommes maintenant ici, et je vais vous raconter ce qui s'est passé entre les deux. »

J'ai enfin terminé. J'ai raconté mon histoire. Ma fille dort dans la chambre à côté de la mienne. Je me suis d'abord opposée à ce qu'elle me laisse seule la nuit. Mais May m'a informée gentiment qu'il y avait maintenant un homme dans sa vie, et qu'ils avaient l'intention d'avoir un bébé. Trouve-toi une bonne sage-femme, lui ai-je dit, parce que mes mains ont tendance à trembler ces temps-ci. Elle a répondu « Ne t'inquiète pas, Maman, nous ferons tout cela. »

May m'a dit qu'elle avait trouvé un éditeur pour mon récit. Mais les abolitionnistes ont leur propre éditeur et insistent pour corriger « les allégations qui ne peuvent être prouvées ». Elle ne sait pas si elle doit leur céder ou confier le travail à l'homme qu'elle a choisi. Je lui ai demandé si cet homme connaissait l'histoire de notre peuple. Elle a répondu que oui. Je lui ai dit de le regarder droit dans les yeux et de voir si c'est une bonne personne. C'est ce qu'elle a fait, et elle sait qu'il est honnête : l'éditeur est son fiancé. Mais les abolitionnistes soutiennent qu'ils ont mérité le droit de publier mon récit. J'ai tapé du pied, et cela m'a fait mal. La fièvre est de retour et mes os me brûlent. La prochaine fois, s'il y a une prochaine fois, je poserai le pied à terre plus doucement. J'ai dit à ma fille, dans une voix que je pouvais à peine entendre moi-même, de remercier les abolitionnistes pour la nourriture, le logement et les contributions à son école – sans instruction, les espoirs de nos enfants sont anéantis –, mais que mon histoire m'appartient et qu'elle sera publiée par la personne qui laissera mon texte intact.

« Cet homme qui va t'épouser, ai-je dit, quand vais-je faire sa connaissance ?

— Je te l'ai présenté, Maman, mais tu oublies toujours. »

J'ai demandé à May d'écrire à mon amie Debra, à Freetown. Dis-lui de venir s'installer ici. Dis-lui d'inscrire Caroline à ton école. May m'a dit que Debra devrait peut-être rester en Sierra Leone, que peut-être la Sierra Leone a besoin d'elle. Écris-lui tout de même, lui ai-je dit, et dis-lui que je l'aime.

J'aimerais dessiner une carte pour montrer les endroits où j'ai vécu. J'y mettrais Bayo et tracerais en rouge le long sentier qui m'a menée à la côte. Des lignes bleues indiqueraient les traversées. J'insérerais dans les marges des cartouches. Je n'y mettrais pas d'éléphants à défaut de villes, mais plutôt des guinées provenant des mines d'or de l'Afrique, une femme portant des fruits sur un plateau en équilibre sur la tête, une autre munie de sacs bleus renfermant des médicaments, un enfant en train de lire, les vertes collines de la Sierra Leone, pays de mes arrivées et départs.

On m'apporte les journaux et du thé aromatisé de miel, car je ne sors plus. Je dors une grande partie de la journée et je perds la notion du temps. May dit qu'elle a des nouvelles de l'éditeur et d'un cartographe. Ils travailleront ensemble, dit-elle, et agrémenteront mon récit d'une carte. May et son promis s'habillent pour aller écouter William Wilberforce présenter son projet de loi au Parlement. Cette fois-ci, il va gagner, selon eux. Je souhaite qu'il gagne. Je l'ai aidé du mieux que j'ai pu.

May m'embrasse sur le front avant de partir. La jeune femme a les jambes lestes et se déplace à la vitesse d'un cyclone. Avec mes os en feu, je ne peux plus marcher. Je ne traverserai plus de ponts et ne monterai plus à bord de bateaux. Je vais rester ici sur la terre ferme, prendre mon thé au miel et m'allonger sur ce lit de paille, qui n'est pas si mal. J'ai connu pire. Quand ils rentreront, ils me réveilleront pour me donner des nouvelles.

Quelques mots sur l'histoire

Aminata EST LE FRUIT DE MON IMAGINATION, mais le livre reflète ma compréhension de l'histoire des loyalistes noirs.

Le *Book of Negroes* (Registre des Noirs) constitue le document le plus important sur les Noirs vivant en Amérique du Nord vers la fin du XVIIIe siècle. Ce registre renferme les noms et une brève description de 3 000 hommes, femmes et enfants qui, après avoir servi ou vécu derrière les lignes britanniques pendant la guerre d'Indépendance des États-Unis, se sont embarqués à New York sur des bateaux à destination de diverses colonies britanniques. Quelques-uns aboutirent en Angleterre, en Allemagne et au Québec, mais la plupart des gens dont les noms figurent dans le registre accostèrent en Nouvelle-Écosse et s'établirent entre autres à Birchtown, Shelburne, Port Mouton, Annapolis Royal, Digby, Weymouth, Preston, Halifax et Sydney. Il faut noter que certains loyalistes prirent le bateau en Caroline du Sud et que de nombreux autres fuirent sans doute par d'autres moyens vers les colonies britanniques, à l'abri des regards indiscrets des inspecteurs qui inscrivaient des noms dans le registre.

Dans ce roman, quelques extraits du *Book of Negroes* sont authentiques et d'autres ont été inventés ou modifiés. Les lecteurs qui souhaitent examiner ce document le trouveront, au complet ou en partie, dans les Archives publiques de la Nouvelle-Écosse, dans les National Archives of the United States et dans les National Archives (Public Records Office) à Kew, en Angleterre. On peut également en visionner le microfilm aux Archives nationales du Canada et le consulter, par un lien électronique fourni par Bibliothèque et Archives Canada, à l'adresse suivante : http://epe.lac-bac.gc.ca/100/200/301/ic/can_digital_collections/blackloyalists/index.htm. Le registre est aussi reproduit dans *The Black Loyalist Directory : African Americans in Exile After the American Revolution,* publié par Graham Russell Hodges, qui en a également rédigé l'introduction, Garland Publishing Inc., 1996.

Quelque 3000 loyalistes noirs arrivèrent en Nouvelle-Écosse en 1783, et environ 1 200 d'entre eux renoncèrent à cette colonie britannique après dix années de conditions de vie misérables. Ces derniers firent partie de la première grande vague de retour en Afrique dans l'histoire des Amériques en s'embarquant pour fonder la colonie de Freetown en Sierra Leone. Encore aujourd'hui, on considère que les loyalistes noirs de la Nouvelle-Écosse contribuèrent à la création de l'actuelle Sierra Leone. Tout comme la protagoniste de mon roman, Aminata Diallo, certains des « aventuriers » néo-écossais, comme on les appelait, étaient nés en Afrique. Leur retour en masse à la mère patrie en 1792 eut lieu des décennies avant que d'anciens esclaves américains ne fondent le Libéria, et plus de cent ans avant que Marcus Garvey, de la Jamaïque, ne devienne célèbre pour avoir exhorté les Noirs américains à retourner en Afrique.

Les lecteurs seront peut-être intéressés de savoir qu'en 1807, le Parlement britannique adopta une loi pour abolir le commerce des esclaves à compter de l'année suivante. Aux États-Unis, la loi sur l'abolition de la traite négrière fut également promulguée en 1808. Il fallut toutefois attendre le 1er août 1834 pour que l'esclavage en tant que tel soit aboli au Canada et dans le reste de l'Empire britannique. Trente et une années supplémentaires s'écouleront avant que le treizième amendement de la Constitution des États-Unis n'abolisse officiellement l'esclavage dans ce pays, en 1865.

Bien que ce récit repose sur un fond historique, j'ai volontairement modifié les faits dans certains cas pour les faire correspondre aux objectifs du roman. Je citerai quatre exemples clés. Premièrement, l'héroïne, Aminata Diallo, est payée par le gouvernement britannique pour inscrire les noms de milliers de Noirs dans le *Book of Negroes* à New York, en 1783. Selon ma compréhension, les Britanniques n'engagèrent pas de secrétaires particuliers pour rédiger ce registre, mais utilisèrent simplement les services d'officiers choisis dans leurs rangs. Deuxièmement, la première émeute raciale au Canada – au cours de laquelle des soldats blancs démobilisés reportèrent leurs frustrations sur les Noirs de Birchtown et de Shelburne, en Nouvelle-Écosse – eut lieu en réalité en 1784, mais je l'ai fait survenir en 1787. Troisièmement,

Thomas Peters – loyaliste qui aida à organiser l'exode de Halifax à Freetown en se rendant en Angleterre pour se plaindre des mauvaises conditions de vie infligées aux Noirs de la Nouvelle-Écosse – partit pour la Sierra Leone et mourut peu après son arrivée, mais non pas aux mains des trafiquants d'esclaves comme dans le roman. Enfin, bien que le lieutenant de la marine britannique John Clarkson ait bel et bien organisé l'exode de Halifax à la Sierra Leone et ait accompagné les « aventuriers » noirs jusqu›à Freetown, il ne séjourna pas en Afrique aussi longtemps que dans le roman.

John Clarkson et Thomas Peters sont des personnages fictifs inspirés de personnes réelles portant les mêmes noms, tout comme le frère de Clarkson, Thomas; le chirurgien de vaisseau négrier, Alexander Falconbridge, qui devint abolitionniste, et sa femme Anna Maria Falconbridge; le roi George III et sa femme, la reine Charlotte Sophie de Mecklembourg-Strelitz; le gouverneur de la Nouvelle-Écosse, John Wentworth, et sa femme, Frances Wentworth; ainsi que Sam Fraunces, tenancier de taverne qui nourrit George Washington et d'autres patriotes et travailla comme cuisinier pour le président après la guerre d'Indépendance.

Moses Lindo était un juif séfarade de Londres qui arriva en Caroline du Sud en 1756. À Charles Town, Lindo devint membre de la Kahal Kadosh Beth Elohim, l'une des plus anciennes communautés juives des États-Unis. Il devint inspecteur officiel de l'indigo pour la province de la Caroline du Sud. Pour ce roman, j'ai emprunté le nom de famille de Lindo et son intérêt envers l'indigo, mais tout ce qui concerne mon personnage fictif Solomon Lindo relève de l'invention. Dans ce cas, comme pour d'autres personnages du roman, j'ai créé en toute liberté des dialogues, des actions, des événements et des circonstances imaginaires.

Pour en savoir davantage

À L'INTENTION DES LECTEURS qui souhaiteraient connaître davantage le contexte historique d'*Aminata,* je mentionnerai certains ouvrages qui m'ont servi au cours de mes recherches (d'autres titres figurent dans les « Remerciements »).

Les romanciers auront beau s'évertuer à faire comprendre le commerce transatlantique des esclaves, je suis d'avis qu'une bonne façon d'évaluer ses répercussions sur les gens ordinaires consiste à lire les mémoires de ceux qui ont lutté pour reconquérir leur liberté. En sa qualité d'éditeur du recueil *The Classic Slave Narratives,* Henry Louis Gates, Jr. a réuni les récits de quatre esclaves célèbres : Frederick Douglass, Olaudah Equiano, Harriet Jacobs et Mary Prince.

Les expériences des loyalistes noirs de la Nouvelle-Écosse sont relatées dans *Fire on the Water : An Anthology of Black Nova Scotian Writing,* vol. 1, de George Elliott Clarke, ouvrage qui renferme entre autres les mémoires de David George, Boston King et John Marrant.

Des Européens ont laissé des écrits sur leurs contacts avec les loyalistes noirs, leurs voyages en Afrique de l'Ouest ou leur participation à la traite des esclaves au XVIIIe siècle. Je dois beaucoup à John Clarkson, dont le journal intime décrivant son rôle dans l'organisation de l'exode des loyalistes noirs de la Nouvelle-Écosse à la Sierra Leone en 1792 a été édité par Charles Bruce Fergusson, qui en a également rédigé une introduction d'un grand intérêt, sous le titre *Clarkson's Mission to America, 1791–1792.* Deux livres m'ont également été indispensables : *An Account of the Slave Trade on the Coast of Africa,* d'Alexander Falconbridge, chirurgien de navire négrier, et la correspondance de sa femme, Anna Maria Falconbridge, publiée dans *Narrative of Two Voyages to the River Sierra Leone During the Years 1791–1792–1793.* On peut trouver ces deux ouvrages séparément dans les bibliothèques ou réunis en un seul ouvrage, dont l'introduction et les notes ont été rédigées par l'historien Christopher Fyfe. Je me suis inspiré de deux récits de trafiquants d'esclaves : *The Journal of a Slave Trader* (John Newton), 1750–1754; *With Newton's Thoughts Upon the African Slave Trade,* édité par Bernard Martin et Mark Spurrell, et *Journal of a Slave-Dealer : A View of Some Remarkable Axcedents in the Life of Nics. Owen on the Coast of Africa and America from the Year 1746 to the Year 1757,* édité par Eveline Martin. L'historien Alexander Peter Kup a publié le journal intime du botaniste suédois Adam Afzelius, sous le titre *Sierra Leone Journal, 1795–1796.* Le Dr Thomas Winterbottom fournit des renseignements fort utiles dans son ouvrage en deux tomes intitulé *An Account of the Native Africans in the Neighbourhood of Sierra Leone.* Enfin, dans son *Voyage dans l'intérieur de l'Afrique,* le médecin écossais Mungo Park décrit le périple qu'il a accompli, au cours des années 1795 à 1797, de la Gambie jusqu'aux régions qui constituent aujourd'hui le Sénégal et le Mali.

J'ai trouvé de nombreux documents sur les peuples africains. Sur la Sierra Leone, j'ai lu *A History of Sierra Leone,* de Christopher Fyfe, et *A History of Sierra Leone, 1400–1787* d'Alexander Peter Kup. Pour en savoir plus sur le Mali, j'ai consulté *Groupes ethniques au Mali,* de Bokar N'Diayé, *The Heart of the Ngoni : Heroes of the African Kingdom of Segu,* de Harold Courlander avec la collaboration d'Ousmae Sako, et *The Bamana Empire by the Niger : Kingdom, Jihad and Colonization 1712–1920,* de Sundiata D. Djata.

Les ouvrages sur le commerce transatlantique des esclaves abondent. Les plus utiles pour moi ont été *Bla`ck Cargoes : A History of the Atlantic Slave Trade 1518–1865,* de Daniel P. Mannix et Malcolm Cowley, *Citizens of the World : London Merchants and the Integration of the British Atlantic Community, 1735–1785,* de David Hancock, et *La traite des Noirs. Histoire du commerce d'esclaves transatlantique, 1440–1870,* de Hugh Thomas.

J'ai étudié des cartes anciennes de l'Afrique dans l'*Atlas historique de l'Afrique,* de J. F. Ade Ajayi et Michael Crowder, *Blaeu Le grand Atlas : le monde au XVIIe siècle,* de John Goss, et *Norwich's Maps of Africa : An Illustrated and Annotated Carto-Bibliography,* révisée et éditée par Jeffrey C. Stone.

Pour obtenir de l'information sur les vaisseaux négriers et la vie à bord au XVIIIe siècle, j'ai consulté attentivement *Scurvy : How a Surgeon, a Mariner, and a Gentleman Solved the Greatest Medical Mystery of the Age of Sail,* de Stephen R. Bown, *Slave Ships and Slaving,* compilation de George Francis Dow, *The Wooden World : An Anatomy of the Georgian Navy,* de N. A. M. Rodger, et, dans *The Journal for Maritime Research,* l'article de Jane Webster intitulé « Looking for the Material Culture of the Middle Passage ».

Beaucoup de livres m'ont fait connaître l'histoire de la Caroline du Sud, en particulier l'histoire des Noirs établis dans les Sea Islands et à Charleston (ou Charles Town, selon la graphie en usage avant la révolution américaine). Parmi ceux-ci, mentionnons *Slave Badges and the Slave-Hire System in Charleston, South Carolina, 1783–1865,* de Harlan Greene, Harry S. Hutchins, Jr. et Brian E. Hutchins, *Charleston in the Age of the Pinckneys,* de George C. Rogers, Jr., et *A Short History of Charleston,* de Robert N. Rosen.

L'histoire de la Caroline du Sud a donné lieu à une vaste littérature, mais quelques ouvrages m'ont été des plus utiles, notamment *Slave Counterpoint : Black Culture in the Eighteenth-Century Chesapeake and Low Country,* de Philip Morgan, et *Africanisms in the Gullah Dialect,* de Lorenzo Dow Turner. J'ai également lu *Pox Americana : The Great Smallpox Epidemic of 1775–82,* d'Elizabeth A. Fenn, *Masters, Slaves, and Subjects : The Culture of Power in the South Carolina Low Country, 1740–1790,* de Robert Olwell, et *Black Majority : Negroes in Colonial South Carolina from 1670 Through the Stono Rebellion,* de Peter Woods. D'autres titres m'ont été utiles, entre autres *Reminiscences of Sea Island Heritage : Legacy of Freedmen on St. Helena Island,* de Ronald Daise, *Gullah Fuh Ooonuh (Gullah For You) : A Guide to the Gullah Language,* de Virginia Mixson Geraty, et *The Gullah People and Their African Heritage,* de William S. Pollitzer.

La coiffure et l'habillement des esclaves ont fait l'objet d'articles et de monographies. Shane White et Graham White ont écrit *Stylin' : African American Expressive Culture from Its Beginnings to the Zoot Suit,* ainsi que l'article intitulé « Slave Hair and African American Culture in the Eighteenth and Nineteenth Centuries », publié dans le *Journal of Southern History.* Jonathan Prude est l'auteur de l'article « To Look upon the "Lower Sort" : Runaway Ads and the Appearance of Unfree Laborers in America, 1750–1800 », publié dans le *Journal of American History*.

J'ai tiré de l'information supplémentaire sur l'histoire de la Caroline du Sud et sur l'indigo du livre de Walter Edgar *South Carolina : A History*, de celui de Lawrence S. Rowland, Alexander Moore et George C. Rogers, Jr., *The History of Beaufort County, South Carolina, Volume 1, 1514–1861*, et de la brochure intitulée *Indigo in America*, produite par la BASF Wyandotte Corporation.

Deux ouvrages m'ont informé sur les plantes médicinales et le soin des femmes enceintes dans le Sud : *Hoodoo Medicine : Gullah Herbal Remedies*, de Faith Mitchell, et *Southern Folk Medicine 1750–1820*, de Kay K. Moss.

Quelques documents portent sur les juifs de la Caroline du Sud au XVIIIe siècle. Je me suis servi, entre autres, des suivants : *This Happy Land : The Jews of Colonial and Antebellum Charleston*, de James William Hagy, *The Jews of South Carolina Prior to 1800*, de Cyrus Adler Hühner, et *A Portion of the People : Three Hundred Years of Southern Jewish Life*, publié par Theodore Rosengarten et Dale Rosengarten.

Afin de mieux connaître la ville de New York au XVIIIe siècle, j'ai consulté *New York Burning : Liberty, Slavery, and Conspiracy in Eighteenth-Century Manhattan*, de Jill Lepore, *The Epic of New York City*, d'Edward Robb Ellis, *The Battle for New York : The City at the Heart of the American Revolution*, de Barnet Schecter, Gotham : *A History of New York City to 1898*, d'Edwin Burrows et Mike Wallace, *The Loyal Blacks*, d'Ellen Gibson Wilson, et *Somewhat More Independent : The End of Slavery in New York City, 1770–1810*, de Shane White. Je me suis renseigné sur le cimetière africain de Manhattan en lisant le chapitre intitulé « Historic Background of the African Burial Ground » dans la publication du United States National Park Service intitulée *Draft Management Recommendations for the African Burial Ground*.

La vie des loyalistes noirs en Nouvelle-Écosse est exposée dans *King's Bounty : A History of Early Shelburne, Nova Scotia*, de Marion Robertson, dans *The Life of Boston King : Black Loyalist, Minister and Master Carpenter*, publié par Ruth Holmes Whitehead et Carmelita A. M. Robertson, et dans le rapport de la conservatrice du Musée de la Nouvelle-Écosse intitulé « The Shelburne Black Loyalists : A Short Bibliography of All Blacks Emigrating to Shelburne County, Nova Scotia, after the American Revolution, 1783 », par Ruth Holmes Whitehead.

Pour comprendre le mouvement abolitionniste en Grande-Bretagne et tenter d'imaginer la vie des Noirs de Londres au début du XIXe siècle, j'ai consulté *Hogarth's Blacks : Images of Blacks in Eighteenth-Century English Art,* de David Dabydeen, *Staying Power : The History of Black People in Britain,* de Peter Fryer, *Black England : Life Before Emancipation,* de Gretchen Gerzina, *Bury the Chains : Prophets and Rebels in the Fight to Free an Empire's Slaves,* d'Adam Hochschild, et *Reconstructing the Black Past : Blacks in Britain, 1780–1830,* de Norma Myers.

Jamais je n'aurais écrit *Aminata* sans le travail des auteurs de journaux intimes, mémorialistes et historiens qui m'ont précédé, mais j'assume seul la responsabilité de tout écart historique, intentionnel ou accidentel, que ce roman pourrait contenir.

Remerciements

Il m’est impossible de remercier toutes les personnes sur lesquelles je me suis appuyé pour écrire *Aminata*. Certaines vivent toujours parmi nous, d’autres ont écrit des journaux intimes, des carnets de voyage et des récits d’esclaves il y a plus de deux cents ans. Je tiens toutefois à mettre en lumière les personnes, ouvrages et organismes qui m’ont fourni l’aide la plus précieuse.

Je veux d’abord remercier Carole Noël, qui a traduit mon roman en français avec assiduité et sérieux et qui m’a gentiment invité à lire et à commenter quelques-unes de ses ébauches.

L’idée de ce roman m’est venue en lisant un livre volé. Je commencerai donc par préciser ce que j’ai subtilisé et où. Le livre s’intitule *The Black Loyalists : The Search for a Promised Land in Nova Scotia and Sierra Leone, 1783–1870*, de l’auteur James W. St. G. Walker, professeur d’histoire à la University of Waterloo, en Ontario. Il se trouvait à Toronto, dans la bibliothèque de mes parents, Donna Hill et Daniel G. Hill. Mon père avait griffonné son nom au revers de la couverture avant que je ne quitte la maison, mais cette précaution s’est avérée inutile, car vingt ans se sont écoulés et j’ai toujours ce livre en ma possession.

Le Dr Walker était un bon ami de mes parents – ils ont tous trois écrit sur l’histoire des Noirs au Canada – et il est devenu pour moi aussi un ami et un conseiller assidu. Pendant mes recherches, il a répondu à de nombreuses questions, m’a fait connaître d’autres auteurs et a commenté l’une des premières versions du roman.

Par respect pour le Dr Walker et pour tous les autres scientifiques qui m’ont prodigué leurs conseils, je tiens à préciser que toute inexactitude historique – intentionnelle ou non – relève de ma responsabilité pleine et entière.

Paul E. Lovejoy, professeur et chercheur émérite au Département d'histoire de la York University et auteur de *Transformations in Slavery : A History of Slavery in Africa* et de nombreux autres ouvrages, m'a fait partager certains de ses articles sur la scarification, l'asservissement et les musulmans en Afrique de l'Ouest. Le Dr Lovejoy a exprimé son avis sur les passages touchant l'Afrique, suggéré d'autres livres ou articles et donné des détails sur les audiences du Parlement britannique pour l'abolition de la traite des esclaves.

Valentin Vydrine, auteur du *Manding-English Dictionary* et directeur du département d'Afrique du Musée d'anthropologie et d'ethnologie de Saint-Pétersbourg, a apporté des éclaircissements sur les langues et les groupes ethniques de la région d'Afrique de l'Ouest qui s'appelle aujourd'hui le Mali.

Gordon Laco, pour qui les bateaux n'ont pas de secrets et que les cinéastes consultent en cette matière, a eu l'amabilité de me prodiguer des conseils, tout comme mon ami Chris Ralph, qui a travaillé pendant des années sur des navires de recherche.

Nicholas Butler, directeur des collections spéciales à la Charleston County Public Library, m'a proposé de nombreux livres et articles sur la ville de Charleston à l'époque coloniale, ouvrages qu'il m'a aussi aidé à trouver. Le Dr Butler a pris la peine de m'écrire une bonne douzaine de lettres pour me guider et rectifier mes connaissances sur des sujets tels que les plaques d'identité portées par les esclaves, les petites embarcations utilisées sur les cours d'eau des basses terres, la langue gullah, l'usage de la monnaie, l'habillement des esclaves, les marchés d'esclaves et la vie urbaine. Il a dû répondre à au moins cent questions avec patience et gentillesse.

Je veux souligner la collaboration du Penn Center de l'île Santa Helena. Installé sur l'emplacement de l'une des premières écoles pour esclaves américains affranchis, le Penn Center est un musée et un centre culturel qui explore l'histoire et la culture des Gullahs dans les Sea Islands. Le personnel du centre m'a fait connaître la vidéo *Family Across the Sea* produite par la South Carolina ETV, qui explique la relation entre le peuple gullah et leurs ancêtres de la Sierra Leone.

Au cours des révisions du roman, j'ai eu la chance de recevoir un flux constant de conseils, d'encouragements et de précisions de la part de Ruth Holmes Whitehead, conservatrice émérite du Musée de la Nouvelle-Écosse et coconservatrice de l'exposition virtuelle *À la recherche des Loyalistes noirs, des communautés noires de la Nouvelle-Écosse.* Le Dr Whitehead a consacré les dix dernières années à mener des recherches pour documenter un livre à paraître sur les loyalistes noirs de la Caroline du Sud.

Cassandra Pybus, professeure d'histoire, membre du Conseil de recherches de la University of Sydney, en Australie, et auteure du livre *Epic Journeys of Freedom : Runaway Slaves of the American Revolution and Their Global Quest for Liberty,* m'a éclairé sur la vie des Noirs de Manhattan au XVIIIe siècle et m'a fait connaître des articles scientifiques pertinents.

En Nouvelle-Écosse, Elizabeth Cromwell et Debra Hill de la Black Loyalist Heritage Society m'ont ouvert leur centre de documentation à Shelburne et présenté des descendants de loyalistes. Debra Hill m'a également amené visiter l'ancienne colonie noire de Birchtown sur la côte sud de la Nouvelle-Écosse. Au cours de mes démarches pour mieux connaître les loyalistes noirs et leurs dix premières années en Nouvelle-Écosse, j'ai aussi bénéficié de la collaboration de Henry Bishop du Black Cultural Centre for Nova Scotia, qui m'a remis un exemplaire du journal de John Clarkson, intitulé *Clarkson's Mission to America 1791-1792.* Finn Bower, Doris Swain et Betty Stoddard du Shelburne County Museum m'ont orienté vers de nombreux ouvrages et anciennes coupures de presse.

David Bergeron et Sophie Drakich, conservateurs du Musée de la monnaie de la Banque du Canada, m'ont permis de consulter leurs ouvrages de référence et répondu à mes questions sur les pièces de monnaie et autres moyens d'échange du XVIIIe siècle, tant africains qu'européens. Yann Girard m'a fait visiter le musée.

Les bibliothécaires de la University of Toronto Robarts Library m'ont fait découvrir des atlas, des cartes et autres documents de référence. Le personnel de la Burlington Public Library m'a aidé à trouver des articles scientifiques sur les conditions de vie des esclaves de la Caroline du Sud.

J'aimerais remercier le Conseil des arts du Canada et le Conseil des arts de l'Ontario pour leur soutien financier.

Je remercie également mon agente littéraire, Ellen Levine, qui a soutenu ce roman et sa diffusion en langue française.

Je veux exprimer ma reconnaissance envers mon éditrice, Iris Tupholme, et tous ses merveilleux collègues de HarperCollins Canada. Iris souhaitait publier ce roman avant même qu'il ne soit écrit ; elle a attendu patiemment la première ébauche, m'a suggéré des révisions et, par ses notes et nos conversations, a constamment trouvé le moyen d'être à la fois rigoureuse et encourageante. Je voudrais aussi remercier Lorissa Sengara pour ses conseils éditoriaux et Allyson Latta pour son travail diligent de correctrice d'épreuves.

De nombreux amis m'ont épaulé dans cette entreprise de longue haleine. Il y a près de trente ans, Agnès Van't Bosch m'a incité à entreprendre une série de voyages en Afrique de l'Ouest à titre de bénévole pour Carrefour canadien international. Encyclopédie ambulante sur l'Afrique et ses cultures, ses langues, sa documentation, Agnès m'a fourni des suggestions sur le roman et un lieu retiré pour écrire. Charles Tysoe a lu les premières versions et donné son avis sur les questions religieuses. Il m'a également guidé pour trouver des ouvrages fort utiles et fait germer l'idée d'écrire le chapitre « Les pays moins bénis que toi ». Jack Veugelers, ami de longue date et professeur de sociologie à la University of Toronto, a attiré mon attention sur certains articles scientifiques et manifesté sa confiance envers ce livre tout au long de sa conception. Judith Major, Rosalyn Krieger et Sandra Hardie ont été de bon conseil dans les versions préliminaires. Barbara et John McCowan, Deborah Windsor et Ray Argyle, Michael et Cara Peterman, Laura Robinson et John Cameron, Conny Steenman-Marcusse ainsi qu'Al et Mary Lou Keith m'ont remis les clés de leurs maisons – toutes bien garnies de victuailles, de café et de fauteuils confortables – pour que je puisse travailler pendant de longues périodes dans la tranquillité. Randy Weir m'a fait partager ses immenses connaissances et sa collection de livres sur la monnaie en usage au XVIIIe siècle dans les colonies britanniques, et Peter Haase m'a expliqué le fonctionnement des presses à imprimer traditionnelles. La romancière Lauren B. Davis et son mari, Ron Davis, m'ont procuré une vision d'ensemble et des encouragements quand cette histoire prenait sa forme finale.

J'en viens maintenant à ma famille. Ce roman est le premier livre que j'ai écrit sans les conseils de mon père, Daniel G. Hill. Il est décédé avant que la rédaction ne soit avancée, mais son amour des récits et sa passion pour l'histoire m'ont insufflé le courage de poursuivre mon travail. Ma mère, Donna Hill, a enfin été en mesure de formuler sa propre opinion sur l'un de mes livres sans subir les interruptions de son mari bien-aimé. Sandy Hawkins, ma belle-mère, m'a aidé à l'étape de la correction des épreuves et a mené une quantité considérable de recherches. Sandy et mon beau-père, William Hawkins, se sont occupés de mes enfants pendant que j'écrivais et m'ont ouvert leur maison pour me permettre de me concentrer pendant de longues périodes de travail. Ma sœur, Karen Hill, m'a également aidé dans mes recherches, et elle et mon frère, Dan Hill, ont lu des ébauches du roman et fait part de leurs observations. La première personne qui a commenté la version initiale du roman a été ma belle-fille Evie Freedman qui, à l'âge de dix ans, avait déjà lu plus de livres que la plupart des adultes, y compris moi. Evie m'a encouragé à étoffer le passage sur l'enfance d'Aminata à Bayo, et j'ai suivi son conseil. Geneviève Hill, ma fille aînée et lectrice enthousiaste, a commenté une version ultérieure.

Dans cette maison de fous pleine de tendresse que nous appelons notre foyer, mes autres enfants – Beatrice Freedman, et Andrew et Caroline Hill – non seulement ont supporté mes disparitions pour écrire *Aminata,* mais se sont avérés de brillants auditeurs et interlocuteurs autour de la table. J'admire le dynamisme de mes enfants, et j'espère que mes passions leur servent d'inspiration.

Je n'aurais pas trouvé la force, le courage et le temps d'achever ce roman sans l'assistance affectueuse sur tous les plans de ma femme, Miranda Hill. Passer de longues années dans un travail intellectuel – sans la garantie d'un livre fini comme résultat – peut devenir un mode de vie bien solitaire. Miranda était la seule personne avec qui je pouvais parler en tout temps de l'état du roman, qu'il avance, recule, dévie ou n'aille nulle part. Pendant toutes les années que j'ai consacrées à ce livre, elle m'a dit chaque jour qu'elle m'aimait. C'est elle qui nous a nourris, les enfants et moi, et a veillé sur nous tandis que je martelais le clavier. Quand j'étais prêt à montrer mes ébauches, Miranda formulait des suggestions pratiques sur chaque page. Elle fut ma première éditrice, ma première critique, mon meilleur soutien, ma formidable femme... et je la remercie de tout mon cœur.

Aminata
composé en New Baskerville corps 11
a été achevé d'imprimer
sur les presses de Marquis imprimeur
au cours du mois de février 2011
pour le compte des éditions de la Pleine Lune.

Ce livre a été imprimé sur du papier 100 %
postconsommation, traité sans chlore, certifié ÉcoLogo
et fabriqué dans une usine fonctionnant au biogaz.

Marquis imprimeur inc.

Québec, Canada
2011

Imprimé au Québec (Canada)